W9-CNM-623

ДЕТЕКТИВ
глазами женщины

ТАТЬЯНА ПОЛЯКОВА

ЧЕГО ХОЧЕТ ЖЕНЩИНА

МОСКВА, «ЭКСМО-ПРЕСС», 1999

УДК 882
ББК 84(2Рос-Рус)6-4
П54

Разработка серийного оформления
художника *С. Курбатова*

Полякова Т. В.

П 54 Чего хочет женщина. Как бы не так: Повести.— М.: ЗАО Изд-во ЭКСМО-Пресс, 1999.— 480 с.

ISBN 5-04-000677-2

Красавица Лада поистине роковая женщина. Нет мужчины, способного устоять перед ее прелестями. Муж-актер и любовник-бандит всего лишь послушные марионетки в ее руках, а тут еще рядом подружка с грандиозными планами создать пусть и небольшую, но зато собственную криминальную империю. А почему бы и нет? И две красавицы начинают действовать...

УДК 882
ББК 84(2Рос-Рус)6-4

ISBN 5-04-000677-2

ЧЕГО ХОЧЕТ ЖЕНЩИНА

ПОВЕСТЬ

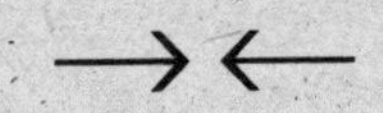

Мы с мужем совершали ритуал: чаепитие перед спектаклем. Муж просматривал газету, прихлебывал чай из огромной чашки и сообщал мне последние театральные новости. Рассказчик он хороший, чего не скажешь о его игре. Я пила чай из чашки поменьше, с удовольствием смотрела на его красивое лицо и жалела, что он мой муж. Услышав звонок в дверь, я досадливо поморщилась — по четвергам, а был четверг, мы предпочитали проводить день вдвоем. Муж посмотрел на меня поверх газеты.

— Кто бы это?

— Понятия не имею, — ответила я и хотела подняться, но он опередил меня.

— Сиди, дорогая, я открою, — муж у меня джентльмен.

Звонок надоедливо трещал, затем хлопнула дверь, и я услышала голос моей подруги Таньки, при звуках которого меня всегда пробирает дрожь. Болтать она начала с порога, муж довел ее под руку до кухни.

— Привет, — буркнула она и тут же добавила: — Я влюбилась.

— Чудесно, — без иронии заметил муж. — Присутствовать можно?

— Оставайся, — разрешила Танька. — Тебе полезно послушать. Что-то ты больно спокоен, друг мой, а с такой женой, как у тебя, всегда надо быть начеку.

— Приму к сведению. Так что там за новый возлюбленный?

Танька влюблялась, как правило, четырежды в год, вспышки приходились на средний месяц каждого сезона, она объясняла это особыми токами в крови.

— Ну, так что за любовник? — подала я голос. — Что он, красив, умен?

Танька подозрительно покосилась на меня.

— Что-то ты бледная сегодня.

— Это освещение.

— Может, и освещение, а по мне, ты слишком много пялишься на своего красавца мужа. Кстати, мужчине вовсе не обязательно быть красивым, а ум ему уж точно ни к чему.

— Значит, твой любовник безобразен и глуп?

Танька стала сверлить меня взглядом, силясь понять, говорю ли я серьезно или дразню ее. Наверняка лицо у меня сейчас довольно глупое, зато непроницаемое. Я пользуюсь своим лицом как ширмой. Не обнаружив ничего похожего на насмешку, Танька улыбнулась.

— Он чудо.

— Прошу прощения, леди, — встрял муж. — Пикантные подробности будут?

— Разумеется, — ответила Танька.

— Тогда я удаляюсь. Терпеть не могу, когда хвалят других.

Муж поднялся и, одарив меня самым нежным взглядом из своего арсенала (в театре он играет преимущественно любовников), скрылся в гостиной.

— Хорош, черт, — вздохнула Танька.

— Хорош, — отозвалась я. — Ну, что там с любовником?

— Он из Сан-Франциско.

— А где это?

— Не прикидывайся. В Америке.

— Серьезно? А здесь-то ему что надо?

— Контракт приехал заключать. Мост будут строить.

— Через нашу канавку, что ли?

— Ты чего сегодня вредная такая, женские недомогания?

— Да я так просто, выясняю, — мирно сказала я. — Контракт заключили?

— Нет. Думаем. Уж больно круто.

— Так ведь из Сан-Франциско люди едут.

— Вообще-то он грузин.

— Но из Сан-Франциско. Любопытно.

Танька опять стала сверлить меня взглядом.

— Не вредничай, родители у него эмигрировали. — Тут она лучезарно улыбнулась и спросила: — Доброе дело сделать хочешь?

— Хочу, если это не дорого.

— Не дорого. Пойдем в ресторан. Он меня поужинать пригласил. Но ведь как-то неудобно, верно?

— Отчего ж неудобно?

— Ну, у нас же вроде деловые отношения. А тут вдвоем.

— Так вы ж любовники.

— Да нет еще. В общем, я сказала, что приду с тобой, а он там какого-то хмыря притащит.

— Ты уверена, что получится приличней?

— Уверена. В шесть часов встречаемся.

— Не пойдет. Сегодня в театр иду.

— Что там делать-то? На мужа смотреть... Он тебе и так целыми днями глаза мозолит. Между прочим, не так уж часто я обращаюсь к тебе с просьбами.

Действительно, за последнюю неделю это случилось всего каких-нибудь пять раз.

— Не пойду.

— Вот только попробуй, — сурово сказала Танька. — Может, от этого ужина моя судьба зависит. Позвоню.

Танька отбыла, крикнув мужу:

— Валерочка, котик, пока.

Валера, стоя перед зеркалом, пытался завязать галстук. Он морщился и время от времени стонал:

— Черт, это невыносимо.

Зрелище устрашающее. Я не умею завязывать галстуки. Все, чем могу помочь в этом процессе, так это напряженно морщить лоб и повторять:

— Спокойнее, милый.

Наконец с галстуком было покончено. Муж довольно улыбнулся, я помогла ему надеть пиджак, стряхнула с плеча несуществующие пылинки.

— Ты чудо, — сказал он и поцеловал меня в нос.

Я довольно улыбнулась. Прощальный взгляд в зеркало: в профиль Валера просто бесподобен.

— Какие у тебя планы на вечер? — спросил он.

— Вообще-то я собиралась в театр, говорят, ты превзошел самого себя. Должна же я это видеть.

Лицо любимого чуть вытянулось. Чего-то я с планами намудрила. Свинство, конечно, с моей стороны, сообщать ему об этом за два часа до спектакля. Я поспешно отвернулась и начала перебирать ноты на фортепиано — надо дать возможность человеку опомниться. В мужа я верю, он молодчина. Несколько лет назад ему присвоили «заслуженного», не зря присвоили: когда я, сосчитав до шестидесяти, повернулась, на лице его сияла самая ослепительная из улыбок.

— Как это мило, что ты решила посмотреть спектакль, — бодрым голосом заявил он и поцеловал меня. Несколько минут мы о чем-то поболтали, но взгляд у него был ищущий, значит, плохи дела у человека. Я проводила его до двери и чмокнула на прощание, потом вернулась в гостиную, прихватив из прихожей телефон. Выждав сорок минут, позвонила в театр. Меня попросили подождать, а когда муж взял трубку, я чуть не плача сказала:

— Валерочка, прости меня ради Бога, я не смогу прийти. Мне самой страшно жаль... Я сожгла бордовое платье, да, забыла утюг... И у тебя еще хватает совести острить?.. Нет, в другом платье не могу, к тому же настроение безнадежно испорчено.

Я повесила трубку. Бордовое платье придется на время спрятать, через месяц Валера все равно о нем забудет. Тут как раз позвонила Танька:

— Ты мне подруга или кто?

— Подруга, подруга, сейчас подъеду.

Надо полагать, это судьба.

Танька, пританцовывая, ждала на остановке. Я открыла дверцу машины, и она плюхнулась рядом.

— Мать моя, холод какой. Лето хочу. Дай гляну, что надела.

Я распахнула шубу.

— Так и знала. Выпендрилась. Теперь на тебя пялиться будет.

— Я тебе сколько раз говорила, ищи подругу хуже себя. А ты простофиля.

— Душевная я, этого у меня не отнимешь. Чего мужу сказала?

— Сказала, что платье бордовое сожгла.

— Правда сожгла? — ахнула Танька.

— Нет.

— Слава Богу, хорошее платье. А твои титьки в нем высший класс, не только мужикам, даже мне сразу чего-то хочется.

Тут Танька права: бюст у меня такой, что семь мужиков из десяти, увидев его, долго не могут захлопнуть рот, остальные трое живут с открытым ртом до конца жизни.

Танькин возлюбленный ждал нас при входе. Грузинского в нем только и было, что темные волосы, а вообще-то отнести его к какой-либо национальности было весьма затруднительно. Впрочем, Сан-Франциско далеко, и кто знает, какие там грузины. Понять, чего Танька в нем нашла, было невозможно, но она во всем проявляла такую стойкую оригинальность, что я давно оставила всякие попытки что-нибудь в ней уразуметь. Второй кавалер был совершенно бесцветен, к тому же по-русски не говорил, пялился на меня, что-то лепетал и все норовил ухватить за коленку. Черт его знает, что он там себе вообразил. Через полчаса стало ясно — ужин не удался. Сначала это поняла я, а потом дошло и до Таньки; возлюбленный говорил только на две темы: контракт и мост. Танька ерзала, смотрела на него по-особенному, потом притомилась и заявила, что от нее мало что зависит. Это она врала из вредности. Через час мы уже меленько трусили к моей машине. Танька материлась, скользя на высоких каблуках.

— Нет, ты скажи, где еще такого дурака увидишь? А ты ехать не хотела. Да его за деньги надо показывать.

Баба из трусов выпрыгивает, а он ей про мост лапшу вешает. Все, это последний американец в моей жизни.

— Он грузин.

— Козел он прежде всего. Ох... Ну что? Поехали к Аркашке, что ли? Напьюсь с тоски.

— К Аркашке не поеду. Позавчера был. Надоел до смерти.

— Бабки стричь не надоело. Поехали, не бросишь же ты меня, когда я в таком положении.

— В каком положении?

— В трагическом, дура.

— Поехали, — сказала я, заводя машину.

— Давай по объездной, быстрей получится.

Но едва мы выехали на объездную, как в машине что-то подозрительно хрюкнуло, и она заглохла.

— Чего это? — недовольно спросила Танька.

— Бензин кончился.

— Вечно у тебя что-нибудь кончается. Вываливай титьки на дорогу, мужиков ловить будем.

— В шубе я.

— Распахни.

Мы вышли из машины, закурили и стали ждать появления спасателей.

— Зараза, холодно-то как.

— Холодно, Танюшка, холодно.

— А я еще сдуру без трусов. Выпендрилась, прости Господи, чулки и подтяжки... Для кого старалась!

— Может, ты в машину сядешь, чего задницу морозить?

— Хрен с ней, с задницей, все равно не везет.

Тут в досягаемой близости появился «москвичонок» и притормозил.

— Чего у вас, девчонки? — весело спросил дядька в лисьей шапке.

— Ничего у нас для тебя нет, дорогуша, — ответила Танька. — Кати дальше.

Дядька укатил.

— Чего ты? — спросила я. — Плеснул бы бензинчику.

— Душа у меня горит.

— Ага. Душа горит, а задница мерзнет.

Тут подкатила «бээмвэшка», первым вышел водитель, здоровенный детина с наглой рожей, за ним появился пассажир. Кожаные куртки, норковые шапки, одно слово — униформа. Первый радостно осклабился и спросил:

— Что, девочки, загораем?

— Загораем, — бойко ответила Танька, оглядывая парня с ног до головы, плохое настроение с нее как ветром сдуло. Танька от здоровых мужиков просто дурела, она их, как свиней, килограммами мерила.

— Что случилось-то?

— Бензин кончился.

— Что ж вы так, девочки? Придется помочь. Как думаешь, Дима?

Дима подошел поближе и улыбнулся. Улыбка у него — лучше не бывает.

— Поможем, конечно.

Нас разглядывали. Мне что, не жалко. Танька стояла подбоченясь, ухмыляясь и выглядела сногсшибательно. Парни засуетились, потом пошептались о чем-то возле своей машины и опять подошли к нам.

— Девочки, накладочка вышла, — сказал первый. — Бензина у самих маловато, придется до заправки ехать.

— Ясно, — усмехнулась Танька.

— Да нет, серьезно, хотите, я вам Димку в залог оставлю? — Парень сделал паузу и добавил, глядя на Таньку: — Можешь со мной поехать, если не веришь.

— Пожалуй, так надежней будет, — засмеялась она и, покачивая бедрами, пошла к «БМВ». Я села в свою «восьмерку» и открыла правую дверь.

— Садись, Дима.

Он сел, я включила свет в салоне, чтобы получше его разглядеть, ну и, само собой, чтоб и он увидел, кто с ним рядом. Дима был хорош. Лет двадцати пяти, голубые глаза, чувственные губы и улыбка героя американских боевиков. Еще одним явным достоинством Димы было полное отсутствие наглости: во взгляде, в улыбке, в манере сидеть.

— Курить можно? — спросил он.

— Можно, — улыбнулась я.

— А вы курите?

— Иногда.

Мы закурили.

— Думаю, они не скоро вернутся, — заметил Дима, но опять-таки спокойно, без нажима.

— Я тоже так думаю, — согласилась я. — Если уйдешь, я не в претензии.

— Да нет. Спешить мне некуда. Как вас зовут? Глупо разговаривать, не зная, как обратиться к человеку, — сказал он, словно извиняясь.

— Лада. Лада Юрьевна.

Он улыбнулся.

— Имя у вас интересное. Редкое.

— Да, имя у меня редкое. А тебя зовут Дима. Чем занимаешься? Ничего, что я спрашиваю?

Он пожал плечами.

— На станции техобслуживания работаю, слесарем.

— Нравится?

— Нравится. Я с детства машины люблю. Вот сломается ваш «жигуленок», приезжайте, сделаю в лучшем виде.

— Да вроде бы миловал Бог, пока бегает.

— Новая машина?

— Да.

— Ваша или мужа?

— Моя.

— Я себе тоже машину собрал, полгода возился, но не зря. Хорошая машина. — Он вдруг запнулся и спросил: — Вам, наверное, смешно?

— Почему? — удивилась я.

— Ну, я ведь не слепой, кое-что вижу: шуба песцовая, своя «восьмерка», одно ваше кольцо стоит дороже моей тачки. Муж коммерсант?

— Муж у меня актер, в театре играет. Папа у меня хороший.

— Ясно. А вы чем занимаетесь?

— В музыкальной школе работаю, детишек учу.

— На пианино?

— Да.
— Руки у вас красивые.
— Руки? — улыбнулась я.
— Об остальном не говорю. Слов нет. Без шуток.
— Спасибо. Мне приятно. Слушай, ты сладкое любишь? У меня шоколад есть.
— Люблю, — улыбнулся он.

Мы разломили плитку пополам, я быстро свою съела, а Дима от своей половинки отломил чуть-чуть, остальное протянул мне, вышло это трогательно и мило.

— В армии почему-то очень сладкого хотелось, — сказал он, а я спросила, где служил? — и разговор пошел сам собой, точно мы знали друг друга давным-давно. Когда впереди показалась «БМВ», я даже ощутила что-то вроде досады.

— Вот и Вовка с вашей подругой. — По Диминому голосу было ясно, что дружок мог бы и не торопиться. Вова вышел, достал канистру из багажника и подошел к нам.

— Дима, — сказал Вовка, ухмыляясь, — тебя Лада довезет, ладно? У меня тут... в общем, доедешь, да?
— Доеду, — ответил Дима. — Лада, воронка есть?
— Есть, в багажнике. — Я подала ему ключи. «БМВ» с Вовкой и Танькой укатила, я тоже завела машину.
— Ты где живешь? — спросила я Диму. Он посмотрел мне в глаза.
— А вы очень торопитесь?
— Да нет. Хочешь, покатаемся?
— Хочу.
— Тогда за руль садись, я, когда болтаю, езжу неаккуратно.

Машину Дима водил мастерски, вообще смотреть на него было одно удовольствие. Мы катались по вечернему городу и болтали, пока я не сказала, смеясь:
— Дима, у нас с тобой опять бензин кончится.
— Понял, — ответил он.

Мы поставили машину в гараж и домой поехали на такси, возле моего подъезда простились, Дима уехал, а я поднялась к себе, переоделась, поставила чайник на плиту и стала ждать Валеру. Мысли мои были приятны, и настроение отличное, выходило, что Танька в этот вечер меня вытащила из дома не зря.

Утром мы поднялись поздно — по пятницам я работаю во вторую смену, у мужа репетиция в двенадцать, можно было отоспаться. Я готовила завтрак, скучала и прикидывала, чего бы мне захотеть. Помучившись немного, я захотела новую машину. Следовало подготовить мужа.

— Валерочка, — сказала я, — у меня с машиной что-то. Не заводится.

— Да? — Муж в автомобилях не разбирается, у него своя «девятка», в ней вечно что-то ломается, муж злится и о машинах говорит неохотно. — Наверное, зажигание, надо посмотреть.

Тут в дверь позвонили.

— Что за черт, — сказал Валера. — Ни дня без гостей, — и пошел открывать. Однако голос его мгновенно переменился. — Аркадий Викторович, — радостно запел он. — Проходи. Куда пропал? Только вчера тебя вспоминали.

— Ох, Валера, работа в гроб вгоняет, связался с этой коммерцией, век бы ее не видать. Как вы?

— Нормально, проходи. Лада на кухне. Лада, посмотри, кто пришел.

В кухню бочком и слегка пританцовывая вкатился Аркаша, маленький толстый старый еврей, мой любовник.

— Здравствуй, Ладушка, — пропел он и к ручке приложился.

— Аркадий Викторович, что невеселый?

— Заботы одолели. Чайком не напоите?

— Конечно. — Муж поставил чайничек. — Может, коньячку? Хороший, армянский.

— Ох, нет, спасибо. Бросать надо коньячок. Сердце прихватывает.

— Рано тебе на здоровье жаловаться.

— Какое там, Валера, — Аркаша махнул рукой. —

Стар, стар стал, пора на покой, сына бы на ноги поставить.

Аркаша пил чай и лучисто улыбался. Физиономия у него круглая, как луна, и чрезвычайно добродушная. По внешнему виду Аркаши никто бы не догадался, что это редкий подлец, жулик и бандит. Они с Валерой пили чай, а я за ними ухаживала.

— Лада на машину жалуется, — сказал Валера. — Что-то у нее там с зажиганием.

Аркаша кивнул:

— Посмотрим, пришлю кого-нибудь. А твоя как?

— Не знаю, что с ней делать... Продать надо к чертовой матери.

— Давай ее сыну покажем, он у меня такой мастер, сам удивляюсь. Талант у парня. Продать всегда успеешь.

Через час Валера засобирался на репетицию, ласково простился с Аркашей и отбыл. Я его проводила и вернулась на кухню.

— Ладушка, — запел Аркаша. — Красавица ты моя, соскучился. — Он обнял меня за талию и прижался головой к моему животу.

— У меня машина сломалась, — сказала я.

— Слышал. Сделаем.

— Надоело мне на этом старье ездить.

Аркаша подпрыгнул.

— Ладуль, какое старье, побойся Бога, машине полтора года.

— Я и говорю, старье.

Аркаша заерзал.

— Старье... Я на своей три года езжу.

— Вот и езди, а мне надоело.

— Да ты с ума сошла, — он руки расцепил и нахмурился. — Чего тебе еще?

— «Волгу».

Аркаша, как я и предполагала, схватился за сердце.

— Спятила баба. «Волгу». Совесть надо иметь. Я на тебя трачу больше, чем на всю свою семью.

— Я ж тебя не граблю, продай мою «восьмерку», деньги забери.

— Что их забирать, все равно выцыганишь. Ух, глаза бесстыжие.

— Жадничаешь, черт плешивый, — сказала я и хлопнула тарелку об пол. — Дожадничаешься. Брошу к чертовой матери.

— Как же, бросишь, — ядовито сказал Аркаша. — А деньги? Ты за деньги удавишься.

— Найду другую дойную корову, вон Лома, например.

— Лома? — Аркаша опять подпрыгнул. — Да Лом сам смотрит, как бы с баб содрать.

— Ничего, я его так поверну, молиться на мою задницу будет, не говоря уж о прочих интересных местах.

Аркаша стал менять окраску с обычного бледно-фиолетового до багрового, потом вдруг позеленел.

— Ну до чего ж подлая баба, мало я на тебя трачу, Лом ей понадобился. А этот, сволочуга, все Ладушка да Ладушка, пущу в расход подлеца.

— Чего городишь-то? Кто с твоими бандюгами управляться будет? Они тебя в пять секунд почикают. Пропадешь без Лома.

— Ох, Ладка, узнаю чего, я тебя... — Аркаша запнулся, прикидывая, что он мне такое сделает, но, так и не придумав ничего особенного, махнул рукой. — Ты перед Ломом титьками своими не тряси, у него и без того рожа блудливая, так по тебе глазищами и шарит. Ну что тебе «Волга», корыто, прости Господи, уж покупать, так импортную.

— Я патриотка, родную промышленность поддержать хочу.

— Шлюха ты, бессовестная баба и шлюха.

— А ты пенек старый, — заявила я и стала разливать чай. Аркаша посидел, посопел, вернул себе обычный цвет и, почесав грудь, сказал:

— Ладушка, чеченцы вчера опять были, слышишь?

— Гони в шею. Говорили уже.

— Деньги-то какие сулят.

— Они посулят, а потом брюхо-то жирное тебе вспорют. Свяжешься с нехристями — брошу. Ей-Богу, брошу и на деньги твои наплюю.

Я подумала и на всякий случай вторую тарелку грохнула. Тарелок было не жалко.

— Ты подожди, — опять запел Аркаша. — Дело-то выгодное, подумай, мы ведь в сторонке будем. А деньги-то какие.

— Аркашка, — грозно сказала я, — отвяжись. Нутром чую, свяжешься с чечней, каюк тебе.

Он вздохнул. В мое нутро Аркаша верил свято. Лет пять назад подъехали к нему с большим делом, мне же предложение пришлось не по душе, ругались мы дня два, Аркаша уступил, потом дурью орал, злился, что из-за меня миллионов лишился. Но вскоре ребятки отправились восемь лет строгача отсиживать, а толстяк тихой сапой их дело к рукам прибрал, просил прощения, руки целовал и с тех пор больше советов моих ослушаться не смел. Аркаша еще раз выразительно вздохнул.

— Ладно, нет так нет. А с долгом что делать будем, неужто отдавать?

— Еще чего. Перебьются.

— Грозились.

— Ты на них Лома спусти. Нечего ему задницу просиживать. Обленился, кобель здоровый, только и знает девкам подолы задирать. За что ты ему деньги платишь?

— И то верно. Пусть поработает.

Аркаша успокоился и опять ко мне полез.

— Ладушка, красавица ты моя.

Я чмокнула его в лысину. Аркаша обиделся.

— Ну что ты за баба такая, ласкового слова от тебя не дождешься. Все только дай да дай. Пожалела бы ты меня.

— Чего тебя жалеть?

Он вздохнул:

— Старею. Давление у меня. Сердце.

— Не прибедняйся. Ты меня переживешь. Давление. Лопать меньше надо.

— Куда меньше. Не пью совсем. Коньячку только.

— Водку пей. Поправишься.

— Дай я тебя хоть поглажу.

— Погладь.
— Ладуль, приедешь завтра?
— Приеду. Про машину не забудь.
— Не забуду. Какой у нас праздник?
— Двадцать третье февраля.
— Вот, будет тебе подарок к Дню Красной Армии.

Вечером я сидела в учительской, подбирала репертуар любимым чадам. Во всей школе оставалось человек десять, вахтерша дремала за стойкой, было тихо, и уходить не хотелось. Тут черт принес Таньку, она вплыла в учительскую, выдала улыбку и полезла целоваться.

— Ну что, как там Вовка? — спросила я. Танька потянулась, демонстрируя свои прелести, и сказала с усмешкой:

— Заездил, черт. Не мужик, а конфетка. Только взять с него нечего, за душой ни гроша, «бээмвэшка» паршивая да пара сотен. Что за напасть такая — как мужик путный, так обязательно нищий, как богатый, так либо подлец, либо импотент. Одно слово, не везет.

— Простились навеки?

— Как же. Он как увидел мою квартирку, доверху упакованную, челюсть руками придерживал да еще коленкой помогал.

— Ты завязывай мужиков домой таскать. Смотри, ограбят.

Танька задумалась.

— Так вроде парень неплохой. Хотя черт его знает. Надо Лому сказать, пусть хоть сигнализацию, что ль, какую на двери поставит, поработает.

— Ага. У Лома только одна сигнализация работает, в штанах.

— Это точно. Мента надо в любовники. Пусть квартиру сторожит.

— Заведи.

— Попозже. С Вовкой разобраться надо.

— Зачем он тебе? Сама говоришь: нищета.

— А я за него замуж выйду.

Я хмыкнула, а Танька обиделась.

— А что? Он и моложе-то меня лет на пять всего. Возьму к себе на работу, человеком сделаю, знаешь как заживем. — Танька задумалась, потом сказала: — В люди выведешь, обуешь, оденешь, а он, подлец, по бабам шляться начнет.

— Так ведь еще не начал.

— Ой, Ладка, все мужики подлецы. А твой как?

— Покатались, до дома проводил.

— И не трахнулись?

— Нет, конечно.

— Че делается. Совсем баба дура.

— Я тебе уже говорила, у порядочной женщины может быть один муж и один любовник. Два — перебор.

— А если мужа нет, сколько любовников может быть?

— Сколько угодно.

— Слава тебе Господи, в порядочных хожу. — Танька насмешливо посмотрела на меня и спросила: — Не надоел тебе твой Аркашка?

— Надоел. Бросить бы его, заразу, да где еще так пристроишься? Не к Лому же на поклон. Давно жмется, и на роже написано: «Не потрахаться ли нам, дорогуша?»

— Не вздумай с Ломом вязаться. Подлюга. Аркашка надежнее.

— Вот и я так думаю.

— Засиделась ты возле него. Погулять надо. Пригрей Димку. Мальчик-то какой, а улыбочка!

Я махнула рукой.

— Машину хочу — «Волгу». Аркаша обещал.

— Ой, Ладка, — Танька головой покачала. — До чего ж ты на деньги жаднющая, прямо патология какая-то. Все тебе мало. Деньжищ у тебя — на всю жизнь хватит, а ты... сидишь возле Аркашки, на хрена он тебе сдался, старый черт? Плюнь на него, заведи мужика путного, бабьего веку осталось совсем ничего.

— Отстань, — сказала я. — У тебя мужики, у меня деньги.

Танька вдруг заерзала.

— Ты меня домой не отвезешь? Что-то беспокойство у меня. Правда не ограбили бы. — Как Танька по мужикам ни сохла, но барахло любила еще больше.

— Отвезу, — засмеялась я.

В машине Танька опять начала приставать ко мне:

— Мужа ты своего не любишь, Аркашку едва терпишь... Вышла бы замуж за хорошего человека, ребенка бы родила.

— Отстань, Танька, сама рожай. Ребенка мне еще не хватало....

— Ага, я уже родила.

Бывший Танькин муж был алкоголик, у их ребенка была болезнь Дауна, Таньку он даже не узнавал, но она его жалела и регулярно ездила к нему. Возле дома она тяжко вздохнула:

— Прямо боязно идти. Умеешь ты настроение испортить.

— Да ладно, ступай, цело твое барахло.

Я поехала домой, размышляя над Танькиными словами. И мужа я давно не любила, и Аркашка мне надоел, и денег я желала до судорог. Мой роман с деньгами начался давно и поначалу неудачно. Родители жили скромно, а я всегда мечтала о респектабельности, но по молодости дала маху: вышла замуж за актера. И ладно бы просто вышла замуж, а то ведь влюбилась, как кошка.

Было мне девятнадцать, училась я в пединституте, а Валерка, закончив театральное, прибыл в наш город вместе со своим курсом и дипломным спектаклем «Милый друг». Он играл Жоржа Дюруа и был так хорош, красив и сокрушительно нахален, что дух захватывало. После спектакля я потащилась к нему с цветами и таскалась до тех пор, пока он не созрел до понимания простой истины: лучше меня никого на свете нет. Через месяц он признался мне в любви, через три мы поженились. Жили у родителей, спали на кухне, квартира однокомнатная. Зарплата у него была копеечная, и плюс моя стипендия. А тут квартиру предложили. Заняли денег. Бились как рыба об лед. Валерка по деревенским клубам катался, я полы в поликлинике по вечерам намывала, и все равно ни на что не хватало. Получили квартиру, еще беда — мебель. Опять долги. Я чулки штопала и ревела, учеников набрала столько, что от музыки, даже хорошей, тошнило. А тут беременность. Валерка за голову схватился.

— Лада, куда нам ребенок? Как мы на мою зарплату проживем?

Решили подождать. Я слезами обливалась, а в больницу все-таки пошла. Но доконало меня не это. Как-то, возвращаясь с работы, влетела в троллейбус, денег не было ни копейки, в кошельке один ключ, но устала я страшно, спину разламывало, и решила рискнуть. А тут, как на грех, контролер, и народу всего человек десять. Вся кровь мне в лицо хлынула, я стояла ни жива ни мертва, а рядом парень, молодой, не старше меня, одет с иголочки, на пальце печатка грамм на пятнадцать, и губы насмешливо кривятся. Посмотрел на меня, купил билет и мне протянул. Я взяла. На остановке вылетела из троллейбуса, он за мной, крикнул:

— Эй, подожди, — и подошел вразвалочку. А я точно свихнулась.

— Сволочь, — заорала. — Сволочь.

И бегом домой, слезы по щекам размазываю, трясусь и сама себя ненавижу. Ни о чем, кроме денег, я уже думать не могла. А их не было.

Валерка не выдержал первым. Ходил измученный, нервный, злой, а потом как-то враз переменился, ласковый стал, все Ладушка да Ладушка. Я гадала, в чем дело, пока мне Танька глаза не открыла:

— Баба у него, торгашка. Лет на сто старше. Он на ее тачке разъезжает по доверенности, а она его после спектакля встречает и в ресторан. Хорошо устроился.

Я пошла взглянуть на торгашку. Выкатилась баба лет сорока пяти, толстая, некрасивая, лицо отечное, мешки под глазами, и смолоду, видно, красотой не блистала, а теперь и вовсе ей природа ничего от щедрот своих не оставила. Но пальто на ней было класс и сапоги тоже, и топала она в тех сапогах к собственным «Жигулям». Я опять ревела, не от обиды даже, а от жалости к Валерке, каково ему с такой жабой спать? Деньги... Ох как денег хотелось! Прикидывала, где бы заработать, и так и эдак, ничего не выходило. На мужиков не смотрела, воспитание не то, замуж девицей выходила, и Валерке изменять было стыдно, хоть он этого и заслуживал. Отметили мой день рождения, ухнув всю зарплату, а на следующий день Танька пришла.

— Муж где?

— В театре. Премьера сегодня.

— А ты чего не пошла?

— Не в чем. Одно платье приличное, я в нем три года хожу. Люди думают — униформа, за билетершу принимают.

— Так, — сказала Танька. — Хватит тебе пялиться на красивую рожу своего мужа. Завязывай. Пора зарабатывать деньги.

— В проститутки не пойду. Брезгливая я.

— Не ходи. Пойдешь в содержанки.

— Чего ты городишь.

Танька закурила и сказала очень серьезно:

— Ладка, мужик у меня есть... Нам такие деньги никогда и не снились. Я у него долго не продержусь, характер не тот, не умею я мужиками вертеть, а ты баба железная, ты его до нитки оберешь. А я помогу. Ну что?

Мы посмотрели друг на друга, и я сказала:

— Как ты меня ему подсунешь, дура? Придешь и скажешь, вот моя подружка, трахайте за деньги?

— По-умному сделаем. У меня и план есть.

— Какой план, Танька?

— Хороший план. В воскресенье придешь, познакомитесь.

Когда в воскресенье я увидела Аркашу, меня затошнило — старше меня лет на тридцать, достает мне до уха, хотя рост у меня не Бог весть какой, плешивый, и рожа глупая-преглупая. Я улыбалась, вела себя скромно, к Аркаше выказывала интерес. На кухне шепнула Таньке:

— Да есть ли деньги-то у него, по виду — лопух.

— Есть. Что я, родной подруге свинью подложу?

Посидели мы втроем очень мило, и я Аркаше понравилась, он потом у Таньки про меня выспрашивал, а она, дурочкой прикинувшись, охотно отвечала. Мы не торопились, Аркаше я глаза не мозолила, виделись всего пару раз, но стараниями Таньки интерес ко мне поддерживался. Выбрали день, когда он должен был прийти, я явилась на час раньше, и Танька мне сказала:

— Ладка, муж у тебя актер, за пять лет кой-чему ты у него должна была научиться. Реви так, чтоб деревянного проняло.

И я заревела. Звонок в дверь, Танька открывать пошла, дверь в комнату распахнута настежь, Аркаша на пороге с цветочками, а Танька ему:

— Извини, ради Бога, не до гостей сегодня.

Аркаша увидел, как мой бюст ходуном ходит от горьких рыданий, и в квартиру прошмыгнул.

— Что случилось? Почему Лада плачет?

Танька и из себя слезу выжала:

— Иди, Аркаша, не до тебя сейчас. — А он уже в комнате.

— Лада, что с тобой?

— Отстань от нее. Тут такая беда. Ей завтра за квартиру отдавать, собрали деньги, а у нее кошелек в троллейбусе украли. Мужу говорить боится, половина денег в долг. Ох, голова раскалывается, что делать, не придумаю.

Я реву еще громче, голову руками обхватив, а Аркаша бочком ко мне.

— Лада, не плачь, я помогу. Дам я тебе денег.

— Что ты болтаешь, а? — говорит Танька. — Как она тебе их вернет, что мужу говорить будет?

А Аркаша меня по коленочке гладит и ласково так говорит:

— Мы договоримся, Лада, договоримся.

На следующий день приехал ко мне в школу; я всю ночь на кухне книжку читала, чтоб с утра помятый вид иметь, вышла из учительской, головка набок, глаза опущены, а он мне конвертик.

— Вот, Ладушка.

Взяла дрожащей ручкой и сказала:

— Спасибо, Аркадий Викторович.

Через недельку он пригласил меня на дачу. Поехала. За свои деньги Аркаша хотел многого, и я старалась, как могла, ублажала. Однако и управляться с ним научилась быстро. Месяца не прошло, а я уже вертела Аркашей и так и эдак. На деньги был он жаден, но против моего напора устоять не мог. Стал интересоваться моей квартирой, к тому моменту было ясно, что никуда Аркаша от меня не денется, увяз, и я сказала правду. Головой покачал, посмеялся и похвалил:

— Хорошо, что не врешь.

Аркаша быстро шел в гору, а вместе с ним и я. Чуть что, грозилась бросить к чертовой матери. Поначалу он боялся, а потом понял: деньги я люблю до одури и никуда не денусь. Успокоился, ревновал больше для порядка, и как ни странно, а верил мне. И я к Аркаше привыкла. Хоть и противны были его потные ладошки, однако душа родная и дело общее; на свой лад я его даже любила.

Но и Танька была права — бабьего веку оставалось не так много, и возле Аркаши я явно засиделась. Хотелось моей душе чего-то. Потому и о Димке второй день думала, не то чтобы мечтала, а так, нет-нет да и вспомню, улыбнусь.

В понедельник он мне позвонил в школу. Начал путано:

— Лада Юрьевна, это Дима, мы с вами в четверг познакомились, у вас бензин кончился.

— Дима, — засмеялась я. — Неужели ты думаешь, что я тебя забыла? Откуда звонишь? Я через час заканчиваю, может быть, встретишь меня?

— Конечно, — а в голосе такая радость, кого хочешь умилит.

Он был на машине ярко-красного цвета. Ничего подобного я в жизни не видела.

— Неужели сам собрал? — ахнула я.

— Сам, — Димка даже покраснел от удовольствия.

— На такой красавице ездить страшно. — Я нахваливала машину и Димку и смотрела ласково, а он волновался и явно не знал, что со мной делать. Пришлось прийти на выручку.

— Дима, ты извини, я голодная, как волк. Может, заедем куда, перекусим?

Поехали в ресторан, сидим, друг на друга смотрим, разговариваем. Пришлось признать: Димка мне нравится. Есть в нем что-то такое, от чего сердце сладко ноет и душа поет. А он мне все «вы» да «вы».

— Дима, — говорю, — я что, очень старая?

— Нет, — испугался он.

— А чего ты мне все «вы» говоришь?

Он улыбнулся.

— Не знаю. Вы... ты... как королева... я думал, такие женщины только в кино бывают.

— Это все тряпки. Увидишь меня в халате, и я покажусь такой невзрачненькой, что смешно станет.

— Невзрачненькой? — улыбнулся он. — Это слово тебе не подходит.

На следующий день мы опять встретились, когда муж был в театре. Летела как на крыльях, смех, да и только. Катались весь вечер по городу, болтали, я улыбалась и смотрела по-особенному, а он мне на прощание руку жал. Забавно.

На досуге я поразмыслила и решила, что пора показаться ему в халате. Сама ему на работу позвонила. Фамилии его не знала, но дама я настойчивая, потребовала Димку, слесаря. Нашли.

— Дима, — голос у меня ласковый, медовый, — это Лада. Хочу тебя в гости пригласить. Как ты на это смотришь?

— А как же... — начал он и осекся. — Хорошо я на это смотрю.

— Адрес запиши, — засмеялась я.

Уже года два, как Аркаша мне квартиру купил, там мы с ним и встречались, не грех было ее разок использовать в свое удовольствие. Дима больше вопросов не задавал, пришел минута в минуту, с цветами, шампанским и конфетами. Я открыла в халате, сказала «привет» и чмокнула его в щеку. Он покраснел, его руки забавно дрожали.

— Как я тебе в халате? — спросила я, а он ответил:

— Лучше, чем в вечернем платье.

Мы сели за стол, выпили шампанского, о чем-то болтая. Я смотрела на Димку, и сердце у меня то колотилось со страшной скоростью, то замирало. Говорить о пустяках становилось все труднее. На словах спотыкались и торопливо отводили взгляды. Я так волновалась, что бокал опрокинула, залила шампанским Димкины брюки. Вскочила и за полотенцем кинулась:

— Извини, ради Бога.

Он засмеялся:

— Ерунда.

Взял меня за руку, сердце у меня застучало где-то в горле, я посмотрела в его глаза и сказала:

— Димка, поцелуй меня, пожалуйста.

Больше мне ни о чем просить не пришлось. Любовник он был восхитительный: нежный и страстный, у любой женщины дух бы захватило. Три часа прошли, как три минуты, пора было домой. Я украдкой взглянула на часы, хотела подняться. Он меня за руку схватил, потянул на себя легонько:

— Лада...

Я только улыбнулась и, махнув на все рукой, прижалась к его груди. Через час позвонила домой, муж из театра вернулся.

— Валерочка, — сказала, — я здесь на вечеринку забрела, припозднюсь. Ты не беспокойся, меня проводят.

И опять к Димке.

Поздно ночью, когда я торопливо одевалась, он подошел сзади, обнял и спросил тихо:

— Лада, это ведь все не просто так?

Я замерла на мгновение, повернулась к нему, испуганно посмотрела:

— Глупый, неужели ты сам не видишь?

— Я люблю тебя, — очень тихо сказал он, и я тоже сказала «люблю», а чего не сказать?

Расстались мы с трудом, часа два возле моего дома в машине сидели, раз двадцать начинали прощаться и вновь откладывали расставание еще на пять минут.

Весь следующий день меня трясла любовная лихорадка, к телефону бросалась, как голодная собака, коллеги смотрели с подозрением.

Димка позвонил в три, а у меня уже руки дрожали от нетерпения.

— Димочка, — пролепетала я едва слышно и только что не заревела.

— Лада, — сказал он, голос его дрожал. — Я сейчас приеду. Ты слышишь?

— Да, — ответила я, схватила шубу и бегом кинулась из школы.

Он подъехал через пару минут, не помню, как в квартире оказались...

И пошло... Ни о чем, кроме Димки, я уже думать не могла.

— Прорвало, — усмехнулась Танька, — досиделась. Завязывай с ним, а то Аркаша быстро узнает, оторвут башку твоему хахалю, и тебе достанется.

— Не узнает, — нахмурилась я.

— Хитрости в тебе нет. Чего ты с этим пацаном по городу таскаешься? Полно знакомых, донесут папуле, глазом моргнуть не успеешь.

— А ты не каркай, — разозлилась я, потому что Танька, конечно, была права.

— Слышь, Ладка, ты баба умная, но впечатлительная. Влюбляться тебе никак нельзя. Сгоришь.

Я только махнула рукой.

Прошло недели две. Димка меня по обыкновению встретил с работы, и мы поехали на квартиру. Все было как обычно, и ничто не предвещало грозы, пока он вдруг не спросил:

— Чья это квартира?

— Моя, — с легкой заминкой ответила я.

— Но ты ведь здесь не живешь?

Димке врать не хотелось, я подумала и сказала правду:

— Я тебе про папу говорила... Папы нет — есть любовник... богатый.

Сказала и тут же покаялась. Лицо у Димки пошло пятнами, он весь затрясся.

— Ты, ты... — Он стал задыхаться, слово произнести не может. Я заревела и рассказала историю своей жизни, красочно и жалостливо; он хмурился и кусал губы. Расстались мы в этот день как-то холодно, и я вся извелась. Но на следующий день он все же позвонил мне, от сердца отлегло, но ненадолго. Димка стал задумчивый, странный, в глазах тоска. Через месяц после нашего первого свидания сказал:

— Лада, я не дурак, все понимаю... В общем, есть у меня возможность хорошо заработать... Не хотел я этого, то есть я хотел все сам... что-то я не то говорю... Если у меня будут деньги, ты его бросишь?

Я подумала, что не мешало бы мне всплакнуть, и всплакнула.

— Ты ничего не понял, — рыдала я. — Я тебя люблю, я тебя очень люблю.

Димка стоял на коленях, целовал мне руки и только что не плакал со мной.

— Лада, милая, я ведь хочу, чтобы у нас все было по-настоящему, я на тебе жениться хочу.

Эта мысль мне не понравилась.

— Димка, я ж на пять лет тебя старше!

— Ну и что? У меня мама на три года старше отца. Подумаешь! Лучше скажи, ты меня любишь?

— Люблю.

А еще через неделю мы лежали рядом, и Димка сказал:

— Глаза закрой.

— Зачем? — удивилась я.

— Очень ты любопытная.

Когда я открыла глаза, на моем животе лежал большой изумруд в оправе на длинной цепочке. Я ахнула, а потом испугалась.

— Где взял? — накинулась я на Димку.

— Купил, — пожал он плечами.

— Купил? — Я вскочила. — Откуда у тебя деньги?

— Заработал.

— Где, где ты мог заработать такие деньги?

Я разозлилась не на шутку. Димка отнекивался, а потом рассказал путаную историю о мужике, которому надо было срочно отремонтировать помятую машину. История выглядела подозрительно.

— Димка, — сурово сказала я, — ни во что не ввязывайся.

Он засмеялся, погладил мою грудь и спросил:

— Ты меня любишь?

— Конечно, люблю.

— Бросишь его?

— Брошу, только дурака не валяй.

Как Аркаша и обещал, машину я получила к двадцать третьему февраля. Надо было его отблагодарить, и я поехала к Аркаше в контору. Конторой именовали ресторан с дурацким названием «Ну, погоди». Придумал название сам Аркаша и страшно этим гордился. Ресторан был его легальным бизнесом и приносил ощутимый доход, здесь Аркаша проводил большую часть своего драгоценного времени, здесь строил замыслы и отсюда умело пакостил остальному человечеству.

Я припарковала машину, подкрасила губы и отправилась к дорогому другу. Было часа три, в зале пусто, за стойкой, развалясь с кошачьей грацией, сидел Генка Ломов, или попросту Лом. Был он ближайшим Аркашиным помощником по части пакостей, а здесь числился кем-то вроде администратора. Мозги Лома при желании можно было уместить в спичечный коробок, но подлец он был невероятный, и я предпочитала дружить с ним, как, впрочем, и все, с кем сталкивала его жизнь. Росту Лом был огромного, мускулатуру имел такую, что мог потягаться с некоторыми признанными звездами, рожу наглую и улыбку, как бриллиант в тридцать два карата. Был в Ломе особый бандитский шарм. К природным достоинствам странным образом приплелась любовь к гангстерским фильмам: оттуда Лом позаимствовал привязанность к дорогим костюмам, рубашкам с запонками, гладко зачесанным волосам и белому кашне. За белое кашне местная шпана его особенно уважала. В образ этот он вжился потрясающе, бабы по нему с ума сходили, и, когда по вечерам он вышагивал с ленцой по ресторану, сунув руки в карманы и насвистывая негритянский мотивчик, из всех углов неслись тихие бабьи стоны.

Несмотря на всю эту клоунаду, свое дело Лом знал хорошо, был крут, а если надо, то и беспощаден, боялись его до судорог. Аркаша Лома не любил, потому как рядом с ним выглядел сморчком, а чтоб в глаза помощнику взглянуть, голову запрокидывал чуть ли не на спину и злился страшно, но без Лома обойтись не мог и терпел его.

Генка увидел меня, блудливо улыбнулся и сказал нараспев:

— Ладушка.

— Привет, Ломик, — мяукнула я и подошла вплотную.

Он слегка раздвинул ноги, касаясь коленкой моей ноги, ухмыльнулся еще шире и только что не облизнулся. Я облокотилась на стойку — в таком ракурсе бюст мой выглядел сокрушительно. Лом воззрился на него и все-таки облизнул губы.

— Аркаша здесь?

— Ага. Вчера Косой был. Фейерверк устроил. Старичок наш убытки подсчитывает. Злой как черт.

— А ты чему радуешься?

— А мне что? Я считать не мастер. В школе двоечником был. Мое дело кулаками махать.

Лом посмотрел на свой здоровенный кулак с печаткой на мизинце и любовно его погладил. Я усмехнулась и еще чуть-чуть продвинулась вперед. Лом покосился на дверь Аркашиного кабинета, легонько меня по бедру погладил и опять пропел:

— Ладушка, красавица ты наша. Смотрю я на тебя, и челюсти сводит.

— А ты их разожми.

— Боюсь из штанов выпрыгнуть.

— А ты штаны-то сними, не стесняйся, что я, мужика без штанов не видела?

— Как же, мне Аркаша за тебя враз башку оторвет.

— Ну и что, она у тебя все равно только для красоты. Ты ж ею не пользуешься.

Он опять ухмыльнулся, спросил:

— Старичок тебе «Волгу» пригнал?

— Мне.

— Раскошелился, значит, — Лом снова погладил мое бедро. — Как он с тобой управляется, козел старый, такую бабу ублажить надо, а, Ладушка? Доведешь старичка до инфаркта. Перетрудится.

— Берегу я его, не балую.

Лом засмеялся.

— Стерва ты, Ладка.

— Конечно, стерва, а кто еще с вами, бандюгами, вязаться будет?

— И то верно, — согласился Лом. Тут дверь Аркашиного кабинета открылась, и он сам выкатился.

— Чего вы там шепчетесь? — Он нахмурился. Я подошла к нему и поцеловала в лысину.

— Спасибо за подарок.

Он подозрительно покосился на меня, потом на Лома и сказал:

— Идем, поговорить надо.

В кабинете я села на стол, распахнув шубу.

— Коленки-то убери, — досадливо буркнул Аркаша. — Войдет кто-нибудь.

— Ну и что? Иди сюда.

— Подожди. Вчера Косой был.

— Знаю. Лом сказал.

— Грозился.

— Подумаешь. Иди, я тебя поцелую.

— Да прикрой ты коленки, ну что за баба. Ух, глаза бесстыжие.

— Отстань, надоел.

— Надоел. Только и слышу. О чем с Ломом шептались? Думаешь, не видел, как он задницу твою оглаживал? Мужа тебе мало, а? Что ты перед ним титьками-то трясешь? Ведь просил, просил же...

— Да пошел ты к черту, — сказала я и направилась к двери.

— Подожди... Куда ты?

— Домой. Тошно мне от тебя. Приехала за машину спасибо сказать, а ты, как филин, ухаешь.

Аркаша подкатился ко мне колобком.

— Ладуль, кто у тебя на квартире был?

— Сдурел? — вытаращила я глаза.

— Вчера заезжал. Пустые бутылки из-под шампанского, накурено.

— Девичник устраивала.

— Врешь. Вижу, что врешь. Узнаю чего... Молодого захотелось, да?

— Захотелось, захотелось, — вздохнула я и стала в окно смотреть. — Ты бы, зануда, спасибо сказал, что я с тобой столько лет живу и ни разу тебе не изменила. Докаркаешься, начну таскать на квартиру кого попало.

— Я тебе потаскаю... — начал Аркаша, но закончить не успел, в комнату кто-то вошел и сказал:

— Привет, пап.

Обращение «пап» было так забавно, что я с любопытством оглянулась и замерла с открытым ртом: на пороге стоял Димка.

— Привет, — брякнула я и улыбнулась. Димка вытаращил глаза.

— Проходи, сынок, — засуетился Аркаша, взглянул на меня и недовольно буркнул: — Иди отсюда.

Я выплыла из кабинета. В голове моей все перепуталось. Димка — Аркашин сын... А я-то хороша, могла бы поинтересоваться фамилией любимого, да и всем остальным тоже. Ситуация мне не нравилась. Что, если Димка сдуру все расскажет отцу? Прощай, денежки.

Я покосилась на Лома. Он все еще сидел за стойкой и мечтательно разглядывал потолок. На всякий случай его стоило пригреть. Я подошла и села рядом.

— Старичок не в духе? — спросил Лом.

— Не в духе. А кто это к нему пожаловал?

— Димка-то? Сын. То от папаши нос воротил, не желал знаться, а тут забегал. Папа понадобился. Аркаша взялся его натаскивать. Династия. А я вчера в театре был.

— О Господи. Как тебя занесло?

— Мужа твоего хотел посмотреть. Любопытно. Красивый мужик.

— Ага. Ален Делон.

— Не знаю такого. Видать, не из наших.

— Видать, Ломик, видать.

— Все дразнишь? — пропел Генка.

— Дразню. — Я сунула руку под его пиджак, Лом ухмыльнулся, глаза стали маслеными, он обхватил меня коленками и шепнул: — Сдурела? Увидят.

— Так нет никого.

Лом притянул меня поближе, зашептал горячо:

— Приходи ко мне, слышишь? Ты ж знаешь, как я тебя хочу. Как увижу тебя, выть хочется. Ну на кой черт тебе этот хрыч, а? Я тебя так ублажу...

— Ага, — хмыкнула я, — сам говорил: Аркаша голову оторвет.

— А ну его к черту.

Аркаша, легок на помине, выкатился из кабинета, а за ним Димка, полоснул меня взглядом и исчез за дверью. Аркаша потрусил к нам.

— Все обжимаетесь...

— Разговариваем, — ухмыльнулся Лом.

— Вижу, как вы разговариваете.

Я разглядывала его круглую физиономию, силясь отгадать, проболтался Димка или нет? Кроме обычного выражения ласковой глупости, на нем ничего не было.

— Это кто? Неужто сынок твой? — спросила я.

Аркаша нахмурился.

— Разглядела, кошка. Успела задницей крутануть.

— Не может быть у тебя такого сына. Откуда? Высокий, красивый.

— В отца, наверное, — хмыкнул Лом и тут же добавил: — Ну, пошутил...

— А Ломик прав, — мяукнула я, — наставила тебе рога лет двадцать пять назад дражайшая половина.

— Ты сына не трожь, — грозно сказал Аркаша, и

выглядел он при этом страшно забавно. Лом фыркнул и отвернулся, а я ресницами взмахнула пару раз, в глаза дурнинки напустила и сказала ласково:

— Сынок у тебя, Аркаша, красавец и на тебя похож. Что-то есть, правда. Глаза, да, Ломик?

— Точно. И волосы. — Лом радостно хрюкнул и на Аркашу покосился, а тот на меня.

— Ты на сына не смотри, слышишь? Я серьезно. Он парень молодой, кровь горячая, а ты своей задницей так накручиваешь, аж ресторан ходуном ходит. Чего ты вообще сюда приехала, я что, звал?

— Нет. Теперь и позовешь, не приду. — Сделав свирепое лицо, я направилась к выходу. Здесь меня Аркаша и перехватил.

— Ладушка, ну прости, Косой достал, ты с Ломом обжимаешься, Димка тебя увидел, неловко перед сыном. Ты бы поскромнее. Ну чего из юбки-то вылазить, а? Он мать любит, а ты... Ходишь, точно кошка. Неудобно.

— Утомил ты меня, Аркаша, — сказала я. — На тебя не угодишь. То дай поглажу, то коленки убери, то соскучился, то не звал. Пошлю-ка я тебя к черту. Подумай на досуге, чего тебе от меня надобно, и позвони.

Одно было хорошо: Димка промолчал. Следовало его найти и поговорить. Аркашин домашний телефон я знала и воспользовалась им. Трубочку сняла матушка, ласково со мной поговорила и Димку позвала.

— Дима, — голосок у меня стал тоненький, аж звенит, — нам встретиться надо. Приезжай.

— Нет, — отрезал он, а я заплакала.

— Приезжай.

— Не жди, не приеду, — и повесил трубку.

Где не приехать, приехал. Правда, часа через два и во хмелю. Глаза мутные, смотрел исподлобья, прошел, сел на диван. Я пристроилась в ногах, за руки его схватила и сразу реветь. Он горестно помолчал, погладил меня по волосам и сказал:

— Знаешь, как тебя мать зовет? «Отцова сука».

Положим, с их маменькой у нас старые счеты, но говорить ей так все же не следовало.

— Пусть зовет как хочет. Я люблю тебя.

— Господи, Ладка, ты и отец. Не могу поверить. Скажи, все это время ты и с ним...

— Нет, — зарыдала я, тряся головой. — У нас с ним давно ничего нет. Старенький он стал, не до того...

Димка дернулся и рявкнул:

— Замолчи, замолчи, слышишь...

— Дима, мальчик мой, — зарыдала я еще громче. — Чего ты себе душу-то рвешь? Ну случилось и случилось, что же теперь?

— Ничего ты, Ладка, не понимаешь. Как я тебя в дом приведу, отцову суку, как?

«Так и не надо», — очень хотелось сказать мне, но это было не к месту, а ничего другое в голову не шло. Я стала Димке зажимать рот губами, чтоб помолчал немного, потом начала торопливо расстегивать его штаны.

— Перестань, — сказал он, но не убедил меня, и кончилось все так, как я и хотела.

Мы лежали обнявшись, Димка оглаживал мою грудь.

— Поговорю с отцом. Побесится и простит. Мать жалко, конечно, а что делать?

Мне это очень не понравилось.

— Подожди, Дима, я сама с ним решу. У меня лучше получится. Ты только не торопи меня. Я все сделаю, вот увидишь, все хорошо будет.

Димка начал возражать, но я от его губ переместилась вниз, и его хватило минут на десять, потом он про Аркашу забыл, сладко постанывал, шептал «Ладушка» и в конце концов со всем согласился.

— Надо ж так нарваться, — клокотала Танька, — из всех щенков в городе выбрать Аркашкиного! Черт попутал, не иначе. Ладка, завязывай с ним, засветишься. Хочешь, я тебе мужика подсватаю? Высоченный, и весу в нем килограммов сто двадцать, ей-Богу. Огонь мужик. Хочешь?

— Ты, Танька, дура, прости Господи.

— А ты умная? Ну что тебе Димка, свет клином на нем сошелся? Да таких Димок по городу собирать замучаешься. Это ты с непривычки так к нему присохла. Пригрей другого, третьего, и все пройдет. Учись у меня.

— Отстань, Танька, Димку я не брошу. Хочу, и все.

Танька тяжко вздохнула.

— А мой-то недоумок тоже в бандюги подался... Дружки, мать его... Ошалел от денег, еще и хвалится. Недоумок, как есть недоумок. Морду отожрал, а мозгов не нажил. И откуда у Аркаши такой сын? Черт плюгавый, смастачил же. Боек был по молодости папашка.

В одном Танька была права: засветиться мы могли запросто. Следовало соблюдать осторожность. Я уговорила Димку встречаться пореже, да какое там! Стоит ему позвонить, у меня уже коленки трясутся.

— Лада, — говорит он, — просто увидимся, в машине посидим.

Как же, посидишь.

— Поедем, хоть на полчасика.

А в квартиру вошли и все на свете забыли. Я у Аркаши недели три не появлялась. Знаю, что съездить надо, а душа не лежит. Все мысли только о Димке. После Восьмого марта он за мной заехал на работу.

— Ладушка, соскучился.

У меня с утра было дурное предчувствие, знала, что не нужно на квартиру ехать, но послушалась Димку, и мы поехали.

Димка на коленях возле постели стоял и мои бедра языком нализывал, а я руками простыни мяла и сладко поскуливала. Та еще картина. Тут черт и принес Аркашу. Вкатился в комнату и заорал:

— Ах ты, сука... Чуяло мое сердце, чуяло.

Димка дернулся, поднял голову от моих коленок, и Аркаша охнул:

— Сынок... — да так и замер.

Димка стал торопливо натягивать штаны, Аркаша хватал ртом воздух, а в дверях Лом подпирал спиной косяк и ухмылялся. Я перевернулась на живот, положила головку на ладошки, задницу приподняла и мурлыкнула:

— Ломик, ты что ж в дверях-то стоишь, как не родной, ей-Богу.

Лом хохотнул и на Аркашу покосился. Тот в себя пришел.

— Оденься, потаскуха, смотреть на тебя тошно.

— Перестань, отец, — подал голос Димка.

— Сынок, — запричитал Аркаша, — ну что ты с ней связался, стерва она. Ведь все нарочно делает, из подлости, чтоб досадить. Ты думаешь, она с тобой спит так просто? Деньги ей нужны. Шлюха она, шлюха, сука бессовестная. Ты посмотри на нее, вон развалилась, кошка блудливая, подходи и бери кто хочешь, только деньги плати.

— Замолчи! — Димка пятнами пошел, глаза горят, а Аркашка рядом с ним пританцовывает.

— Сынок, облапошит она тебя, помяни мое слово. Да если б я знал, что у вас по-хорошему, да разве ж я... Ты ведь мне сын и всего на свете дороже. Только ее-то я знаю как облупленную. Погубит она тебя.

— Уйди, отец, — стиснув зубы, сказал Димка. — Прошу, уйди.

И тут Аркашка-стервец номер выкинул: взял и заплакал. Слезы по его глупому лицу покатились, а он жалобно так заговорил:

— Дима, сынок, на что она тебе! Ты молодой, у тебя все впереди, будут у тебя еще бабы, а мне, может, и осталось совсем ничего. Одна у меня радость в жизни, вот эта сучка. Прикипел я к ней.

На Димку смотреть стало страшно. Грудь ходуном заходила, глаза больные, бросился бежать вон из комнаты, схватил куртку, хлопнул дверью.

— Сукин ты сын, — сказала я Аркаше. — Родного сына в дураках оставил. Мастер. Что-то тошно мне с вами, пойду в ванную, а вы выметайтесь.

Пошла мимо Лома, он на меня глаза пялил вовсю, а морда довольная.

— Что, Ломик, — сказала я ласково, напирая на него грудью. — Твоя работа?

Он облизнулся, а Аркаша заорал:

— Уйди отсюда, уйди, пока не убил.

Следовало найти во что бы то ни стало Димку. А он исчез. Раз пять домой звонила, трубочку маменька брала: «Димы нет». С утра возле их дома в машине сидела, из автомата звонить бегала. Из дома он не выходил, и дома его, по словам матери, нет. Ясное дело, врет. Плюнула на все и пошла к нему. Маменька дверь открыла, увидела меня и глаза вытаращила.

— Ах ты, бесстыжая.

Я сделала шаг и рявкнула во весь голос:

— Димка где?

— Нет его, уехал.

— Врешь. Дома он.

— Уходи немедленно, милицию вызову.

— Вызывай. Не уйду, пока Димку не увижу.

Тут он и появился. Видок у него, как с перепоя, глаза больные, лицо бледное.

— Идем, — сказала я и к выходу, он за мной, а маменька за ним.

— Дима, не ходи с ней, — закричала.

— Мама, успокойся, я сейчас, — ответил он.

Меня трясло так, что зуб на зуб не попадал; спустились мы на один пролет, у окна встали. Родительница все ж таки выскочила.

— Мама, — попросил Димка, — не надо весь подъезд по тревоге поднимать. Я сейчас.

Дверь она закрыла неплотно, подслушивала, язва. Мне, впрочем, на это было наплевать.

— Дима, — заплакала я, — не бросай меня, пожалуйста.

Он отвернулся.

— Тебе обязательно надо было себя шлюхой выставлять?

— А что мне делать? В ногах у родителя твоего валяться? Не дождется.

— Грязно все это, — сказал он, поморщившись, а я дернулась, точно меня ударили.

— Я тебя не обманывала. Ты знал с самого начала.

— Знал, только не про отца.

А у меня мысли путались. Надо было что-то сказать, убедить его, заставить со мной поехать, а я только смотрела на него во все глаза, чувствуя, как сердце рвется на части. Протянула к нему руку, позвала:

— Дима.

Он дернул головой:

— Не надо.

Я бросилась бегом по лестнице, думала, за мной кинется, позовет... Не кинулся и не позвал. Я выскочила из подъезда, успев услышать, как хлопнула дверь в его квартиру. Села в машину, реву, слезы, как горох. Поехала к Таньке на работу, наревелась вдоволь, дождалась, когда муж в театр уйдет, и домой отправилась, опять реветь.

Едва приехала, как в дверь позвонили. Я кинулась со всех ног открывать, думала, может, Димка, а это Аркаша.

— Уйди, — крикнула я ему, — уйди, мерзавец, видеть тебя не хочу.

Села на диван, лицо в подушку зарыла, а Аркаша в ногах пристроился и ласково запел:

— Ладушка, не плачь, радость моя. Ну что тебе Димка, только и хорошего в нем, что молодость. А я-то тебя как люблю, а, Ладушка? Мне-то каково? Давай мириться.

— Уйди, подлюга, — заорала я, — тошно мне от тебя. Умру я без Димки.

— С чего умирать-то, Ладушка? А я к тебе с подарочком. Поезжай в круиз по Средиземному морю. Слышишь, Ладуль, отдохнешь, загоришь, тряпок купишь. Ладушка, красавица моя, ну погуляй, развейся, я ж не против, слышишь? Поезжай, а я тебя ждать буду. Приедешь, и все у нас по-старому пойдет. Все хорошо будет.

Из круиза я вернулась в начале мая. Позвонила Таньке. Она прибежала за подарками, ну и барахло посмотреть, само собой.

— Ладка, загар — убиться можно, выглядишь — класс. Аркаша тебя заждался, дни считает. Когда, говорит, Ладуля приедет? Ты ему звонила?

— Завтра, — отмахнулась я. — Танька, как тут Димка?

— А что Димка? Хорошо. Бабу завел. Вовка рассказывал. Студенточка какая-то, говорит, ничего. Конечно, с тобой ей и рядом не стоять, но девахе девятнадцать годков, сама понимаешь. Вовка говорит, он ее из института встречает, к себе домой приглашает. Любовь. Мужик-то, что я говорила, цел. Хошь, посватаю?

— Отстань.

— Да на хрена тебе Димка? Свет в окошке. Добро бы дело. Мой вон, стервец, пропадал три дня, говорит, машину новую обмывал, чай, с бабами шарахался. Все они козлы... Я своего поперла. Прибегал мириться, в ногах валялся. К себе больше не возьму, пусть с мамашей живет, недоумок.

— А чего вообще держишь?

— Как не держать? Привыкла, жалко. Опять же, пропадет без меня. Ну какой из него бандит, его курица облапошит. Одно слово — недоумок. Лом про тебя спрашивал, говорит, скучает.

— Он все и подстроил, подлюга. Я его достану.

— Не связывайся с ним, себе дороже.

С Ломом все-таки надо было разобраться, Димку я ему ни в жизнь не прощу. Приехала я как-то в контору, в баре Пашка сидел, по части где чего достать — первый человек. Я к нему подсела. Пашка улыбался, меня разглядывал, и я улыбнулась, ласково так, и попросила:

— Паш, наручники достань.

— Наручники? — вытаращил он глаза. — Зачем?

— Да в кино один прикол видела, хочу папулю порадовать.

Пашка хмыкнул:

— Ясно. Достану.

— Когда?

— Да завтра приходи, принесу.

Принес. Тут и Аркашка весьма кстати в Москву собрался, проводила я его и в контору. Утро, народу ни души, Лом с мужиками в подсобке резался в карты. Я вошла и заулыбалась с порога.

— Привет, мальчики.

Лом оглядел меня с ног до головы, облизнулся и пропел:

— Ладушка...

— Ломик, — я подошла поближе, чтоб он мои коленки чувствовал, колыхнула бюстом и сказала: — Аркаша уехал, а мне деньги нужны.

Лом ничего спрашивать не стал, молча бумажник протянул. Я денежки отсчитываю, он как раз партию доигрывал и говорит:

— Бери все.

Я и взяла. А чего не взять, если дают? Бумажник вернула.

— Спасибо, Ломик, — говорю ласково, — Аркаша приедет, отдаст.

И пошла. Лому карты враз неинтересны стали. Догнал он меня в коридоре.

— Ладушка.

Я у стеночки встала, улыбаясь. Лом подошел, руками в стенку уперся возле моих плеч, посмотрел шалыми глазами. Я бюстом еще разок колыхнула, так, для затравки, и мурлыкнула:

— Руки убери, увидит кто.

— Да нет никого, — шепнул он, обхватывая меня своими ручищами. — Ладушка, давай по-хорошему, а? Поехали ко мне, думаешь, я хуже Димки? Да я тебя так ублажу... а, Ладушка?

И сразу ко мне под подол полез, рожа стала багровая, руки потные, а я коленочку к его бедру прижала.

— Поехали, — хрипит.

— Аркаша узнает, — шепнула я, а сама ему шею нализываю.

— Да черт с ним, поехали.

— Да подожди ты, мужики увидят.

— Я им башки враз поотшибаю, не бойся.

— К тебе не поеду. Ко мне приезжай.

— Когда?

— Часа через два.

— Да я свихнусь за это время.

— Ничего, в самый раз будет.

Лом все-таки меня выпустил, я подол одернула и бежать.

Через два часа он явился, с шампанским, шоколадом, жратвой на целую роту, а самое главное, с букетом роз. Все-таки Лом мужик забавный. Я встретила его в пеньюаре, грудь под кружевом выглядела весьма эротично. Он затрясся и сразу полез ко мне.

— Да подожди ты, Господи, — разозлилась я. Взяла его за руку и потянула к тахте. Лом, как на учениях, за две секунды пиджак с рубашкой стянул и меня глазами жрет, за штаны принялся, но я его остановила:

— Подожди, я сама. Ложись.

Он бухнул свои сто килограммов на тахту, ножки слегка подогнулись, а пол затрясся. Я сняла пеньюар, Лом только охнул. Торопиться я не стала, попросила:

— Руки откинь назад.

— Зачем? — удивился Лом.

— Узнаешь, — шепчу я.

Он руки за голову закинул, а у меня уж все заранее приготовлено: наручники за трубу от батареи продернуты и подушечкой прикрыты. Я щелкнула наручниками, а Ломик удивился:

— Зачем?

— Мне так больше нравится.

Он хмыкнул, повел шалыми глазами:

— Выдумщица.

Ломик лежал в наручниках, а я с него снимала штаны. Не спеша. Он поскуливать начал и спину поднимать. А я ноги ему нализывала. Добралась до левой щиколотки, ремешком ее зацепила и привязала покрепче к ножке тахты. И по правой ноге поехала. Лом сначала выл, потом заорал:

— Ладка, иди ко мне, слышишь.

— Сейчас, — ответила я ласково.

Зацепила вторую ногу, нежно поцеловала его в пупок и спрыгнула с тахты на пол, подняла с пола пеньюар. Ломик глаза выпучил.

— Отдыхай, сокол, — сказала я. — Съезжу в контору, мужики тебя освободят, узнаешь, как перед народом без штанов лежать.

Лом ни грозить, ни уговаривать не стал. Глазами полоснул, кадыком дернул и спросил:

— За этим звала?

Рожа у него была — страшнее не придумаешь. Я почувствовала настоятельную потребность обдумать ситуацию, затопталась по комнате, время тянула. Над мозгами Лома можно потешаться сколько угодно и дразнить его этим бесконечно, но вот мужское достоинство задевать не следовало. Ни в жизнь не простит. Я покосилась на Лома: глаза горят, челюсти сжаты... Самое невероятное — он все еще хотел меня. Я подошла ближе, а он почувствовал что-то, хрипло позвал:

— Иди ко мне, быстро, ну?

— Уйдешь тут, как же, — досадливо сказала я и у него между ног устроилась. Темперамент у Ломика будь здоров: не Аркаша, не муж и не Димка. Лом стонал, я повизгивала, одно слово: зоопарк. Я ему грудь целую, а он ко мне тянется, орет:

— Развяжи мне ноги, твою мать, неудобно...

Пришлось развязать. Он стиснул ногами мою задницу, ноги у него железные, я только охнула. Волосы мне на глаза падают, воздуха не хватает, Лом весь в поту, нижняя губа в кровь искусана.

— Сними, наручники, — просит, — я тебя приласкаю.

Словечко показалось мне двусмысленным, я на его лицо воззрилась, силясь отгадать, какой пакости от него следует ждать, а у него глаза мутные, губы свело, видно, не до пакостей сейчас человеку.

— Да сними ты эти наручники, черт тебя дери, без рук кайф не тот.

Я решила рискнуть, сняла их и в угол бросила. А Лом на меня кинулся, как стая голодных волков. Неутомимый у нас Ломик.

Уже поздно вечером мы сидели на кухне. Я пила шампанское, Лом стакан водки хватил, усадил меня к себе на колени и запел:

— Ладушка, красавица моя, ну что, ублажил?

Я поцеловала его, похвалила за старательность, а он сказал:

— Нам с тобой друг друга держаться надо. Слышь, Ладуль, я серьезно. Мало ли чего с Аркашкой... Кто у дела будет? Я, может, мозгами не очень, ну так и не лезу, а ты баба умная. Ладушка, я ведь знаю, Аркаша без тебя шагу не сделает, ты у него первый советчик, все дела знаешь. А я в этой бухгалтерии ни черта не смыслю. Давай дружить. Мы вдвоем с тобой таких дел наворотим, все деньги наши будут, а, Ладуль?

— Чего это ты Аркашу хоронишь? — удивилась я.

— Так давление у него. Жаловался.

— Кого ты слушаешь? Он нас с тобой переживет.

— Да на черта он нам, козел старый. Не надоел он тебе? Ты подумай, Ладуль, ну чего этому черту все: и баба такая, и деньги. Инфаркт я ему мигом устрою, ты только шепни.

Слова Лома меня слегка настораживали: эдак он завтра вспомнит, что тут нагородил, и с перепугу голову мне оторвет. Надо было что-то придумать.

— Ломик, — я время тянула, целовала его и грудью терлась, — скажи мне слова.

— Какие?

— Ну, какие мужчина женщине говорит.

И Лом сказал. Слов пятнадцать, десять из них порядочная женщина даже мысленно повторить не сможет. Я покраснела, а Лом заржал.

— Ладушка, радость моя, я ведь по-хорошему с тобой хочу. Поженимся, все деньги наши будут, слышь? Я ведь знаю, ты баба честная, сколько лет с Аркашкой жила и ему не изменяла, я ж приглядывал. А Димка, понятное дело, что ж тебе была за радость со стариком... Со мной все по-другому будет. Ты, может, думаешь, я бабник? Да на хрена они мне, ну лезут, суки, лезут, я ж один живу. Почему я до сих пор не женился, а? Я тебя жду, век свободы не видать, если вру. Слышишь, Ладушка?

— Слышу, — вздохнула я.

— Так что скажешь?

— Считай, я в деле. Только вот что, горячку не пори, здесь по-умному надо... Я к делам присмотрюсь получше, вникну, чтобы разом все к рукам прибрать.

— Хорошо, Ладуль, как скажешь.

— И от меня подальше держись, — попробовала я внести ясность. — Аркаша не дурак, смекнет, в чем дело.

— Понял, — кивнул Лом. — Завтра увидимся? Приезжай ко мне, слышишь?

— Ломик, хочешь дело делать, о сексе забудь, — наставительно сказала я.

— Как забыть, — ужаснулся он, — ты что, Ладушка, да на черта мне тогда и деньги?

Да, трудно было говорить с распаленным страстью Ломом.

— Надо поосторожней, меня слушай, скажу можно, значит, можно. Понял?

— Завтра, да? — спросил Лом, заглядывая мне в глаза.

— С ума сошел? Ты меня вообще-то слышишь?

— Но сегодня время-то еще есть?

Прошел месяц. Димку я так ни разу и не видела. Душа изболелась. В начале лета пришла в контору. Лом тосковал на диване. Я села на стол напротив него, ногу на ногу закинула.

— Где Аркашка? — спросила.

— Здесь. Суетится. Радость у нас, сына женим.

— Димка женится? — Как ни ударила меня новость, но перед Ломом я сдержалась, спросила спокойно.

— Ага. Старичок наш рад, до потолка прыгает. Студентка, спортсменка и просто красавица. Порядочная. На порядочность старичок особенно напирал, видать, уже испробовал.

— А где гулять будут, здесь?

— Обижаешь, сына женим, один он у нас. В «Камелии». Старичок народу сгоняет, целый табун.

— Ты пойдешь?

— Конечно. Кто ж за порядком следить будет?

— Да когда свадьба-то?

— Послезавтра. Старичок по горло занят, слышь, Ладуль? Поедем ко мне?

Лом поднялся, руки мне под подол сунул и целоваться полез.

— Ломик, ты опять за свое, — мурлыкнула я. — Ведь договорились.

— Договорились, договорились, не могу я. Хлопну папулю, надоел, прячься от него, больно надо. Без трусиков?

Лом наклонился, лизнул мне ногу, усмехнулся блудливо:

— Хочешь?..

— Я тебя, черта, как вспомню, на стенку лезу.

— Ладуль, ну чего ты...

— С ума сошел, Аркаша увидит.

— В машину пойдем, на пять минут, а? Сил нет.

— Потерпи до Димкиной свадьбы.

— На всю ночь? — хмыкнул Лом.

— На всю, да пусти подол-то, — разозлилась я.

Аркаша в кабинете на калькуляторе что-то высчитывал, увидев меня, заулыбался. «Сейчас ты у меня улыбаться перестанешь».

— Денег дай, — сказала я.

— На что? — спросил он, подхалимски улыбаясь.

— На все.

— Ладушка, сына женю, прикинь, какие траты.

— Чего на свадьбу не зовешь?

Аркаша заерзал.

— Сама подумай...

— Ты что ж, стыдишься меня, что ли? — вскинула я голову.

— Да Господи, да разве ж в этом дело? Только ведь...

— Значит, так, — сказала я, — добром не пригласишь, сама приду. Я вам такую свадьбу устрою, век помнить будете.

Аркаша поерзал, пожаловался на судьбу. Сошлись на том, что я пойду с Ломом, народу много, в толпе меня не заметят. «Как же, не заметят меня, дождешься».

Я вышла из ресторана, коленки тряслись, голова кружилась. Димка женится, не видать мне его. Будет возле жены сидеть, он из таких, чокнутых. Я поехала к Таньке, на кухне Вовка тосковал со стаканом чая.

— Вова, у Димки свадьба? — спросила я.

— Да. Говорить не велел.

— Ты пойдешь?

— Я ж свидетель, пойду.

— Вова, привези мне завтра Димку, слышишь?

— Не пойдет он, не захочет. Я про тебя спрашивал, говорит, все.

— Вова, мне только увидеть его... Привези!

— Да я что. Не пойдет он...

Я перед Вовкой на колени бухнулась:

— Приведи Димку, век должна буду.

— Лад, ты что, встань. Я попробую...

Танька рядом причитала:

— Ладка, не суйся, хрен с ним, пусть со студенточкой трахается, надоест она ему в пять минут. Натворишь дел, ох, чует мое сердце...

На следующий день я в Вовкиной квартире металась, как зверь в клетке. Ждала Димку. Вовкина мать была на даче, Вовка меня привез и за другом уехал. Я ждала, руки ломала. Услышала, как дверь хлопнула, потом Димкин голос. Я вышла, он меня увидел, в лице переменился, Вовка потоптался и сказал:

— Ну, это, пошел я, — и исчез за дверью, а Димка мне:

— Зря ты, Лада, ни к чему...

Хотел уйти, а я в рев и в ноги ему.

— Димочка, подожди, прошу тебя. Пять минут. — Он

стоит, на меня не смотрит, а я реву еще больше. — Димочка, я ведь знаю, женишься, ты ко мне не придешь. Простимся по-хорошему, ведь на всю жизнь прощаемся. Люблю я тебя, Дима, пожалей меня...

Я ему руки целовала, а он губы кусал, попросил жалобно:

— Лада, пожалуйста, не надо. Тяжело мне.

— Димочка, последний раз, последний раз...

Он хотел меня поднять, а я ему в шею вцепилась, потянула за собой на пол, торопливо целуя.

— Возьми меня, — попросила, срывая одежду.

Куда мужику деваться?

Обоих трясло, лежали обнявшись, я глаза открыть боялась. Димка меня поцеловал и шепнул тихо:

— Пошли в Вовкину комнату.

Время пролетело, я и в себя не успела прийти.

— Уходить мне надо, — тихо сказал Димка, я обхватила его за плечи и попросила:

— Еще полчасика, и пойдешь.

Часы пробили одиннадцать. Тут уж я сама ему сказала:

— Иди, Дима, поздно, — отвернулась, слезы глотаю. Он ко мне прижался:

— Лада, уйду в двенадцать.

Не ушел. Только в четыре утра поднялся, стал одеваться.

— Ты ее не любишь, — сказала я, сидя в постели. — Зачем жизнь себе и мне калечишь? Ты меня любишь.

— Люблю, — вздохнул он. — Только теперь не переиграешь.

А я на нем повисла, зашептала жарко:

— Давай уедем вдвоем, слышишь?

— Господи, Лада, сегодня ж свадьба, гостей до черта. И Светка.

— Что Светка? Ее тебе жалко, а меня нет? Неужели жизнь свою погубишь, для того чтобы какие-то балбесы на твоей свадьбе напились, наелись? Уедем, Дима, на юг, пусть тут без нас разбираются. Вернемся через месяц, все поутихнет. Вместе жить будем.

— Лада, — Димка встал на колени, в плечи мои вцепился, — поклянись, что отца бросишь.

— Брошу, Димочка, — торопливо закивала я, — брошу, с мужем разведусь, ребенка тебе рожу, все сделаю, что захочешь, только поехали.

— Едем, — сказал он. — Машина под окном.

— К Таньке надо, денег занять.

Танька поначалу обалдела, принялась орать, но быстро выдохлась и рукой махнула, дала денег. Я изловчилась и мужу позвонила, так, чтобы Димка не слышал. Не помню, что ему плела. Валерка первый раз в жизни на меня наорал, а я трубку бросила.

На юге мы пробыли почти месяц, Танька присылала деньги. Жили как в сказке. Только все равно пришлось возвращаться. Приехали вечером.

— Домой надо, — сказал Димка. — Сейчас начнется. Завтра увидимся?

— Конечно.

— Где?

— На квартире.

Простились, и я поехала к Таньке.

— Как тут? — спросила.

— Пожар в джунглях, — затараторила она. — Че было... Аркаша чуть умом не тронулся, гостей назвал, а женишка-то нет. Ух и матерился, и мне досталось. Потом прибегал, чтоб пригрела, ну, я его по старой памяти осчастливила. Жаловался: «Ладка, стерва, меня бросила и сына увела». А Лом чего выделывал... Ты, душа моя, случаем с ним не трахнулась?

— Сдурела? — первый раз в жизни соврала я Таньке.

— Такой концерт устроил, всех из кабака разогнал, сколько челюстей сломанных, не рассказать. Потом нагнали баб табун и загуляли: он, Пашка, Святов и Лешка Моисеев. Три дня гудели, никто сунуться не смел. Потом пропал, неделю не показывался и на Аркашу наорал: говорит, придушу твоего щенка. Если ты ему свои прелести не засветила, с чего б ему так беситься?

— Засветила, Танька, — покаялась я.

— Вот дура, говорила: не связывайся. Подлюга ведь. Ну, теперь он тебя достанет, и Димку твоего...

— А сейчас-то как?

— Да не бойся. Успокоились. Сколько шуметь-то можно? Аркаша на днях сказал: уж хоть бы вернулись.

— Ну и слава Богу, — вздохнула я.

От сердца отлегло. Вот только Лом... но и с этим как-нибудь справлюсь.

Аркаша у меня появился с утра, я сначала испугалась, но он прямо с порога сказал:

— Не бойся, не скандалить.

Сели на кухне, я всплакнула на всякий случай. Аркаша вздохнул тяжело.

— Ну, чего тебе не хватало? — спросил тихо.

— Прости ты меня, — попросила я. — Люблю я Димку. Отпусти ты нас по-хорошему.

Аркаша поерзал, на меня покосился.

— Ах, Ладушка, надоест ведь он тебе, бросишь... Жалко парня.

— Я за него замуж пойду.

Тут Аркаша подпрыгнул.

— Замуж? Да на кой черт он тебе? Думаешь, я вас кормить буду? Не дождешься.

— И не надо, — фыркнула я. Он подумал, грудь почесал.

— Ладуль, давай по-доброму. Поживите годок как есть, в любовниках. Если ты его за это время не погонишь, так и быть, женитесь, свадьбу сыграем. И весь этот год деньги будешь получать, как раньше. Идет? Ну чего торопиться-то, не пожар. Мало ли что. Может, ко мне вернешься, ведь люблю я тебя. И с Валеркой пока не разводись, слышишь? Где еще такого мужа найдешь. Не пори горячку, прошу.

Я для видимости немного поотнекивалась и согласилась.

Валерка со мной недели две не разговаривал, спал в гостиной, злющий как черт. Потом подобрел, в спальню вернулся, видно, деньги кончились. При первой же встрече Димка на меня накинулся:

— Лада, ты же обещала...

— Отцу твоему слово дала, чтоб отстал, не верит он, что у нас серьезно. Давай, Дим, по-хорошему с отцом. Мой муж нам не мешает, не живу я с ним. Видеться будем каждый день, год пройдет, оглянуться не успеем, и мама твоя за это время со свадьбой смирится.

Уговаривать его пришлось долго, но в конце концов он согласился, и стали мы жить как раньше. Мутно, зыбко. Я в конторе не появляюсь, Лома боюсь. Димка меня пасет, шагу одна не сделаешь, вопросами замучил: где, с кем, когда придешь. Не Валерочка. Как-то вечером Аркаша пожаловал, а Димка его не пускает.

— Сынок, мне с Ладой посоветоваться надо.

Сел с нами на кухне, ни на минуту не оставил. Аркаша только головой качал.

В середине августа как-то вечером пришла Танька.

— Муж где? — спросила с порога.

— В театре.

— А ты чего дома?

— У Димки дела. Послезавтра встречаемся.

Танька за стол села, от чая отказалась, смотрит как-то чудно. Я терпела, ждала, когда ее прорвет.

— Мой-то вчера пьяненький пришел, еще стакан хватил, болтать начал. Знаешь, кто завтра курьером поедет? Димка твой.

Танька меня за руку схватила, в глаза уставилась.

— Ладка, прикинь, сколько он повезет.

Я руку выдернула.

— Ты что, сдурела?

— Ладка, ты подумай, деньги-то какие, нам с тобой на всю жизнь хватит. Подумай, с такими деньгами, да распорядясь ими с умом, жить можно в свое удовольствие. И рожи эти бандитские никогда не видеть. По-умному отойдем года за два, чтоб в глаза не бросалось, слышишь, у меня и план есть.

— А Димка?

— Что, Димка? Не даст его папаша в обиду. Ну трудно ему будет, я ж не говорю, но ведь не убьют. Ты подумай.

— Танька, да если все сорвется, ты хоть представляешь, что с нами сделают?

— Представляю. Ты-то, может, как-нибудь и отмажешься, а мне каюк. Рискнем, Ладка. Ведь такие деньги, на всю жизнь.

— Вдруг Вовка догадается?

— Да не помнит он ни черта, что говорил, а и вспомнит, молчать будет. Башку-то за треп враз отвернут. Ну, решай.

— Говори, что за план, — сказала я.

— Хороший план, проще не бывает.

На следующий день я сидела в машине рядом с конторой. Наконец увидела, как Димка из ресторана вышел с большой сумкой. По виду тяжелой. Бросилась к нему.

— Димочка...

— Лада, — сказал он, обняв меня, — мне ехать нужно, через час мужики ждут, дело важное.

— Так через час, — я села к нему в машину, обняла и стала целовать.

— Лада, завтра, слышишь... — прошептал он.

— Димочка, мальчик мой, два дня не виделись, извелась вся. Поехали на полчасика к нам, успеешь...

К этому моменту я уже голову на его коленях пристроила.

— О, черт, поехали, — простонал он.

Оставили машину возле дома, сумку Димка взял с собой, я к нему прижималась, тряслась от нетерпения. Он оставил сумку в прихожей, я схватила его за руку, торопливо потянула к постели.

— Димочка.

Орала я под ним, словно меня резали, а сама прислушивалась. Димка на часы взглянул, поцеловал меня.

— Пора, Ладушка, опаздываю. До завтра, слышишь?

Торопливо оделся, а я в постели лежала, смотрела

на него и улыбалась. Потом пошла провожать. В прихожей Димка хватился сумки, а ее нет.

— Лада, сумка где? — спросил он испуганно.

— Сумка? — удивилась я. — Не знаю. Ты ее из машины брал?

— Лада, я с сумкой был.

— Да здесь где-нибудь, поищем.

— Лада, — Димка вдруг побледнел, посмотрел на меня, а я стала по углам шарить.

— Давай в машине проверим, — предложила я, — может, там оставил?

— Нет.

— Да что ты из-за нее так расстраиваешься, куплю я тебе сумку, чего ты?

Димка пошатнулся, глазами повел и пошел к двери.

— До завтра, — зашептала я и на его шее повисла.

— До завтра, — пошевелил он белыми губами и ушел.

Вечером мы сидели с Танькой на кухне, от страха у меня зуб на зуб не попадал.

— Догадается Аркаша. План твой дурацкий...

— Дурацкий, а сработал. Отовремся, не боись. Ты под Димкой лежала, сумку спрятать не могла. А кто в квартиру входил, неизвестно. И был ли кто, и была ли сумка. Стоим насмерть.

Услышав звонок в дверь, я в стол вцепилась, Танька полоснула меня взглядом:

— Смотри, Ладка, — и пошла открывать.

В кухню влетел Аркаша.

— Димка где? — рявкнул зло.

— Нет его, — ответила я, — завтра быть обещал. А чего?

— Чего? Или не знаешь?

— Не знаю, — нахмурилась я, чувствуя, как бледнею. — Аркаша, что с Димкой, говори.

— Стервец, мать его, курьером послал, с деньгами... Ни его, ни денег, как в воду канул...

Я за сердце схватилась.

— Аркаша, Димка не вор, что-то случилось...
Аркаша бухнулся на стул.
— Не дурак, понял. Ох, Господи.
— Да жив ли он? — ахнула я.
— Не каркай, — вскинулся Аркаша. — Жив, не жив, за такие деньги и его и меня зарежут. Удружил сынок.
— Боже мой, — слезы по моему лицу катятся, зубы стучат, — да что ж ты сидишь-то? Димку спасать надо, деньги собирать. Попроси отсрочку, слышишь? Заплатим с процентами, пусть подождут. Аркаша, делать что-то надо. Машину, квартиру продавать, помоги, слышишь? Без всего останусь, а деньги соберу. Танька, поможешь?
— Да что ж я, зверь, что ли? Помогу. Соберем. Да ты что сидишь? — накинулась она на Аркашу. — Двигаться надо, выручать парня.
— Убить бы его надо, — тяжко вздохнул тот.
— Что болтаешь, что болтаешь? — заорала Танька. — Убить. И убьют, если пнем сидеть будешь. Соберем деньги, заплатим, потом разберемся. И у меня на черный день есть.
— Танька, спасибо тебе, — еще больше заревела я. — Век помнить буду.
— Свои люди, сочтемся, — ответила она.

Ночью позвонил Димка, голос дрожал.
— Лада, плохи мои дела. Спрятаться надо.
— Димочка, — торопливо начала я, — все знаю, Аркаша был... Где ты? Я за тобой приеду.
Кинулась к нему со всех ног. Димка вышел ко мне, бледный, лицо отрешенное. В машину сел, я к нему прижалась, за руки схватила.
— Мальчик мой, не бойся, соберем деньги. Я тебя сейчас спрячу, ни одна живая душа не найдет.
— Лада, ты меня любишь? — спросил он, как-то странно глядя.
— Люблю, очень люблю, — заверила его я.
— Если уехать придется, поедешь со мной?
— Поеду, хоть на край света поеду. Не переживай,

все сделаем, с отцом говорили, Танька поможет, соберем.

Ни машину, ни квартиру мне продавать не пришлось. Аркаша деньги нашел, обо всем договорился, в чем я ни минуты не сомневалась. Димку простили, с уговором, что он навсегда отойдет от дел. Оно и к лучшему. Аркаша через неделю ко мне приехал.

— Знаешь, где он? — спросил устало.

— Знаю.

— Пусть возвращается.

— Аркаша, — запела я, кинулась ему на шею, он меня по заднице погладил.

— Эх, Ладка. Ну на что он тебе? Оставил отца без штанов. Я теперь весь в долгах... Сколько ж надо горбиться, чтобы все вернуть.

— Аркаша, — грозно сказала я, — не греши, сын он тебе. Сын, а деньги — тьфу, наживешь. И не прибедняйся. Тебя потрясти, много чего интересного вытрясешь.

— Что хоть случилось-то? — минут через пять спросил он.

— У него спрашивай. Я не знаю. Не до расспросов было, парень едва живой.

В тот же день я съездила за Димкой. Он пошел домой мать успокоить, ну и, само собой, от отца нагоняй получить. Через неделю опять на станцию техобслуживания устроился, и все помаленьку утряслось.

— Ты чего отцу соврал? — как-то спросила я.

— О чем?

— О сумке.

— Я правду сказал: потерял. Так и было.

— Вот я и спрашиваю, зачем соврал, почему не сказал, что у меня в тот день был?

— Тебя-то зачем во все это впутывать? Ни к чему.

— Где же эта сумка? — удивилась я.

Димка посмотрел как-то туманно, пожал плечами.

— Не знаю.

Аркаша деньги давать перестал, сославшись на долги. Димкин заработок был смехотворным. Ворованные деньги мы с Танькой разделили, но трогать опасались. Жить на зарплату было невесело. Димка все на меня поглядывал, задумчивый какой-то стал.

— Лада, плохо тебе со мной?

— Дурачок, мне с тобой так хорошо, что словами не скажешь.

— Может, мне другую работу подыскать?

— Замолчи, все у нас есть, проживем.

Тут я, конечно, лукавила. Без денег было туго, и вообще жизнь не радовала. Разумеется, Димку я любила, но находиться под чьим-то неусыпным контролем двадцать четыре часа в сутки утомительно. К тебе приглядываются, присматриваются, а ты чувствуешь себя едва ли не преступницей. В общем, отсутствие доверия больно ранило мою душу.

Танька проявила понятливость. Уселась на диване, уставилась в угол, потосковала, сказала с тяжким вздохом:

— Да. Невесело.

— Куда уж веселее, — разозлилась я, садясь рядом.

— Обидно, — кивнула подружка, — баксов черт-те сколько, а ведь не попользуешься...

— Молчи уж лучше.

— На меня-то чего злиться? — Танька опять вздохнула. — Что, Аркашка денег не дает?

— Не дает. Говорит, сынок по миру пустил.

— Врет.

— Конечно.

— Это он тебя выдерживает, мол, затоскует Ладушка без денег и ко мне вернется.

— Еще чего... Я Димку люблю.

— Да я знаю, знаю... А я вчера у Петрушина на даче была. У художника. Я тебе про него рассказывала?

— Рассказывала, — проворчала я.

— Уехал он в Германию...

— Скатертью дорога...

— А дачу, значит, мне оставил. То есть на время, конечно, покуда не вернется. Присматривать... ну и попользоваться...

— У тебя что, дачи нет?

— Такой, может, и нет. В подвале за шкафом стена отодвигается, веришь? И там помещение, большое. А из него еще ход, подземный. Метров пять, выходишь за огородом. Скажи — класс?

— Глупость какая, — покачала я головой. — Подземный ход дурацкий, на что он тебе?

— Ну... — туманно как-то сказала Танька. — Интересно. Дом старый. Вадим, то есть художник-то, говорит, что здесь молельня была, какие-то сектанты собирались, вот и нарыли. Врет, поди... А все равно занятно... Хочешь взглянуть?

— Не хочу, — хмуро ответила я.

— Настроение плохое, — кивнула Танька, — я понимаю. Аркашка подлец, и, по справедливости, его бы наказать надо.

— Надо, — усмехнулась я.

— Для Аркашки самое большое наказание — бабок лишиться.

— Лишился он бабок, и что? Нам-то от этого радости мало, коли даже попользоваться не можем.

— Моральное удовлетворение, — пожала Танька плечами. — Опять же, время придет — попользуемся.

Я подозрительно покосилась на нее. Танька помолчала немного, мечтательно глядя в угол, и сказала:

— Я как этот подвал увидела, так всю ночь не спала. Все думала, до чего ж место идеальное.

— О Господи, — вздохнула я. — Для чего идеальное, картошку хранить?

— Не-а. Вот, к примеру, мы бы решили кого-нибудь похитить с целью выкупа. Лучшего места, где человека держать, просто не придумаешь. Искать будут, не найдут.

— И кого ты похищать собралась? — усмехнулась я. — Аркашу?

— Да кто ж за него копейку даст, только перекрестятся... — Танька малость помолчала, а потом заявила, глядя на меня с ласковой улыбкой: — Вот ежели бы тебя украли, помилуй нас, Господи, то папуля, как ни крути, раскошелится. Не может он забыть твоих прелестей, тоскует...

Я кашлянула и сказала недоверчиво:

— Чего ты городишь? Кто меня украдет, и на кой черт?

— А мы и украдем, то есть похитим. С целью выкупа. У меня и план есть.

— Ты, Танька, дура, прости Господи. Да нам башку оторвут.

— Ну, по сию пору не оторвали, может, и доживем до старости... Скучно, Ладушка, и подлеца Аркашку наказать бы стоило...

— Танька, — укоризненно сказала я, — похищение с целью выкупа — самое опасное преступление. В том смысле, что на каждом этапе завалиться проще простого...

— Так мы ж не дуры какие... Прикинь. Ты отбываешь на дачу и сидишь там тихохонько. Ночью вполне можешь на улицу выйти, воздухом подышать. Замок на двери висеть будет, а ты потайным ходом. А днем в подвале посидишь, наберешь книжек побольше. Ты ж читать любишь...

— Да не в этом дело, — поморщилась я. — Требование о выкупе как-то надо передать. Твой голос узнают, а брать в дело третьего — опасно.

— А и не надо никакого третьего. Письмецо напишем старым анонимным способом: вырежем буковки из газетки и на бумажку наклеим. Ты, кстати, и займешься, делать тебе в подвале все равно нечего.

— Глупость несусветная... Ну ладно. Допустим, письмо составили, и Аркаша заплатить решил. Деньги надо как-то получить. Аркаша за копейку удавится. Значит, за деньгами приглядывать будут, и мы, две умницы, сгорим во время передачи.

— Еще чего, — фыркнула Танька, — может, Аркаша и не дурак, но и мы не вчера на свет родились. Поставим условие, что деньги передаю я.

— Допустим. Но за тобой следить будут.

— А мне что? Лишь бы им в радость. К нашей помойке мусорка подъезжает ровно в восемь.

— Чего? — не поняла я.

— Мусороуборочная машина, — терпеливо пояснила Танька. — Никогда таких не видела? Далее она следует по проспекту до пересечения с улицей Погодина. Там прихватывает последние контейнеры. Я сегодня за ним покаталась. На Погодина он приезжает где-то в 9.45. Улавливаешь?

— На что тебе мусор? — запечалилась я. — Чем у тебя вообще голова забита?

— Ладно, ты без денег нервничаешь, оттого туго соображаешь. В письме напишем, чтоб деньги упаковали в кейс, который, само собой, повезу я. Кейс надо оставить в контейнере на улице Погодина, где-то в 9.40. Подъезжает мусорка, контейнер забирает и далее следует на свалку. Мальчики Аркаши следуют туда же. Если и смогут кейс найти, то, само собой, уже пустой. Пусть голову ломают, куда и как деньги по дороге ушли. Кстати, сегодня шофер с этой самой мусорки завтракать заезжал, в кафешку на Савельевской. Народу там всегда тьма, машины впритык стоят. Жует дядька не торопясь, где-то с полчаса. Аркашины мальчики потоскуют, к тому же со стороны все это выглядит подозрительным. Когда и в какой момент деньги из-под носа увели, сообразить будет трудно.

Я засмеялась.

— Так... Ты, конечно, прихватишь второй кейс. Пустой выбросишь в контейнер, а с денежками спокойно махнешь домой?

— Конечно.

— А если проследят? — напомнила я.

— Но не до двери квартиры. У меня соседка в отпуск уехала, ключ от своего жилища мне оставила. Зайду к ней, оставлю деньги, пусть полежат маленько...

— Кейс у тебя в руках заметят, — нахмурилась я.

— Повешу мешок на шею, плащ надену, белый, трапецией. По дороге деньги из кейса придется быстренько в мешок переложить. Купюры надо требовать крупные, чтоб долго не возиться. Парни близко подкатить не рискнут, так что при известной ловкости провернуть это нетрудно...

— Они могут проверить кейс после того, как ты бросишь его в контейнер, — сказала я.

— Вряд ли, опасно.

— Его может увидеть шофер мусорки.

— Рискнем. Хотя контейнером он особо не интересуется.

— А если Аркаша заявит в милицию?

— Это тоже вряд ли... Врагов у него полно, он гадать начнет, кто из них ему свинью подложил.

— Он может не дать ни копейки... — нахмурилась я.

— Как же... слабо старичку. Любовь, она дорогого стоит, а последняя и вовсе бесценна. Раскошелится.

— А я что рассказывать должна?

— Шла по улице, подскочили двое, затолкали в машину, глаза завязали, куда-то привезли. Держали вроде бы в подвале, еду приносили, когда свет выключали, на пол ставили. Потом в масках вошли, опять глаза завязали, вывели и в машине повезли куда-то. Велели до ста сосчитать. Повязку сняла, сижу на скамейке в парке Пушкина. Времени продумать всякие детали у тебя будет сколько угодно. Ну?

— Исключать милицию нельзя, — покачала я головой.

— Аркаша будет держать меня в курсе. Перепугается, гад, наболевшим начнет делиться.

— Засыпаться — раз плюнуть.

— Рискнем, — хмыкнула Танька. — В случае чего скажешь, что пошутила. Приласкаешь папулю, никуда не денется, простит.

— Меня — возможно, но не тебя.

— Моя идея — мой риск.

— Когда-нибудь мы доиграемся, — вздохнула я.

— Дуракам везет, — хохотнула Танька.

— Как ты мне сообщишь, что на скамейке в парке пора объявиться?

— На даче телефон есть. Позвоню. Ты сядешь на автобус и приедешь. Не зря говорят: все гениальное просто.

Мы посмотрели друг на друга сначала усмехаясь,

потом растянули губы шире, а после и вовсе принялись хохотать.

— Ну? — хмыкнула Танька.

— Заметано, — ответила я.

На следующее утро муж отправился на репетицию, Димка трудился, а я за газетами сходила. Приехала Танька, и мы взялись за работу. Письмо получилось лаконичным и устрашающим. Танька сумму проставила, я нахмурилась, а она от широты души хлопнула еще один нолик.

— Ну и аппетиты у тебя, — покачала я головой.

— Рисковать, так по-крупному. Есть такие деньги у папули?

— Есть, — кивнула я. — У папули много чего есть, вопрос только — захочет ли он раскошелиться?

— А куда ему деваться...

Следы своего трудового подвига мы тщательно уничтожили.

— Ну вот, — почесала Танька за ухом, — письмо подброшу, и завертится машина.

Меня стали одолевать сомнения.

— Танька, может, подождем с твоим планом? Не ко времени сейчас. У Аркаши с Ленчиком нелады. Пожалуй, не до меня папуле...

— Не дергайся. Решили, значит, нечего тянуть. Ленчик сам по себе, а у нас время — деньги.

— Меня муж на работу отвозит, а Димка встречает. Когда меня, по-твоему, «похитить» могут?

— У тебя завтра «окно» в занятиях есть?

— Завтра среда? Есть.

— Вот и сходи в магазин...

День выдался пасмурным, настроения с самого утра никакого. Я чертыхнулась, глядя в зеркало, и Таньку помянула недобрым словом. Ох, и вляпаемся мы с ее гениальными планами... Не сносить нам головы... Но в одном она права: затеяли дело, так надобно его до конца доводить... Валерка в ванную заглянул, спросил хмуро:

— Ты готова?

Последнее время виделись мы редко, а говорили и того меньше. Покидать он меня не спешил, но злился и копил обиду.

— Готова, — ответила я, думая о своем.

— Тогда поехали. Я сегодня вечером задержусь, — сказал он уже в машине. — Твой мальчик тебя встретит?

— Конечно. А ты к своей «бабушке» поедешь? — съязвила я. Валерка глаза выпучил, но промолчал. Да, настроение сегодня ни к черту, и мужа я зря дразню. Какой-никакой, а все-таки муж, и следует соблюдать приличия. Мы подъехали к школе.

— Спасибо, — кивнула я, стараясь быть поласковее.

— Пока, — ответил он, помолчал немного и вдруг спросил: — Ладка, как мы докатились до всего этого?

Отвечать я не стала, хлопнула дверью и ушла.

Из школы позвонила Таньке на работу. Поздоровавшись, она лихо поинтересовалась:

— Ну что? Приступим?

— Приступим, — вздохнула я.

— Не слышу боевого задора.

— Да пошла ты к черту...

— Все там будем... адрес помнишь, где ключ спрятан, знаешь. Жратвы на целую роту, книг — библиотека, на любой вкус. До половины шестого я в своем кабинете.

Мы простились, и я трубку повесила.

«Окно» у меня с часу до половины третьего. В учительской я возвестила всем желающим услышать, что иду в магазин, накрапывал дождь, и составить мне компанию никто не решился.

Я вышла из школы, раскрыла зонт и направилась к остановке. Дача художника Петрушина, давнего Танькиного приятеля, бездаря и алкоголика, располагалась практически в черте города, в полутора километрах от объездной дороги, в деревне Песково. Добраться туда можно было автобусом, но делать это я поостереглась: не ровен час встретишь знакомых. Потому на троллейбусе доехала до конечной, а к деревне пешком отправилась, напрямую через лесок, аэродром и озеро без названия, по крайней мере, мне оно не было известно.

Дождь понемногу расходился, идти было сыро и грязно, но я не торопилась и шла осторожно, потому как в подвале сидеть радость не большая, а здесь хоть и дождь, но все-таки свежий воздух и стены не давят.

Деревню я прошла задами, ориентируясь на высоченную черепичную крышу. Нужный мне дом с другим не спутаешь. Отыскав калитку в заборе, я садом пробралась к задней двери дома, пошарила под крыльцом и обнаружила ключ.

Танька подготовилась к моему заточению на славу. В подвале стояла кушетка, стол и плетеная мебель. Подруга даже обогреватель припасла, помня о том, что я зябкая и холода не выношу. За ширмой помещался импровизированный туалет. Я огляделась с довольной усмешкой. Права подружка, место — класс. Вход в подвал находился в столярной мастерской и был замаскирован шкафом. Не знаю, кому этот подвал понадобился, возможно, и в самом деле каким-нибудь сектантам, но в изобретательности им не откажешь.

Я поднялась в дом, немного побродила по комнатам, устроив себе что-то вроде экскурсии, и вернулась в подвал. Даже если каким-то образом Аркаша и выйдет на этот дом, обнаружить вход в подвал ему не удастся. Это меня воодушевило, и я принялась готовить себе обед.

Заточение в подвале, пусть и добровольное, мне очень скоро надоело, тут не помогали и книги. Я несколько раз поднималась наверх и разглядывала телефон. Очень хотелось позвонить Таньке и узнать, что там с ее гениальным планом. Но ей бы это вряд ли понравилось, а потому, поскучав немного, я возвращалась в подвал.

Через три дня мне стало казаться, что я здесь нахожусь уже целую вечность. Да, быть похищенной совсем не весело. Я скучала по Димке и впервые подумала: «Каково ему сейчас?» Но Димка полбеды, а вот как там Танька?

Она позвонила в субботу, около двенадцати. Звонок прогремел в пустом доме как иерихонская труба. Я была в ванной и, заслышав его, кинулась в чем мать родила в холл. Но по дороге опомнилась и стала терпеливо ждать. После четвертого звонка телефон стих. Я вернулась в ванную, выключила воду, накинула халат художника Петрушина и вернулась в холл. Телефон, как и положено, ожил через пять минут. Четыре звонка. Я села в кресло и уставилась на него. Еще через пять минут, лишь только сигнал прозвучал, сняла трубку. Танька захлебывалась от счастья.

— Ладка, сработало, век свободы не видать... Баксы у соседки в газовой плите, в духовке то есть. Ключ от квартиры я на всякий случай в почтовый ящик бросила, к нему мой ключ подходит.

— Заткнись, — перебила я радостное повизгивание. — Как Аркаша?

— Гневался. Ребятки, натурально, следили. Думаю, сейчас двигают к свалке на двух «БМВ», то есть по всем правилам ведут наблюдение. Пора тебе в парке объявиться...

— Танька... — поеживаясь, начала я, но она меня перебила:

— Хорош канючить, победе радоваться надо. Кати в город, но осторожность соблюдай: раньше времени тебя найти не должны.

Она повесила трубку, а я стала торопливо собираться. Мне не терпелось покинуть дачу, хоть и было страшновато. Аркаша не дурак и все наши хитроумные замыслы вполне мог разгадать. Что последует за этим — предугадать нетрудно. Особого оптимизма такие мысли не внушали. Но Танька права: волков бояться — в лес не ходить.

Песково я опять-таки покинула пешком, через сад, задами вышла на объездную дорогу и остановила машину. Погода, кстати, была солнечной, плащ мне пришлось держать в руках. Я села в потрепанные «Жигули», и лысый дядька отвез меня в город на улицу

Мира, отсюда до парка Пушкина три остановки троллейбусом. Собственно, в парке мне делать было нечего, но план есть план, и менять его не стоило.

Я посидела на скамейке минут десять, поглядывая на редких прохожих, и вернулась к остановке, где заприметила телефон.

Аркаша был в конторе, трубку снял сам.

— Аркаша, — сказала я и заревела с перепугу, потому что гениальный там замысел или нет, а голов-то мы вполне могли лишиться.

— Ладушка? — ахнул мой друг бесценный. — Жива? Где ты?

Не уловив в интонации ничего подозрительного, я шмыгнула носом и сказала:

— Господи, дай сообразить, голова кругом... Я возле парка Пушкина, на остановке... Они меня в парке оставили... велели в повязке сидеть... Аркашенька... — Я зарыдала еще громче, а он забеспокоился:

— Ладуль, радость моя, не плачь... Жива-здорова, и слава Богу, потом разберемся... Я сейчас пошлю кого-нибудь... Жди. Сам бы поехал, да веришь ли: сердце прихватило, не могу подняться.

— Я приеду, Аркашенька, возьму такси и в контору, — запела я.

— Нет, подожди пару минут, ребят пошлю...

Я еще раз всхлипнула и повесила трубку. Если старый змей не прикидывается, наша проделка сошла с рук... Радоваться раньше времени штука опасная, и потому до встречи с Аркашей я решила с восторгами повременить и паслась неподалеку от остановки с постным выражением лица, выжидая, кто из ребят подъедет. Только бы не Лом. Видеться с ним мне совершенно не хотелось, а после такого дела и вовсе ни к чему. Начнет вопросы задавать, да все с ехидством, и неизвестно, что из этого выйдет. С Аркашей проще, поплачу, расскажу историю. Тем более что и рассказывать особенно нечего. Глаза завязали, в машину посадили, в парк привезли... В этот момент кто-то налетел на меня сзади, перед глазами мелькнула ладонь с выколотым на ней якорем и стиснула мне рот. Я слабо охнула, колени подогнулись, и я вознамерилась осесть на асфальт. Но сделать мне этого не позволили: кто-то очень решительно подталкивал меня сзади. Так и не успев понять, что происходит, я через несколько секунд оказалась на заднем сиденье машины в компании четверых здоровячков. «Господи Иисусе, — мелькнуло в голове, — неужто старый змей по телефону притворялся, хитрости наши давно раскусив?» Мне стало нехорошо, я тяжко вздохнула и слабо пошевелилась, разглядывая парней в машине. Никого из них я раньше не видела, и меня это насторожило. Тут тип, сидевший впереди, повернулся ко мне, а я глухо простонала: вот его-то увидеть я вовсе не ожидала. Сердце у меня куда-то подевалось, я замерла, испуганно глядя на дорогу, боясь пошевелиться и обеспокоить здоровячка справа. Ехали молча, но мне и без разговоров было ясно, к кому угораздила меня нелегкая попасть в руки. Впереди сидел псих по кличке Мясо, и служил он у Ленчика палачом. Мне довелось увидеть его лишь однажды, но впечатление он произвел сильное. Репутация у парня была такая, что, увидев, забыть его трудно. Я разом вспомнила все рассказы о его подвигах и захотела упасть в обморок... Боже ты мой...

Я попыталась сообразить, что мы должны Ленчику... Много чего. Он, конечно, очень сердит, и на ласковый прием рассчитывать не приходится. С Танькой мы изрядно потрясли Аркашу, весьма некстати, надо сказать. Еще вопрос, захочет ли он что-то для меня сделать. Если я и смогла сохранить кое-какие остатки оптимизма до этой минуты, то сейчас они исчезли безвозвратно.

Между тем мы затормозили возле облезлой девятиэтажки.

— Ну вот и приехали, Ладушка, — ласково сказал Мясо, которого по-настоящему вроде бы звали Сашкой, и плотоядно мне улыбнулся: — Выходи.

— Подожди секунду, — попросила я. — Дай отдышаться.

— Ты, Ладушка, не мудри и меня не волнуй. Пойдем, маленькая, прогуляемся.

«Чтоб ты сдох», — хотелось сказать мне, но открывать рот я поостереглась и поплелась к подъезду следом за ним. Двое парней увязались с нами, а еще один, тот, что сидел за рулем, отбыл восвояси. Мы поднялись в лифте на пятый этаж. Я смотрела в стену перед собой, боясь пошевелиться. Парни выглядели довольными, а про Мясо и говорить нечего. Он взирал на меня, прицениваясь, и уже слюну пускал. Если Аркаша не пошевелится, завидовать мне не придет в голову даже идиоту.

Мясо открыл дверь, и мы вошли в трехкомнатную квартиру. Я затравленно огляделась. Квартира явно нежилая. Это плохо. С другой стороны, приниматься за меня сразу и всерьез они не должны, значит, коекакой шанс все же есть. Так, не шанс даже, а шансик. Ленчик отсутствовал, и меня это не порадовало.

— Проходи, Ладушка, — пропел Мясо, скаля золотые зубы. Работа у него нервная, тяжелая, и своих он давно лишился.

Я оказалась в совершенно пустой комнате, правда, с балконом, сейчас он был закрыт, а жаль, могла бы заорать «караул», глядишь, кто-нибудь да услышит... Мясо меня за плечи обнял и под подол полез.

— Убери руки, гад, — сказала я, — не то нажалуюсь.

— Кому, Ладушка? — улыбнулся он и легонько меня ударил по лицу. Я отлетела в угол и ненадолго затихла. Потрясла головой, встала и поинтересовалась с улыбкой:

— Тебя никак в чинах повысили? Неужто Ленчик помер и теперь ты командир? — Парни замерли в дверях и с любопытством пялились на нас. — Правда, ты, а, Мясо? И Ленчик больше не у дел?

— Ох, Ладушка, — покачал он головой, — храбришься? Валяй-валяй... Я подожду, я терпеливый.

— Воды принеси, пить хочу. И стул. На полу сидеть неудобно.

— Принесу, красавица моя, все принесу.

Парни продолжали ухмыляться, а Мясо вышел из комнаты. Вернулся со стулом в одной руке и стаканом в другой. Стул поставил к стене, а стакан протянул мне, пакостно улыбаясь. Великим психологом быть без надобности, чтобы понять, что он сейчас сделает, а потому дожидаться я не стала, улыбнулась в ответ и стакан из его лапы выбила. Он хмыкнул, лицо вытер и посмотрел на меня так, что кишки свело.

— Ты, зверюга, на себя много не бери, — ласково сказала я. — Утихомирься и жди своей очереди. И я подожду.

Я на стул села, скрестив руки на груди, и на стену уставилась. Плохи дела, ох как плохи... Мясо и себе стул принес, сел напротив и молча пялился на меня. С улыбкой, головка набок, и взгляд мутный. От одного этого впору завыть в голос, а тут еще парни острить принялись. Не выдержу, разревусь, тут и конец мне... Хотя, может, и так конец, просто я об этом еще не знаю...

Время шло страшно медленно. Ноги затекли, а голову разламывало от боли. Но время я не торопила — ни к чему. А ну как впереди ничего хорошего?

Вдруг зазвонил телефон, один из парней исчез в прихожей и через пару секунд позвал Мясо. Тот тяжело поднялся и вышел. Я прислушалась: отрывистые «да» и «нет» и ничего больше. Попробуй отгадай, хорошо это для меня или плохо?

Наконец он положил трубку и заглянул в комнату, в глазах легкая грусть.

— Уезжаю, Ладушка, — пропел, — но ты не горюй, это ненадолго. Скоро свидимся, маленькая.

— Как получится, — усмехнулась я. — Наперед никогда не знаешь — может, свидимся, а может, и нет.

Он широко улыбнулся, сверкая всеми своими золотыми зубами; длинный нос, острая морда, как есть крыса, глазки сидят глубоко, но смотрят весело.

— Свидимся, — заверил он и удалился, чем очень меня порадовал.

Парни после его ухода почувствовали себя вольготней (не одну меня его крысиная морда в тоску вгоняла), прикатили два кресла, внесли журнальный стол и сели в карты играть, но больше пялились на меня. Я смотрела в стену перед собой и прикидывала: переживет Аркаша такой поворот событий или я осиротею? Сиротство будет недолгим, но болезненным.

Когда я всерьез решила наплевать на все последствия и упасть в обморок, чтоб не видеть, что творится вокруг меня, в дверь позвонили. Один из парней, его, кстати, звали Валеркой, пошел открывать. Так как движения в прихожей, судя по производимому шуму, было много, а разговоров мало, я поняла, что пожаловали большие люди, и точно — в комнате появился Савельев Леонид Павлович, или попросту Ленчик, хотя называть его так в глаза мало кто решался. Я предпочла обращаться к нему официально, хотя знакомы мы были уже года два и виделись хоть и не часто, но регулярно.

Ленчик вошел, взглянул на меня и ободряюще улыбнулся, как врач при виде безнадежного больного.

— Здравствуй, Лада, — сказал он приветливо, но без излишней фамильярности. Я кивнула и отвела взгляд; парни из комнаты сразу же убрались и закрыли за собой дверь. Ленчик сел на стул, посмотрел на меня, наклоняя головку то вправо, то влево, и, улыбнувшись, сказал:

— Повезло Аркаше, ей-Богу...

Я удивленно голову вскинула.

— Ты ведь, Леонид Павлович, знаешь: с Аркашей мы расстались...

— Слышал... значит, не повезло?.. Чего в стену смотришь? Физиономию мою видеть не желаешь?

Я слабо улыбнулась.

— Напротив. Обрадовалась, что ты приехал. Уважил. «Шестерок» не жалую, а твой зверюга... как его там? И вовсе мне не по нраву.

— Чем не угодил? — в тон мне спросил Ленчик.

— Ударил меня, паршивец.

— Быдло, — усмехнулся Ленчик и пожал плечами.

— Оттого тебе и рада. Умному-то с дураками маетно.

— Отчего не спросишь, что с Аркашей не поделил?

— Зачем? — удивилась я. — Не мое это дело. Я в мужские игры не играю, скучно да и опасно.

— А я другое слышал...

— Люди многое болтают, не всему верить надо...

— Это точно, — кивнул он, — но Аркаше лучше уступить.

— Для меня, конечно, лучше, но решать ему.

— Неужто не боишься? — хохотнул он.

— Боюсь, не боюсь, Аркаша от этого покладистей не станет, и ты не отпустишь по доброте душевной. Так что мои эмоции не в счет.

— Что верно, то верно, — согласно кивнул Ленчик. — Сердит я на Аркашу. Думаю, пора ему малость потесниться.

— Ваши дела, — пожала я плечами. — Если не возражаешь, я в кресло сяду. Спина затекла.

Я поднялась, прошлась по комнате, даже у окна постояла, и в кресле устроилась. Ленчик, чуть веки прикрыв, за мной наблюдал и улыбался.

— Лада, — сказал с усмешкой, — твой дед случаем не княжеских кровей?

— Крестьянин Тверской губернии.

— В жизни бы не подумал. Королева, да и только. Смотреть на тебя одно удовольствие.

— Наверное, — кивнула я, — Мясо то же самое говорит.

— Он глуповат, но уж точно не слепой...

Ленчик достал сигареты, мне предложил, мы закурили, поглядывая друг на друга. Слова Ленчика, конечно, ничего не значили. Радоваться жизни я по-прежнему не могла — не видела повода.

— Ты с Аркашкиным сыном живешь? — вдруг спросил он. Я посмотрела удивленно, потом кивнула.

— Живу.

— И как он к этому отнесся?

— Кто? Аркаша? Утопиться хотел, еле отговорила.

Ленчик засмеялся и тоже кивнул. Мужик он занятный и, в общем, мне всегда нравился. По возрасту Аркаше в сыновья годился, но тот его очень уважал и, подозреваю, побаивался. И правильно делал. С моей точки зрения, Ленчик был самой серьезной фигурой в городе, в определенных кругах, разумеется. Я пророчила ему большое будущее.

— Выпить хочешь? — спросил он и опять улыбнулся.

— Нет. Нервничаю, с утра голодная, боюсь с одной рюмки упасть.

— Морить тебя голодом я не собираюсь, а когда нервничаешь, выпивка на пользу. Расслабишься, повеселеешь.

— Не с чего, — вздохнула я.

— Аркаша рыпаться не станет, — убежденно сказал Ленчик. — Я бы не стал. — Тут он поднялся и вышел из комнаты, а там послал кого-то из своих мальчиков в ресторан.

Потом вернулся, устроился в кресле, посмотрел на меня так, что я краснеть начала, и повторил:

— Я бы не стал.

— Тебе лет сколько, двадцать семь? Аркаша на тридцать годков старше. Он мудрый, он знает: за деньги все купишь.

— Не ценишь ты себя, Ладушка, — покачал головой Ленчик.

— Аркаша на меня сердит за то, что бросила, за то, что с сыном его живу. Да и ты хоть и смотришь с улыбкой, а в случае чего отправишь меня дорогому другу частями и глазом не моргнешь. Так что ценить я себя ценю, но не переоцениваю.

— Правильно, — согласился Ленчик. — Я всегда считал тебя умной.

— Твое мнение для меня ценно, — серьезно кивнула я.

Вскоре вернулся парень, посланный в ресторан, быстро накрыл стол и исчез. Мы выпили, и я с аппетитом принялась за еду, Ленчик вилкой в салате ковырял и с удовольствием поглядывал на меня. Спросил неожиданно:

— Как думаешь, он согласится?

— Надеюсь, — подумав немного, ответила я. — В моем возрасте умереть обидно.

— Не бери в голову, — улыбнулся он, протянул руку и коснулся моей ладони. Я поспешно ее отодвинула.

— Зачем сюда приехал? — спросила я с любопытством. — Неужели чтобы со мной поболтать?

Он засмеялся.

— Была одна мыслишка, теперь не в счет... А что, если нам с тобой подружиться, Ладушка?

— Может быть... завтра, но не сегодня. Дружат на равных, а сегодня я ничто. Налей-ка еще...

— Все-таки ты себя не ценишь...

— Это мы уже обсуждали. А свою жизнь я выторговывать не берусь: нет у меня ничего такого, что бы ты задарма взять не смог. Конец торговле.

— Баб насиловать не в моем вкусе...

— Значит, уроду своему кинешь...

— Больно жирно для него. За твое здоровье, Ладушка...

Мы выпили. Он опять мою руку сграбастал и сказал, заглядывая в глаза:

— Ты не бойся.

Мне это показалось занятным, я улыбнулась и ответила:

— Не сердись, но я и вправду не боюсь. Аркаша тебе много чего задолжал, я думаю, вы поторгуетесь и договоритесь. Зачем тебе меня убивать?

Кое-что я могла бы добавить, существенное, но Ленчик умный, а умных пугать не стоит: себе дороже. Он все понял правильно, руку отпустил, засмеялся весело так и даже кивнул пару раз.

— А знаешь, Ладушка, — сказал, когда смеяться ему надоело, — мы б с тобой и вправду подружились.

— А что нам мешает? Ты мне всегда нравился, — кивнула я, и, кстати, сказала правду.

Внешне Ленчик выглядел обыкновенно: и рост не Бог весть какой, и лицо красой не блистало, но глаза живые и умные, а повадки змея-искусителя. Глядя на него, я иногда задумывалась — каким он должен быть любовником? Такое направление мыслей для меня необычно и само по себе говорило о многом.

Еще с полчаса мы, можно сказать, играли в молчанку: две-три фразы, пауза, зато взгляды были весьма красноречивы.

— Признаться, — вдруг засмеялся Ленчик, — я почти хочу, чтобы Аркаша отказался...

— Да? — подняла я брови. — Возможно, это было бы занятно, но экспериментировать я не люблю.

Не успела я договорить, как в прихожей что-то грохнуло, да так, что девятиэтажка вздрогнула и вроде бы даже вознамерилась рассыпаться, я взвизгнула и вжалась в кресло. Ленчик вскочил, сделал шаг к двери, но передумал и взглянул на меня, словно что-то прикидывая. Тут опять грохнуло, кто-то дико закричал, раздались выстрелы, а потом пошла матерщина, и среди всеобщего воя я узнала голос Лома. Ленчик извлек пистолет и шагнул ко мне. Я покачала головой и сказала с улыбкой:

— На балкон. Я запру за тобой дверь.

Шум и возня в прихожей понемногу стихали, но Лом все еще высказывался, то повышая голос, то переходя на ласковый шепот. Наконец пнул ногой дверь и появился в комнате, как видно, разделавшись со всеми своими врагами. Не виделись мы с ним давно, потому что я к этому не стремилась, но сейчас, похоже, подворачивался подходящий случай наладить отношения. Я вскочила и, выдав счастливую улыбку, мяукнула:

— Ломик...

— Здравствуй, Ладушка, — пропел он с какой-то пакостной интонацией и так на меня взглянул, что я сразу поняла: взаимопонимание отменяется.

— А меня здесь заперли, — на всякий случай сообщила я и добавила: — Как ты меня нашел?

— Повезло тебе, красавица моя. Святов видел, как тебя Мясо в машину запихивал, вот и проводил... Идем, Ладушка, заждался папуля, и щенок твой зубами клацает, так что треск по всему кабаку. — Он подхватил меня за локоть и вывел из комнаты, чему я не препятствовала.

В прихожей топтались парни, человек пять. Двоих я знала и молча кивнула им. Мы быстро покинули квартиру. Парни спускались по лестнице, а мы с Ломом в лифте. Смотрел он на меня с усмешкой, глаза полыхали, и по всему было видно, что у него ко мне имеются большие претензии. Я прикидывала, что бы такое ему сказать приятное, и тут заметила, что Лом в своем лучшем костюме. В сочетании с автоматом, который он сейчас спрятал под широким плащом, наряд выглядел диковинно; конечно, белое кашне тоже присутствовало. Я усмехнулась и ласково спросила:

— Ты не в гости ли собрался?

— Очень я торопился, Ладушка. Как узнал, в чьи руки красавица моя попала, так и бросился к тебе без оглядки. Папуля сильно переживал...

— Папуля? А ты?

— А про меня и разговору нет. Я ведь с тобой еще не закончил дела. — Свое заявление Лом сопроводил улыбкой, которую я решила не принимать близко к сердцу. Да, дружбы с Ломом не получилось.

Аркаша выглядел неважно, может, не врал по обыкновению и сердце в самом деле прихватило?

— Ладушка, — проблеял он и полез целоваться.

— Димка где? — спросила я, шаря вокруг глазами. Аркаша вроде бы обиделся.

— Да где ж ему быть? Здесь... Мечется, точно зверь в клетке, в глазах от него рябит... Ты-то как, Ладушка? Бледненькая... Испугалась?

— Испугалась. Да где же Димка? — Отвечать на Аркашины вопросы желания у меня не было. Тут в кабинет влетел Димка, взглянул на меня дикими глазами и пошел навстречу, точно пьяный.

— Лада...

Мы обнялись, я зарыдала, Аркаша нахмурился, а Лом подло усмехался. Немного успокоившись, я поведала о своих приключениях. Аркаша начал злиться, так как теперь, когда все кончилось, деньги жалел и скрыть этого не мог. Димку волновало только одно: мое самочувствие. Лома вроде бы ничего не волновало и не беспокоило, он томился на диване, россказни мои слушал вполуха и продолжал ухмыляться. Часа два гадали, кто ж меня мог похитить, перебрали всех, вплоть до Ленчика, что было совсем глупо. Ничего путного не надумали, а Лом пропел ласково:

— Отыщем... всплывут бабки, — и так на меня посмотрел, точно уже знал, где искать.

Я почувствовала себя неуверенно, волнение тоже сыграло свою роль, да и заточение в подвале, хоть и с обогревателем, свое дело сделало: голова у меня кружилась, лицо пылало. Я прилегла на диван в Аркашином кабинете, а подняться уже не было сил.

— Да ты горишь вся, — ахнул Димка.

Я и сама чувствовала, что-то со мной не то, и жар и озноб, неужто воспаление легких подхватила?

— Надо «Скорую», — засуетился Димка, но я категорически покачала головой:

— Нет. Отвези меня домой.

Димка начал протестовать и за десять минут вывел меня из терпения. Не выдержав, я прикрикнула на него. Он обиделся и стал мне выговаривать: где твой дом, и где мой, и когда он будет общим? Одним словом, нашел время... Мне стало обидно, я заплакала, Димка устыдился и доставил меня домой. По дороге молчал и все косился.

Муж был дома. Хоть брак наш давно уже стал не настоящим, нарушать приличия все-таки не стоило. Димка проводил меня до двери квартиры и ушел, а я позвонила. Валерка открыл дверь и ахнул:

— Ладка...

Как выяснилось, сообщить ему, что я жива и здорова, в суматохе забыли. Валерку мне стало жалко, а потом Димку и себя, конечно, тоже, затем пришла Аркашина очередь. Я опять заревела, сама не зная почему, и вроде бы задремала.

Из дремы меня вывел телефонный звонок.

— Тебя, — сказал Валерка.

— Кто?

— Не назвался.

— Принеси телефон, — попросила я, догадываясь, кто решил меня побеспокоить. И точно: я услышала голос Ленчика.

— Как прошла встреча, торжественно? — спросил Ленчик.

— Слезно. У тебя как дела?

— Жив-здоров... В догадках теряюсь...
— Напрасно. Лома я терпеть не могу...
— Наслышан...
— А ты мне нравишься.
— Выходит, я тебе должен? — хохотнул Ленчик.
— Не выходит. Ты мог меня с дерьмом смешать, а принял как порядочный, пальцем не тронул. Я добро помню. Считай, мы квиты. Да, вот еще что: решишь с Аркашей поквитаться, забудь, что я есть на белом свете.
— Не забуду, и ты знаешь почему...
Теперь я хохотнула.
— Прости, говорить мне сейчас неудобно... Увидимся, даст Бог...
— Увидимся, вот только с делами разберусь, а там...
— Удачи в делах. — Я повесила трубку. Смотрела в потолок и ухмылялась. Очень занятным показался мне наш разговор...
Валерка то и дело заглядывал в спальню и в конце концов лег рядом, правда, одеяло принес свое. Ночью мне сделалось совсем плохо, температура подскочила почти до сорока, перепуганный супруг вызвал «Скорую». Ехать в больницу я отказалась, лежала и думала: Бог шельму метит... это мне за грехи...
К утру температура спала, взамен пришли слабость и апатия. Часов в девять позвонил Димка, голос какой-то сердитый.
— Как себя чувствуешь? — спросил он.
— Плохо, Дима. Ночью «Скорую» вызывали.
— Я сейчас приеду.
Тут я забеспокоилась.
— Дима, — сказала жалобно, — ну что ж Валерку-то в нелепое положение ставить. Он сейчас дома. Выздоровлю, увидимся.
— А то твой муж ничего не знает, — рявкнул он неожиданно зло.
— Одно дело знать, другое видеть, — ласково начала я, но слушать меня он не пожелал, прервал на полуслове:
— Ты из меня дурака не делай, я все прекрасно вижу...

— Что? — не поняла я.

— Все, — сказал, как отрезал, — может, я и дурак, но не настолько.

— Что ты болтаешь? — пролепетала я. — У меня голова кругом, руки дрожат, а ты вместо сочувствия Бог знает какие глупости говоришь...

— Я предложил приехать. Чтобы ухаживать за любимой женщиной, когда она больна. Только ведь тебе это не нужно, верно?

— Что ты такое болтаешь? — разозлилась я; так слово за слово, принялись ругаться. Мне обидно стало, и опять я заплакала и бросила трубку.

Тут нелегкая принесла Таньку.

— Ты и вправду болеешь, что ли? — удивилась она.

— Дурака валяю, — огрызнулась я.

— Смотри-ка, температура, а Лом сказал — прикидывается. То, говорит, была здорова, как лошадь, то вдруг слегла.

— Ему бы самому так слечь, меня порадовать...

— Это вряд ли. Здоровьем его Бог не обидел. Знаешь, как бывает: кому мозги, кому здоровье... Ладно, отлеживайся, тебе сейчас побольше спать надо. Личико у тебя совсем больное... Деньги я спрятала, выздоровеешь, отметим это дело.

— Отметим, — неохотно согласилась я. Танька вернулась от двери.

— Слушай, если ты больная лежишь, может, дашь ключ от Аркашкиной квартиры? Тебе она сейчас без надобности. Мне папулю пригреть надо: обворованный, несчастный, прибегал, к заднице моей жался, в общем, решила осчастливить, а дома Вовка.

— Возьми, — равнодушно кивнула я, и Танька меня покинула.

К вечеру у меня опять поднялась температура. Телефон звонил, а я даже подойти не смогла: головы от подушки не поднять. Муж из театра вернулся, напоил меня чаем и даже поцеловал, правда, в лоб, но с большой нежностью. Я нуждалась в утешении и припала к его груди, он стал говорить что-то ласковое и гладить меня по плечам, потом принес лекарство с кухни, заставил выпить, растер грудь какой-то гадостью, в общем, проявил заботу. Тут опять зазвонил телефон, Валерка подошел, снял трубку и очень зло ответил:

— Нет ее.

Я голову от подушки оторвала и спросила:

— Кто?

— Никто, — сказал он. — Номером ошиблись.

Видно было, что врет, и на душе у меня вдруг както стало нехорошо... Валерка сел рядом со мной, за руку взял и принялся о театре рассказывать. Я его слушала, понемногу успокаиваясь, и не заметила, как уснула.

Ночью меня точно ударили: вскочила в постели, страшно так, и чувствую, что беда рядом. Я хотела встать, позвонить Димке или Таньке, а лучше обоим, но от моей возни проснулся Валерка.

— Ты чего? — спросил испуганно. Ночные страхи показались мне глупыми.

— Сон плохой приснился, — слукавила я. Валерка меня обнял, к себе покрепче прижал, шепча на ухо что-то нежное и бестолковое.

В восемь утра звонок в дверь, Валерка открыл. В комнату влетела Танька, не бледная даже, зеленая какая-то. Я испугалась.

— Что? — спросила, а она в рев.

— Ладка, что случилось-то, Господи, что случилось. Димка Аркашу убил.

— Как? — ахнула я, отказываясь верить, а сердце уже щемило: не зря, ох не зря меня ночью тоска мучила...

— Ладка, что будет, что будет-то, — вопила Танька. — Лом, подлюга, все он подстроил. А я-то, дура, сама ему разболтала, о Господи, все, все пропало.

— Да расскажи ты путем, — заорала я.

— Да что рассказывать, все, доигрались. Лом сволочь, говорила тебе, не вяжись, все он, все он. Я ему сдуру брякнула, что Аркаша у моей груди греется, ну, что на квартире твоей встречаемся, черт меня дернул ему рассказать! Да разве ж я знала, Господи? Мы с Аркашей, а в дверь звонок. Мы не открываем, ботать начали, того гляди дверь вышибут. Аркаша пошел, а я лежу. Слышу, Димкин голос, на отца орет, мне бы, дуре, выйти, а я лежу, уж очень злая на Аркашу была, замучил старый черт, пусть, думаю, по мозгам получит. Димка его, видно, за грудки схватил, а Аркаша ему пощечину, а Димка его и ударил. Я когда концы с концами свела да выскочила, Аркаша синенький лежит, а Димка мне: «Где Лада?» — «Как где? Дома. Болеет она». Димка к стене привалился, глаза белые... Сам милицию вызвал. Ой, Господи, что теперь будет-то? Потянет всех Димка, всех, всех потянет. А срам какой, Ладка, срам! Слечу с работы, слечу. Ох, ты же знаешь, как я поднималась, все сама, все сама. И вот. Господи, за что? Димку жалко, пропал парень, и Аркашу жалко, а себя-то как жалко, слов нет.

Танька по полу каталась в истерике, а я, как чурка, в постели сидела, голова шла кругом.

— Танька, Димка-то где? — крикнула, перекрывая ее вой.

— Где, в тюрьме, где ж еще? Загремит теперь твой Димка лет на пять, если не больше. Ох, Ладка, шевелиться надо, ходы искать, пропадем, слышишь? Думай головой-то, думай, что делать.

Думай, не думай, а сделанного не воротишь. Димка отца убил и сам себя ментам сдал. Жизнь, привычная, отлаженная, разом рухнула, а что дальше будет, ведомо одному Господу.

Скандал в городе вышел оглушительный, ни одна газета его не обошла, разговоров, пересудов и сплетен было великое множество, а мне хоть на улицу не выходи. Конечно, об истинном положении дел в милиции наслышаны были, но нас не трогали; Таньку только раз вызвали, а обо мне даже не вспомнили.

По Димке я тосковала, ревела ночи напролет и все думала, как его из тюрьмы вызволить. Нашли хорошего адвоката. Димка от него неожиданно отказался, думаю, тут не обошлось без его маменьки. Что она ему там пела, мне неизвестно, самой с ним встретиться так и не удалось.

В день Аркашиных похорон Валерка был в театре. Про дорогого друга даже не вспомнил, точно и не было его вовсе, зато ночью решил, что он мне муж. Я принялась его разубеждать, и до утра мы громко и зло ругались.

От моей прежней жизни остались осколки, душу грели только Танька да припрятанные деньги.

Танька поехала на кладбище, переживала она по-настоящему, рыдала взахлеб и все чего-то боялась. Проводив ее, я села на кухне помянуть в одиночестве Аркашу. Налила рюмку водки, заревела, да так и осталась сидеть за столом, раскачиваясь, подвывая да слезы размазывая.

В дверь позвонили, я пошла открывать и замерла от неожиданности с открытым ртом: на пороге стоял Пашка Синицын, Ломов дружок, и нагло мне ухмылялся.

— Чего надо? — грозно спросила я, потому что возле моей двери делать ему было нечего.

— Лом велел тебя привезти.

— Что значит привезти? Пусть позвонит. Договоримся.

— Значит, так, Лом сказал — будет трепыхаться, хватай за волосья и тащи. Мне что сказали, то и сделаю. Поехали.

Я одевалась, а у самой дрожали колени. Господи, что делать-то? Аркаша умер, Димка в тюрьме, кто за меня вступится? Ох, пропала моя головушка.

Сели в машину, я на Пашку посмотрела жалобно:

— Куда хоть везешь-то?

— К Аркаше на дачу, там мужики его поминают.

Тут мне совсем нехорошо стало. От Лома можно было ожидать любой подлости, надо срочно что-то придумывать, что-то такое, отчего Лому захотелось бы со мной дружить. А в голове пусто, Таньку бы сюда с ее планами.

Приехали на дачу, внизу нас встретил Святов, тот еще подлюга, хмыкнул и сказал:

— Пойдем.

Запер меня на втором этаже. Я сидела, ломая руки, ждала, что будет дальше. Внизу шумно, мужики галдят, у нас ведь как: начнут за упокой, а кончат за здравие. Час сидела, два, три. Ночь на дворе, а я комнату шагами мерила, голова раскалывалась, в горле пересохло. Позвать кого-нибудь боялась, не сделать бы хуже. Так жутко было, хоть волком вой. Тут и появился Лом. Во хмелю, глаза дурные, и ремень в руках вдвое сложенный.

— Ломик, — мяукнула я по привычке, а он меня ремнем по лицу, едва ладонями прикрыться успела. И началось. Бил он меня остервенело, со всей своей звериной силы, я голову руками закрывала и орала во все горло, сил не было терпеть. Подумала с ужасом: запорет, сволочь. Тут Лом ремень в сторону швырнул, принялся штаны расстегивать. Радость небольшая, но все ж лучше, чем ремень. Я ногой ему съездила легонько, так, для затравки, и отползать стала, чтоб Лому было интересней, от себя отпихиваю и кричу. В самый раз. Думала, поладим. Какое там. Поднялся, ремень свой прихватил и вниз к мужикам ушел.

Под утро опять явился, рожа багровая, глаза злые, и снова ремешком охаживать стал. Терпела, пока силы были, потом заорала, не выдержала.

Ушел, часов пять не показывался, спал, видно, и я уснула, а проснулась от того, что дверь хлопнула. Как увидела, что это опять Лом, что опять в руках ремень держит, закричала. А он в кресло сел, ноги расставил.

— Ну давай, — говорит, — милая.

Я пошла к нему, а он:

— Нет, Ладушка, ползи.

— Обломишься, сволочь, — заорала я.

— Поползешь как миленькая, а будешь дергаться, мужикам потеху устрою, пущу по кругу.

Взвыла я так, что аж в голове звон, и поползла. А куда деваться?

Двое суток эта карусель продолжалась. Лом то бил меня, то насиловал, наизмывался всласть, нет на свете подлости, до которой бы он не дошел своим крошечным мозгом. Последний раз пришел совсем пьяный, поздно ночью. Я ревела, сидя на постели, трясло всю. Он меня кулаком в лицо ударил, губу разбил, я закричала, а он еще раз. Все, думаю, все, в окно выброшусь, голову о стену разобью. А он матерится, орет:

— Давай, давай, Ладушка, поработай.

Сполз с меня и рядом уснул, пьян был сильно. Я лежала ни жива ни мертва, пошевелиться боялась. В доме вроде бы тихо, угомонились, черти. Плащ схватила, вышла на лестницу, мужики вповалку спят. Не помню, как из дома выскочила. Бежала вдоль дороги, от машин в кювет шарахалась, боялась, догонят.

К утру пришла домой. Валерка дверь открыл, я в ванную, трясет всю, замерзла. Лицо умыла, а Валера в дверях стоял и смотрел на меня.

— Что, доваландалась со своими бандюгами?

— Пошел к черту, — заорала я и дверью хлопнула.

Лежала в горячей воде, все тело разламывалось, смотреть страшно — цвет аккурат как у покойного Аркаши лицо: бледно-фиолетовый. Что ж мне делать-то теперь?

Позвонила Таньке. Она через двадцать минут приехала, увидела меня, ахнула.

— Ладка, убьет, зараза, мозгов мало, а злобы...

Я на диване сидела, раскачивалась из стороны в сторону, как шалтай-болтай.

— Что делать, а? — спросила подругу.

— К тетке моей поедешь, — решила Танька, — в деревню. Отсидишься. Не боись. Где наша не пропадала, и здесь прорвемся.

В субботу Танька в деревне появилась. Гостинцев привезла, несколько книжек.

— Как ты? — спросила.

— За грибами хожу.

— Дело хорошее.

Сели с ней на пригорке, курим.

— Как Димка?

— Забудь. Сгорел парень. И душу себе не трави. Без толку. Эх, говорила я тебе... ладно.

— Что в городе, дела как?

— Плохи дела. У Лома мозгов маловато. Лезет напролом. Если в неделю все не приберет, знаешь, что будет?

— Знаю, — кивнула, — война.

— Вот-вот, — горестно сказала Танька.

Последний раз воевали два года назад. Но тогда Аркаша был жив, великий стратег и учитель. А Лом в тот раз такую звериную повадку показал, что даже бывалые мужики ахнули, конкуренты по щелям расползлись и затихли. Аркаша и тот перепугался. Теперь все по-другому будет. На одном зверстве далеко не уедешь, мозги нужны, а где они у Лома? Дружки одеяло на себя потянут. Танька дымом пыхнула, посмотрела вдаль и сказала:

— Если Лому сейчас не помочь, сомнут его. Он и концов не ухватит.

— Ты что это? — вскинулась я. — Ты что, Танька? Он Димку подставил, он, подлюга, надо мной так измывался, что рассказать стыдно...

— Оно конечно, — вздохнула Танька. — Хотя и его понять можно, каково ему знать, что ты его на Димку променяла? Гонор. Опять же, не чужие. Ты прикинь, если Лома сомнут, кто всем заправлять будет? Не к каждому подъедешь. А Лом хоть и подлюга, да свой, душа родная. Надо бы помочь.

— Танька, ты ж говорила, отойдем по-умному, чтоб рожи бандитские не видеть, а?

Танька опять вздохнула.

— Ох, Ладка, куда отходить-то, сто раз кругом повязаны, — прикурила сигарету, посмотрела вдаль и добавила: — Вот что, подруга, ты кашу заварила, тебе и расхлебывать. А мне ехать надо.

И уехала.

На следующий день я сидела на веранде, грибки на ниточку нанизывала, слышу, вошел кто-то. Обернулась — в дверях Лом, плечом косяк подпирает. Улыбнулся и запел:

— Ладушка, соскучился я.

— Уйди, подлюга, — сказала я и аж заревела с досады.

Лом подошел, сел напротив, взял меня за руку.

— Ладушка, давай мириться, а? Ну погорячился я. Сама виновата. Я ж к тебе со всей душой, верил тебе, может, только тебе в жизни-то и верил, а ты меня на щенка променяла, ноги об меня вытерла. Ну что теперь? Помиримся, Ладушка.

— И не подумаю. Сомнут тебя, и поделом. Будешь на рынке с торгашей червонцы сшибать.

Лом погладил мою руку, спросил, блудливо кривя губы:

— Синяки прошли?

— Нет.

Подошел, наклонился к самому лицу:

— Я наставил, я и залижу. Ну, Ладушка, миримся?

Я посмотрела на него снизу вверх, подумала и сказала:

— Сядь, поговорим.

Лом сел и на меня уставился.

— Значит, так. Ты Димку в тюрьму упек, ты его оттуда и вытащишь.

— Сдурела?

— Ага. И это мое последнее слово. Ты ему не поможешь, я тебе не помогу.

Рожа Лома враз переменилась, зрачки узкие, как у кошки, впился глазами в мои глаза, думал минут пять, потом выдохнул:

— Значит, щенка своего любишь? Хорошо, — Лом усмехнулся. — Устрою тебе вооруженный налет по всем правилам. Мужикам ты платить будешь, хорошо заплатишь, под ментовские пули задарма дураков нет ходить, и мне заплатишь. Все продавай. Без штанов я тебя оставлю, Ладушка. Это раз. Теперь два: жить вместе будем, я не Аркаша, ни с кем делить тебя не собираюсь, с мужем разведешься, и не потом, а завтра. Денег в деле у тебя не будет, и не надейся, только те, что я дам, а я посмотрю, сколько дать. Дернешься, бить буду, а обманешь — убью. Только кто-то донесет, что у тебя хахаль, сразу и убью, разбираться не буду. В тюрьму сяду, но с тобой кончу. Все поняла?

— Поняла. Димку до границы я сама провожу. Не верю я тебе, Лом. Убьешь парня по дороге, с тебя станется.

— Как ты за щенка своего боишься.

— Ты мне пообещай.

— Пообещал. Проводишь, потрахаешься напоследок.

Лом не обманул. Все сделал, как обещал. Я ждала на своей «Волге». Подъехали на двух машинах. Димка еле вышел, за грудь держится. Я ему в «Волгу» помогла сесть, при Ломе боюсь слово сказать, а он к Димке наклонился, морда злая.

— Вот что, щенок, решишь здесь объявиться, хорошо подумай. Я тебя ментам сдавать не буду, сам хлопну, и вся недолга.

Я села за руль, а Святов, подлюга, сказал:

— Лом, не пускай ее, сбежит.

— Ладка от денег сбежит? — усмехнулся тот. — Да она за ними на карачках приползет. Как миленькая.

Я вздохнуть боялась, ну, как передумает и меня не отпустит? Только когда из области выехали, поверила, что повезло. На развилке у железнодорожного переезда нас ждала Танька. Я затормозила, вышла из машины, она бросилась мне навстречу, чемодан протягивает.

— Вот. Крупными купюрами.

— Спасибо, — сказала я. — Давай простимся, что ли, подруга.

Обнялись мы с ней и заревели.

— Ладка, Господи, счастья тебе, одна ты у меня душа родная на всем белом свете.

— Свидимся ли еще? — сказала я. Танька носом шмыгнула.

— Письмо хоть напиши, чтобы знать, что жива. Ладно, поезжай, чего тут.

Танька далеко позади осталась, а я все о ней думала и ревела. Почувствовала, что Димка на меня смотрит, повернулась и спросила:

— Как ты?

— Нормально.

— Чего за грудь держишься?

— Ребра сломаны.

— Господи! — ахнула я.

— Ты на дорогу смотри. С Ломом жила? Не отвечай, знаю.

— Димка...

— Молчи. Со мной поедешь? — резко спросил он.

— Поеду. Поеду, Дима, если возьмешь.

Он усмехнулся, а я заговорила торопливо:

— Ты не все знаешь. Помнишь деньги курьерские? Вон они, в чемодане. Мы с Танькой.

— Не дурак, понял. Кому ж еще?

— Простишь? — робко спросила я.

— Дура ты, Ладка. Люблю я тебя.

Обосновались мы в Минске, сняли номер в приличной гостинице. Первые два дня выходили из номера, только чтобы перекусить: не могли досыта наговориться и друг на друга насмотреться. Потом разговоры поутихли, надо было решать что-то всерьез. Денег, что я с собой прихватила, нам хватит не на несколько месяцев даже, а на несколько лет, но ведь не только в деньгах дело. Будущее виделось смутно и как-то безрадостно.

Часами шлялись по городу и все чаще друг от друга глаза отводили. Через две недели я честно призналась самой себе, что страшно скучаю по родному городу, своей квартире, привычным и дорогим вещам, а главное, по Таньке. Конечно, я и раньше знала, что будет мне без нее одиноко, но чтобы так...

Я гнала эти мысли прочь, зная, что, решись я даже Димку бросить, дорога назад мне заказана. И Димку бросать не хотелось, не его вина, что жизнь обошлась с нами сурово, а уж если по справедливости судить, моей вины здесь несравнимо больше. Но, как бы то ни было, чувствовала я себя несчастной и тайком от любимого часто ревела.

Как-то вечером он присел передо мной на корточки, взял за руки и спросил:

— Плохо тебе со мной?

Я испугалась, обняла его покрепче и сказала:

— Мне с тобой хорошо, Дима. Только страшно очень. Зыбко все, мутно. — Он стал целовать мне руки и уговаривать:

— Все хорошо будет, Ладушка. Потерпи немного. Все есть, и руки, слава Богу, тоже, сейчас не старые времена, все проще. Найду работу, будет у нас свой дом, и жизнь наладится. Только потерпи немного, пожалуйста.

Я заплакала и стала клясться в вечной любви. Димка, конечно, прав, ничегонеделанье кого хочешь в тоску вгонит, а для мужика это и вовсе равносильно тюремному заключению.

На следующее утро Димка отправился искать работу, а я не удержалась и позвонила Таньке. Она мне очень обрадовалась.

— Как медовый месяц? — спросила с затаенным ехидством.

— Нормально.

— Что-то голос у тебя не больно веселый.

— А мне и не весело.

— Что так? Чего хотела, то и получила. Любовь, романтика и все такое...

— Не по душе мне романтика. Димку очень жалко... а так... сижу здесь в четырех стенах и вою, как волк на луну. Без тебя тяжко.

— А мне-то каково, — запечалилась Танька и даже заревела. — Прям как осиротела, ей-Богу... Все вокруг чужим смотрит, в душе радости нет. Может, мне к тебе податься? Поди, денег нам хватит, как думаешь?

— Не знаю. Может, хватит, а может, и нет. Только ты не спеши: некуда. Ничего тут нет хорошего.

— А любовь? — насторожилась подружка.

— Отвяжись, — сказала я и заплакала с досады. Танька принялась меня утешать, а я с ней печалями делиться. Думала, легче мне станет, а как повесила трубку, такая на меня тоска навалилась, хоть в самом деле волком вой.

На счастье, вскоре пришел Димка, улыбчивый и вроде всем довольный, но в глазах какое-то беспокойство плещется. Отправились мы с ним обедать, идем, за руки взявшись, планы строим, а я ни одному словечку не верю. На следующее утро Димка опять ушел, а я посидела-посидела и решила по городу прогуляться. Все лучше, чем в потолок смотреть. Прошлась по магазинам, забрела в парикмахерскую, за себя тихо порадовалась: душевные волнения никак не сказались на моей внешности. Даже наоборот, легкая грусть в глазах придала моему лицу романтизм, сделав его интереснее.

В гостиницу я возвращалась после трех, нагруженная пакетами и вполне довольная жизнью. Ключа на полке не было, значит, Димка уже вернулся. Я обрадовалась и бодро зашагала по коридору. Мне не терпелось продемонстрировать ему новую прическу и похвастать платьем.

Толкнула дверь, сделала шаг и замерла. В кресле у окна сидел Лом и смотрел на меня с придурковатой ласковой улыбкой, точно ребенок, обнаруживший в кармане шоколадку.

— Здравствуй, Ладушка, — привычно пропел он. Я хотела заорать и кинуться за дверь, но не тут-то было: дверь за моей спиной хлопнула, и к ней привалился Пашка Святов, сукин сын и мой давний недоброжелатель. Тут я и остальных увидела: Пашка Синицын, или попросту Синица, развалился на кровати и тоже лыбился, а в сторонке в кресле ухмылялся Саид. Все дружки в сборе, мать их...

— Где Димка? — хмуро спросила я, стараясь, чтобы голос не дрогнул. Швырнула пакеты на пол и вошла в комнату.

— Ждем, — пакостно улыбнулся Лом, поднимаясь мне навстречу. Я сжалась под его взглядом, а он пнул меня ногой в живот. Я, конечно, устроилась на полу и немного похватала ртом воздух. — Красавица ты моя, — опять запел Лом, схватил меня за волосы, намотал их на свою ручищу и больно дернул. От прически ничего не осталось. Слезы брызнули из глаз, я зажмурилась и закрыла лицо руками. Лому это не понравилось. Он пнул меня еще разок и сказал: — Посмотри-ка на меня, Ладушка... соскучился...

— Чтоб ты сдох, зараза, — ответила я, хоть и было это неразумно. Если Лом заведется, сам черт его не остановит. Конечно, он меня ударил, потом еще и еще, раз от разу все больше входя в раж. Остальные взирали на это с полным равнодушием, что не удивительно. Святов наверняка охотно бы поучаствовал, но настроение Лома предугадать трудно, и Пашка не рискнул.

Глаза Лома налились кровью, и свою силушку он уже не чувствовал. Я с тоской подумала: «Убьет», но он вдруг остановился и даже отпустил мои волосы.

— Подъем, красавица, — сказал он с улыбкой. — Домой едем.

— Никуда я с тобой не поеду, — сказала я упрямо, поднимаясь с коленей, ну и, естественно, в то же мгновение опять оказалась на полу. Лом сгреб меня за шиворот и легонько встряхнул.

— Поедешь, Ладушка, куда ты денешься? И можешь мне на слово поверить, жизнь у тебя будет — нищий не позавидует... Пашка, — сказал он Синице, — собери ее манатки.

— Сама соберет, — огрызнулся тот.

— Собери, — Лом нахмурился, — чтоб ни одной тряпки не осталось.

Синица неохотно поднялся и стал суетливо сновать по номеру. Лом курил, поглядывая на меня сверху вниз, и вроде бы был доволен.

— Где Димка? — вытерев лицо, спросила я.

— А не виделись еще. И по секрету скажу, даже не хочется...

Он хохотнул, мужики покосились в некотором недоумении, а я и вовсе перестала понимать, что происходит. И тут пакет заметила. Под ложечкой засосало, так вот чему Лом радуется: деньгам. Я их спрятала, и, казалось, надежно, но сукин сын нашел и теперь скалил зубы.

— Откуда дровишки? — спросил, ухмыляясь.

— Выкуп, — нагло ответила я. Умирать так с музыкой. Мужики малость обалдели, а Лом засмеялся. Было ему очень весело, он хлопнул себя ладонями по ляжкам и сказал:

— Чуяло мое сердце, не обошлось без тебя... — Синица тем временем закончил сборы и хмуро кивнул. — Поехали, — пропел Лом. — Ох и не завидую я тебе, Ладушка...

— Кто останется? — спросил Святов, тоже, как видно, не очень понимая, что Лом затеял.

— А никто, — ответил тот. — Щенок мне без надобности. Пусть живет и радуется.

Тут я сообразила, что Димка вернется, а в номере ни меня, ни вещей, ни денег. Что он подумает? Я побледнела и попросила Лома, глотая слезы:

— Дай я ему записку напишу.

— Перебьешься, — ответил он со злой улыбкой. — Поехали. Не то Саида здесь оставлю, он из твоего щенка в пять минут шашлык сделает.

— Можно я умоюсь? — сделав шаг в сторону ванной, сказала я, пытаясь придумать, как предупредить Димку.

— Ты мне и такой нравишься, — засмеялся Лом и толкнул меня в спину. Мы вышли из номера, впереди Лом, следом я под руку с Синицей, а за нами Святов с Саидом.

Прибыли они сюда на двух машинах. «БМВ» Лома красовалась на стоянке, рядом джип Саида. Мужики загрузились в джип и поехали впереди, Лом устроился за рулем своей машины, швырнув меня на заднее сиденье, и отправился следом. О том, чтобы сбежать, не могло быть и речи. Во-первых, без копейки за душой мысль о побеге не вдохновляла, во-вторых, Лом мог всерьез разозлиться и попросту меня пристрелить. Перспектива не радовала. Дорога предстояла дальняя, а видеть перед собой Лома было противно. Я легла, подтянув к животу колени, и попыталась уснуть.

За всю дорогу мы и трех слов друг другу не сказали.

Лом несколько раз останавливался перекусить, меня с собой не брал, оставлял с кем-нибудь из мужиков. Я молчала, стиснув зубы, и открыла рот только однажды, когда захотела в туалет. Ломик хмыкнул и пошел меня провожать. Было это в придорожном кафе. Буква Ж на дверях впечатления на него не произвела. Я несколько раз обругала Лома дураком и идиотом, но толку от этого не было. Он твердо решил, что возможности удрать у меня не будет. Так и вышло.

В родной город мы вернулись на следующий день, ближе к вечеру. Возле моего дома Лом даже не притормозил. Я хотела было попросить его заехать ко мне, но гордость не позволила. Я сидела молча и гадала: куда он меня везет, какую подлость замыслил и что собирается со мной делать?! Тот мудрить не стал: привез меня в свою квартиру. Она у него огромная, но какая-то нежилая. Как видно, мой бывший возлюбленный решил, что ему недостает женской заботы.

Мы вошли в квартиру, Лом хлопнул дверью и повернулся ко мне. Под его взглядом я затосковала и стала переминаться с ноги на ногу. Он не отказал себе в удовольствии и отвесил мне пощечину: сначала одну, а потом еще парочку. Хмыкнул и заявил:

— Будь как дома, Ладушка.

Прошел в кухню, достал водки из холодильника и залпом выпил стакан, потом второй. Умотал в комнату, которая у людей была бы гостиной, а у Лома непонятно что, и на диван завалился, включив телевизор. Пьяный Лом, — а его, конечно, после суток за рулем и двух стаканов водки непременно «поведет», — так вот, пьяный Лом зрелище жуткое и очень опасное.

Я шмыгнула в кухню, села в уголочке и — что делать — потихоньку заревела. Было мне себя жалко, а чем помочь своей беде, я и придумать не могла. Деньги, что забрал у меня, Лом отнес в спальню, там у него тайник, что-то вроде сейфа. Считай, пропали мои денежки. Я заплакала горше. Конечно, удрать я смогла бы, но дело это зряшное, а в родном городе нет места, где можно было бы укрыться от Лома. Непременно найдет. Только хуже будет.

— Ладка, — крикнул он. Я вздохнула: ну вот, началось. Он крикнул еще раз. На встречу с любимым я не собиралась, открыла дверь на балкон и встала на пороге. Наоравшись вдоволь, Лом появился на кухне. Я схватилась за перила и напомнила ему:

— У тебя третий этаж, придурок. Еще шаг сделаешь — спрыгну...

— Слабо, — усмехнулся он.

— Как же, — усмехнулась я. — Все что угодно, лишь бы рожи твоей не видеть.

Я взобралась на плетеное кресло и села на перила.

— Слабо, — повторил Лом, но без особой уверенности. Я убрала ноги с кресла и сложила руки на коленях. Он притормозил. — Ладно, — кивнул. — Ты упрямая стерва, можешь и в самом деле с третьего этажа сигануть, а у меня совершенно другие планы. Когда-нибудь тебе надоест на балконе сидеть.

Он ушел, а я стала любоваться панорамой ночного города. Занятие это развлекло меня ненадолго, потом я начала томиться, но с балкона уйти не рискнула.

Лом больше не появлялся, и ночь мы провели относительно спокойно: он в одной из своих неприютных комнат, а я на кухне, в спасительной близости от балкона.

Утро началось скверно. Проснулась я от цепких Ломовых рук, открыла глаза и увидела, что он стоит как раз между мной и моим убежищем. Не произнося ни слова, он стал срывать с меня одежду. Сопротивление результатов не принесло. Стащив с меня все, вплоть до туфель, он вышел на балкон и швырнул мои шмотки с третьего этажа. Я все-таки растерялась. Ломик мне улыбнулся и сказал:

— Это на тот случай, если ты решишь удрать. Надумаешь, пожалуйста: только в чем мать родила.

— Идиот, — покачала я головой.

— Точно, — охотно согласился он и удалился. Когда вернется, не сказал, но я была рада и самой короткой передышке. Забралась в ванную, потом в шкафу взяла рубашку и облачилась в нее. Сойдет за халат, если подвернуть рукава.

Холодильник был пуст, в доме ни хлеба, ни картошки. Может, этот псих решил меня голодом уморить? С него станется. Я кинулась звонить Таньке. К моим бедам она отнеслась без должного уважения.

— Не падай духом, — засмеялась. — Неужто дурака не облапошим?

— Тебе хорошо, — разозлилась я, — а я вторые сутки голодная, в животе урчит.

— Потерпи. С работы заеду... а если он раньше меня явится, так ты гордость-то прибери да попроси ласково, со слезой, авось и накормит.

— Я его попрошу со слезой, — уверила я. Делать мне было совершенно нечего, и, воспользовавшись тем, что кровать свободна, я завалилась спать.

Танька пришла рано, часа в три, как видно, мои жалобы ее достали и она подсуетилась. Привезла кое-какой одежды, а еще провизии в двух пакетах. Мы обнялись, расцеловались и прослезились. Если честно, то больше от радости, что снова вместе.

— Ломика обломаем, — заверила Танька, разливая чай. — Он от твоих небесных прелестей давно спятил. Увяз по уши...

— Ага, — хмыкнула я.

— Ага, — передразнила меня Танька. — Дела идут неважно. Как я и думала, Лом много чего не углядел, а тут еще ты сбежала... Ему б наплевать и делом заняться, а он на другой конец света поперся за любимой женщиной. Очень ты ему нужна.

— Конечно, — фыркнула я. Танька посмотрела хмуро и сказала:

— Тебе повезло.

— Что? — охнула я, пытаясь понять Танькины слова.

— Чего глаза таращишь? Повезло. Он тебя не убил — раз, не покалечил — два, мужикам на потеху не отдал — три, попинал вполне по-семейному. А теперь скажи, что не любит... Если б не любил, лежала бы ты сейчас в морге и выглядела так паршиво, что и думать не хочется.

— Это ты меня успокаиваешь, что ли? — опешила я.

— Конечно. Ты же не дура, должна понимать. Сейчас Ломик злится, и пусть себе полютует маленько, а ты наперед подумай, как его покрепче к себе привязать.

— На кой черт он мне?

— Боюсь, что другого-то не будет, Ладушка, — пропела Танька, чем очень напомнила Лома. — Либо ты из него сляпаешь образцового мужа, либо он тебя на кладбище устроит. От любви до ненависти один шаг и обратно тоже.

— Мне его любовь даром не нужна...

— С синяками ходить лучше? Давай взглянем на проблему иначе: у нас с ним общее дело...

— Нет никакого дела, — перебила я. — Аркаша помер, и все дела с ним...

— До чего ж ты froвреднющая бываешь... Дай сказать-то... Так вот, у нас с ним общее дело. Ежели по-умному себя поведешь, деньги, что он у тебя забрал, с лихвой вернутся, сам в зубах принесет, да еще хвостом вилять будет. Лом дурак, но имеет власть, а мы при нем развернемся... — Глаза у Таньки загорелись, на лицо пал отблеск вдохновения.

— А я-то гадаю, как ты могла проболтаться, где меня найти, — покачала я головой. Танька оставила замечание без ответа, почесала нос и добавила:

— Мы с Ломиком заживем лучше, чем с Аркашей.

Я посмотрела на Таньку и застонала:

— Танька, убьет он меня...

— Вряд ли, коли по сию пору не убил. Ты б дурочку-то не валяла, пригрела бы его на своем шикарном бюсте. Побесится и простит. Будешь им вертеть ловчее, чем Аркашей, царство ему небесное (тут Танька перекрестилась на пустой угол). — Кошки и бабы гуляют сами по себе, а мужики и собаки к ним приноравливаются, — вдруг процитировала она.

— Сама придумала? — насторожилась я.

— Нет, мне слабо. Почерпнула из умной книги, нет-нет и прочтешь что-нибудь путное.

— Мудрость сия мужского происхождения?

— Конечно, бабы народ скромный.

— Интересная мысль, — призадумалась я. Танька поглядывала на меня с хитрецой. — И что мне с этим дураком делать?

— Скажи, что шибко любишь.

— Спятила?

— А чего? Сама ж говоришь: дурак. Поверит, если душевно скажешь.

— Что, вот так просто кинуться на шею и заявить: «Лом, я тебя люблю»?

— Так просто, пожалуй, не годится. Опять же, у мужика имя есть, зовут его Генка, лучше, конечно, Геночка.

— А еще лучше новопреставленный Геннадий, — съязвила я.

— Нет, не лучше, — терпеливо ответила Танька. — Есть еще Святов. Он тебя не жалует и при случае с дерьмом смешает. В общем, думай... Нужна тебе хорошая жизнь — создай ее своими руками.

В этот момент дверь открылась, и на пороге появился Лом, почти трезвый. Таньку он не выгнал, а вполне мирно поздоровался. Это еще больше убедило меня в том, что о нашем с Димкой местонахождении донесла ему она.

— Ты чего человека голодом моришь? — усмехнулась Танька, наливая Лому коньяка.

— Не сдохнет, — ответил он, не глядя в мою сторону.

— В тюрьме хоть и макаронами, но кормят. У нее с голодухи мысли дурные. Ревет.

— Она у меня не так заревет, — утешил ее Лом. Тут его взгляд натолкнулся на вещи, что принесла Танька. — Это что? — спросил он хмуро.

— Ладке собрала кое-что на бедность. Чего ж бабе, голой ходить?

Лом поднялся, вещички сгреб в охапку и швырнул с балкона.

— Повезло кому-то, — вздохнула Танька. — Полторы тыщи баксов.

— Псих, — рявкнула я. Лом пнул ногой мой стул, и я тут же пристроилась в уголке, разбив при этом губу о столешницу.

— Ты что ж делаешь, гад? — поднялась Танька. — Ты что мне обещал? Ты какие клятвы давал? Отпинал раз, и хватит, зверюга окаянная...

— Еще раз встрянешь, и ты получишь, — заверил Лом и коньячку выпил.

— Дурак, — покачала головой Танька, помогая мне подняться. — Сваляла баба дурака, не того выбрала. Был бы умный — простил, по-доброму всегда лучше.

— Топай отсюда, — заревел Лом. — Загостилась.

— Видишь, что выделывает? — пожаловалась я, размазывая слезы.

— Проявляй гибкость, — посоветовала Танька и отбыла восвояси. Ей хорошо говорить...

Лом устроился возле телевизора. Я помыла посуду и заглянула к нему.

— Генка, можно я на диване лягу?

— Можно в спальне, — усмехнулся он.

— Ты драться будешь.

— А это уж как услужишь.

— Пошел ты к черту... — разозлилась я.

— Тогда на выбор: кухня или вон прихожая, можешь коврик взять и лечь у двери.

— Чтоб ты подох, скотина! — от души пожелала я.

Держалась я неделю, потом пришла в спальню. Лом довольно ухмыльнулся:

— Никак надумала, Ладушка?

— Пообещай, что драться не будешь!

— Еще чего...

Мое водворение в спальне закончилось плачевно, я заработала синяк под глазом, огрела Лома настольной лампой и остаток ночи провела на балконе. Но в этот раз не ревела, а, поглядывая на проспект, ухмылялась. Танькины слова возымели действие, все чаще появлялась мысль: неужто я и вправду этого дурака не облапошу? Ладно, гад, ты у меня будешь на задних лапах ходить и хвостом вилять.

Утром позвонила Танька.

— Чего надумала, подруга?

— С души воротит от его мерзкой рожи, — сказала я.

— Ничего, привыкнешь. Еще как понравится... О делах не заговаривал?

— Нет.

— Вот это плохо. Святов у него сейчас первый советчик. Тянет одеяло на себя. Оглянуться не успеем, как вожди сменятся. Ладка, шевели мозгами...

— Да пошла ты... — рявкнула я и бросила трубку.

Вдруг мне стало обидно. Лом проявлял стойкое нежелание прощать измену. Его желания беспокоили меня мало, но ходить с синяками и торчать на балконе изрядно надоело. В общем, пора что-то придумать.

Я включила магнитофон, немного послушала музыку и составила план. Первое, что необходимо сделать: дать этому придурку возможность меня пожалеть. Лучше всего больной прикинуться. Но он хоть и дурак, но хитер и недоверчив, болезнь должна выглядеть натурально. Погода стояла холодная, я вышла на балкон и ненадолго там прилегла. Я зябкая и простуду подхватила сразу, к вечеру поднялась температура. Однако старалась я зря — мой голубок явился под утро, сильно навеселе и моего плачевного состояния попросту не заметил.

Утром я выглядела умирающей. Лом собрался за десять минут и ушел, а ночевать и вовсе не явился. С лежанием на балконе я перестаралась, заболела по-настоящему. Прождав любимого весь следующий день, я разозлилась и вызвала такси, с намерением ехать к Таньке.

Водитель глаза вытаращил, завидев меня босой и в Ломовой рубашке. Я продемонстрировала затекший глаз и пояснила:

— Муж избил. Отвезите к подруге...

— Суров мужик, — заметил дядька. — Чем допекла?

— Сказать забыл...

Дядька оказался человеком добрым и к Таньке отвез. Та только покачала головой, уложила в постель и начала проявлять заботу. Молчать она не умеет, оттого вместе с заботой на меня обрушился поток дельных советов и предложений. Голова у меня начала пухнуть и вроде бы даже треснула.

— Не могла бы ты заткнуться, дорогая? — ласково спросила я.

Танька нахмурилась, обиженно засопела, но умолкла. А я блаженно закрыла глаза.

В первом часу ночи явился Лом.

— Где Ладка? — спросил он весьма грозно.

— Здесь. А ты выметайся, я тебе ее не отдам.

— Ага, — хищно ухмыльнулся Ломик. Танька встала в дверях, разгневанная и упрямая.

— Тебя где ночами носит? У нее температура под сорок. В доме хлеба ни крошки, за лекарством некому сходить...

— Принес я ей лекарство, сейчас выздоровеет.

Лом легонько подвинул Таньку и вошел в комнату. Сцену я репетировала долго и теперь лежала разметавшись в подушках; заплывший глаз, здорово портивший картину, не был виден, я тяжело дышала и собиралась сиюминутно скончаться. Не знаю, что он ожидал увидеть, но заметно растерялся. Потом сгреб меня за плечи и рывком поднял. Я попробовала открыть глаза, слабо простонала, лежа на его руках тряпичной куклой. Лом прибег к своему обычному средству: залепил мне пощечину. Танька зло прикрикнула:

— Отстань, гад. Ты чего, зверюга, добиваешься? Чтоб она на твоих руках сдохла? Баба третий день с температурой. Лежит одна в пустой квартире, воды подать некому, а ему и дела нет. Пришлось к себе везти... Чего глаза-то вытаращил?

Я лежала молча и только слабо постанывала. Лом переводил взгляд с меня на Таньку, не желая верить в мою смертельную болезнь.

— Шел бы ты домой, — проворчала подружка.

— Умница, — пропел Лом. — Здесь ей делать нечего.

— Генка, ей врача надо. Ты, что ли, за ней ухаживать будешь? Сбежишь с утра на трое суток, а она в твоей квартире загнется.

Лом, не слушая ее, попробовал поставить меня на ноги. Я быстро сползла на пол. Он разозлился и попробовал еще раз, с тем же успехом. Танька не выдержала и огрела его по спине.

— Ну что ты делаешь...

Сообразив, что стоять на ногах я упорно не желаю, он подхватил меня на руки и шагнул к двери.

— Одеяло возьми, — засуетилась Танька. — Простудишь еще больше. Пожалуй, с вами поеду, мало ли что...

По дороге я не подавала признаков жизни, и Таньке удалось запугать Лома до такой степени, что, оказавшись в квартире, он вызвал «Скорую». На такую удачу мы даже не рассчитывали. Приехала врач и сразу же заявила, что меня надо везти в больницу. Лом вдруг всполошился, стал совать ей деньги и нести всякую чепуху. Приняв его за идиота, женщина повторила еще категоричней:

— В больницу, — и меня увезли.

Лом не появлялся три дня, чему я втайне радовалась. На четвертый возник в палате. Едва ли он очень беспокоился о моем здоровье, скорее боялся, как бы я не сбежала.

Переступил через порог и растерянно замер. Надо сказать, что до сего дня он видел мое лицо либо с изрядным количеством косметики, либо украшенным синяками. За эти дни синяки сошли. Без косметики я выгляжу совершенно иначе. Прежде всего гораздо моложе. Сейчас мне смело можно было дать лет восемнадцать. Это то, что касается лица, а то, что ниже шеи, возможно, тоже выглядит на восемнадцать, но крутых. Однако в настоящий момент Лом пялился на мою физиономию. Танька утверждает, что у меня прекрасная душа и это отражается на лице. Как бы то ни было, а я не люблю демонстрировать свое лицо без грима кому попало и делаю это крайне редко. Решив, что кашу маслом не испортишь, Танька заплела мне две косы и напялила дурацкую рубашку с рюшами розового цвета.

Не знаю, что доконало Лома: мой чистый взгляд невинной девочки или эти самые рюши. Но он замер в дверях, точно истукан, и выкатил глаза.

Меня поместили в отдельной палате с телевизором и ванной, так что стесняться было некого, и Танька, завидев Лома, принялась ворчать:

— Явился... Ладка помрет, а ты и не узнаешь... Смотреть на тебя тошно, рожа опухшая, поди, трое суток лопал? И душа не болит... прямо позавидуешь некоторым... Ладушка, — усевшись на кровать, медово сказала Танька, — молочка выпей...

— Не хочу молока, — капризно ответила я и губы надула. Заслышав мой голос, Лом вроде бы очнулся и прошел в палату.

— Привет, — сказал он, кашлянув.

— Привет, — фыркнула Танька, а я ответила:

— Здравствуй, Гена.

Лом насторожился и почти испуганно поглядел на меня, потом взял стул и сел рядом. Танька все еще совала мне молоко. Я выпила, вернула ей чашку, стараясь не смотреть на любимого, зато он пялился на меня вовсю.

— Как дела-то? — спросил через минуту.

— Неуж интересно? — съязвила Танька. — А мы думали — довел бабу до больницы и...

— Я ее не доводил, — разозлился Лом.

— Конечно, это я ее довела, а стыд-то какой: привезли без тапок, без халата и без трусов, прости Господи. Точно сироту казанскую. — Танька сплюнула с досады и отвернулась от Лома.

— Сама виновата, — проворчал он.

— Ну, заладил... — фыркнула подружка. — Сама, сама... говорили уже... На себя посмотри, тоже хорош... явился на четвертый день.

— Я звонил, — сказал Лом и покосился на меня. Я устроила свою божественную головку в подушках и мечтательно разглядывала потолок.

— Что, вот так и явился? — посмотрев на Лома, в крайней досаде проворчала Танька. — С пустыми руками? Хоть бы яблоко прошлогоднее принес... и добро бы денег не было... Мало ты ее дома голодом морил, так и в больнице ничего по-людски сделать не можешь. Ей витамины нужны. А я, между прочим, не миллионер. Знаешь, сколько эта палата стоит?

— Отстань, Танька, — отмахнулся Лом. — Деньги дам, сколько скажешь, нашла о чем беспокоиться... — Он опять покосился на меня и спросил: — Ты сама-то как вообще?

— Плохо, — закусив губу, прошептала я, на глаза навернулись слезы. Я шмыгнула носом и полезла за платком.

— А чего плохо-то? — растерялся Лом.

— Не хочу я здесь... — пожаловалась я. — Лежу одна целыми днями, а ночью так страшно, уснуть не могу...

— А дома тебе весело будет, — влезла Танька. — Лом свалит на целые сутки, а ты одна валяйся и жди, явится или нет.

— Дома это дома, — сказала я, вытирая платочком глазки.

— Тебе лечиться надо... — нахмурилась подружка.

— Я себя нормально чувствую. Правда...

Лом вертел головой, поглядывая на нас и силясь что-нибудь понять.

— Домой не пущу, — вдруг заявил он. — Ко мне поедешь.

Мы дружно вздохнули, до любимого все доходило с большим опозданием.

— А мы про что говорим? — взъелась Танька.

— А-а-а, — протянул он. — Воспаления легких нет?

— Бог миловал. — Бестолковость Лома ее злила, и скрывать это она отнюдь не собиралась.

— А температура?

— Тоже нет.

— Ясно. — Он поднялся и вышел из палаты.

— Ну и? — спросила я.

— Рожу его видела?

— К несчастью...

— Что к несчастью? Да он так растерялся...

— Нам-то что с того?

— Терпение иметь надо... — Мы еще немного поворчали друг на друга, тут вернулся Лом.

— Поехали, — сказал он с порога.

— Куда это? — ахнула Танька.

— Домой. Чего ей здесь валяться? Я в коридоре врачиху поймал, будет к нам ездить каждый день, до окончательного выздоровления то есть.

— Да ты чокнулся, что ли? — рявкнула Танька.

— Перестань кричать, — подала я голосок. — Не хочу я здесь оставаться... Дома скорее поправлюсь.

— Как же... — начала Танька, но ее уже никто не слушал. Я поднялась с кровати и тут кое-что сообразила.

— Гена, — выдохнула растерянно. — У меня же ничего нет, кроме рубашки...

Лом раздумывал двадцать секунд, потом сказал Таньке:

— Поехали за шмотьем.

— Вы побыстрее, ладно? — жалобно попросила я, продолжая изображать принцессу в заточении.

— Мы мигом, — заверил Лом. Они с Танькой удалились, а я сладко потянулась и стала прикидывать, как вести себя дальше.

Мелочным Лом никогда не был, потому вернулись они часа через два. Танька довольно ухмыльнулась и, улучив момент, шепнула:

— В машине места нет... А ты не верила, что прорвемся...

Она вытряхнула содержимое сумки на кровать, а я, приподнявшись в постели, стала одеваться. Чувствовала я себя хорошо, но на всякий случай дышала с трудом и время от времени утомленно прикрывала глазки.

— Зря вы это затеяли, — вздохнула Танька, заметив мое томление. — Полежала бы еще немного...

— Нет, хочу домой, — заявила я.

Покинув больницу, мы поехали к Лому.

— В холодильнике поди мышь сдохла? — проворчала Танька, завидев универсам.

— В магазин заедем, какие дела?

Я сидела сзади, Лом без конца пялился на меня в зеркало, а я была тиха и задумчива.

— Давай-ка сразу укладывайся, — сказала Танька уже в квартире. Я доверчиво взглянула на любимого.

— Куда мне?

— В спальню, — слегка растерявшись, ответил он и сурово посмотрел на Таньку. Та женщина мудрая, чужие взгляды понимает и потому через несколько минут отбыла.

Я устроилась в спальне на широченной Ломовой кровати, а он спустился к машине и вернулся нагруженный, как верблюд. Приткнул пакеты на полу и, кивнув на них, пояснил:

— Вот, купил тебе кое-что...

— Спасибо, — скромно сказала я и стала смотреть за окно, а Лом начал томиться.

— Может, тебе чего надо? — минут через десять спросил он. — Телек включить?

— У меня от него голова болит, — печально ответила я и попросила: — Завари чаю. С лимоном, если есть...

— Забыли про лимон. Сейчас съезжу.

— Не надо, — попыталась я его остановить.

— Да тут ехать-то... — Лома явно тянуло на подвиги.

— Ты только побыстрее, — душевно протянула я.

Через полчаса мы пили чай, устроившись в спальне, я в постели, Лом в кресле. Очень скоро он не выдержал и спросил:

— Чего ты такая тихая? — Я пожала плечами.

— Плохо мне. Никого у меня нет, кроме Таньки. Раньше об этом не задумывалась, а пока лежала в больнице, разные мысли лезли в голову... Совсем одна я. Вот так случись чего... — В этом месте я смахнула несуществующую слезинку.

— А чего случится-то? — не понял Лом.

— Да что угодно... Родственников нет, ни мужа, ни Аркаши...

— Нашла кого вспомнить, — фыркнул Лом.

— Он обо мне заботился, — жалобно сказала я. — И, между прочим, никогда не бил.

— А я бил и буду бить, — утешил Лом, — потому что с тобой по-другому никак нельзя. Баба ты подлая, хоть у тебя и вид сейчас, как у святой невинности. Только на меня все это не действует. Я тебя знаю как облупленную...

— Ничего ты не знаешь, — обиделась я.

— Знаю, знаю... И щенка я тебе ни в жизнь не прощу, на том свете вспомню.

«Неужто и на том свете мы по соседству будем?» — подумала я, а вслух сказала:

— Ты сам виноват...

— Что? — удивился Лом.

— Что слышал. Я сколько лет тебя любила, а тебе и дела нет.

Лом поперхнулся чаем, а откашлявшись, покачал головой:

— До чего ты, Ладка, баба наглая...

— Нечего прикидываться и дурака из себя строить, — разозлилась я. — Ты вспомни, сколько лет я на тебя глаза пялила. — Говорить такое было невероятной наглостью, только ведь когда имеешь дело с дураком, ходить вокруг да около бесполезно, намеков любимый не поймет, а вздохи растолкует по-своему. Я взглянула в его глаза и добавила: — Влюбилась я в тебя, как кошка.

— Ты? — Его аж перекосило от возмущения. — Да ты меня по имени и то ни разу не назвала.

— По имени тебя многие зовут, а вот Ломиком я одна.

— Ага. Вкручивай. На меня глаза пялила, а с Димкой спала.

— Сам виноват, — повторила я. — Я, между прочим, женщина, а не манекен с выставки. Мне хотелось, чтобы меня кто-то любил. С мужем не повезло, от Аркаши толку мало, а тут Димка. Я, как и всякая женщина, мечтала, чтоб все по-настоящему, по-человечески было. А с тобой что? Нужна тебе любовь? Глотку залить, да в кабаке бабам подолы задирать...

— Конечно, — с обидой сказал Лом и отвернулся к окну. — Не человек я вовсе.

— На правду нечего обижаться, — наставительно заметила я.

— Много ты знаешь правды-то. Не верю я тебе. Димку из тюрьмы вытащила, с ним сбежала. Просто так, да?

— Перед Димкой я, конечно, виновата. Пока в тюрьме был, вся душа изболелась: ведь из-за меня беда вышла. А приехали в Минск, все по-другому оказалось. И Димка не нужен, и о тебе ночи напролет думала. Потому и Таньке позвонила.

— Вот так я тебе и поверил, — усмехнулся Лом.

— Ну и не надо, — обиделась я и стала молча пить чай. Лом хмурился, разглядывая меня исподлобья, и заявил наконец:

— Знаю я, чего ты мне мозги крутишь. Без штанов осталась, вот и запела. Хочешь делом заправлять, вот что...

— Я в дела никогда не лезла. Просил Аркаша совета, я советовала, врать не буду. А дела мне ваши без надобности. И вообще, я устала и разговаривать с тобой больше не хочу. — Я отставила чашку, легла и отвернулась.

Лом вышел из спальни и с полчаса слонялся по квартире. Потом явился опять.

— Ладка, может, поешь чего? — спросил с порога.

— Не хочу, — хмуро ответила я.

— Танька говорит, тебе эти... витамины нужны.

— Танька — дура.

Лом хотел уйти, но в спальне ему точно медом намазали. Он потоптался у двери и подошел ко мне.

— Полежу немного. Башка чего-то болит...

«Было бы чему болеть», — мысленно хмыкнула я, но промолчала. Лежала с закрытыми глазами и ждала, что будет дальше. Лом устроился рядом, не раздеваясь, пялился в потолок и напрягал свои полторы извилины. Судя по всему, очень он был озадачен.

— Врешь ты все, — брякнул наконец где-то через полчаса.

— Что вру? — пришлось мне удивиться.

— Все. Нашла дурака — тебе верить.

— Ну и не верь, — обиделась я и опять отвернулась.

Ночью Лом почти не спал, ворочался, чем очень действовал мне на нервы. Ко мне не лез, и это было действительно странно. Утром я позвонила Таньке и доложила о достигнутых успехах.

— Лед тронулся, — обрадовалась она. — Главное, чтобы мысль эта засела в его глупой голове, а дальше — дело техники.

— Не желают они мне верить... — съязвила я.

— Еще как желают, — хмыкнула Танька. — Я тебе еще когда говорила: от твоих небесных прелестей он спятил давно и надолго.

— Ладно, — я вздохнула. — Что дальше делать прикажешь?

— Пеки пирог.

— Что? — опешила я.

— Говорю, пирог пеки, корми любимого. Прояви женскую заботу и ласку.

— Да ты вконец ополоумела, — разозлилась я. — Какой пирог? Я их отродясь не пекла.

— Ничего, заскочу с работы, сляпаем. А ты подсуетись: закати торжественный ужин со свечами... Лом в конторе?

— Откуда мне знать, где его носит. Лучше б вовсе пропал.

— Типун тебе на язык. Я возлагаю на Ломика большие надежды.

— Вот и возлагай, — посоветовала я и повесила трубку. Сидеть в четырех стенах скука смертная. Я прошлась по квартире и решила попытаться придать ей вид нормального человеческого жилья. Какое-никакое, а все-таки занятие и для дела польза.

Танька заскочила в обед и испекла пирог, записав мне рецепт на листке бумаги. Рецепт я сразу же выкинула, а пирог мне понравился, и я вооружилась ножом.

— Ну что ты делаешь? — хлопнула меня по руке Танька. — Это для любимого.

— Чтоб он подох, — вздохнула я, но нож убрала.

— Прекрати каркать. Ломик не просто еще один

придурок, это дар небес. Да второго такого во всем свете не сыщешь.

— Это точно, — кивнула я.

Лом вошел в квартиру и подозрительно принюхался. Я выглянула из гостиной, нерешительно улыбнулась и сказала капризно:

— Я думала, ты пораньше придешь.

Лом хмуро и настороженно прошелся по квартире, забрел на кухню, увидел накрытый стол с пирогом посередине, повернулся ко мне и спросил:

— Это что?

— Ужин, — пожала я плечами. — Попробуй без дела целый день посидеть... А вот это список того, что необходимо купить, чтобы превратить сарай, в котором ты живешь, в нормальную квартиру.

На список Лом не взглянул, заявил с довольно подлой усмешкой:

— А мне и так нравится. И я уже ужинал.

— Да? — Я взяла скатерть за четыре угла и вместе со всем, что стояло на столе, вынесла в мусоропровод, почти испытывая злобную радость от того, что Танька зря старалась. Правда, пирог я так и не попробовала, но не беда.

— Ну и что? — спросил Лом, когда я вернулась.

— Ну и ничего, — ответила я и отправилась в ванную. Пробыла я там довольно долго, а выйдя, застала Лома перед телевизором. Он посмотрел на меня и рявкнул:

— Ты как? Температуры нет?

— Была с утра, — хмуро ответила я, после чего ушла на кухню, сделала себе бутерброд с икрой и села на стул, закинув ногу на ногу и играя тапкой. Лом, само собой, притащился следом. Никакого наглого самодовольства на роже, скорее нерешительность и некое томление. Я поняла, что долго он не продержится, и заскучала. Генка сел напротив и как-то вскользь сказал:

— Чем днем занималась?

— А что, не видно?

— Видно. Здорово получилось, правда...

— Ничего не здорово. Где ты набрал этой рухляди? На дешевой распродаже?

— Мне больше делать нечего, как по магазинам шустрить... — покачал головой Ломик.

— И чем ты таким особенным занят, что тебе так некогда? — удивилась я. — Штаны в конторе просиживаешь? Добро бы в дело...

Лом не обиделся, посмотрел на меня и вдруг сказал:

— Лад, я посоветоваться хотел. Тут такое дело...

Я мысленно усмехнулась — то-то Танька обрадуется, оставила в покое тапку и стала внимательно слушать.

Утром Лом, бреясь в ванной, окликнул меня. Я подошла, встала рядом.

— Ты чего купить-то хотела? — с чуть заискивающей интонацией спросил он.

— Список на холодильнике.

— Может, вместе съездим, вдруг куплю чего-нибудь не то, будешь злиться...

Я пожала плечами:

— Хорошо, поедем...

В магазинах Лом вел себя на удивление терпеливо, подозреваю, что он получал удовольствие от нашего похода. Поначалу я только изображала интерес, а потом действительно увлеклась, точно и в самом деле собиралась жить в ненавистной Ломовой квартире.

К вечеру Ломик собрался в контору.

— Ужин приготовить? — стоя к нему спиной, поинтересовалась я. — Или ты поздно?

— Готовь, — кашлянув, ответил он и покинул меня. Я хохотнула и стала разбирать покупки. Если Танька не ошибается и Лом таит в душе большую любовь ко мне, сегодня ему придется туго.

Ужин удался на славу. Я вырядилась в новое платье и осталась собой чрезвычайно довольна.

Когда любимый вернулся, накрыла на стол и скромно уселась в уголке, глядя на него с большой нежностью. Лом жевал, хмурился, а под конец со вздохом заявил:

— Красивая ты баба, Ладка...

— Это плохо? — удивилась я.

— Не знаю, — опять вздохнул Лом. — Одно беспокойство...

— Найди себе какую-нибудь уродину, — посоветовала я.

— Я чего искал, то нашел, — заявил он. — Одно плохо — веры тебе никакой.

— Опять двадцать пять, — тяжело вздохнула я. — Ведь все же объяснила.

— Ты объяснишь... — начал злиться любимый.

Я подошла к нему, раздвинула его колени, устраиваясь поближе да поудобнее, и сказала:

— Заткнулся бы ты ненадолго да делом занялся. — Пока Лом соображал, что на это ответить, я его поцеловала и добавила: — Я так по тебе скучала...

Ломик включил ночник, которым не так давно получил по пустой голове, и стал меня разглядывать. Дышал с трудом, и по роже было видно, что страшно доволен. Еще бы... Я только что из шкуры не выпрыгнула.

— Ну как, угодил? — спросил он, а я засмеялась, потянулась и животик погладила.

— Угодил, не то слово. — Тут я обняла его покрепче и мурлыкнула: — Я под тобой сознание теряю...

— Орала ты — будь здоров, — подтвердил он и полез целоваться, а я блаженно запрокинула головку, а потом жарко зашептала ему на ухо что-то в высшей степени непристойное. Любимый был доволен, благодушен и чрезвычайно ласков. Я решила немного поэкспериментировать.

— Пить хочу, — сказала капризно, потягиваясь в его руках.

— Чего принести? — с готовностью спросил он.

— Молочка холодненького.

— Тебе нельзя холодное, опять заболеешь.

Молоко он принес заботливо подогретым.

— Есть хочу, — сказал он, забирая из моих рук пустой стакан, и без перехода спросил: — То, что ты говорила, правда? Хоть немного?

— Что? — не поняла я.

— Ну, что ты меня любишь, — слово ему далось с трудом, еле выговорил. Ничего, я тебя обучу, по двадцать раз на день будешь мне его твердить.

— А ты как думаешь? — ласково спросила я. Он помолчал, посмотрел серьезно.

— Не знаю. То, что тебе со мной, как с мужиком, кайф, это я чувствую, а остальное...

Он нахмурился, искоса взглянул... Глуп был Лом, и в мои слова поверить ему хотелось. Я прижала его голову к груди, по волосам погладила и замурлыкала:

— Я люблю тебя... Разве ты не чувствуешь? Злишься за старое, а то, что я по тебе с ума схожу, не видишь. Ну, не дурачок ли ты?

Он голову поднял, уставился в мои глаза, долго смотрел, лицо сделалось каким-то потерянным, обнял меня, прижался теснее и сказал:

— Ладуль, поклянись, что правду сказала. Поклянись, я поверю.

Я засмеялась, ласково, по-собачьи лизнула его в шею и поклялась:

— Век свободы не видать.

Как сказала, так и вышло.

Через месяц сыграли свадьбу. Танька, само собой, была свидетельницей и чему-то радовалась. Как я и предполагала, Лом попытался сделать из свадьбы зрелище, напоминающее коронацию, но я этому воспрепятствовала, настояв на скромной церемонии.

Очень скоро влюбленный Лом стал действовать мне на нервы больше, чем бешеный, и времена, когда мы дрались да ругались, я вспоминала как лучшие дни своей жизни. Танька, напротив, веселилась и потирала руки.

— Что я тебе говорила, заживешь как в сказке.
— Хороша сказка, — злилась я.
— А чего тебе надо? Деньги тратишь сколько хочешь, муж любит, без тебя шагу не ступит, все Ладушка да Ладушка. Мужики, и те говорят, что Лом на своей бабе помешался.
— Надоел он мне, — рявкнула я.
— Ну, милая... — подружка нахмурилась.
— Танька, давай подумаем, как от Лома избавиться.
— Что значит «избавиться»? — насторожилась она.
— То и значит: я хочу быть вдовой.
— Спятила? Дела в гору пошли, Лом тебя слушает, души не чает, чего тебе еще? Да любая баба только бы радовалась такому-то мужику.
— Вот и забери его себе, — съязвила я.
— С радостью, да он от твоей задницы последних мозгов лишился... Вчера его встретила. Шубу волокет, рожа довольная. «Ладуле подарок», — передразнила Танька Лома, — а сам так и светится.
— Он дом затеял строить, — пожаловалась я. — Танька, избавь меня от этого придурка, пока он все мои деньги по ветру не пустил. Ведь все равно ничего путного не построит...
— А ты сама займись... подскажи. Он тебе муж и рассуждает правильно: чего женатому человеку в трех комнатах тесниться? Детки пойдут...
— Заткнись, дура, — снова рявкнула я и даже замахнулась. Танька хохотнула и сказала:
— С жиру бесишься. Лом — мужик золотой, если с ним по-умному...
— Он почти что идиот.
— А тебе кто нужен? Был у тебя умный, Димой звали. То-то ты через две недели с тоски пухнуть начала...
— До чего ж ты подлая баба, — покачала я головой. — Не хочешь помогать, не надо, сама справлюсь.
Танька испугалась.
— Ладка, ты дурака-то не валяй. Лом хоть и недоумок, но, если заподозрит, что ты ему опять вкручива-

ешь, третий раз не простит. И рада будешь все назад вернуть, да не выйдет. Слышишь?

— Слышу, — недовольно ответила я.

— То-то. Уж сказала, что любишь, вот и люби.

— Он у меня подавится любовью.

Танька развеселилась и заявила:

— Это вряд ли. Лом мужик крепкий...

— Иди-ка ты домой, — заявила я.

Подружка обиделась:

— Ну чем он тебе так досадил? Красавец, здоровья на семерых, баксов целые карманы... Ну дурак, что ж теперь... Оно и лучше. Ладушка, ты баба умная, а с дураком всегда проще... Дела идут, и, если рот не разевать, мы с тобой быстренько все к рукам приберем.

— Я хочу быть вдовой, — напомнила я. — Сыщи киллера, заплачу любые деньги, лишь бы от этой подлюги избавиться...

— Не ко времени, — жалобно застонала Танька.

— Я тебя предупредила: не хочешь помочь, сама за дело возьмусь...

— Что, сама стрелять начнешь? — удивилась подружка.

— Нет, буду любить сильнее и крепче, — усмехнулась я. — Ревновать начну. Допеку, сбежит сломя голову.

Танька с сомнением покачала головой.

— Бабы на стороне у Лома нет. Мне бы донесли... Я ж говорю, он свихнулся, ты у него на уме и светлым днем и темной ночью.

— Вот я его и порадую, — пообещала я Таньке, она хохотнула и головой покачала.

Оставшись одна, я стала бродить по квартире, составляя план военной кампании. Подружка была права, Лом окончательно свихнулся: клялся в любви, шарил по мне глазищами и без конца терся рядом. Никакого покоя. То звонит, то вдруг заявится, когда его не ждешь и хочешь отдохнуть в тишине, а тут крутись и изображай безумно влюбленную. Чуть замешкаешься с этой самой любовью, он уже в глаза заглядывает и подозрительно спрашивает:

— Ладуль, ты чего такая? Настроение плохое?

В целях собственной безопасности я начинала демонстрировать хорошее настроение и повышенную готовность к любви.

Поначалу я себя утешала, что это должно Лому быстро надоесть. Но как бы не так. Если продолжать в том же духе, через пару месяцев выйдет, что одеваться по утрам просто не имеет смысла. Его подарки доставали меня не меньше его любви, он тащил в дом все подряд, совершенно не думая, нужно мне это или нет. Подаркам надлежало радоваться, в противном случае Лом грустил и приставал с вопросами:

— Ладуль, не понравилось? А чего ты хочешь?

У меня был только один ответ: хочу стать вдовой. Танька отказывалась помочь, а мне такое дело не по силам. Значит, выход один — допечь Лома ревностью, но и тут Танька права: как на грех, он оказался примерным семьянином, все его бабы разом куда-то исчезли, даже по телефону никто не звонил. Но надежды я не теряла. Если желание есть, всегда найдешь к чему придраться. Я решила начать в тот же вечер.

Лом явился часов в восемь. Услышав, как хлопнула дверь, я выплыла из гостиной. Лом полез целоваться. Я не проявила энтузиазма и поинтересовалась с некоторой суровостью:

— Ты где был?

— В конторе, — удивился Лом.

— Я пять раз звонила, тебя там не было.

— Выезжали по делам пару раз... А чего?

— Ничего. Что за дела?

— Сейчас расскажу... Ладуль, ты чего такая?

— Нормальная. Звоню, тебя где-то носит. Со Святовым шарахался? У него одни бабы на уме, и ты туда же?

Глаза Лома медленно, но уверенно полезли на лоб.

— Ты чего, Ладуль? Какие бабы? Да мне даром никто не нужен, век свободы не видать...

— Ломик, — сказала я, повышая голос, — спаси Господи, узнаю что. Мало тебе не покажется...

— Ладуль... — завопил он, но я его перебила:

— Мой руки, садись ужинать и рассказывай о делах.

Он потрусил в ванную, вернулся, сел напротив, заглядывая мне в глаза. Рожа просто сияла от счастья. «Ладно, первый блин всегда комом», — утешила я себя.

На следующий день Лом бодро отзывался на все звонки, заезжал домой чуть ли не каждый час и сам звонил без перерыва. Покоя в доме не стало никакого. Танька веселилась:

— Ломик жутко довольный... Вчера мне жаловался: Ладка чокнулась, ревнует, шагу ступить не дает, а у самого рожа так и светится, ума не хватает скрыть свою глупую радость.

— Ничего, — прорычала я. — Это только начало.

Через месяц мне повезло. Звоню в контору, трубку взял какой-то парень, кто, по голосу не узнала.

— Где Лом? — спрашиваю.

— Здесь.

— Где здесь? — разозлилась я.

— В кабаке сидит.

— С бабами?

Парень замялся:

— Там полно народу, чего-то празднуют.

Я трубку бросила и за пять минут собралась в дорогу. В конторе меня давно не видели, и потому ребята у дверей малость растерялись.

— Где? — рявкнула я и пошла в зал, на ходу швырнув кому-то шубу. В самом центре за двумя сдвинутыми столами шло веселье, человек пять мужиков и четыре девицы, с виду вполне приличные. Лом сидел с краю, отодвинувшись от стола, нога на ногу закинута, руки на коленях. Жизнью вроде бы доволен. Я стремительно направилась к нему.

Меня заметили. Лом тоже голову повернул и только собрался пропеть свое дурацкое «Ладушка», как я, подойдя вплотную, рявкнула:

— Которая из них?

Могу поклясться — Лом испугался.

— Лада, — начал он, разводя руками.

— Кто? — повторила я, переводя взгляд с муженька на девиц за столом. Все замерли и вроде бы лишились дара речи, в том числе и любимый, то есть он пытался что-то произнести, но выходило как-то нечленораздельно.

— Не желаете отвечать? — улыбнулась я. — Вам же хуже, родные...

После этого я ухватилась за скатерть и стащила ее на пол. Женщины завизжали, мужики начали материться, а я, сказав: «Гуляй, любимый», — и победно вскинув голову, выплыла из кабака.

Кто-то подскочил с шубой, и, пока я принимала ее из чужих рук, появился Лом. У меня сжалось сердце — муженек в гневе страшен, а сейчас он должен гневаться. Увидев его физиономию, я глухо простонала.

— Лада, ты чего, сдурела, что ли? — торопливо начал Лом, хватая меня в охапку.

— Я тебя предупреждала, — прорычала я.

— Да ты что? У жены Зверька день рождения, я подошел только поздравить, люди приглашали, вроде не чужие... Выпил рюмку, пять минут посидел, уже домой собрался...

— Врешь ты все, — рассвирепела я.

— Ну что ты вытворяешь, — всплеснул руками Лом, чем очень напомнил мою бабушку. — У людей праздник...

— Я тебе не верю, — жалобно сказала я на всякий случай.

— О Господи, я тебе сто раз повторял: мне никто, кроме тебя, не нужен. — Я вроде бы застыдилась, а Лом полез целоваться. — Ладушка, солнышко, ну чего ты? Ей-Богу, у Витькиной жены день рождения, вот и сидят с друзьями, не веришь, сама спроси... Хочешь, паспорта покажут?

Здесь мне стало по-настоящему стыдно, а что, если женщины за столом действительно с мужьями и я им праздник испортила?

— Врешь? — с надеждой спросила я.

Лом тяжко вздохнул. Я извлекла платок из сумки и аккуратно заплакала, жалуясь при этом на жизнь:

— Звоню тебе, а какой-то дурак мне говорит: он в ресторане. Я испугалась, спрашиваю: «С бабами?» — а он что-то плести начал. Я чуть с ума не сошла. А ты сидишь здесь, и эта крашеная рядом...

— Да на фига она мне? — опять всплеснул руками Лом.

— Правда с женами сидят?

— Ну...

— Геночка, что ж я наделала, а? — очень натурально испугалась я.

— Ничего, подумаешь... Сейчас столы по новой накроют, кончай реветь. Пойдем, я тебя со всеми познакомлю, чтоб, значит, мыслей не было.

— Мне стыдно, — пролепетала я.

— Еще чего? Да хоть разнеси весь кабак к чертовой матери. Кто здесь хозяин? Кому не нравится, пусть выметаются. Пошли. — Лом ухватил меня за руку.

— Гена, — зашептала я, — отправь кого-нибудь за цветами для именинницы.

Лом кивнул и тут же подозвал лохматого парня.

За столом царило молчание, стол был накрыт, но весельем не пахло.

— Извините, — сказала я и улыбнулась. — У меня скверный характер, и я слишком люблю своего мужа.

С некоторой робостью выпили за именинницу. Потом явился парень с букетом, народ понемногу оживился. Лом сиял, как тульский самовар, и больше обычного действовал мне на нервы.

Когда я стала получать хоть какое-то удовольствие от общения с людьми, он потащил меня танцевать и зашептал на ухо:

— Поехали домой, ну их всех к черту...

Я немедленно изобразила боевую готовность и буйный восторг, думая при этом: «Чтоб тебя, гада, черти слопали...», но это было не все. Лом решил доконать меня в тот вечер. Только сели в машину, он достал с заднего сиденья огромный букет и сунул мне. Я охнула, взвизгнула и замерла от счастья. Невыносимо довольный Лом заявил:

— Что ж я буду гонять мужиков за цветами для чужой бабы? А родную жену без букета оставлю? — Тут он полез целоваться и сразу пристал: — Ладушка, ты меня любишь?

«До смерти», — очень хотелось сказать мне.

Итак, ничего путного с рестораном не вышло. Вся надежда теперь была на баню. Парился Лом с дружками не реже раза в неделю, и, по моим представлениям, не столько грязь с себя счищали, сколько пьянствовали. А где водка, там и бабы. По крайней мере, я на это очень рассчитывала и вторника ждала как манны небесной. Лом меня расцеловал и, пообещав в девять вернуться, отбыл. Выждав пару часов, я, сгорая от нетерпения, отправилась за ним. В тихом переулке в здании начала века размещался так называемый спортивный клуб. Спортивным только и было, что вывеска. Правда, существовал еще зал с тренажерами, но главное, конечно, сауна. Клуб был привилегированный, кого попало сюда не пускали. Я подошла к металлической двери и нажала кнопку звонка.

— Чего надо? — спросил мужской голос.

— Открывай, придурок, — рявкнула я.

— Я тебе сейчас открою, — пообещал он и вправду открыл, потом выкатил глаза на глупой роже и промямлил: — Чего?

— Лом здесь? — грозно спросила я, влетая в коридор. Кто-то очень бойкий загородил мне дорогу.

— Нельзя.

— Уйди, мальчик, — ласково улыбнулась я. Парень протянул было руку, а я зловеще добавила: — Только тронь, Лом тебя на куски разрежет.

Парень отдернул руку, кто-то еще более прыткий заспешил к двери в глубине коридора, я тоже ускорила шаг, и вошли мы почти одновременно. Муженек в компании четырех таких же придурков пил пиво, развалясь на махровых простынях. Ни тебе женского визга, ни лифчика на крючке, клуб пенсионеров, да и только. Я побледнела от злости, Лом съездил себе по зубам горлышком бутылки, а остальные как открыли рты, так и замерли.

— Извините, — пролепетала я и брякнула: — Гена,

у меня срочное дело. — Развернувшись на пятках, я спешно покинула помещение.

Села в машину, прикидывая, где лучше скандалить с Ломом? Дома или здесь? Баню он покинет не скоро, у меня есть время продумать реплики. Он скажет что-нибудь вроде: «Ты меня перед друзьями позоришь», я отвечу на это: «Если тебе твои друзья дороги, с ними и спи...» После этого муженек должен разгневаться, и мы начнем жить как люди: скандалить и разводиться, а главное, прекратим это дурацкое строительство дома.

Я еще только третью реплику придумала, когда Лом выскочил из клуба. Куртка нараспашку, и вид такой, точно за ним черти гонятся. Пожалуй, мне не поздоровится. Я ведь хочу, чтобы он меня бросил, а не колотил смертным боем.

Лом сел рядом, посмотрел на меня и головой покачал:

— Ну, чего ты вытворяешь, а?

— Я думала, ты с бабами, — виновато зашмыгала я носом.

— Какие бабы? Сколько раз тебе говорить: никто мне не нужен. Хочешь, я тебе каждые пятнадцать минут звонить буду?

— Ты позвонишь, в обнимку с какой-нибудь кикиморой...

— Ну что за черт в тебя вселился? Одна глупость в башке...

— Не ори на меня, — обиделась я.

— Я не ору. Чего ты себя изводишь? Выдумала каких-то баб... Да на черта они мне... Я тебя люблю...

— Я тоже тебя люблю, Геночка, — запричитала я, прижимаясь к нему. — Пока ты рядом, все хорошо, а как уйдешь, сразу мысли всякие, где ты и с кем ты... Сны мне плохие снятся...

Лом меня обнял и принялся наглаживать.

— Дури в голове много, вот и снится всякая чертовщина...

— Ты на меня не злишься? — жалобно спросила я и о дружках решила напомнить: — Мужики-то что скажут...

— В гробу я их видел. Пусть попробуют пасть открыть, если зубов много.

В общем, баня тоже пролетела с треском. Но надежды я не теряла. Оставались еще карты.

Как-то в субботу Лом вернулся позднее обычного. Мы с Танькой ходили в театр, вернулись поздно, а муженька дома не оказалось. Я села в кресло с книгой и стала его ждать.

— Ладуль, ты не спишь? — крикнул он часа через три, хлопнув дверью. Я появилась в прихожей, встала подбоченясь и спросила:

— Ты знаешь, который час?

— Да мы в картишки перекинулись, — подхалимски сообщил Лом, аккуратненько подбираясь ко мне.

— Серьезно? — хмыкнула я. — В следующий раз можешь вообще не приходить. Здесь тебя ждали не в два, а в десять.

Я вскинула голову и уплыла в спальню, заперла дверь и легла в постель. Лом поскребся и заканючил:

— Ладуль, ну ты чего? Я ж звонил, ты знала, где я...

— Я беспокоилась...

— Ну сказала бы, я сразу бы и приехал... думал, вы с Танькой в театре, не спешил.

— По-твоему, театр до двух? Между прочим, путные мужья в театр с женой идут, а не в карты режутся со всякой пьянью.

— Хорошо, пойдем в театр, — вздохнул Лом за дверью. — И я вообще не пил. Ни грамма. Можешь проверить...

— Очень надо, — фыркнула я. — Топай туда, откуда пришел.

— Ладуль, кончай, а? Открой дверь, пойдем в театр, еще куда-нибудь, хоть к черту, только не злись. Очень прошу... — Я молчала. Лом пару раз дверь пнул и начал свирепеть. — Открой, пока я все здесь не разнес к чертовой матери...

После третьего удара дверь открылась, а я на всякий случай заревела. Лом замер у порога и развел руками:

— Здрасьте, я еще и виноват... Ну чего ты ревешь?

— Ничего, — обиделась я. Лом бухнулся на пол, сгреб мои руки в свои лапищи и запел:

— Ладушка, красавица моя, солнышко, давай мириться... — Я только вздохнула.

На следующий день я размышляла, куда поставить новую вазу, и все на часы поглядывала. Время позднее, а Ломик сидит перед телевизором и никуда не собирается.

— Ты пойдешь в контору? — с надеждой спросила я.

— Не-а. Чего там каждый вечер сидеть. Телефон есть. Позвонят, если что...

Я выронила вазу, она разбилась, а я, как обычно, заревела. Лом вскочил, развел руками и сказал:

— Ладуль, ну чего ты? Да я тебе таких ваз десяток куплю.

«Хочу быть вдовой», — мысленно простонала я.

В субботу явилась Танька. Над моими попытками уличить мужа в измене она потешалась, и потому в последнее время мы виделись не часто.

— Пойдем на кухню, — кивнула я.

— Ломик дома? — спросила Танька, надевая тапки.

— Дома, видак смотрит.

— Что за фильм?

— «Король-лев», — ответила я.

— Название какое-то чудное. Приключения, что ли?

— Нет, это мультик.

Танька хрюкнула и развела руками:

— Ну любит человек мультфильмы, что ж его теперь, убить за это?

— Вот именно, — прошипела я. — Добром прошу, найди киллера.

— С жиру ты бесишься, — покачала головой подружка. — Мужик с тебя не слазит, деньжищ море, чего еще надо? Вот почему так — я из кожи вон лезу, и все без толку? Не только путным мужикам, а и бандитам без особой надобности. А перед тобой любой мужик по струнке ходит! Взять хотя бы Ломика: зверюга, ребятки его до смерти боятся, а дома, что твоя болонка, — тихий, ласковый и все в глазки заглядывает: «Ладушка, хочешь апельсинчик?» — пропела Танька с дурацкой Ломовой интонацией. — Тапки подает и хвостом виляет. — Танька плюнула и добавила: — Никакой справедливости в жизни.

— Сил моих больше нет, — заныла я. — Найди киллера, не то руки на себя наложу. Не могу видеть этого недоумка. — Я заревела, Танька тяжко вздохнула и сказала: — Хорошо. Найду. Будешь вдовой бандита, а я останусь деловой женщиной областного масштаба. Скука смертная, но что делать...

— Сил моих больше нет, — повторила я.

— Ладно, чего реветь-то? Сделаем тебя вдовой... Я ж для тебя что угодно, хотя, конечно, если бы кто моего совета спросил... все-все, глазами не зыркай. Сделаю, как скажешь. Считай, Лом покойник.

— Правда? — обрадовалась я, вытирая глаза.

— Я тебя когда обманывала?

— Танька, ты не злись, — принялась я канючить. — Глаза мои на него не смотрят, я уж и так и эдак, а он точно репей...

— Не реви. Все сделаем.

Только я воспряла духом, на кухне появился Лом. Посмотрел на нас по очереди, нахмурился.

— Геночка, ужинать будешь? — засуетилась я.

— Не буду, — сказал он и на Таньку накинулся: — Чего притащилась? Звали тебя?

— Звали, не звали, тебе что за дело? Или неймется? Потерпишь немного...

— Топала бы ты домой, таскаешься на ночь глядя...

— Грубый ты человек, Лом. Как с женщиной разговариваешь?

Танька обиделась и ушла.

— Зачем прибегала? — спросил муженек, когда за Танькой дверь закрылась.

— Просто так, — пожала я плечами.

— Ага. А чего у тебя глаза красные? — Пока я соображала, что бы такое ответить, Лом грохнул по столу кулачищем и спросил: — Что, хахаль твой объявился? Соскучился?

Я подпрыгнула от неожиданности. Смотреть на Лома было страшно: морда злая, кулаки сжал. Переход от ласковой дворняги к взбесившемуся доберману был так стремителен, что я растерялась.

— Я тебя спрашиваю? — рявкнул он. — Язык проглотила?

Если Лом впадал в бешенство, пережить это было трудно даже зрителям, а быть объектом его буйного гнева я бы и врагу не пожелала. Сейчас, судя по налитым кровью глазам и перекошенной физиономии, мне предстояло быть и зрителем, и объектом.

— Геночка, — пролепетала я, но он не пожелал слушать.

— Что она тебе напела и отчего ты реветь удумала?

Тут я перепугалась по-настоящему, зарыдала и сдуру брякнула:

— Ребеночка я хочу, а не получается...

Лом ошалело замер, выпучил глаза, но кулаки разжал. Я устроилась в кресле, размазывая слезы и громко вздыхая.

— Ладушка, — побрел он ко мне с видом побитой собаки. — Ну ты чего, а? Посмотри на меня... Солнышко... Нашла кому на жизнь жаловаться, а я на что?

Я обняла любимого и уткнулась в его шею.

— У нас свои разговоры, хотела посоветоваться...

— Много толку от твоей Таньки. Ладуль, ты же эти... таблетки пьешь...

— Не пью давно, — нагло соврала я.

— Ну и не забивай ты себе голову. Ты к врачу ходила?

— Ходила.

— Что сказал?

— Все нормально.

— Вот и хорошо. Про себя я точно знаю, так что реветь завязывай. Будет тебе ребенок, чтоб мне пропасть.

Разумеется, Лом тут же принялся демонстрировать свою готовность стать отцом, а я тихо радовалась. Таньке я верила свято: если она сказала, что я буду вдовой, значит, можно шить черное платье.

Ожидая кончины любимого со дня на день, я относилась к нему с особой нежностью. Хотелось сделать ему приятное, приласкать и вообще осчастливить напоследок. Лом с видом законченного идиота болтал как заведенный о будущих детях и нашем новом доме. Я слушала его с улыбкой, думая о том, что новый дом для него будет малость тесноват, но зато надежен и крепок. Об этом я позабочусь.

Я присмотрела себе платье и решила, что в роли вдовы буду выглядеть восхитительно. Каждый день звонила Таньке и просила поторопиться. В конце апреля она пришла и сказала с порога:

— Завтра.

— Правда? — ахнула я, боясь поверить своему счастью.

— Бабки приличные...

— Заплачу сколько скажет... Танька, что бы я без тебя делала? — подхалимски сказала я, обнимая ее.

— Вот уж не знаю... В общем, так: поедет завтра Лом в контору, а возле универмага его будет в двенадцать ждать стрелок. Позаботься, чтоб он из дома вовремя отчалил, и венок покупай.

— Поверить не могу... — Я засмеялась, кружась по комнате. Танька взирала на меня неодобрительно.

— Конечно, я за тебя в огонь и в воду, и вообще куда угодно, но с мужьями так не обращаются.

— Заткнись, — прикрикнула я, потом обняла подружку и пообещала: — Вот похороним любимого и заживем как в сказке... — Танька только рукой махнула.

Всю ночь я не спала и вдовой себя воображала. Лом сопел рядом, чмокал губами и ко мне жался. «Неужто его завтра не будет? Чудно...» Я включила ночник и покосилась на Лома. Больше я этой глупой физиономии не увижу, голоса его не услышу с дурацким распевом. «Ладушка», — мысленно передразнила я и засмеялась. Расплата последовала незамедлительно. Лом проснулся:

— Ты чего, Лад?

— Соскучилась, — улыбнулась я. Лом хохотнул и ко мне полез, а я подумала: «Ладно, гад, порадуйся напоследок».

Утром муженек поднялся раньше обычного и, бреясь в ванной, что-то пел. Я нежилась в постели, потягиваясь и улыбаясь. Любимый возник на пороге, увидев, что я не сплю, ко мне подошел.

— Красавица моя...

— Ты куда так рано?

Он хитро ухмыльнулся и сказал:

— Дела...

— В контору когда поедешь? — насторожилась я.

— Как обычно, — Лом стал одеваться, а я с облегчением вздохнула: универмага ему не миновать, другой дороги к конторе не было, место Танька выбрала правильно, и вообще она молодец.

Лом наконец ушел, а я вскочила и стала заниматься всякой ерундой, пританцовывая и напевая. Потом сходила в магазин и стала готовиться к праздничному ужину. Кончину муженька следовало отметить. В половине двенадцатого он позвонил из машины:

— Ладуль, я тебе щеночка купил.

— Кого? — не поняла я.

— Щенка, забыл, как называется... подожди, у меня тут записано. Вот... коккер-спаниель, смешной такой, рыжий...

— Ломик, — ласково сказала я, — а ты не знаешь, на кой черт мне щеночек?

— Ну... — замялся Лом. — Я подумал: пока детей нет, чтоб тебе не скучно было...

«Не надо думать, когда нечем», — хотелось сказать мне, вместо этого я спросила:

— А кто с ним по утрам гулять будет, ты подумал? Ненавижу рано вставать...

— Я погуляю, — заверил Лом, — а вечерами будем вместе в парк ходить... как люди...

Я представила, как мы с Ломом и этим самым щеночком гуляем в парке, и глухо простонала.

— Ладушка, — опять запел Лом, — чего ты? Он тебе понравится... маленький такой, кудрявый.

— Ты куда едешь? — всполошилась я.

— В контору.

— Со щенком?

— Так он не помешает, пусть побегает немного, часам к двум домой приеду.

Мы тепло простились, я постояла возле телефона, перевела взгляд на часы — без пяти минут двенадцать. Я грязно выругалась и позвонила мужу:

— Ты где сейчас?

— В машине, — ответил он.

— О Господи, на какой улице?

— К универмагу сворачиваю.

— Ну-ка, тормози, — рявкнула я. — Сворачивай в переулок, там собачий магазин, купишь ошейник, миску и сухого корма для щенка. Все понял?

— Ладуль, я сначала в контору заскочу, там рядом такой же магазин...

— Не такой... и щенку в конторе делать нечего, еще блох подцепит. Сворачивай сейчас же в переулок и не вздумай хитрить.

— Да свернул уже, — проворчал Лом. — Какая разница, где ошейник купить?

— Если я говорю, что есть разница, значит, есть. И из магазина сразу домой, я щенка увидеть хочу.

Закончив с Ломом, я позвонила Таньке, хмуро сказала:

— Убирай стрелка, деньги заплачу...

— Что так? — хмыкнула подружка.

— Не твое дело, — разозлилась я, а потом, разумеется, заревела с досады.

— Что, жалко любимого стало? — веселилась Танька уже вечером.

Лом был в конторе, а щенок по имени Рокки лежал на моих коленях.

— В машине находился щенок, — обиделась я. — Представь, что на его глазах убили бы человека? Это же травма для собаки на всю жизнь.

— Да, животное бы это подкосило... Ну что, выпьем за здоровье Ломика... — Танька подняла рюмку и подмигнула мне.

— Чего ты все лыбишься? — не выдержала я. — С киллером договорилась?

— Да не было никакого киллера, — вздохнула Танька. — Знаю я тебя как облупленную, баба ты добрая... Аркаша, царство ему небесное, был хуже чучела, а ты все равно его любила, а Лом мужик видный, и кое-какие достоинства у него имеются. А злилась ты оттого, что он силой тебя с ним жить заставил. Я ж знала, привыкнешь, жалеть начнешь, и киллера придумала, чтоб ты поскорее дурака валять перестала.

— Подлая ты баба, — с улыбкой покачала я головой.

— А ты эгоистка, — нахмурилась Танька. — Все только о себе и думаешь, а до меня тебе и дела нет.

— Ты влюбилась, что ли? — насторожилась я.

— Я с любовью завязала, в смысле — влюбляться больше не хочу, никакого нет в этом толку. Мужики меня не любят, каждый облапошить норовит. Вот хоть Вовку взять. Чего подлецу надо? А его все из дома тянет. Только-только отвернешься, бдительность потеряешь, а он уже шасть за дверь... — Танька вздохнула. — У меня мечта есть.

— Какая? — обрадовалась я. Настроение у меня было хорошее, хотелось осчастливить Таньку.

— Я хочу построить Империю, — скромно сказала она. Я слабо икнула и переспросила:

— Что ты хочешь?

— Империю. У всех приличных людей была империя: у Македонского, Наполеона, у Гитлера и то была. Чем я хуже? Мозгов у меня, может, поболе будет.

— Ты, Танька, часом не свихнулась? — поинтересовалась я. — Какая еще империя?

— Обыкновенная. Где мы хозяйки: ты и я.

— Мамочка, — охнула я. — Македонский ей привиделся... По Индийскому океану тоскуешь? Так слетай по путевке...

— Вот ты всегда так, — разозлилась Танька. — Как тебе что надо — вынь да положь, а как мне — так обязательно глупость... Я для тебя что хочешь, а ты малость какую-либо и то сделать не желаешь.

Я застыдилась.

— Какую империю тебе надо? Объясни, — развела я руками.

— Обыкновенную. Чего ж тут не понять...

— Области тебе хватит? — насторожилась я.

— Мне и города хватит, — заскромничала Танька.

— И то ладно. Хочешь стать мэром? — проявила я сообразительность.

— Еще чего... мэром. Нашла императора...

Тут я наконец понимать стала и присвистнула:

— Ясно, глупость это... Только в дурацких фильмах крутые бабы мужиков в «шестерках» держат, нам под себя бандюг не подмять, начнем с императриц, а кончим подстилками.

— А Лом на что? — хмыкнула Танька. — Лучшей кандидатуры не сыщешь. Сидит крепко. Во всем городе Лом да Ленчик... А при нем два серых кардинала, зачем нам наперед лезть. У Лома сила, у нас мозги. Считай, империя в кармане. И ты делом займешься, а то сидишь пеньком, на войну с мужем себя растрачиваешь, а муж-то золотой...

— А я все удивлялась, чего ты так о Ломике заботишься... — покачала я головой.

Мы посмотрели друг на друга, ухмыльнулись, потом и вовсе расхохотались.

— Ну?.. — спросила подружка.

— Заметано, — ответила я.

Тут как раз явился Лом.

— Ломик, — позвала Танька. — Иди, родной, выпей. У тебя сегодня никак день рождения?

— Сдурела, что ли? — нахмурился Лом.

— Геночка у нас Лев, — сообщила я, целуя любимого. — Садись ужинать.

— А я думала, ты сегодня родился, — не унималась Танька.

— Да отстань ты, дура, — не выдержал Лом.

— Не обращай внимания, — мяукнула я и опять его поцеловала. — У Таньки настроение хорошее.

— А что у вас за праздник? — спросил Лом, заметно смягчившись.

Мы переглянулись и захохотали.

— Вы пьяные, что ли? — поинтересовался Лом, глядя на меня с удивлением.

— Коньяка выпили, Танька с Рокки познакомилась, и они друг другу понравились. А еще — я тебя люблю.

— Уж это точно, — кивнула Танька. — Все уши прожужжала, какой у нее муж золотой. Просто слушать противно.

— А ты не слушай, — сказал Лом и поцеловал мне руку. Тут Рокки сделал пару шагов и оставил после себя лужу.

— Что делает, блохастый, — разозлилась я. — Наказание, да и только.

— Я уберу, — с готовностью поднялся муженек, — не злись только. Он маленький, привыкнет...

Он исчез, а Танька головой покачала:

— Господи, что ж с людьми любовь-то делает.

— Кончай Лома дразнить, — сказала я, — коли быть ему императором, так относись с уважением. Он для нас Геннадий Викторович, и остальных ослов надо приучать к тому же. К тебе он должен относиться душевно, так что суетись.

Когда Лом вернулся с тряпкой, Танька поднялась из-за стола:

— Мой, Геночка, руки и выпей коньячку, а я уберу за вашим блохастым. Буду ему крестной матерью.

Ночью, ублажив Лома по полной программе, я задумалась. Танька, подлая душа, знала меня хорошо, теперь все мои мысли были о ее дурацкой Империи.

На следующий день мы с ней встретились в кафе. День был солнечным, пластмассовые разноцветные столы вынесли на улицу под полосатый тент, а в воздухе витала весна. Танька выглядела довольной и чрезвычайно серьезной.

— Чему нас учат уроки истории? — начала я.

— На какой период мне следует обратить внимание? — насторожилась подружка, прядая ушами.

— Не стоит залезать в дебри. Возьмем тридцатые годы.

— Европа или отечество?

— Без разницы, — махнула я рукой.

— Ясно. Процессы — дело нудное, — кивнула Танька. — Значит, «Ночь длинных ножей».

Я уважительно посмотрела на нее.

— Правильно. Прежде чем строить империю, надо в своем доме навести порядок. Лом должен слушать только нас, а у него прорва дурных советчиков...

— С кого начнем? — спросила Танька.

— С самого опасного...

— Святов... — Подружка задумалась, прикусила губу. — Лом Святова не отдаст, дружки, мать их... И тебя не послушает, хоть мясом кверху вывернись.

— Значит, справимся без Лома...

— Вдвоем такое дело не потянем. Человек нужен, надежный...

— Правильно, — согласилась я. — К примеру, твой Вовка — завтра приведешь его ко мне, поговорим.

Назавтра Танька пришла с Вовкой. Лом был в конторе. Сели за стол, выпили. Вовка закусил и опять к бутылке потянулся, Танька хлопнула его по руке и сказала:

— Тебя не водку пить позвали. Сиди и слушай.

— А чего за дела? — удивился он, глядя попеременно то на меня, то на подружку.

— Танька Империю хочет, — пожала я плечами. — Не могу же я отказать близкому человеку в такой малости, будем строить.

— Чего? — не понял Вовка.

— Чего, чего... Город хотим под себя подмять, а ты поможешь.

— Как это? — обалдел герой-любовник.

— Так это, — передразнила Танька. — Хотим создать Империю, один подлюга нам мешает, а ты нас от него избавишь. — Танька скоренько посвятила возлюбленного в наши планы. Понял он чего или нет — судить не берусь, но сидел как полный идиот.

— А мне-то чего делать? — растерялся он.

Танька разлила водку и сказала вкрадчиво:

— Ты уберешь Святова.

Вовка поперхнулся водкой, Танька поднялась и треснула его по спине.

— Да вы че? — спросил он, как только смог отдышаться. — Вы это серьезно?

— Конечно, — Танька даже обиделась. — Что морду-то вытянул? Ты прикинь: дело верное, Лом Ладку слушает, что она ему ночью напоет, то он днем и сделает. А тебя только терпит, Димку простить не может. Что, всю жизнь в «шестерках» хочешь бегать? С нами человеком станешь... Ну?

Вовка покрутил головой.

— Да как же я его убью?

— У меня есть план, — сказала Танька.

— Какой, к черту, план! Сколько я проживу после этого? Да со мной знаешь что сделают?

— Ну, родной... а голова на что? Мы тебя в обиду не дадим. Требуется принципиальное согласие.

— Я подумаю, — неуверенно сказал Вовка, но тут Танька проявила суровость:

— Думай сейчас. Прости, дорогуша, но мы сказали слишком много. Теперь ты либо с нами, либо... жить тебе и вправду недолго.

Вовка посмотрел на меня, а я кивнула...

— Что за план, дура? — накинулся он на Таньку.

— Хороший план. Простой, как все гениальное. Святов каждую ночь в казино торчит, пьет как лошадь, а под утро в машину и полетел... С глазами, водкой залитыми, да еще на скорости, многого не увидишь. Вот ты и подождешь его в переулке на «камазике». Машину водить умеешь... Там неподалеку автоколонна, добрыми людьми по ветру пущенная, ворота давно уже свистнули, а сторож пьяненький спит, потому как зарплату пятый месяц не получает и ему грустно. Там машину и позаимствуешь. И не дрейфь, я буду с тобой.

Вовка еще водки выпил, его руки дрожали.

— Да если Лом узнает... — начал он шепотом.

— Не узнает. Дуры мы, что ли, головами рисковать?

Через три дня Святов, в сильном подпитии возвращаясь из казино, влетел в «КамАЗ». Хоронили в закрытом гробу, потому что из бывшей красавицы «Ауди» его труп вырезали автогеном. Водителя «КамАЗа» на месте происшествия не оказалось, и следствие, как водится, зашло в тупик.

Лом запечалился, горьких слез не лил, но видно было, что переживает.

— Я этого подлюгу из-под земли достану, — бушевал он на нашей кухне.

— Кого, Геночка? — вздохнула я. — Уж сколько раз говорили: выпил, за руль не садись. А вам как об стенку горох. Святов три машины разбил, и все по пьянке. Вот и доездился... Ты у меня теперь близко к машине не подойдешь, если выпил, хоть двести грамм, хоть бутылку пива. Слышишь? Раз поймаю, ключи отберу, будешь пешком ходить.

— Да откуда там этот «КамАЗ» взялся? — не унимался Лом.

— Говорят, угнали из гаража.

— Неспроста это, Лада.

— Чепуха. Калымил кто-нибудь, на водку зарабатывал. Вот и натворил дел... Генка, не смей больше пить. Мне страшные сны снятся. — В этом месте я всплакнула, Лом принялся меня утешать и перестал беситься.

Похороны вышли пышные. Гроб дубовый с медными ручками, цветов — целое море, как на коронации. Жена Святова, видевшая мужа при жизни редко и без особой охоты, обливалась горючими слезами. Ее трогательно поддерживал под локоть врач-гинеколог из первой городской больницы и по совместительству утешитель. Тоже очень переживал.

Мы с Танькой облачились в черное, на церемонии вели себя скромно, но поплакали. Святова по новой моде отпевали в церкви. Народу было — не продохнешь. Певчие затянули «Со святыми упокой...», лица озарились тихим восторгом, Танька схватила меня за руку и всхлипнула.

С кладбища поехали в ресторан, народу даже прибавилось. Все вели себя чинно и заметно грустили, тяжкие мужские вздохи и обрывки фраз: «Кто бы мог подумать... золотой был мужик, — с неизбежным прибавлением, — царство ему небесное». И хоть царство небесное Святову не светило, присутствие на похоронах священника настроило братву на возвышенный лад: их потянуло к Богу, как мух на сладкое.

После того как новоиспеченная вдова, заметно повеселев, отбыла с утешителем, опираясь на его руку, мужики повысили голос и заговорили о насущном. Решено было поставить Святову памятник из мрамора в полный рост.

Мы с Танькой домой засобирались, оставив Лома вдоволь поминать усопшего соратника.

Возвращались пешком, Танька держала меня под руку и все вздыхала.

— Эк тебя разбирает, — съязвила я.

— Нет в тебе понятия, — обиделась подружка. — Все-таки с попом похороны заметно душевнее. А пели так жалостливо, теперь только так хоронить и будем...

— Кого? — удивилась я.

— Ну... — Танька малость замешкалась, — кто у нас там на очереди?

В середине апреля школьная подруга пригласила меня на вечеринку. Танька потащилась со мной, хоть ее и не звали. Гостей набралось человек пятнадцать, люди солидные. Сама Людка уже лет пять трудилась вместе с Танькой в областной администрации и умело ляпала карьеру себе и мужу. Виделись мы с ней редко, особенно после того, как я за Лома вышла замуж: выводить его в свет было делом хлопотным. Но с Людкой мы перезванивались и друг друга не теряли.

Среди гостей выгодно выделялся молодой человек в очках. Дорогой костюм, белоснежная рубашка, золотые запонки. Вел он себя непринужденно, и по всему выходило: цену себе знал. Я немного глазками померцала, так как была на воле, то есть без благоверного, и он прибился ко мне, сел рядом с намерением развлекать меня. Танька, ухмыляясь, паслась рядом.

Молодого человека звали Константин Николаевич, был он мил, остроумен, и мне понравился. Улучив момент, я поинтересовалась у Людки:

— Кто это?

— Костя? Да ты о нем слышала, Сердюков его фамилия. Он адвокат. Ловкий, как черт. Не голова, а чистое золото.

О Сердюкове я слышала много, потому знакомству с ним порадовалась.

Танька продолжала вертеться рядом, чем слегка действовала мне на нервы. Чувствовалось в ней подозрительное нетерпение и какая-то маета. Через пару часов ее прорвало:

— Сегодня была в банке.

— По своей нужде или по государственной? — проявила я любопытство.

— По государственной, но две нужды не грех и соединить, если выгодно.

— Соединила?

— А то... — Танька почесала нос и ухмыльнулась. — Очень тамошние ребятки вокруг меня танцуют. Я проявила понимание, согласилась помочь и сосватала им в правление одного человека.

— Это кого? — не удержалась я.

— Как кого? — обиделась Танька. — Лома, естественно.

— Слушай, дорогая, а что Лому делать в банке?

— Банк-то какой, подумай, дура...

Я подумала.

— Лом не справится...

— А мы на что? Под чутким руководством все к рукам приберем.

Я посмотрела на подругу с уважением.

— То-то, — наставительно заметила она.

Константин Николаевич возник рядом.

— Скучные вокруг люди, как считаете, Лада Юрьевна?

— Да, не веселые.

— А не махнуть ли нам куда-нибудь, где будет забавнее?

— Вы знаете такое место?

— Еще бы. Например, моя квартира.

Я засмеялась, а Танька, появившись из-за моего плеча точно из-под земли, пропела:

— Лада Юрьевна, муженек ваш пожаловал, пока что под окнами в машине сидит, но надолго его не хватит.

Танька, конечно, права. Я улыбнулась Константину Николаевичу еще шире и лучистее и, пожав плечами, сказала:

— Не судьба.

К перспективе стать финансовым магнатом Лом отнесся неодобрительно.

— Чего мне в этом банке делать, а, Ладуль? Сидеть с этими умниками? Да я с тоски загнусь.

— Посидишь маленько, а там посмотрим, — утешила я.

Танька взялась за Лома круто.

— Ты чего рожу кривишь? Я вообще для кого стараюсь, для кого землю носом рою? Для любимой подруги, то есть и для тебя тоже. Тебе годов-то сколько? Так и будешь до старости кулаками махать? Пора становиться респектабельным. А скучать тебе не дадут, в банке сидят те же бандюги, только одеты почище. Мы таких дел наворотим, еще как понравится... И о Ладушке надо бы подумать. Легко ли ей, красавице нашей, умнице, быть женой бандита? В четырех стенах сидеть? Может, с таким-то мужем и в четырех стенах радость, но ты ведь не дурак и понимаешь: женщине всегда приятно похвалиться своим мужиком, а она чем похвалится? У нее натура тонкая, душа чувствительная... При случае скажет — мой муж в правлении такого-то банка... звучит... И ей приятно, а значит, и тебя любить крепче будет.

Лом подозрительно уставился на меня. Я обняла его, взлохматила волосы и поцеловала в нос.

— Конечно, я тебя люблю таким, какой ты есть, и, если ты в дворники пойдешь, меньше любить не стану, но и Танька права. Чего ж нам от денег отказываться, если они сами в руки плывут?

— Да чего мне там делать-то? — закапризничал Ломик, но уже видно было, что согласен.

— Пока просто посидишь на стуле, привыкнешь. Ну и к тебе привыкнут. А там посмотрим.

— Не хочу я, Лада, ничего я в этих делах не смыслю.

— А тебе и не надо, — разозлилась Танька. — Да что за наказание такое. Ему готовенькое подносят на блюдце с голубой каемочкой, а он рожу кривит...

— А что мужики скажут? — вспомнил Лом про дружков.

— Они от зависти лопнут, — хмыкнула Танька. — Опять же, сдались тебе мужики, от них никакого толку. Друзья-то они, пока водку пьют, а как пропьются — продадут почем зря. Жену надо слушать, муж и жена — одна сатана. Ладушка-то лучше других знает, что для тебя хорошо, а что плохо, и дурного не посоветует, а дружкам веры никакой. — Танька слегка подпрыгнула и радостно добавила: — Да им собаку доверить нельзя, Ладка на днях в контору заезжала, попросила одного придурка с Рокки погулять, так он потерял собачонку, потом всем скопом искали, а Ладуля даже плакала... Жаловалась она тебе?

— Не жаловалась, — ответил Лом.

— А зря, — покачала головой Танька, — вот я бы нажаловалась, ведь барбос твой подарок, он ей дорог, хотя и блохастый, и я от него никакой пользы, хоть убей, не вижу. — Танька все-таки выдохлась. — Короче, Генка, кончай ломаться, будешь финансовым магнатом.

— Ладуль... — пропел он, жалобно заглядывая мне в глаза.

— Они и вправду Рокки потеряли, — опечалилась я. — А ведь доверила всего на пять минут, думала, что ты в конторе. Так соскучилась, хотела тебя увидеть, а ты уехал с Синицей. Хорошо, что Рокки такой умненький, сам дорогу нашел.

— Ладуль, я про банк этот...

— А что банк, Геночка, тебе ведь не трудно туда заходить время от времени?

— Надо нам от Синицы избавляться, — сказала Танька через неделю.

— Почто нам лишние похороны? — удивилась я. — Пользы от него никакой, но и особенного вреда не вижу.

— Есть вред, болтает много. Вовка мне докладывал, что вчера Синица с Ломом парился и все его тобой подкалывал, мол, ты только бабу свою и слушаешь, от дружков отбился, в банкиры лезешь, и вообще, баба тебя под каблуком держит.

— Так и сказал?

— Так и сказал, чтоб ему подавиться. А Ладка твоя, говорит, стерва, и на тебя ей наплевать, что-то она задумала, а ты, как пацан, перед ней на задних лапках ходишь.

— А наш-то недоумок что?

— Спросил, не хочет ли Синица в морду, ну тот, натурально, не захотел, и разошлись по-доброму.

— Вот ведь стервец, — разозлилась я. — Язык хуже, чем у бабы... Конечно, если мужику изо дня в день такое долдонить, кого хочешь достанет... А нам от этого выгоды никакой.

— Вот и я говорю, Ладушка, не спеть ли нам Синице «Со святыми упокой...»?

— Надо по-умному, никаких стрелков, чтоб Лом ничего заподозрить не мог. Он после Святова никак в себя не придет...

— Само собой, Ладушка, у меня и план уже есть. Этот стервец любит в деревенской бане париться. Вот мы его и попарим.

— Аккуратней, Танька, чтоб без сучка без задоринки...

— Уж расстараюсь... — кивнула подружка, — ну что, Ладушка, споем?

— Споем, — согласилась я. — Готовь Вовку.

В четверг пришла весть: Синица с двумя дружками угорел в бане. Баню эту он только что построил на своей даче и, так сказать, решил обмыть с друзьями. Живым на свет Божий извлекли только одного, но и он по дороге в больницу умер, а Синице с Петькой Трофимовым и «Скорая» не понадобилась.

Похороны опять были пышными, вдова рыдала и на гроб кидалась, хотя, с моей точки зрения, горевать ей было особенно нечего: муженек у нее был непутевым, много пил, баб аж домой таскал, а благоверную колотил смертным боем. Вдовий наряд здорово красил синяк под ее глазом, не успевший окончательно исчезнуть к моменту прощания с любимым.

Я подошла к ней и выразила соболезнования. Вдова зарыдала громче, всплакнула и я. Лом с оставшимися в живых соратниками топтался рядом и монотонно бубнил:

— Марин, мы тебя не оставим, о деньгах не думай, и вообще... все что надо... не чужие ведь люди.

Когда певчие затянули Танькину любимую, на многие лица легла светлая печаль. Не одним нам слова пришлись по душе. Мужики сурово хмурились, женщины рыдали, а в целом все было по-людски и по-доброму, как любит выражаться Танька.

Она тоже всплакнула и зашипела на ухо:

— Сколько Синице годов-то было?

— Откуда я знаю? Лому ровесник.

— Ох, молодой совсем, как жалко, — всхлипнула Танька. — Только б жить да радоваться... Царство ему небесное... А поют-то как душевно, век бы слушала...

Я подозрительно покосилась на Таньку, но смолчала.

Дома я стала выговаривать Генке:

— Пить не смей, смотри, что делается. Один разбился, другой в собственной бане угорел, а все через это окаянное пьянство. Ни в какую баню ты у меня больше не пойдешь. А выпить захочешь — пожалуйста, со мной в родной квартире. Пей на здоровье, но чтоб на глазах. Мало мне беспокойства, теперь жди тебя и думай: где ты и что с тобой...

Лом выпил рюмку и закручинился:

— Мы с Синицей в один садик ходили...

— Куда? — не поняла Танька. Она приехала помянуть покойника и делала это с большим удовольствием.

— В детский сад, дура, — разозлился Лом, — и в школу, в один класс.

— И сидели вы вместе, да, Гена? — подсказала Танька. — Или нет? Я уж точно не помню, Святов, покойный, мне рассказывал, да я ведь забыла. Вроде драку Синица затеял и мужика бутылкой ударил, а ты по дружбе на себя взял. Его-то мамка с папкой отмазали. Папка у него ходил в начальниках, а твой-то уже сидел, и мамка твоя на двух работах горбилась да в подъездах полы намывала. Синице условно дали, а ты сел. Или это в другой раз было?

Лом нахмурился. Танька ему водки подлила, сама выпила и продолжила:

— Конечно, мужская дружба дорогого стоит, нам, бабам, не понять, не так устроены... Хотя, если по чести, большой пользы я от этих старых дружков не вижу. Вот хоть бы тот же Синица, что он тебе доброго сделал? Ну, пили вместе... а ведь гонору сколько, думал, если вы в пацанах на пару бегали, так и теперь ты для него Генка Ломов. Все зубы скалил, Лом да Лом... Какой ты им Лом? Ты теперь Геннадий Викторович, должны понять и прочувствовать, а у них никакого уважения... Жалко, конечно, Пашку, но, если честно, потеря-то небольшая... Царство ему небесное, — добавила Танька и выпила еще рюмку.

В конце мая вышла неприятность: один из наших парней попал в больницу с пулевым ранением. Так как он был в сознании, из милиции в контору явились сразу. Чем они его взяли, мне неведомо, но наболтать он успел много. Потом, конечно, испугался. Само собой, в органах Лома родным не считали и прицепились не хуже, чем репей к бродячей собаке. Особо страшно не было, но дело хлопотное, следовало взять его под контроль. Вот тогда я и вспомнила о Сердюкове. Позвонила и начала ласково:

— Константин Николаевич, здравствуйте. Возможно, вы меня не помните, мое имя Лада Юрьевна, нас познакомила...

— Да вы шутите, Лада Юрьевна, — засмеялся он. — Забыть вас невозможно, и вы это прекрасно знаете. Чем обязан?

— Моему родственнику необходим адвокат, лучший из всех, кого можно сыскать. Я очень рассчитываю на вас.

— Уголовное дело? — помолчав немного, спросил он.

— В сущности, нет никакого дела... Может быть, мы встретимся, и я вам все расскажу?

— Хорошо.

Через час мы сидели в ресторане. Пялился он на меня так, что я начала краснеть.

— Так в чем проблема? — улыбнулся он, увидев, что его взгляды достигли цели.

— У племянника моей подруги неприятности... — Я не торопясь изложила суть дела, приглядываясь к Константину Николаевичу. Он ухмылялся довольно цинично, моя грудь интересовала его много больше моих слов. Когда я закончила, он сказал:

— Дело пустяковое. Скажите вашей подруге, если она существует в реальности, что показания, полученные у раненого или больного, находящегося под воздействием наркотиков, никакой суд к сведению не примет.

— А он находился? — усмехнулась я.

— Что-то ему наверняка успели вколоть по дороге в больницу.

— Я могу на вас рассчитывать?

— Можете, — кивнул он. — Уверен, вы знаете, сколько стоит мое время.

— Разумеется, — улыбнулась я.

Больше мы о делах не говорили. Где-то через полчаса я, извинившись, отбыла домой. И сразу позвонила Таньке:

— Собери все, что можешь, на Сердюкова.

— Сделаем, а зачем?

— Для того чтобы построить Империю, нужна крепкая команда.

Танька только хмыкнула.

Как Сердюков обещал, так и сделал. Стражи закона отнеслись к ситуации с пониманием. Деньги адвокат запросил немалые, я дала вдвое больше. Взял. Через неделю я опять позвонила и попросила о встрече. На этот раз встречались на открытом воздухе, в парке.

— Константин Николаевич, — сказала я, извлекая на свет бумаги в дешевой папке. — Вот здесь обозначены ваши доходы за прошлый год, разумеется, не те, о которых известно налоговой полиции, а настоящие суммы.

Он усмехнулся, просмотрел бумаги и взглянул на меня с уважением.

— Что дальше?

— Если вы будете работать на нас, то получите втрое больше. Это для начала.

— На нас? — поднял он брови.

— Скажем так — на меня.

— И в чем будет заключаться моя работа?

— В основном в толковых советах. Хотя может возникнуть ситуация, подобная той, что была неделю назад.

Он засмеялся.

— Если я правильно понял, меня приглашает местная мафия.

Тут и я засмеялась.

— Мафия? На редкость неудачное определение... Моя подруга хочет построить Империю, я ей помогаю. Не стоит так смотреть, я в своем уме. Если хотите, принесу справку от психиатра. У нас есть идея, но не хватает образования в некоторых вопросах. Нам нужен такой человек, как вы. Ловкий, умный, циничный. Теперь еще немного о вас: работая в поте лица, вы через несколько лет, возможно, переберетесь в столицу. И кое-чего достигнете. Может быть, многого. Как повезет... Только лучше быть владыкой в своем королевстве, чем генералом в чужом. Через два года все деньги, которые в этом городе шуршат, снуют и мнутся, будут наши. А это значит власть — и почти безграничная свобода.

— Через два года? — спросил он.

Я кивнула.

— Возможно, раньше. Два года — это крайний срок.

Тут он опять засмеялся и сказал:

— Знаете, я вам верю.

— И правильно, — улыбнулась я.

— Ваша подруга тоже красива? — спросил он, взяв меня за руку. Я убрала руку, посмотрела на него и сказала:

— Константин Николаевич, о вас отзываются как об очень умном человеке. Я вам предлагаю деньги, которых не стоит никакая женщина. Попробуйте отвлечься от моей внешности, представьте, что перед вами старуха или, например, мужчина.

Он усмехнулся.

— Это трудно...

— Тогда вообразите, что под платьем у меня волосатый живот, а грудь накачана парафином.

— А она накачана?

Я взглянула ему в глаза, а он сказал:

— Извините... Должен вам сказать, Лада Юрьевна, что после нашей первой встречи я тоже вами интересовался. Досье не собирал, но кое-что узнал, а кое до чего своим умом дошел. Ситуация в городе мне известна, в ней многое изменилось за несколько месяцев. После вашего первого звонка я с нетерпением ждал второго, так что ваше предложение меня не удивило...

— Значит, вы подумаете?

— Мне нечего думать, — сказал он. — Я согласен.

В парке мы пробыли долго, бродили по аллеям и разговаривали, где-то через час перешли на «ты», это получилось само собой и совершенно естественно. Несколько раз он смотрел на меня с неподдельным восхищением, и я с удовольствием отметила, что на сей раз восторг вызван не моим лицом и шикарным бюстом.

— Банк — дело перспективное, — кивнул он. — Разумеется, тут надо все как следует продумать, но в целом идея стоящая... Теперь я и сам думаю, что два года — это крайний срок...

Он проводил меня до машины, и я сказала:

— Пара практических советов: при Ломе веди себя скромно, особо ум не демонстрируй, лишний раз согни спину, будь мудрым, вслух не смейся. Его взгляд выдержать трудно, но необходимо, на худой конец смотри ему в переносицу. Ко мне обращайся только по имени-отчеству, никаких комплиментов, улыбок или взглядов. Смотри в мою сторону, только когда непосредственно со мной разговариваешь. Конечно, Лом поначалу воспримет тебя в штыки и рядом со мной не захочет видеть. Терпи. Поведешь себя правильно, он привыкнет. Очки и интеллигентность простит, а там и полюбит, как родного... Пугать мне тебя стыдно, умного учить только портить. Покажется, что доля мала, скажи, обсудим. У нас с подружкой не деньги, главное у нас — кураж... А начнешь хитрить, так мы тебе споем...

— Что? — не понял он.

— «Со святыми упокой...»

Как я и предполагала, Лом воспринял Сердюкова в штыки.

— На хрена мне эта интеллигенция в доме? — орал он.

Тут я, кстати, про дом вспомнила:

— Что ты там строишь полгода? Хоть бы свозил раз...

— Так ты сказала... — начал Лом.

— Что с женщины взять? Мы, как известно, сегодня говорим одно, а завтра другое. Конечно, насчет дома ты был прав, теперь я это ясно вижу. И хочу дом... Только хочу по-своему. Кто там у тебя работает? Полгода возятся и что успели сделать? Вечно норовят содрать побольше, пьют целыми днями и наконец сляпают какую-нибудь уродину.

— Ладуль, какие проблемы, чего захочешь, то и сляпают. Поехали, хоть сейчас посмотришь.

— Поехали... А адвокат нам нужен. У меня вся душа изболелась, когда менты того парнишку в оборот взяли. Ночами не сплю, все думаю, как бы они какой пакости тебе не сотворили. У тебя натура широкая, скрытничать не умеешь, а эти мерзавцы только и выжидают случая, как тебя подловить. Вот Константин Николаевич и займется тем, чтоб их мерзкие попытки не увенчались успехом.

— Просто он тебе нравится, морда лощеная, и трещит как заведенный.

— Да он при тебе лишнее слово сказать боится.

— И правильно, за лишнее слово я сам его в землю зарою.

Мы стали строить дом и приручать Лома. Костя оказался умницей, советам внял и вел себя безукоризненно. Как Лом ни придирался, а ничего подозрительного в нем усмотреть не смог, и вскоре уже называл его Костей, хлопал по плечу и приговаривал:

— Головастый ты мужик...

В пятницу была презентация по случаю открытия нового банка. Танька с Костей уже отбыли, собирались и мы с Ломом. Я вертелась перед зеркалом, муженек подошел сзади, обнял меня и запел:

— Ладушка, до чего ж ты красивая, дух захватывает... Фигурка точеная... — Он рукой залез под подол и ухитрился смять платье. — Давай наплюем на эту презентацию и дома останемся. Чего мы там не видели?

Отказывать Лому не хотелось, но на этот раз я проявила твердость:

— Потерпишь пару часов. Хочу взглянуть на этих умников и прикинуть: кто там чего стоит.

Умники особого впечатления не произвели. На следующий день к нам приехали Танька с Костей и стали натаскивать Лома. Он капризничал и злился, а мы изрядно помучились. Однако через пару недель муженек вошел во вкус, возвращался с сияющими глазами и заявлял с порога:

— Ладуль, ты сейчас со смеху умрешь...

Со смеху я не умирала, но за мужа радовалась. Работать с ним стало легко и приятно. Память у Лома железная, не хуже его кулаков, и хоть мозгами его Бог немного обидел, зато хитростью и звериным чутьем снабдил в избытке, а о том, что карманы ближних следовало время от времени основательно очищать, Лому напоминать не приходилось. Костя умело его инструктировал, а Ломик был способен запомнить текст объемом в пять страниц и на следующий день воспроизвести его дословно. Очень скоро ребята в банке поняли, что заполучили. Но русский человек, как известно, задним умом крепок.

Поздней осенью, после одного примечательного разговора с глазу на глаз в кабинете за дубовыми дверями, в котором Лом, к удивлению своего собеседника, продемонстрировал недюжинный ум, а не только звериную повадку, у нас в гостях появились двое мужчин. Правда, на гостей они были похожи мало, так как выглядели испуганными, нервными и неприлично суетливыми. С обоими я встречалась лишь однажды, на презентации, и поэтому позволила себе, открыв дверь, выказать легкое недоумение.

— Здравствуйте, — пропела я с улыбкой, глядя попеременно то на одного, то на другого.

Один из мужчин был среднего роста, худой и бледный, ранняя лысина и борода клинышком, фамилия его была Перезвонов. Лом сразу же прозвал его Звонком, за неуемную тягу к красноречию. Второй — высокий, крепкий и в отличие от товарища говорил мало и по делу, чему, надо полагать, способствовала его фамилия: Молчанов. Сейчас он держал в руках черную папку, по некоторым причинам очень меня интересовавшую.

— Здравствуйте, — ответили они мне и улыбнулись, хотя было заметно, что им не до улыбок, — Геннадий Викторович дома?

— Дома, проходите, пожалуйста.

Они вошли. В прихожей появился Лом. Так как визит ожидался, муженек бродил по квартире в костюме, застегнутом на все пуговицы, и выглядел, как всегда, сокрушительно, правда, на особый, бандитский, манер, точно назло всем моим попыткам придать ему вид добропорядочного гражданина.

— Вот сюда, пожалуйста, — сказала я, указывая рукой на дверь гостиной, а Лом головой мотнул:

— Пошли, ребятки.

Я закрыла за ними дверь и прошла в соседнюю комнату. Здесь напротив друг друга молча сидели Костя и Танька. При моем появлении подружка вскинула голову и спросила:

— Лом справится?

— Еще бы.

Костя поднялся с кресла, подошел к окну и сказал тихо:

— Черт, волнуюсь, как на выпускном экзамене.

— Не стоит, — успокоила его я. — Все нормально, и даже лучше. Генка понял, чего от него хотят, а когда он случайно что-то понимает, ему цены нет.

Мы настроились на долгое ожидание, но разговор занял не более получаса. Гости молча оделись в прихожей, потом хлопнула входная дверь, а мы покинули комнату. Лом сидел в кресле и ухмылялся.

— Что, Геночка? — спросила я, устраиваясь на его коленях.

— Порядок, — кивнул он и поцеловал меня.

На столе лежала та самая кожаная папка. Костя сел, придвинул ее к себе и стал внимательно изучать содержимое. Танька пританцовывала рядом и все норовила заглянуть ему в глаза. Наконец Костя поднял голову, посмотрел на нас по очереди и сказал:

— Молчанову сейчас самое время умереть.

Лом уставился на меня, а я едва заметно кивнула.

Я жарила мужу котлеты, Танька вертелась рядом, залезая руками то в один салат, то в другой.

— Молчанова-то с попом хоронят, — минут через пять заявила она. — С понятием люди...

— Сейчас модно, — пожала я плечами.

— Отпевание сегодня в час, — Танька задумалась, глядя на люстру. — Человек он в городе уважаемый... был. И меня, кстати, приглашали...

— Сошлись на занятость, отправь вдове соболезнования, покойнику венок...

— Да нет, я бы сходила... отдала то есть последний долг... и вообще, послушала, как поют.

— Помешательство какое-то, — разозлилась я.

— И вовсе не помешательство... В душе-то так чисто делается, и плакать хочется.

— Что ж, — вздохнула я, — сходи поплачь.

Танька взглянула на часы и ходко затрусила к двери.

Однажды вечером Лом вернулся в сильной задумчивости, бродил по квартире и все на меня поглядывал. Где-то часа через полтора не выдержал и сказал:

— Ладуль, мне с тобой поговорить надо...

Разговор вышел бурным, и я впервые накричала на муженька, а под конец заявила:

— Ломик, с наркотой связываться не смей.

Традиционно этим промыслом в нашем городе занимались нехристи. С ними мы уживались по принципу: у вас своя свадьба, у нас своя... Откуда теперь ветром надуло, понять несложно: еще в прошлые времена Лешка Моисеев, давний Ломов дружок, мутил воду и пел о бешеных деньгах.

— А чего от добра отказываться? — разозлился Лом. — Дело верное, отлаженное, а нехристей мы в бараний рог свернем, нечего им у нас хозяйничать.

Убрав из голоса командные нотки, я запела жалостливее.

— Я покойному Аркаше всегда говорила, не суйся. У нас дела, слава Богу, идут неплохо, а от добра добра только дураки ищут.

Лом упоминаний о бывшем соратнике не выносил, тут я дала маху. Мысли об Аркаше возвращали к невеселым думам о Димке. Хотя времени, на мой взгляд, прошло достаточно, и Ломовы раны я зализывала ежедневно и основательно, но они все еще были свежи и болезненны.

— Аркаша без тебя шагу сделать боялся, а у меня своя голова на плечах, — рявкнул он. — Лешка правильно говорит, я и сам вижу — дело верное. У нас сейчас сила, все к рукам приберем.

Я испугалась этакой прыти и на следующий день собрала совет. Впервые мнения разделились. Костя, выслушав меня, пожал плечами и заявил:

— Деньги не пахнут.

Танька пошла еще дальше.

— А почему бы и нет? Моисеев подлец, но не дурак, а в его намерении я улавливаю признак гениальности.

— Замолчи, — разозлилась я. — Гениальность... У меня в отношении наркоты твердое и незыблемое правило...

— Да знаю я, знаю, — нахмурилась подружка. — Не заводись. Речь идет о деньгах, а не о моральных принципах.

— Мы строим Империю, — решив зайти с другой стороны, сказала я, — а Империя — это законы. Их надо создать, а создав, придерживаться. Иначе в один прекрасный момент все рухнет, как карточный домик. И еще. У каждого человека должна быть черта, за которую не следует переступать. Пока он возле нее топчется, Бог его терпит, прощая кое-какие шалости, но нервы у Господа тоже не железные, может и разгневаться, а Господь, как известно, всемогущ, и силой с ним мериться дело зряшное.

Танька о Господе размышляла в последнее время много и сейчас запечалилась.

— Думаешь, влезем мы в это дерьмо и удача нас покинет?

— Думаю, — кивнула я. — Дело для нас новое, пока уму-разуму научимся, много шишек набьем, а коечего и лишимся.

— И хочется, и колется, и мамка не велит, — почесав нос, сказала Танька. Костя поднялся с кресла.

— Если Лада против, это уже повод отказаться. Тут другая проблема: Лом.

— Лома я беру на себя, — кивнула я.

— А получится? — впервые усомнилась в моих способностях Танька. — Уж больно завелся.

— Получится, — заверила я. — А вот Моисеев нам теперь не ко двору. Дурной советчик хуже чумы.

— Споем? — насторожилась Танька.

— Придется спеть, — сказал Костя. — Но сделать это нужно с высочайшего соизволения. Если Лешка сейчас сыграет в ящик, даже осел поймет, в чем дело, а Лом далеко не так глуп, как иногда кажется. Если чего заподозрит, мы утратим влияние на него и вся работа тогда впустую.

— Да-а, — протянула Танька и глубоко задумалась.

— План давай, — сказала я.

— План будет. Берись за Лома, а я прикину, как половчее взяться за Моисеева.

Весь вечер я ходила опустив глазки, с мужем была ласкова, но тиха и молчалива. Дважды всплакнула, сначала в ванной, потом на кухне, когда мыла посуду. Лом сразу подмечал изменения в моем лице, но здесь, как видно, решил держаться и стойко молчал. Я о делах даже не заговаривала, а ночью прониклась к мужу особой нежностью.

— До чего ж ты настырная, — вздохнул Лом, поднялся, прошелся по спальне, сходил на кухню и принес сок в высоком стакане, а потом сел на постель, разглядывая меня с некоторой суровостью. — Обязательно чтоб по-твоему было, — сказал обиженно. — Ну ладно там бабьи капризы, я ж все понимаю, потому никогда тебе ни в чем отказу нет. Хоть раз я сказал тебе «нет», а? Хоть раз разозлился или дал понять, что чего-то мне не по душе? Сама ведь знаешь: стоит тебе словечко шепнуть или кивнуть головкой — так я в лепешку расшибусь для твоего удовольствия. Но куда не просят, не лезь. Ты баба умная, и советы твои я всегда выслушиваю, только решать, что и как, буду сам.

— Не в том дело, Геночка, — запричитала я. — Совсем другое меня мучает. На днях по телевизору показывали детей, лет по двенадцати, не больше, а они уже наркоманы. Смотреть, жуть берет, на людей не похожи, а у каждого родители, и отец с матерью уж, верно, такой жизни им не желали, и родители-то все приличные, не какая-то там пьянь... Только разве убережешь, когда это зелье везде и всюду? Ты знаешь, что в городе творится? Возьми любую школу — каждый второй старшеклассник эту дрянь уже пробовал, во всех ночных клубах купить ее без проблем, только знай, к кому подойти, а не знаешь, так доброхоты подскажут. А хуже наркоты ничего нет, самая привязчивая зараза. Я ведь тебе про брата рассказывала... Такое вообразить невозможно, и Боже сохрани нам с тобой подобное пережить: видеть, как родной тебе человек превращается в полуидиота... — Тут я зарыдала в полный голос, а муженек стал меня обнимать и по спине наглаживать. — Страшно мне, Гена, Бог накажет... А у нас с тобой сейчас все так хорошо, что Божий гнев нам без надобности. Неужто из-за паршивых бумажек будем собственных детей травить? Денег у нас, слава Богу, хватит и нам и внукам, чего ж грех-то на душу брать?

— Ладно, Ладуль, чего ты, — расстроился Лом, вытирая мои горькие слезы. — Я, честно, как-то не подумал об этом, ну, то есть о твоем брате и как ты вообще к этому относишься. Разозлился, потому что гордость заела: мол, опять все по-твоему, а я что ни скажу, все не в масть... Когда ты со мной поговоришь, все ясно становится, вот хоть сейчас, я теперь и сам вижу, что нам гадость всякая без надобности. Мы найдем, где лишние бабки сшибить.

— Я ведь почему против Лешки взъелась, — шмыгнув носом, решила пояснить я. — Он ведь жаден до глупости, и никакого в нем нет человеческого понятия. Это я с тобой могу поговорить, и ты поймешь, а у него душа давно запродана, и дальше своего длинного носа он ничего не видит. И тебе в уши шипит...

— Больно я его слушаю... — махнул рукой Лом и полез целоваться. Потом поднял голову, заглянул мне в глаза и, кашлянув, спросил не без робости: — Ладуль, ты не беременна, нет?

— Сейчас и рожать-то страшно, — пожаловалась я. — Такое вокруг...

— Глупости. Бабы должны рожать, и бояться совершенно нечего, в особенности тебе... Нехристей, кстати, потеснить надо, живут как у себя дома. Пусть своих ребятишек травят, а наши сами придумают, чем себя в гроб вогнать.

Через пару недель, явившийся с обычным отчетом Вячеслав Сергеевич, по-домашнему Славик, сосватанный нам Костей и ведущий теперь всю бухгалтерию, мужик умный и понятливый, сказал, обращаясь к Лому:

— Гена, Лешку Моисеева проверить надо. Есть у меня подозрение — ворует много, зарвался, решил, что в казино он полный хозяин.

— Что же, на него ревизию насылать? — усмехнулся Лом.

— Ревизия — дело не наше, а вот проверить да на место поставить — необходимо. Я знаю, вы друзья, но это для воровства не повод. Друзей уважают, а не обворовывают. Сдается мне, что Моисеев это забыл.

— И как ты его поймать думаешь? — удивился Лом.

— Дело нехитрое, зашлю к нему человечка, Лешка и знать ничего не будет. Человечек со стороны, парень башковитый, он разберется, что там за дела...

Через месяц перед Ломом лежали бумаги, из которых следовало, что воровал Моисеев давно и помногу. Лом к этому известию отнесся спокойно.

— Ну и что? — спросил, отодвигая бумаги в сторону. — Пусть ворует...

— Не в том дело, что украл, — взъелась Танька, вскакивая с кресла, — а в том, что уважения к тебе нет... Только дураки себя обманывать позволяют, — сорвалась подружка и тут же язык прикусила под мрачным Ломовым взглядом. Впрочем, своротить ее с выбранного пути затруднительно, и она, помолчав немного, забросила пробный камень: — Много воли взял, вообразил, что с тобой тягаться может. И распоясался. Язык точно помело. Мне донесли: на днях болтал, подлец, что, мол, Лома за одни Ладкины титьки давно бы пристрелить надо...

— По пьяни чего не брякнешь, — отмахнулся Лом. — Языки хуже бабьих. А Лешка, как зальет глаза, наболтать может что угодно...

Нежелание муженька распрощаться с дружком очень нас расстраивало, а «спеть» Моисееву по собственному почину теперь и вовсе сделалось опасным.

— Вот что, душа моя, — сказала мне Танька, — потрись-ка малость возле Лешки. Он на тебя со старых времен глаза пялит.

— Спятила? — удивилась я. — Да Лом мне голову оторвет.

— А ты по-умному. Никаких слов и лишних движений, одни томные взгляды. Лешка бабник, мозги у него в штанах, опять же чужая жена завсегда слаще. Удовольствие двойное — и бабу трахаешь, и дружку свинью подложишь. А Ломик его сильно печалит: высоко взлетел. Лешке так не подпрыгнуть. Оттого в удовольствии себе не откажет, клюнет. А наживочку проглотит, ему удержу не будет, полезет на рожон: мужик он характерный. Тут мы его, милого, и прихватим.

Очень кстати подошли новогодние праздники, в конторе народ гулял трое суток. Я решила почтить ресторан своим присутствием и отправилась туда вместе с муженьком. Моисеев чувствовал себя здесь хозяином, раз пять назвал Генку Ломом, чтоб, значит, все слышали, и братски хлопал его по плечу. В ответ муженек его обнял, вспомнил что-то касаемое юных дней и назвал братом.

— Здравствуй, Ладушка, — полез ко мне Лешка. — Красавица ты наша. Совсем забыла старых друзей, а ведь когда-то мы часто виделись.

Губы Ломика кривились в улыбке, но зрачки стали узкими, как у кошки. Танька права, мозгов у Лешки немного, а чутья и того меньше.

Сели за стол. Танька плюхнулась слева от Лома, я по правую руку, а Лешка, желая быть поближе к другу, рядом со мной. Застолье было бурным, в духе старых времен. Я взирала на все это без одобрения, но спокойно.

— Поедем домой? — шепнул Лом.

— Отчего ж? Не хочу, чтобы умники трезвонили, что я тебя от дружков отваживаю. Посидим, полюбуемся.

Подвыпившие девицы перегнули палку. Я усмехалась, а Генка ерзал. Когда мне все это надоело, я вышла на свежий воздух. Моисеев поспешил за мной.

— Не нравится тебе у нас, Ладушка, — сказал с подлой улыбкой.

— Не нравится, — кивнула я. — Ты девок от Лома убери, не то я вашему заведению существенный ущерб нанесу. Девки твои моему мужу без надобности.

— Надо думать, — согласился Лешка. — Повезло Лому, ничего не скажешь.

— И тебе бы повезло, если б ворон не ловил.

Я вернулась в ресторан. Лом в холле хмуро оглядывался, увидев меня, шагнул навстречу, тут и узрел в окно курившего на крыльце Лешку.

— Что еще за дела? — спросил грозно.

— А никаких дел, Гена. Посоветовала я дружку твоему девочек слегка сдерживать. Женщина я тихая, но какой-нибудь зарвавшейся стерве вполне могу глаза выцарапать.

— Опять ты за свое... — всплеснул руками Лом.

— Опять. Превратили ресторан в помойку, прости Господи.

Вернулись в зал. Через несколько минут самые прыткие леди незаметно нас покинули. Лом выглядел довольным, Танька ухмылялась и что-то Моисееву на ухо шептала. Тот скалил зубы и посматривал на меня. А я на него. Не часто, но со значением. Лешка пил много, а пьянел быстро. Глядя на меня и пуская слюну, стал вспоминать былые времена, наболтал много, мужа бывшего и того приплел, а потом и Димку. Лом поднялся и, забыв об улыбке, сказал:

— Хорошо посидели, пора по домам.

— Куда спешишь, Лом, дай на твою жену полюбоваться.

— Какой дурак, — восторженно шепнула мне в ухо Танька.

— Ты на свою любуйся. Поехали, Лада.

Одарив Моисеева на прощание нежным взглядом, я пошла за мужем.

Лишь только сели в машину, я отвернулась к окну, а Танька, хитрая бестия, начала шипеть:

— Чего ты расстраиваешься? Больно надо из-за дурака слезы лить... Пьянь окаянная... язык-то без костей.

— Ладуль, ты чего? — насторожился Лом.

— Я сюда больше не поеду и этого идиота видеть не желаю. Что он себе позволяет?

— Да, в былые-то времена за меньшее головы лишались, — покивала Танька. — Лешка сам распустился донельзя и мужиков распустил, по пьяни при бабах такое болтают... ума нет, Господи, прости... И Ладуля права, что обиделась. Хоть он и твой друг, нечего так пялить глаза и вспоминать всякие глупости. Ладка жена тебе, ему б знать надо, что чужая собственность, особенно твоя, неприкосновенна. А он гляделками-то сожрать готов. Нехорошо это, не по-людски. Мысли его блудливые на глупой роже написаны. Конечно, Ладка никогда ничего ему такого не позволит, но тут дело даже не в этом. Если человек без понятия и на чужое зарится, ему и в делах доверия никакого: продаст в малом, продаст и в большом...

Дня через три, выходя из бассейна, я с удивлением обнаружила невдалеке Лешкину машину. Сам он тоже не замедлил появиться. Был трезв, чисто выбрит и прилично одет, что вообще-то редкость. Я думала, глупости его не хватит на то, чтоб вот так притащиться, и на результаты рассчитывала не ранее чем через месяц. Но Танька и тут оказалась права: Моисеев лез в капкан, как медведь в улей, особо не мудрствуя.

— Здравствуй, Алеша, — сказала я с некоторым удивлением.

— Привет, — ухмыльнулся он. — О фигуре печешься?

— Пекусь, — кивнула я. — У меня теперь одна забота: мужа ублажать, а фигура в этом деле вещь необходимая.

— Да, ничем таким тебя Бог не обидел...

— А ты здесь по какой надобности? — поинтересовалась я.

— Проезжал мимо, тебя увидел... Давай прогуляемся, погодка зашибись, и вообще...

Я посмотрела на него со значением, колыхнула бюстом и головой покачала:

— Ни к чему нам с тобой прогуливаться. Разговоры пойдут, а с Ломом шутки плохи...

— Не надоел он тебе?

Я улыбнулась.

— Мужики рассказывают, он по утрам с твоей собачкой гуляет, неужто правда?

Я улыбнулась еще шире, а Лешка силился придумать, что ж такого еще сказать.

— Ты на машине? — спросил.

— Нет, люблю свежим воздухом подышать.

— Садись, отвезу.

Я вскинула брови и головой покачала.

— Не верю, что так мужа боишься. Он же перед тобой на задних лапах ходит. Все знают.

— Не стоит всякие глупости повторять... — Я смерила его взглядом и добавила со значением: — У вашего брата языки длиннее бабьих. А мне пересуды ни к чему... до свидания. — Я шагнула в сторону. — Заходи в гости.

— Зайду, — туманно ответил Лешка.

И в самом деле вскоре зашел, как водится, с бутылкой. Устроился на нашей кухне с таким видом, точно собирался здесь состариться. Был уже сильно навеселе и болтать принялся с порога. В первые полчаса Лом вроде бы обрадовался дружку. Я на стол накрыла и немного с ними посидела. Потом ушла с кухни, забыв закрыть дверь, и стала чутко вслушиваться. Лом честно пытался найти с приятелем общий язык, не подозревая, что судьба успела развести их далеко и основательно. Лешкина пьяная физиономия, громкий голос, матерщина и манера вытирать руки скатертью очень скоро начали действовать ему на нервы. Лом замолчал и томился еще с полчаса. Сам он пил умеренно, в последнее время и вовсе редко, а в подпитии либо молчал, либо гневался, в зависимости от настроения. Моими стараниями настроение поддерживалось неплохое, потому гневливым я его не видела давненько. Теперь же в ответ на настойчивые Лешкины советы Лом пару раз сорвался и рявкнул, причем громко и нецензурно, от чего я успешно его отучала. Как не порадоваться Лешкиной глупости?

Подошло время гулять с собакой, я оделась и заглянула на кухню:

— Гена, я с Рокки погуляю.

Лом заерзал, отпускать меня одну, да еще по вечерам, он не любил.

— Потерпит немного, попозже сходим.

— Ничего, я погуляю, — проявила я понимание. — Отдыхайте.

Было заметно, что отдыхать Лому надоело. Он вышел за мной в прихожую.

— Ладуль, погуляй у подъезда. На улице темень, а ты не с бультерьером идешь, от Рокки пользы никакой, только звон пустой.

— Я во дворе постою, — согласилась я. — Очень он волнуется.

Я ушла, а когда вернулась, Лешка уже нагрузился до такой степени, что сам себя не помнил. Хватал меня за руки, приставал с выпивкой, шутки отмачивал такие, что святого достанут. Лом святым не был, физиономия его багровела, глаза наливались кровью, а кулаки сжимались. По всему выходило, что легендарный припадок последует незамедлительно. С сочувствием взглянув на мужа, я удалилась. Лешка был так пьян, что признаков надвигающейся бури не углядел и вскоре встретил ее лицом к лицу. Лом спустил его с третьего этажа без лифта, правда вызвав предварительно такси. Вернулся злой, как черт. Я принялась его утешать.

— Вроде мужик неглупый, — гневался Ломик, — а выпьет, дурак дураком. Чего городит...

— Геночка, ты не сердись, я понимаю, он твой друг, и не хочу, чтобы ты решил, что я друзей от тебя отваживаю, но еще один такой визит я могу и не пережить. Не люблю, когда меня посторонние люди за руки хватают. Обижать не хочется, а терпеть противно.

— Какой-то недоделанный стал, — согласно кивал Лом, — городит черт-те чего... Раньше он таким вроде не был...

— Может, ты просто внимания не обращал...

— Не знаю... Я с ним завтра поговорю, чтоб пьяный больше не таскался. Трезвый — другой разговор...

— Я тебе не рассказывала, он меня на днях у бассейна встретил и тоже какую-то ерунду плел...

— А чего ему у бассейна делать?

— Не знаю, сказал, мимо проезжал.

— Куда он проезжал, там тупик... — Ломик нахмурился.

— Ну его к черту, — сказала я и прижалась потеснее к муженьку.

— Замерзла, пока с Рокки гуляла?

— Без тебя гулять совершенно не хочется, и настроение не то, и скучно. И вообще, мне без тебя плохо. Когда ты рядом, все по-особенному видится...

— Притащился, придурок, — досадливо вздохнул Лом, — только вечер испортил.

Наутро я позвонила Моисееву. Голос у него был страдальческий, прошедший вечер он помнил смутно и удивлялся разбитой роже.

— Лом бесится, — сказала я, — и ревностью допекает. Пьяные мысли держи при себе. — И весомо добавила: — Надо поосторожнее.

Вроде бы невзначай, но часто судьба стала сталкивать нас с Лешкой. То там встретимся, то здесь. Заботилась об этом Танька, а она за что берется, то делает в лучшем виде. Я улыбалась со значением, а она в оба уха Лешке нашептывала. В целом выходило неплохо. Несколько раз он звонил, начиная со слов: «Как там у Генки дела?», а заканчивая певучим «Ладушка», частенько пасся возле бассейна, и, по Танькиному определению, в штанах ему было тесно. Выразить свои чувства словесно он не всегда мог, но смотрел блудливо и жарко, чему я не препятствовала, а напротив, свои достоинства демонстрировала охотно, но молча... Танька же цеплялась к Лому:

— Чего это Лешка снует туда-сюда, аж в глазах рябит? Насчет наркоты тебя обхаживает? Возле Ладки трется... Неужто решил взять не битьем, так катаньем? Мол, не уговорил тебя, так, может, она присоветует? Куда ни плюнь, всюду Моисеев, точно пасет. Ладуля тебе сказать боится, чтоб, значит, в мужскую дружбу раскол не внести, а мне жаловалась: Лешка у бассейна прописался, никак шалаш поставил, дня не проходит, чтоб не встретил. Это хорошо? Я ведь не Ладка, тебя не боюсь и правду всегда в глаза скажу. Друзья так не поступают. Может, дурных мыслей в его башке и нет, но ее-то он в какое положение ставит? А ну как кто заприметит? Пойдут языками чесать, а ты характером крут, вникать не станешь, и кто тогда виноват окажется? Вот Ладуля и ревет, тебе сказать боится, а я скажу, потому что она человек мне близкий и ее печаль я к сердцу принимаю...

Танькины длинные речи действовали в обоих направлениях, теперь дружки, встречаясь, испытывали обоюдную неловкость, на первый взгляд не очень заметную, но им понятную. Танька заботливо подливала маслица в огонь.

Уже больше месяца Вовка усердно крутился возле Моисеева, пьянствовал с ним и баб таскал. По части услужить ему не было равных, и очень скоро он стал у Лешки кем-то вроде доверенного лица. Так что направление его мыслей было нам хорошо известно. Мысли, кстати, глупые и оригинальностью не отличавшиеся. Вскоре на стол перед Ломом легла магнитофонная кассета. Танька пылала праведным гневом.

— Послушай, что твой дружок болтает. Уши вянут, мать его...

Я принесла магнитофон, а Танька сказала:

— Ты бы, душа моя, шла отсюда. Совершенно ни к чему тебе этакие пакости слушать.

— Отчего ж, послушаю, — твердо заявила я и села на диван.

Вовка потрудился на славу. Моисеев болтал много, глупо и опасно. Через десять минут Лом уже сидел, сурово хмурясь, а через двадцать начал ухмыляться. Такая ухмылка могла заставить даже покойника поменять последнее место жительства. Далее стало еще интересней, полет фантазии коснулся моей персоны. Слушать все это было забавно. Но не сейчас. Я резко поднялась, вытащила кассету, швырнула на пол и каблуком разбила.

— Какая гадость! — прошипела брезгливо.

Лом сцепил руки на коленях и смотрел в одну точку.

— Я всегда говорю: продаст в малом, продаст в большом, — сказала Танька.

— Иди-ка ты домой, — посоветовала я.

Едва заметно кивнув, подружка исчезла. Я подошла к муженьку, обняла его и на коленях устроилась:

— Забудь об этом, — попросила тихо, точно зная, что Лом-то никогда не забудет. — Ну его к черту...

Муженек меня обнял, прижался щекой к моей руке, пропел:

— Ладушка, — и вздохнул, — никому верить нельзя...

— Мне?

— Тебе верю, — сказал Лом, по-собачьи заглядывая мне в глаза.

— Вот и слава Богу... Остальное уж как-нибудь переживем...

Утром я позвонила Таньке.

— С Моисеевым надо решать поскорее. Как бы он нас на кривой кобыле не объехал. Лом успокоится, простит. Он просто помешан на всяких глупостях, только и слышу: в пацанах бегали...

— Сделаем, — сказала Танька, немного помолчала

и добавила: — Погода стоит отличная, не хочешь ли на лыжах покататься?

— Допустим, хочу.

— Вот и поезжай на дачу. А Лому мы командировку организуем.

— Он без меня не поедет. А если по великой надобности и отчалит куда, так найдет способ держать меня дома, да еще звонками замучает.

— Ты кому жалуешься? Главное, чтоб надежный человек шепнул Лешке, что Лом отчалил, а ты на даче одна-одинешенька тоску гоняешь.

— Думаешь, он приедет? — усомнилась я. — Неужто такой дурак?

— Ты что, кассету не слышала? У него навязчивая идея. Будь спокойна, явится...

— Танька, — испугалась я, — что-то мне не по душе это. Генке вряд ли понравится...

— Ты, Ладка, не боись, сделаем по-умному.

Я тяжко вздохнула, повесила трубку и стала размышлять, как половчее убедить Лома отправить меня на дачу. Где-то в десять я позвонила ему в контору.

— Геночка, ты обедать приедешь?

— Нет, Ладуль, мы с Костей уезжаем. — Значит, Танька успела дать ценные указания.

— Да? Вернешься поздно?

— Даже не знаю. Как управимся, сразу домой. Я звонить буду...

— Может быть, мне на дачу съездить, на лыжах покататься? Девчонки звонили... Погода отличная, грех дома сидеть.

— А с кем? — спросил Лом. Моих подруг, как и мои отлучки из дома, он не жаловал. Я все подробно рассказала, и муженек вроде бы успокоился.

— Можно, Гена? — тонким голоском спросила я.

— Поезжай, — ответил он.

— Спасибо. Мы на лыжах покатаемся, вечером в баню...

— Так ты с ночевкой хочешь? — насторожился Лом.

— А нельзя?

— Ладно, оставайтесь, — сказал он, подумав. — Я туда приеду.

Заверив его в своей большой любви, я стала организовывать подруг. Дело это пустяковое и много времени не заняло. Через час мы отправились на дачу.

В пять отвезли Людмилу в город, остаться ночевать она не могла, а мы с Ириной прогулялись вдоль поселка, с удовольствием слушая, как хрустит снег под ногами, и в дом вернулись. Только собрались идти в баню, как под окнами затормозила машина.

— Генка, что ли? — спросила Ирина.

— Вряд ли, — ответила я. — Вот что, иди наверх и задержись там на некоторое время.

Ирина человек понятливый, поднялась на второй этаж, а я пошла открывать дверь. На пороге стоял Моисеев и скалил зубы.

— Как дела, Ладушка? — спросил он с той особой интонацией, которая вроде как предполагала, что я мгновенно брошусь ему на шею.

В ответ я продемонстрировала бездну удивления:

— Алеша? Как ты здесь оказался?

— Мимо ехал. Ты меня в дверях держать будешь или позволишь войти?

— Генки нет...

— Я знаю. А чего это ты испугалась? — хмыкнул он.

— Ничего я не испугалась. Проходи.

Он прошел, снял куртку, по дому прогулялся, но смотрел все больше на меня.

— Хорошо устроились, — сказал с улыбкой. — Умеешь... за что ни возьмешься, все у тебя получается.

— Это ты о чем? — удивилась я.

— О многом. — Он сел в кресло и поинтересовался: — Лом надолго отчалил?

— Позвони ему и спроси.

— А я тебя спрашиваю.

— Ты зачем приехал?

Лешка засмеялся, разглядывая меня с каким-то озорством.

— Выпить есть? — спросил он.

— Что? Да, есть, конечно. Что принести?

— А ты что будешь?

— Коньяк.

— Ну и я коньяк.

Я ушла на кухню, потом поднялась наверх. Шепнула Ирине:

— Позвони Генке, скажи, к нам какой-то мужик приехал, пьяный. Лада, мол, очень испугалась.

— Что-то ты на испуганную не похожа, глаза так и горят, — усомнилась подружка.

— Делай, что сказали, — хохотнула я, — а испугаться мы еще успеем. Позвони и через полчасика спускайся вниз.

— Понятно. Всегда к вашим услугам, хоть и не совсем улавливаю, в какую сторону ветер дует.

Я вернулась к Лешке. С какой стати он был так уверен в том, что я его жду и горю нетерпением, оставалось загадкой. Конечно, Танька в паре с Вовкой на многое способны, но все же нельзя быть таким дурнем.

Я села в кресле напротив. Он разлил коньяк и сказал:

— За нас, Ладушка.

Я кивнула и выпила. Через несколько минут Лешка стал томиться, разговаривать со мной ему всегда было тяжело, а теперь я и вовсе рот неохотно открывала, сидела, смотрела на него и улыбалась. Несколько раз он порывался встать, но что-то его удерживало, скорее всего сомнения в собственных силах. Хоть и слыл Лешка бабником, но дамы о его достоинствах отзывались с прохладцей. Ударить в грязь лицом ему было боязно, а отступать не хотелось. В общем, он здорово напоминал лису из известной басни. Как Танька выражается, и хочется, и колется, и мамка не велит.

Когда он вроде бы собрался с силами и направился ко мне, на лестнице появилась Ирина и весело сказала:

— Привет. А я и не знала, что у нас гости.

Лешка удивленно обернулся и заявил с легкой обидой:

— Я думал, ты одна...

— Я одна никуда не езжу. Муж не пускает, он ревнивый...

— Наслышаны, — кивнул Лешка и вроде бы успокоился. — А подруга твоя рано спать ложится?

— Да я вообще ночами не сплю, — хохотнула Ирина, наливая себе коньяка.

— Да? Спать надо, для здоровья, говорят, полезно. — Перебиваясь такими шуточками, мы продолжали сидеть. Ирина разглядывала гостя, Лешка пытался что-то понять, а я ожидала муженька.

Первыми все-таки появились Танька со Славиком. Вовка остался в машине, опасаясь попадаться дружку на глаза раньше времени. Танька вошла, на ходу сбросила шубу на руки своему спутнику и запела:

— Ба, целый дом гостей. Как отдохнула, радость моя?

— Отлично, — кивнула я.

— Пойдешь на лыжах с утра?

— Если хватит силы воли. Знаешь мой грех, люблю поспать.

Славик, устроив в прихожей свои и Танькины вещи, прошел в комнату, с Лешкой поздоровался за руку и выпил коньячка. Моисеев мало что понимал, хмурился, потому что сценарий вечера неожиданно перекосило. Но ничего не боялся. Дружеская вечеринка вместо любовного свидания слегка его раздражала, но, в общем, все в норме. Вот тут и ввалился Лом. Смотреть на него было страшно. Дверь грохнула, он шагнул вперед, ища меня глазами, увидел, что я сижу цела и невредима в компании четырех человек, и немного растерялся, но тут же заметил Лешку, зло вскинул голову и, забыв раздеться, пошел к столу. Следом появился Костя, встал у двери, наблюдая оттуда за развитием событий. На лице его блуждала улыбка — и выглядел он чрезвычайно довольным.

— Тебе чего здесь нужно? — рявкнул Лом, подскочив к дружку. Лешка выпрямился и насмешливо ответил:

— Ехал мимо, заглянул...

— К моей жене, пока меня дома нет?

— Да брось ты... — усмехнулся Лешка, но уже стал соображать, разозлился и все сделал невпопад и неверно. Выкатил глазищи и зло заговорил: — Да ты что, Лом?

Ломик набрал в грудь воздуха и сказал несколько слов, нелитературно, но доходчиво. Из его выступления следовало, что Моисееву женщины больше не понадобятся, в принципе и навсегда. Лом двинул ногой по столу, стол взлетел в воздух, с грохотом приземлился обратно, а мы сообразили, что у муженька начался припадок бешенства, который никто и не мечтал пережить. Лешка, конечно, меньше всех, Лома он знал давно, а потому малость испугался и, видно с перепугу, напакостил себе еще больше.

— Лом, да эта сучка сама ко мне липла...

Лом отпустил его рубашку, легонько толкнул дружка на диван и с тихой лаской поинтересовался:

— Серьезно?

Неожиданное спокойствие Лома ввело Лешку в заблуждение.

— Ну...

— Она позвала тебя сюда?

Лешка под взглядом Лома заерзал, но соврать не решился.

— Нет.

— Ага. Значит, сам пожаловал.

— Лом, я...

— Ты не спеши, не спеши, сейчас расскажешь... Может, она раньше когда приглашала?

— Нет, — повторил Лешка.

— Но что-то она тебе говорила?

— Нет, — зло вскинулся Моисеев, начав наконец кое-что понимать.

— А как же липла-то, Леша? — пропел Лом. Тот сглотнул, глядя на меня с лютой ненавистью, и ответил:

— Она смотрела... дурак поймет.

Генка засмеялся. Он стоял, скалил зубы и поглядывал на дружка.

— Вот ты и дурак, Леша. Я Ладкины взгляды хорошо знаю. Она может смотреть и прикидывать, какие себе туфли купить, и до мужика ей в тот момент нет никакого дела, а он из штанов выпрыгивает. Мне это лучше других известно, так что про мою жену мне не рассказывай... Ты зачем приехал-то, Леша?

— Она сама, она так смотрела...

— И ты поехал? Не сказал, мол, Генка, твоя жена ко мне жмется, а ты мне друг и все такое, а сюда побежал?

— Я все понял, Лом, — сказал Лешка, поднимаясь и кривя губы. — Можешь не ораторствовать. Мы друзья и все такое, только баба твоя...

Он попытался найти слово, не нашел и направился к дверям. Когда за ним закрылась дверь, Лом улыбнулся, широко и лучезарно, и сказал:

— Каюк дружку. Кончился.

— Это точно, — согласилась Танька и добавила тише: — Царство ему небесное...

Оставшись с мужем наедине, я долго молчала. Он подошел, сел рядом, взял меня за руку.

— Гена, — позвала я, — ты ведь не думаешь... что я действительно хотела этого пьяного идиота?

— Что за чушь? — нахмурился Лом. — В голову не бери. Я тебя знаю и верю тебе. Все.

На сей раз похороны не были такими уж пышными, и никто не решался особенно горевать по Лешке. Предпочитали сурово хмуриться и отделываться фразами типа: «Да, жизнь... вот так вот...» и тому подобной чепухой. Кое-какие причины для этого были: Моисеева обнаружили в машине в трех километрах от города, с пятью пулями в груди, шестая в голову его доконала. Вокруг машины натоптано, снег кровищей залит. Напрашивался вывод, что убийца профессионалом не был, убитого хорошо знал, так как тот подпустил его к себе и зачем-то бродил с ним вокруг машины. Шел робкий, но упорный слух, что пристрелил его сам Лом, и по всему выходило, что из-за бабы. Наше присутствие на похоронах всех сбивало с толку. Лом сурово хмурился, и видно было, что сильно печалится из-за дружка. Остальные, глядя на вождя, тоже печалились, но, как я уже сказала, без лишних слов. Обещаний вроде: «Мы этого подлюгу из-под земли достанем» никто не давал, предпочитая тяжкие вздохи опасным обетам.

Так как законной супруги у Лешки не было, а незаконных было много, они перед церемонией малость поскандалили, пытаясь решить, кому должна быть отведена ведущая роль, и нанесли друг другу незначительные телесные повреждения. В результате на похороны ни одна не явилась, так что рыдать и бросаться на гроб было некому. Близких родственников он не имел и уже несколько лет числился в сиротах. В общем, церемония особенно не впечатляла, хотя Танька и настояла на отпевании, во время которого переминалась с ноги на ногу и с нетерпением ждала, когда запоют ее любимое. Прослушав до конца знакомые слова, подружка расслабилась, всплакнула и сказала довольно громко:

— Ох, горе-то какое...

Я не поняла, к чему эти слова относились: к Лешкиной кончине или к тому, что певчие замолчали.

Совершенно случайно и без чьих-либо стараний на кладбище Моисеев оказался рядом с Синицей. Неподалеку в полный рост стоял Святов в черном мраморе, и хоть особого сходства я не улавливала, но Танька утверждала, что он сильно походил на Ильича. Обнаружив в такой близости трех недавних соратников, в то время как дела шли на редкость хорошо и обещали быть еще лучше, мужики глубоко задумались и о Лешке вовсе перестали печалиться. Не те мысли их одолевали.

Лом стоял возле гроба, сложив руки, с прямой спиной и гордо вскинутым подбородком, и походил то ли на гангстера американской закваски, то ли на лидера какой-нибудь партии. Вокруг него образовалось пустое пространство, не слишком большое, но ощутимое. Никому и в голову не приходило, обращаясь к нему, назвать его Ломом или Генкой. Все поспешно отводили глаза, но спинами и телодвижениями демонстрировали преданность и готовность ради вождя на многое.

Мы стояли в сторонке, но в достаточной близости от Лома: я в черном, Танька в слезах, Костя в очках с золотой оправой и Славик в дорогом пальто на меху. На нас поглядывали с замешательством и некоторым испугом, и умные уже сообразили, что старые времена безвозвратно канули в небытие, а грядут новые, к которым надлежит приспособиться.

Саид, последний из оставшихся в живых давних Ломовых дружков, был, безусловно, человеком умным. Он стоял в трех шагах от Лома, за его спиной, точнее, за плечом, рядом, но сзади, и наперед не лез. Когда могилу зарыли и обложили венками, он тихо сказал:

— Да, Гена, вдвоем мы с тобой остались.

Я попыталась уловить в его голосе намек, но услышала лишь грусть и смирение перед судьбой.

— Да, — кивнул муженек, и они на глазах у всей компании обнялись и маленько похлопали друг друга по спине. Остальные терпеливо ждали, когда Лом пройдет к машине. Он пошел, и Саид вроде бы рядом, но чуть-чуть сзади. Потом пропустили нас и с некоторым облегчением побрели к ожидавшему транспорту. На многих лицах читалась растерянность.

— А Саид умница, — сказала Танька, устраиваясь на велюровом сиденье. — Уроки истории тоже научили его кое-чему.

Я кивнула. Саид в отличие от остальных Ломовых дружков всегда вызывал у меня симпатию.

Поминки прошли без особого шика, петь хвалебные оды Моисееву никто не решился, о памятнике в полный рост тоже не заговаривали, посидели, выпили и затосковали. То ли дело в старые времена: Аркашу неделю поминали, да так буйно, что на полгода воспоминаний хватило.

Я сидела рядом с Танькой в сторонке, Лом, само собой, во главе стола, а Костя от него по правую руку, там, где раньше всегда садился Лешка. Умных это тоже на размышление сподвигло, но умных было не так много, чему я, по понятным причинам, радовалась.

Саид сидел слева от Лома, вел себя скромно, пил мало, был серьезен, но особо печаль не демонстрировал. Ломик то и дело обращался к дружку, как видно, желая подчеркнуть, что их дружбе годы и невзгоды не страшны. Танька только ухмылялась, а Саид, улучив момент, подошел к нам. Надо сказать, что восточного в нем только и было, что дурацкая кличка, которую он получил давным-давно из-за пристрастия к одному фильму. Фамилия у него была Пантелеев, а имя Саша, но еще много лет назад об этом начисто забыли и иначе как Саидом не называли. Я и сама лишь недавно с некоторым удивлением узнала его настоящее имя, разумеется, благодаря Танькиным стараниям. Теперь времена сменились, и о дурацких кличках следовало забыть.

Саид сел рядом, дружески улыбнулся мне и сказал:

— Хорошо выглядишь.

— Спасибо, Саша, — мягко ответила я и тоже улыбнулась. Он посмотрел куда-то перед собой и заговорил не спеша: — Редко видимся. И все больше по невеселому поводу.

— Да, — я кивнула, а потом добавила: — Кто бы мог подумать...

— Как посмотреть, — пожал плечами Саид. — О покойнике плохо не говорят, но о Лешке мало что хорошего можно сказать. Он кого угодно мог допечь. В последнее время мы с ним виделись редко, только по делам.

— Да, с Геной у них то же самое было... Все больше юношеские воспоминания.

— На них далеко не уедешь... — кивнул Саид. — Гена говорил? Я дачу выстроил. Место шикарное, озеро в трех шагах, лес. Грибы, рыбалка. Приезжайте в гости, отдохнем по-семейному, Лариса рада будет.

— Спасибо, обязательно приедем. А можно и к нам, у нас тоже неплохо... Как дочка, в школу пошла?

— Да, первоклашка. Способная девчонка, никаких хлопот.

— Растут дети...

Еще минут пятнадцать мы продолжали беседу в том же духе, потом Саид взглянул на меня и сказал то, из-за чего, надо полагать, и затеял весь этот разговор:

— Ты знаешь, Лада, я тебя всегда уважал, а Генка мне друг, я за него в огонь и в воду... И ребятам всегда говорю: прошло то время, когда кулаками махали да торопились карманы бабками набить, сейчас жизнь другая. Мы уже давно не пацаны, у самих дети растут, о них надо думать.

— Конечно, ты прав, Саша, — согласилась я.

— Я хочу жить спокойно и погулять на свадьбе дочери.

— Нас пригласить не забудешь? — улыбнулась я.

— Само собой.

Мы еще немного поговорили, тут подошел Лом и спросил:

— Саид, ты останешься или домой?

— Домой, Гена, — скромно сказал тот. — Лариска приболела, дочку из школы забрать надо.

— Тогда поехали.

— Хитер, — сказала Танька, когда мы были уже дома. — Как думаешь, отступится или затаится, шельма?

— Если умный, то отступится, потому что ничего ему, кроме пули, не светит. Святов был первый Ломов дружок, а теперь стоит жутким монументом на кладбище. Саид не дурак...

— Может, даже слишком умный, — задумалась Танька. — Ладно, мы за ним присмотрим. Если он по-хорошему, так и мы со всей душой.

Когда Танька вместе с Костей отбыли восвояси, Лом немного послонялся по квартире и вдруг остановился против меня.

— Ладка, — сказал он как-то нерешительно, — Саид мой давний друг, и он о тебе дурного слова не сказал... я ему желаю здоровья и долгих лет жизни.

— Так у него сегодня день рождения? — удивилась я.

— Почему? — растерялся Лом.

— Ну... ты ему здоровья желаешь и долголетия...

— Ладка, — грозно начал он, но притормозил, помолчал и добавил: — В общем, ты поняла...

Саид вел себя тихо, довольствуясь ролью давнего дружка и третьего помощника. Я оказалась права: мужик он умный.

Дела шли на редкость удачно, как вдруг в начале весны гром среди ясного неба: объявился Димка.

Возвращаясь из бассейна, я заехала в магазин, на улицу вышла нагруженная пакетами и удивленно замерла: кто-то вертелся возле моей машины. Подходя, уже знала: судьба мне приготовила подарок, и точно, парень повернулся, а я ахнула: Димка.

— Здравствуй, Лада, — сказал он и не улыбнулся. Облезлые джинсы, старая куртка, лицо бледное, глаза горят. Смотрел он на меня сурово, с затаенной болью, точно за долгом явился, который не надеялся получить.

— Дима, — пролепетала я, — ты... как же ты решился?

— По тебе соскучился, — ответил он, криво усмехнулся, оглянулся вокруг, точно место искал, где сесть, и спросил: — Поговорим?

Говорить нам было не о чем. Я это знала, догадывался и он. Но его неожиданное появление выбило меня из колеи, я растерялась, засуетилась с ключами и сказала испуганно:

— Садись в машину... Нет, за руль.

Он сел, и мы отъехали в соседний дворик, подальше от любопытных глаз.

Димка повернулся ко мне, сказал без улыбки:

— Вот и встретились...

— Да... — согласилась я, боясь поднять глаза.

— Как живешь? Рассказывай.

— Нормально. Ты как?

Он плечами пожал.

— Если сюда заявился, значит, не очень...

— Какие-то проблемы... деньги?

Он усмехнулся.

— На мой затрапезный вид не смотри, не нищенствую. Жизнь кое-как наладилась... да тоска заела. Хотел я, Ладушка, на тебя взглянуть.

— Дима, тогда в гостинице... — торопливо начала я, но он меня перебил:

— Я знаю... Вовка рассказал.

— Ты его видел? — Чем, интересно, Танька занимается? Димка в городе, а Вовка до сих пор об этом не донес. — Давно приехал?

— Вчера. Утром был у Вовки. Он мне все рассказал, про то, как Лом тебя привез, как ты с разбитым лицом ходила, а потом в больнице валялась...

Я сочла нужным заплакать, отвернулась к окну и прошептала:

— Дело старое...

— Только не для меня... Я этот год разными мыслями себя изводил, все думал, как же ты могла... и все такое, а потом решил, поеду-ка я к Ладушке, посмотрю ей в глазки... А как Вовка стал рассказывать, сволочью себя почувствовал. Еще год назад должен был приехать, чтоб тебя от этой подлюги избавить.

Лом, с моей теперешней точки зрения, подлюгой не был, и даже совсем наоборот, а вот что там рассказал Вовка и как далеко зашел в своей дружеской болтовне, беспокоило меня чрезвычайно.

— Дима, ты себя не казни. Не мог ты тогда приехать. Себя бы сгубил и мне не помог. Лом пристрелил бы обоих. И сейчас зря приехал. Вдруг узнает кто? Боюсь я, Дима...

Он взял мою руку, крепко сжал.

— Лада...

— Подожди, — попросила я, всхлипнула, достала платок, слезы вытерла и сказала: — Дима, я... я, наверное, плохой человек, то есть я, наверное, должна была быть стойкой, держаться, не подпускать его к себе, с балкона прыгнуть или отравиться... Но я трусливая и слабая, я испугалась... и привыкла как-то... о тебе не думать и жить... прости меня, пожалуйста, прости...

— Лада... — Он обнял меня и стал торопливо целовать, а я удивилась — в душе вспыхнуло отвращение и странная обида за Лома. Неужто Танька права и я его в самом деле люблю? Я поспешила отодвинуться от Димки.

— Дима, — сказала отчаянно, кусая губы.

— Лада, любимая моя, уедем, — зашептал он, ухватив меня за колени. — Уедем, слышишь? Квартира есть, работа есть, получаю прилично. Не пропадем. Посмотри на меня, посмотри, Лада. Ты ведь меня любишь, любишь?

— Дима, я люблю тебя, — закрыв глаза, убедительно соврала я. — Только жизнь не переиграешь. Я... я беременна. — Он слегка дернулся, а я продолжила, от души радуясь произведенному эффекту: — Дима, ты пойми: мне давно не двадцать, и о ребенке я мечтала, он очень важен для меня, а сейчас и вовсе важнее всего на свете. Дима, я не могу... просто не могу.

— Господи, Лада, это твой ребенок, твой, значит, будет мне родным. Никто даже никогда не подумает... вспомни, как мы с тобой в день свадьбы на юг удрали. Тогда я тоже о всякой ерунде думал, а ты была права. Я тебя послушал и потом Бога благодарил, что ума хватило... поедем, Лада, прямо сейчас... Поедем...

Вот так незадача.

— Он нас найдет, — не придумав ничего умнее, сказала я.

— Я этого подлюгу пристрелю и тебя увезу... Я люблю тебя, девочка моя, радость моя, жизнь моя, я тебя люблю.

Тут он опять набросился с поцелуями, а я совсем растерялась. Что на все это сказать?

— Дима, ради Бога, — взмолилась я, — подумай, что ты говоришь? Ты хочешь убить отца моего ребенка?

Димка вскинул голову и неожиданно сурово сказал:

— Ты, наверное, забыла, Лада. Я из-за тебя родного отца убил.

Ответить на это было нечего — уж что было, то было.

— Дима, — начала я туманно, — я виновата, я знаю...

Прости меня, пожалуйста, прости... Все перепуталось у меня в голове, и я уже ничего не понимаю...

— Ты меня любишь? — спросил он, чуть отодвинувшись и заглядывая мне в глаза. Я робко ответила:

— Да.

— Вот и отлично. Поехали.

— Ничего не отлично, — покачала я головой. — Я рожу ребенка Лома. Он будет расти на твоих глазах, как постоянное напоминание о его отце.

— Не думай об этом...

— Нет, Дима. Об этом я обязана думать. Потом поздно будет.

— Хорошо, — усмехнулся он. — Тогда я сделаю тебя вдовой. Тебе придется уехать.

Я головой покачала:

— Второй раз мне тебя из тюрьмы не вытащить. — Не грех было напомнить, что он мне тоже кое-чем обязан. — Я не хочу всего этого... Дай мне в себя прийти и все решить спокойно. Ты же знаешь, я найду выход. И убивать никого не придется. А уехать прямо сейчас я не могу. У меня с собой даже паспорта нет...

Он шарил по моему лицу взглядом, силясь отгадать, что со мной происходит. Я же хотела только одного: остаться в одиночестве, успокоиться и принять решение.

— Ясно, — сказал он, убирая руку с моего плеча.

— Что ясно?

— Конечно, ты права. Ты должна решать сама. Решай. Но я хочу, чтобы ты знала: без тебя я не уеду.

Мы помолчали, и я робко спросила, желая сменить тему:

— Где ты остановился?

— В гостинице «Советская».

— Она теперь не так называется, — грустно улыбнулась я. Гостиничный комплекс с казино, ночным клубом и двумя ресторанами с некоторых пор принадлежал нам, Димка об этом, конечно, не знал. Я провела ладонью по его лицу и добавила: — Я боюсь за тебя, вдруг кто-то узнает... Давай позвоним Таньке, устроим тебя на ее даче. Вполне возможно, что мне понадобится несколько дней. Я хочу быть за тебя спокойна.

— Хорошо, — подумав, согласился он.

На счастье, Таньку удалось застать на работе.

— Мне нужна твоя помощь, — заявила я. — Дима приехал...

— Мать его... — Танька охнула и, помолчав, спросила: — За тобой явился? С претензиями?

— Он меня любит, — жалобно сказала я.

— Конечно, это я помню. И ты его, да? А ведь в городе нашему мальчику появляться нельзя. Кто-нибудь особо шустрый заметит, узнает и донесет Лому.

— Этого я и боюсь.

— Пусть укроется на даче. Местечко просто создано для того, чтобы там прятались беглые уголовники.

— Танька! — рявкнула я. Димка был рядом и, конечно, все слышал.

— Говорю, как есть. Где вы сейчас?

— На проспекте Мира, во дворе за магазинами.

— Вот там и ждите. Я минут через пятнадцать подъеду, сопровожу твоего любимого.

— Не скажешь, что она обрадовалась, — усмехнулся Димка.

— Она боится, но поможет.

Танька появилась не через пятнадцать минут, а через десять, с лицом разгневанной фурии.

— Привет, — кивнула Димке. — Вот уж кого не ждали.

Тот немного растерялся. Такого приема со стороны Таньки он, как видно, не ждал.

— Мало тебе прошлого раза, когда еле ноги унесли, так ты опять за приключениями явился.

— Не за приключениями, — буркнул он, — а за Ладой.

Танька слегка подпрыгнула, начала багроветь и свирепеть и на меня покосилась. Я скромно потупила глазки.

— Сговорились, значит, — проявила она догадливость, тяжко вздохнула и, испепелив меня взглядом, добавила: — Никак опять в бега?

— Хватит болтать. — Я нахмурилась и тоже продемонстрировала гнев. — Спрячь Димку на даче.

— В подвале запереть? — съязвила она, но, уловив мой взгляд, тяжко вздохнула и мрачно сказала: — Поехали, герой-любовник. Укрою.

Я заревела от досады, тоски и беспомощности, Димка кинулся меня утешать, а Танька маялась рядом и на нас взирала без одобрения и видимого сочувствия. В конце концов Димка сел в ее машину, махнул мне рукой, и они отбыли, а я еще немного постояла, глядя им вслед и пытаясь прийти в себя. Потом отправилась домой. Лом отсутствовал, чему я от души порадовалась. Слонялась по квартире и размышляла. Рокки, почуяв неладное, путался под ногами, жалобно поскуливая. «А что с ним делать? — подумала я, глядя на рыжую бестию у своих ног. — Не могу же я бросить животное? Он будет в отчаянии, а перемена климата дурно отразится на его здоровье. Нет, я должна думать о любимом существе... Жаль, что для Димки это не явится серьезной причиной. Ну и что, у меня своя голова на плечах...» Пока я ломала голову, пытаясь найти выход из создавшегося неприятного положения, вернулась Танька. Прошла на кухню, забыв снять шубу, и стала потолок разглядывать.

— Устроила? — спросила я. Она кивнула.

— Устроила... — подумала и добавила обиженно: — Не можешь ты меня бросить...

— Замолчи, ради Бога, — разозлилась я. Только Танькиного нытья мне недоставало. Подружка закусила губу и выглядела совершенно несчастной.

— Положим, на пару дней мы его спрячем, — начала она недовольно. — И что? Долго прятаться он не будет, характер не тот. А Лом узнает, что он в городе, уже сегодня.

— Конечно, — хмыкнула я.

— И вовсе не потому, что я донесу, — нахмурилась Танька еще больше и вроде бы даже оскорбилась. — Он в какой гостинице остановился? То-то... Там Саид. Если он его не засек, так кто-нибудь из мальчиков расстарался. Димка — Аркашин сынок, покойного, царство ему небесное, в городе хорошо знали, да и сыночек в газетках промелькнул. Среди ста дураков непременно отыщется один умник, который вспомнит и куда следует сигнализирует. И что получится? Мы прячем беглого преступника на своей даче. Но это, конечно, полбеды. Донесут Лому, а может, уже донесли. Господи, прости, и как ты перед ним выкручиваться будешь? Ох, Ладка, смотри — твое прошлое сидение нагишом за счастье покажется. Лом в тебе души не чает и, при таком раскладе, рассвирепев, запросто пришибет под горячую руку. Потом, возможно, опечалится и решит, что погорячился, но тебе от этого легче не станет.

— Все? — гневно спросила я, встав перед Танькой с видом драчливой собаки. — Высказалась?

Подружка уронила горькую слезу и жалобно сказала:

— Как близкий человек, я была обязана тебя предупредить.

— Предупредить должен был твой Вовка.

— Он пытался, — вступилась Танька за возлюбленного. — Звонил, а у меня совещание, болтать с ним было некогда, к тому же он понес околесицу, и я, грешным, делом решила, что он с утра набрался, и трубку бросила. Оказалось, зря. Тебе он, само собой, звонить не рискнул.

— Отчего ж? — удивилась я.

— Ну... не по рангу... Опять же, через голову начальства наверх не докладывают. Мой-то, может, и дурак, но понятие имеет.

— Воспитание, — рявкнула я и по кухне закружилась. — Димка у матери был?

— Ночевал. А потом к моему заявился. Вчера вечером был у тебя, на прежней квартире то есть. Валерочка обошелся с ним невежливо, а о тебе и вовсе говорить не пожелал. Я ж докладывала — мадам его с должности слетела, он дал ей отставку, а замену еще не нашел, оттого бедствует и злится. Послать, что ль, на бедность по старой памяти? Вроде как пожертвование на благотворительные цели?

— Пошли, — согласилась я.

— И правильно, доброе дело, оно в нужном месте всегда зачтется. А мужик видный, чего ж добру пропадать?

— Ты про Димку рассказывай. — Танькино желание увести разговор в сторону действовало мне на нервы.

— А что Димка? Явился вчера вечером, к тебе направился, ничего путного не узнав, поехал к матери, время позднее, искать тебя на ночь глядя затруднительно. Перед этим в гостинице устроился. Паспорт, кстати, тот, с которым год назад отсюда когти рвал. Между прочим, сработано специалистом, я имею в виду паспорт, раскатывает с ним человек целый год и никаких тебе подозрений. — Заметив, что я нахмурилась, Танька покончила с очередным отступлением и вернулась к Димке. — Так вот, устроился в гостинице и поехал к матушке. Та рыдала от счастья и страха за любимое чадо, ночевать уговорила дома. Утром он чуть свет поднялся и кинулся искать возлюбленную, то есть тебя. Для начала пошел в справочное, где, заплатив малые деньги, узнал, что ты сменила фамилию и проживаешь по адресу заклятого врага. Это произвело на него сильное впечатление, он весь год думал, что ты с денежками из Минска сбежала, не вынеся тяжкой доли изгнанницы, но допустить, что ты за Лома замуж пойдешь, и в самых своих скверных мыслях не мог. Прекрасный образ дал основательную трещину, а Димка вспомнил про дружка и решил прояснить ситуацию, оттого и заявился к Вовке. Зол был чрезвычайно и грозился всех порешить. К тебе были особые претензии. Вовка слезно поведал об истинном положении вещей. Димка стенал, стонал и каялся, после этого вознамерился тебя спасти. Только вот от чего спасти, душа моя?

— Танька, ты не устала? Может, чайку попьешь? — съязвила я. Злиться на подружку было нечестно, но так уж человек устроен: кто попадет под горячую руку, тому и отсыпят.

— Не хочу я чаю.

— Тогда иди, родная.

— Куда? — не поняла она.

— Домой. Иди-иди. Сейчас вернется муж, а у тебя такой вид, что он с порога начнет подозревать меня во всех смертных грехах. А мне это ни к чему, особенно теперь.

— Ладушка, — жалобно протянула Танька и даже слезу из себя выжала, но я была непреклонна.

— Иди. На даче есть продукты? Не хочу, чтобы Димка там с голоду умер...

— Оно, может, и неплохо бы... есть там продукты, — разозлилась она. — По крайней мере, на сегодня хватит, а завтра после обеда съезжу. У меня вопрос — как долго он намерен там проживать? Я не из любопытства спрашиваю, а из-за продуктов.

— Пару дней...

— А потом?

— Да уйдешь ты наконец? — разозлилась я. Танькина способность задавать вопросы, на которые я не могу найти ответ, доводила до бешенства. Танька ушла, на смену ей, с интервалом в полчаса, за которые я так и не успела придумать что-нибудь путное, явился муженек. Ничего злодейского в нем обнаружить не удалось, и я вздохнула с облегчением — еще не знает. На всякий случай стоило быть с ним поласковее. Лояльность к мужу я демонстрировала древним как мир способом, и он через некоторое время уснул в состоянии полного блаженства. Я же, осторожно выскользнув из супружеских объятий, вновь заметалась по квартире. Впору было заламывать руки и кусать губы. Ни одной ценной мысли, как заставить Димку покинуть город раз и навсегда, не нанеся при этом чересчур большого вреда его ранимой душе.

Поначалу я искренне надеялась, что, стоит мне зарыдать, жалобно глядя в его глаза, он все поймет и отбудет, сказав на прощание «будь счастлива». Но Димка за год сильно переменился, это я сразу заметила, и «будь счастлива» я от него вряд ли услышу. Тут уместно было вспомнить, чей он сын. Родитель его отличался злокозненностью, упрямством и дурным нравом.

Вдруг зазвонил телефон, я подпрыгнула и вытаращила глаза, сообразив, что на даче художника Петрушина, где ранее неизвестные злоумышленники держали в заточении меня, а теперь прятался Димка, имелся телефон и возлюбленный вполне мог им воспользоваться. Говорить с ним я была не готова, с другой стороны, настойчивые переливы звонка могли разбудить Лома, и если он узнает, что это Димка, то худший вариант и придумать трудно. В общем, я бросилась к телефону и прошептала:

— Да... — Конечно, это был Димка.

— Лада...

— Я не могу говорить, — испугалась я. — Он дома.

Повесила трубку, поскучала, а обернувшись, увидела муженька. Он стоял в дверях и взирал на меня пока еще без подозрения, но уже недоуменно. А я попыталась отгадать, слышал ли он последнюю фразу, произнесенную трагическим шепотом.

— Кто звонил? — спросил муженек, и я по голосу поняла: слышал.

— Какая-то женщина. Спросила тебя.

Лом удивленно поднял брови.

— Вроде бы ты сказала «он дома».

— И вовсе нет. Я сказала «его нет дома». Кто это тебе звонит по ночам? — Я попробовала придать себе грозный вид, но сама чувствовала, что не выходит. Недоумение Лома сменилось подозрительностью.

— Может, я не слишком умный, но уж точно не глухой, — заявил муженек и направился ко мне. Я поежилась и попыталась решить, в какой из углов комнаты лучше смотреть, чтоб не встретиться с ним взглядом. Лом подошел, сгреб меня за плечи и легонько встряхнул: — Кто звонил?

— Я ведь уже сказала, — мяукнула я и поспешно добавила: — Что тебе взбрело в голову? На свете полно сумасшедших, которые любят звонить по ночам и портить людям жизнь.

Лом постоял, посверлил меня взглядом, а я прижалась к его груди и жалобно вздохнула. Постояв так некоторое время, мы вернулись в спальню.

Однако, несмотря на мои старания, успокаиваться

он никак не желал. В самый неподходящий момент вдруг спросил:

— Почему ты встала и ушла из спальни? Ждала звонка?

— Да ты с ума сошел? — возмутилась я не столько его провидческому дару, сколько нежеланию попадать под мои чары. Я насторожилась, ожидая, что вслед за этим последуют угрозы с красочным описанием моей участи. Ничего подобного. Муженек молчал, потом, привычно обняв меня, уставился в потолок. Я решила притвориться спящей. Он притворяться не стал, пялил глаза в темноту. Потом осторожно освободил плечо от моей божественной головки и, приподнявшись, с минуту меня разглядывал. Я надеялась, что ресницы дрожат не слишком заметно и в темноте он это не углядит. Вдоволь налюбовавшись, Лом ненадолго затих. Однако уснуть он не мог. Начал ворочаться, пару раз отчетливо вздохнул, потом поднялся и побрел на кухню. С интервалом в несколько минут я прокралась следом. Муженек стоял возле открытого балкона и курил, а, между прочим, два месяца назад бросил курить и держался стойко... Ночь была морозная, кухню быстро выстудило, а я разозлилась: разве можно стоять раздетым у открытого балкона, ведь простудится... Проявлять заботу о муже я сочла в тот момент неразумным и на цыпочках вернулась в спальню.

Лом пришел через полчаса, холодный, как льдышка, и, кажется, несчастный. Заглянул в мое лицо, помаялся немного и лег на спину, закинув руки за голову.

Утром никуда не спешил, точно у него был выходной от всех дел. Я прикидывала и так и эдак, стоит ли задавать вопросы. С одной стороны, спросить о делах вполне естественно, вчера утром я так бы и сделала, но в свете последних событий мой вопрос может быть расценен как желание поскорее избавиться от муженька. Я измучилась, извелась и окончательно поняла, что иметь секреты от любимого себе дороже.

Ко всему прочему пугал телефон. Он мог зазвонить в любую минуту. Что мне тогда делать? Несколько раз я готова была все рассказать, но характер мужа мне был хорошо известен, Димка для Лома точно красная тряпка для быка, и, что последует за моим признанием, догадаться нетрудно. А Димке я зла не желала. Мне просто очень хотелось, чтобы он вдруг оказался за тридевять земель и не имел возможности оттуда вернуться.

Отказавшись от мысли о чистосердечном признании, я стала обхаживать мужа, чувствуя, что слегка переигрываю и тем вызываю еще большие подозрения. Разозлившись на себя, Лома, Димку и все человечество, я взялась за дело всерьез, не забивая голову тем, как мои действия выглядят со стороны, и в конце концов добилась отменного результата: Лом подобрел, помягчел и поклялся в любви. После чего, с аппетитом проглотив обед, удалился туда, где и должен был пребывать с самого утра. Я легла в ванну с горячей водой и на всякий случай предупредила сама себя:

«Ни о чем я больше не желаю думать».

В половине пятого позвонила Танька.

— Его нет на даче, — заявила она, забыв поздороваться.

— Что? — пытаясь оценить эту новость, спросила я.

— Что слышала. Он удрал. И где сейчас — неизвестно. Вовке не звонил... — Танька помедлила и не без робости поинтересовалась: — А тебе?

— Нет. Где он может быть? У матери? Пошли Вовку...

— Вовка здесь, со мной. Матери уже звонили, там он не появлялся. Она считает, что он уехал. Так он, по крайней мере, ей обещал. Дружков беспокоить не рискуем: ежели они не в курсе, что он приехал, так зачем им об этом сообщать?

— Мудро, — согласилась я, подумала и попробовала утешить Таньку: — Он объявится... Вряд ли уедет, не попрощавшись со мной.

— Это уж точно, — вздохнула Танька. — На всякий случай стоит проверить гостиницу...

— И он вполне мог вернуться на дачу, — подсказала я. — Скучно стало, и он пошел прогуляться...

Не знаю, что успокоило подружку больше: мои доводы или мое пребывание в родной квартире.

Не прошло и часа после Танькиного звонка, как позвонил Димка.

— Лада...

— Дима, — ахнула я. — Я так испугалась. Танька сказала, что ты исчез с дачи...

— Прятаться там не буду, подвал ваш хуже тюрьмы. Я в гостинице, 420-й номер. Жду тебя. — В голосе звучал легкий намек на шантаж. — Ты приедешь? — спросил он.

— Сейчас не получится, — попробовала поюлить я. Неудачно.

— Я тебя жду, Лада. Надеюсь, ты не забудешь прихватить с собой паспорт.

Я перезвонила Таньке.

— Только не говори, что ты пойдешь к нему. — Подружка была напугана и даже не желала этого скрывать. — Не можешь ты быть такой дурой... Если Лому донесут, тебе конец.

— Прекрати каркать, — разозлилась я.

— Ты туда не поедешь. Он спятил. Как ты можешь там появиться? Тебя любая собака сразу узнает. И не мечтай, что пройдешь незаметно. Ты не умеешь ходить незаметно, ты это просто не умеешь... Ты пойдешь?

— У меня по расписанию в шесть ноль-ноль шейпинг. Вот туда и отправлюсь.

Я бросила трубку и в самом деле начала собираться. Ненавижу, когда что-то в жизни складывается подурацки, вот просто ненавижу, и все.

С шейпинга я вернулась в девять часов. Дома меня ждал сюрприз: в гостиной осколки стекол, тех, что были дверцами шкафов, посудой и разными дорогими моему сердцу безделушками. И Лом, сидящий в кресле, с бледным лицом, взглядом полутрупа и кулаками в крови.

— Господи Боже, — прошептала я, оседая на диван. Он, кстати, был цел, крушили исключительно быстробьющиеся предметы. Лом поднял голову, а я поежилась, но впадать в панику не спешила. Первый припадок должен был изрядно его вымотать, так что на второй просто сил не хватит. — Что ты тут вытворял? — собравшись с силами, сурово спросила я. Муженек мутно взглянул на меня, поднялся и ушел в ванную. — И не думай, что я стану здесь убирать, — крикнула я вдогонку. Он ничего не ответил.

С этого вечера Лом переменился. Говорил мало и односложно, «да», «нет», смотрел на меня пристально и хмуро, молчал. Причина его неожиданного буйства стала ясна на следующее утро. Еще не было семи, когда позвонила Танька. Ночь я провела скверно. Лом допоздна смотрел телевизор в гостиной, потом пришел в спальню. Я делала вид, что сплю, он лег и повернулся ко мне спиной, а я просто обалдела, настолько подобное зрелище было непривычным. Однако иногда лучше промолчать, и я промолчала, но страдала и мучилась, задремала лишь под утро, телефонный звонок меня перепугал. Спросонья я вскочила, мало что соображая. Лом уже снял трубку, должно быть, не спал.

— Да, — бросил резко. Танька с легкой дрожью в голосе сообщила:

— Я только что узнала — вчера вечером в гостиничном номере обнаружен Димкин труп. Только не говори, будто ты не знал, что он здесь ошивается. Я думаю, надо собраться и обсудить данную проблему.

— Не вижу проблемы, — заявил Лом, бросил трубку, взглянул на меня и поднялся. Надо полагать, я побелела как полотно, потому что муженек спросил: — Воды принести?

— Не надо, — пискнула я и рухнула на подушки.

Итак, Димку кто-то узнал, донес Лому, и тот его убил. Боже ты мой... Мне срочно понадобились подробности, иначе как мы, черт побери, сможем выбраться из дерьма?! Лом точно воды в рот набрал, на меня смотрел вскользь, и я не спешила с расспросами. Иногда излишняя поспешность хуже бездействия.

Надо дать ему возможность прийти в себя, а потом уж поговорить.

С этого дня начались вещи малоприятные и даже странные. Во-первых, Лом по-прежнему молчал и говорить вроде бы вообще не собирался. По ночам то демонстрировал мне спину, то кидался точно зверь, но и тогда мало напоминал моего муженька: даже дурацкое распевное «Ладушка» я уже не слышала. Меня это очень тревожило, хотя не так давно способно было довести до бешенства.

Мы собрались на военный совет. Я кратко обрисовала ситуацию, особо указав на то, что при лютом Ломовом молчании мое влияние на него практически сводится к нулю.

— Думаешь, убил он? — недоверчиво спросила Танька.

— А кто еще? Все сходится... он узнал, что Димка в городе, а тут еще этот телефонный звонок... поехал в гостиницу, они поссорились, и он его убил.

— Никакой ссоры, — заявил Костя. — Будем придерживаться фактов. Этот ваш... Димка получил три пули, две в грудь и одну в голову. Выстрелов никто не слышал, так же, как какого-либо подозрительного шума, криков и так далее... Лом, если это был он, вошел и застрелил парня...

— Какая, в сущности, разница, — поморщилась Танька. — Наша задача избежать неприятностей. — И на меня посмотрела, как на основной источник этих самых неприятностей.

— Костя, — задумчиво сказала я, — у моего муженька не хватит ума совершить «идеальное убийство», скорее всего он натоптал, как слон... Надо позаботиться об алиби.

— Это просто, — опять влезла Танька, — на момент убийства мы с Костей были у вас в гостях. Мы люди уважаемые, нам поверят...

— В том случае, если не будет веских доказательств, что убил Лом, — заметила я.

С некоторым стыдом я вынуждена была признать, что смерть Димки сама по себе печалила меня много меньше, чем трудности, которые она автоматически влекла за собой. Основной трудностью был Лом. Он продолжал вести себя очень странно, играл в молчанку, заметно меня сторонился, а в глазах читалась затаенная боль. Это было вовсе ни на что не похоже: не мог он так переживать гибель давнего врага. Конечно, с мужем необходимо было поговорить, но я, против обыкновения, нужных слов не находила, прятала глаза, а оставшись одна, ревела. В общем, ситуация сложилась абсурдная.

Свою лепту внес Костя, он явился после беседы с Ломом и пребывал в полном недоумении.

— У него есть алиби? — спросила я, теряясь в догадках, почему задаю этот вопрос Косте, а не собственному мужу.

— Нет. — Выражение, с которым это «нет» было произнесено, мне особенно не понравилось.

— Значит ли это, что Димку убил он?

Костя вздохнул, снял очки, протер стекла и ответил:

— Лом заявил, что в случае чего возьмет убийство на себя.

— В случае чего? — опешила я.

— Что за случай он имеет в виду, отвечать отказался. Усмехнулся и головой покачал. Тогда я спросил прямо: «Значит ли это, что убил ты?»

— И что он ответил?

— «Какая разница? Будем считать, что я».

— Да он спятил?

— Очень похоже, — согласился Костя. — Во всем этом есть нечто загадочное, а помогать нам отгадывать загадки он не спешит.

— Что же делать?

— Исходить из того, что Лом — убийца.

— Ты его вытащишь? — спросила я. Вышло испуганно.

— Разумеется.

Более-менее успокоенная, я стала поджидать мужа с намерением поговорить с ним.

Лом подъехал через полчаса, я увидела его из окна

и с облегчением вздохнула. Но из машины он выходить не стал, посидел в ней минут пятнадцать и медленно тронулся с места. Это было вовсе ни на что не похоже. Бегом я бросилась к своей машине и стрелой вылетела со двора. Лома заметила сразу, он ехал медленно, по правой стороне и вроде бы никуда не надеялся приехать. Я пристроилась за ним, пытаясь понять, что он затеял.

Он остановился возле парка. Вышел из машины, хлопнул дверцей и побрел по аллее, запахнув куртку и слегка поеживаясь. Я поставила свою машину и вошла в парк. Лома обнаружила не сразу. В одной из тихих аллей он сидел на скамейке, курил, задумчиво глядя перед собой и мало что видя вокруг. Меня он точно не видел, хотя я стояла метрах в пяти от него. Ломик вздохнул, отбросил одну сигарету и сразу же закурил другую. Мне стало ясно: он страдает. Не выдержав такого зрелища, я направилась к мужу. Наконец он меня заметил, поднял голову, вроде бы удивился. Я села рядом и взяла его за руку.

— Почему не пошел домой? — спросила тихо. Он пожал плечами:

— Хотел прогуляться.

— Я бы с удовольствием поехала с тобой. — Ломик не ответил, а я, помолчав, спросила: — Что случилось? Ты меня больше не любишь?

Сигарету он отбросил, очень серьезно посмотрел на меня и заявил:

— Я тебя люблю. Любил и буду любить. — Поднялся, протянул руку и сказал: — Ладно, пошли домой.

— Гена, — торопливо залепетала я, ухватившись за его локоть, — ни о чем не беспокойся. Я говорила с Костей, он все сделает. В тюрьму ты не сядешь.

— Я тюрьмы не боюсь, — усмехнулся Лом, глядя на меня насмешливо и как-то странно. — И сяду, если понадобится...

— Что за глупые мысли, — возмутилась я. — Выброси их из головы. Даже если ты убил...

Он вдруг засмеялся. Это было неожиданно, и я растерялась.

— Что тут смешного? — спросила, а он мне сказал:

— Ты чего передо мной комедию ломаешь? Перед остальными пожалуйста, а передо мной не надо...

И что я должна понять?

— Гена, — попыталась я еще раз, — ты ведешь себя странно. Ты не хочешь обсудить проблему и... кой черт ты постоянно долдонишь, что готов сесть в тюрьму? — не выдержала я. Он хохотнул и сказал с тигриной лаской:

— Я готов. Я сидел и точно знаю, что тюрьма — не сахар. И уж тебе там точно не место.

— Мне? — опешила я и наконец начала кое-что соображать. — Ты считаешь, что я убила Димку?

Лом дернулся, отвел глаза, потоптался на месте и облизнул губы.

— Ты так считаешь? — повторила я. Он нахмурился. — Господи Боже, но почему? — Теперь я почти кричала.

— Потому что все сходится, — неохотно ответил Лом. — Мне кто-то позвонил и про Димку сказал, подленько так, со смешком. Я поехал домой, тебя не было, стал тебя искать. Танька на звонки не отвечала, и ты тоже. Тут мне стало ясно, кто накануне тебе звонил и почему ты вела себя так по-дурацки. Я поехал в гостиницу, понял, что ты там, со своим щенком.

— В номер поднимался? — испуганно спросила я.

— Нет. — Я с облегчением вздохнула, но тут же усомнилась.

— Почему? Это на тебя не похоже...

— Боялся я, Ладушка, — сказал он и глаза отвел, — увидеть тебя с этим... тогда уже не переиграешь. А так... может, смог бы справиться, не думать то есть...

— Ты решил, что я к нему поеду? — вытаращила я глаза. Из этих самых глаз по щекам покатились слезы, самые горькие за всю мою сознательную жизнь. Увидев, что такое делается с моими глазами, муженек затих и нахмурился, а я сказала: — Как ты мог подумать такое?

— А что я должен был думать? — разозлился Лом.

— Господи... как ты мог? — покачала я головой.

— Ты была там? — теряя уверенность, спросил муженек.

— Конечно, нет.

— Ты наврала, что Костя с Танькой сидели у нас, тебе нужно было алиби...

— Я думала, что алиби нужно тебе.

Ломик сел рядом и, сграбастав мои руки, спросил:

— Постой, Ладушка, что-то я ничего не понимаю. Это не ты его убила?

— Я? — У меня едва глаза не выскочили. — Как тебе это в голову пришло?

— Ну... я подумал, вы могли разругаться, он сболтнул что-то или ударил тебя, и ты... а потом испугалась и мне не решилась сказать, ведь пришлось бы объяснять, что ты там делала...

— Полный бред, — покачала я головой. — Мне даже в голову не пришло ехать в гостиницу. Я действительно боялась сказать тебе, что он пожаловал, все прикидывала, как половчее от него отделаться. Он позвонил, хотел, чтобы я к нему приехала. Делать этого я не собиралась и отправилась на шейпинг.

— О Господи, — простонал Лом и даже за голову схватился. — Конечно, ведь была среда... а у меня из головы все вылетело. Я ж тебя везде искал, а потом сидел возле гостиницы, ждал, когда ты выйдешь.

— Для кого мое расписание висит на холодильнике? — вздохнула я. — Сколько неразберихи из-за того, что я побоялась сказать тебе правду. — Я заревела, теперь уже без горечи, а скорее от счастья, и прижалась к мужу. Он меня обнял и торопливо стал целовать. Несколько дней молчания вконец его доконали, теперь он не мог остановиться.

— Сидел я в машине, как дурак, минут тридцать, потом не выдержал, позвонил Саиду. Велел послать кого-нибудь в номер. Не входить, чтобы потом разговоров не было, а просто стукнуть там или еще чего... ну, чтобы ты испугалась и домой бросилась, а Саиду доложили, что в номере покойник. Я велел там все убрать, боялся, как бы ты чего не оставила. Ну и решил, если менты тебя зацепят, в общем...

— Ясно, — кивнула я. — А нельзя было со мной поговорить?

— Нельзя, — обиделся Лом. — Поначалу я думал, что парни труп тихонько вывезут и говорить ни о чем вообще не придется. Но все как назло: в гостинице полно народу, тут еще менты пожаловали с каким-то рейдом. А дура-горничная зачем-то в номер поперлась. Одно к одному...

— Ты должен был со мной поговорить, — покачала я головой.

— Да не мог я с тобой говорить. Душу жгло, хоть волком вой, все думал: явился щенок, и ты к нему побежала, разом забыв, что между нами было...

Лом запечалился и с томлением посмотрел на меня.

— Дурачок ты, — улыбнулась я, притянула его за уши и поцеловала. — Разве я не говорила, что тебя люблю?

Лом уткнулся в мои колени и запел:

— Ладушка, солнышко, девочка моя... прости. Это все ревность проклятая, сам извелся и тебя мучил...

— То-то, прости... — сказала я. — Пожалуй, я не меньше тебя виновата. Надо было сразу сказать, что Димка объявился, а я тебя рассердить побоялась, и вот результат... видишь, к чему недоверие приводит? Теперь никаких секретов друг от друга.

— У меня их сроду не было, — обиженно заявил Лом и с некоторой настороженностью уставился на меня.

— И у меня не будет, — заверила я.

— Честно? — спросил он.

— Век свободы не видать...

В семействе воцарились мир и спокойствие, а следствие зашло в тупик. Кто убил Димку, оставалось тайной. На его похоронах я не присутствовала. Заявись я, и Димкина мать, пожалуй, устроила бы скандал.

Димка был наполовину евреем, наполовину атеистом, хоронили его без священника, оттого Танька отказалась присутствовать на церемонии.

На третий день после похорон я решила съездить

на кладбище и, памятуя недавние клятвы, честно призналась в этом мужу. Он вызвался меня сопровождать.

— С чего это вдруг? — удивилась я.

— Так, — пожал он плечами. — В конце концов, он Аркашин сын, а мы с Аркашей долго... дружили.

Думаю, муженьку просто хотелось убедиться, что я не начну заламывать руки в тоске и отчаянии по бывшему возлюбленному. Рук я не заламывала, а проявила любопытство. Если Димку убил не Лом, как я думала, и не я, как думал Лом, то кто? Кто-то, кому он открыл дверь, пустил в номер и позволил трижды в себя выстрелить. Большого количества кандидатов на эту роль не набралось, поэтому спустя пару месяцев, когда страсти поутихли, дело было закрыто и все потихоньку улеглось, я спросила Таньку, когда мы с ней сидели в кафе, ели мороженое и благодушествовали.

— Кто убил Димку? — спросила я, как бы между прочим, вскользь и без особого любопытства. Танька нахмурилась, сморщила нос и отвернулась. — Ну?

Подружка тяжко вздохнула:

— Я, конечно.

— Зачем?

Танька пожала плечами:

— Испугалась. Как говорится, старая любовь долго не забывается. Ты женщина сердечная, разжалобить тебя несложно. Навыдумывала бы разного дерьма и сбежала с этим мальчишкой. Конечно, позднее поняла бы, что дурака сваляла, но... Не могла я тебе позволить сделать глупость.

— Ясно. Хороша подруга.

— Ладно, — отмахнулась она. — Димка мертвый, я живая, а если любишь — простишь. Так, что ли?

— Так. Но ведь не ты стреляла, верно? Не могла же ты быть такой дурой, чтобы пойти и самой его убить. Даже при всей любви ко мне...

— Само собой. Стрелял Вовка...

Я все-таки подавилась мороженым. Танька постучала меня по спине, ворчливо заметив:

— Поаккуратнее...

— Спасибо... Неужто Вовка дружка убил?

— А куда ему деться? — Она вздохнула.

— Да-а-а, — покачала я головой, — никому верить нельзя.

— Почему? Я верю тебе, ты — мне, а остальным, пожалуй, и в самом деле ни к чему.

В самом начале лета, в субботу, ранним утром, когда нормальные люди еще спят и просыпаться не собираются, к нам ворвалась Танька. В дверь звонили нагло и настойчиво, муженек слабо пошевелился и сказал:

— Гранату бы...

Мне стало жаль его, и я прошептала:

— Не просыпайся, я открою, — и потопала в коридор, придумывая, что бы такого сказать Таньке. В том, что в дверь звонит она, сомнений не было.

Подружка выглядела такой очумелой, что все подготовленные слова где-то потерялись, а я только и смогла спросить:

— Что?

— Вчерашнюю газету видела? — пробормотала Танька.

— Какую?

— О Господи... — Она полезла в сумку и достала газету. Выходила она в нашем городе по пятницам, вчера я ее просматривала и не нашла ничего особенного, в общем, не стоило по-дурацки врываться в мое жилище и поднимать людей в такую рань. Что-то вроде этого я и сказала Таньке. Она затрясла головой и ткнула пальцем в раздел «Происшествия». Заметка была маленькой, вчера я на нее не обратила внимания. В ней говорилось, что вечером 7 июня гр. М., находившийся под воздействием наркотиков, изнасиловал несовершеннолетнюю А., при этом жестоко избив девочку. В тяжелом состоянии она доставлена в больницу, М. с места преступления скрылся и в настоящее время разыскивается милицией.

Я поморщилась и сказала:

— Ты знаешь мое мнение насчет наркоты.

— Знаю, Ладушка, знаю, — пританцовывая рядом, заверила Танька. — Как ты думаешь, что это за девочка, скромно обозначенная буквой А?

— Понятия не имею, но, судя по тому, что ты выглядишь совершенно ненормальной, это что-то интересное.

— В самую точку, Ладушка. Это Ася Астахова. — Сначала я даже не поняла, и только когда Танька с довольной ухмылкой прибавила: — Единственная дочка Станислава Федоровича, — я сообразила, что речь идет о нашем основном противнике.

— Ты это серьезно? — с некоторым сомнением спросила я.

— Конечно. Проверила, все так и есть. Девочка сейчас в областной больнице, состояние тяжелое. Жена Астахова, кстати, тоже в больнице, у нее со здоровьем всегда были проблемы, а здесь такое горе... В общем, инфаркт. Астахов мечется между больницами и молит Бога, чтобы тот не оставил его вдовцом и не лишил дочери.

— Этот М., кто он, дружок девочки?

— Нет. Девчонка дружка не имела и в свои четырнадцать лет вообще была на редкость тихая. В тот вечер задержалась у подруги, позвонила домой. Родители подружки отправились ее провожать и в троллейбус посадили, так как время было позднее. Вот там этот сукин сын к ней и пристал. Кондуктор его хорошо запомнила. Этот гад приставал к девчушке, а она пыталась не обращать на него внимания. И вдруг очередной перебой с энергоснабжением. Девчонке надо бы в троллейбусе остаться рядом с кондуктором, а она вышла. На остановке ее мать ждала, и она заторопилась. Возможно, и прошла бы эти несколько десятков метров без происшествий, но, как на грех, рядом парк. Сукин сын затащил ее в кусты и изнасиловал. Девчонка отчаянно сопротивлялась, он ее жестоко избил, скорее всего и убил бы, но мать, заметив замершие троллейбусы, пошла навстречу дочери, услышала крики и спасла девочку. К сожалению, сукин сын удрал, но многие его видели и опознали.

— Кто? — спросила я. История меня взволновала. Танька положила передо мной два листа бумаги, я быстро их просмотрела. — Вот это да... — сказала, нахмурясь. Танька головой закивала:

— Он двоюродный брат Душмана, а у них это близкая родня.

— Где этот сукин сын... как его...

— Алик, — махнула рукой Танька. — Они все Алики...

— Ну, и как думаешь, где он?

— В бегах. В городе ему сейчас мало не покажется.

— А мы его найти сможем?

— Почему бы и нет? Кто-то ведь его прячет... и вообще, не так много мест на свете, где он мог бы укрыться. Главное, сколько денег мы готовы выложить.

— Скажем, миллион, — усмехнулась я.

— Ну, Ладушка, за такие бабки мы черта лысого найдем, а не только нехристя чумазого. Вопрос — живым или... ты ж понимаешь, с покойничком-то проще. Я имею в виду транспортировку и все такое...

— А вот это надо кое с кем обсудить.

— Ломику доложимся?

— Нет. Думаю, мне надо с Астаховым встретиться, а у Лома где мужик — там непременно подозрения, ревнив у меня муж... Обождем пока...

— Будем искать мальчика?

— Конечно, да смотри, чтоб нас менты не опередили.

— Куда им, у них зарплата, у нас баксы. Обгоним.

— Как бы мимо не проскочить. И вот еще что: мне нужен телефон Астахова.

— Домашний или рабочий? — Я посмотрела на Таньку.

— Рабочий. Человек должен знать, с кем имеет дело.

Я выждала три недели, за это время Астахов вернулся на работу. Жена его чувствовала себя нормально, с дочерью дела обстояли хуже. Ей предстояла еще одна сложная операция с перспективой остаться инвалидом на всю жизнь. От матери девочки правду скрывали, опасаясь, что такого потрясения ей не пережить. Конечно, грех чужому горю радоваться, но для нас все складывалось лучше не придумаешь.

Я позвонила в десять утра. Услышав вопросительное «да», поинтересовалась:

— Могу ли я поговорить со Станиславом Федоровичем? — Меня соединили с начальником.

— Слушаю, — сказал он.

— Здравствуйте, Станислав Федорович. — Я перевела дыхание, прикрыв трубку рукой. — Я хотела бы встретиться с вами и поговорить. Речь идет о вашей дочери.

— О моей дочери? — спросил он после паузы с некоторым недоверием.

— Да. Я хотела бы кое-что с вами обсудить.

— Кто вы?

— Мое имя вам ничего не скажет. Как насчет завтрашнего дня? Например, в двенадцать, на перекрестке возле парка отдыха? — Он молчал, и я добавила: — Значит, завтра в двенадцать я вас жду, — и повесила трубку. Если нам повезет и он согласится...

Я вызвала Костю, и мы обсудили ситуацию. Ловушки я не боялась и ничем не рисковала. В половине двенадцатого мы выехали одновременно из разных точек города на четырех машинах: Костя, Танька и Вовка должны были проверить, «пасут» меня или нет.

Я встала в нескольких метрах от перекрестка. Ровно в двенадцать появился Астахов на своей «Волге». Я собралась мигнуть ему фарами, но он уже хлопнул дверью и направился ко мне. Выходило, что зря времени он не терял. Открыл дверь моей машины.

— Здравствуйте, Станислав Федорович, — сказала я. — Садитесь, пожалуйста.

— Здравствуйте, Лада Юрьевна. — Я улыбнулась, он усмехнулся и заметил: — Вы звонили из своей квартиры, значит, хотели, чтобы я знал, с кем имею дело.

— Разумеется, — согласилась я. — Так проще вести беседу. Вы не возражаете, если мы немного прокатимся?

— Не возражаю.

Я свернула к озеру, проехала несколько метров и затормозила почти у кромки воды.

— Хорошая погода, — улыбнулась я и вышла. Астахов тоже вышел, посмотрел на меня с насмешкой. Я достала два полотенца, расстелила их в густой траве и стала раздеваться. Вокруг полно отдыхающих граждан, в основном ребятишки.

— Станислав Федорович, — сказала я с улыбкой. — В таком месте вы выглядите нелепо в костюме и при галстуке.

Он усмехнулся и заметил:

— Вы, Лада Юрьевна, часом в разведке не служили?

— Боже упаси. Из меня никудышный разведчик. Но фильмы про них смотреть люблю, а иногда это поучительно.

Как бы то ни было, через десять минут мы лежали каждый на своем полотенце и со стороны выглядели обычными отдыхающими. Таньки нигде видно не было, и это внушало оптимизм.

— Со вступлением мы покончили, — сказал Астахов. — Давайте перейдем к делу. Я знаю, кто вы. Точнее, я знаю, кто ваш муж. С бандитами дел не имею и не буду, даже если речь идет о моей дочери. Однако не скрою, мне интересно, что хочет предложить Геннадий Викторович, или Лом, как угодно...

— Лом вам ничего предложить не может, потому что об этой встрече не знает. И скорее всего не узнает никогда.

— Забавно. Что дальше?

— Вы можете не поверить, но мной движет нормальное человеческое желание помочь... подождите секундочку, выслушайте... Я не знаю, что вам обо мне известно. Скорее всего у вас нет повода думать обо мне особенно хорошо, но я женщина, и случившееся произвело на меня впечатление. Вряд ли милиция сможет найти этого типа. Но мы его найдем.

— Мы? — Станислав Федорович хохотнул. — Помнится, вы только что заявляли, что ваш муж ничего не знает.

— Конечно. Мы — это я и еще несколько человек, разделяющих мою точку зрения.

— И у вас есть возможности?

— У нас есть деньги, — в свою очередь усмехнулась я, сделала паузу и продолжила: — Вы скорее всего не поверите, но кое в чем мы с вами союзники.

— В чем? — спросил Астахов.

— Мы хотим избавить наш город от мерзкого зелья.

Астахов засмеялся и покачал головой.

— Ну вот, не поверили...

— Я знаю, что Лом наркотой не занимается, — кивнул Станислав Федорович. — Решил сменить окраску и избавиться от конкурентов?

— Сменить окраску я ему никогда не позволю.

— Ясно. Некоторые изменения в вашей... команде наводили на интересные мысли... выходит, Лом ничего не решает?

— Извините, но дело это внутрисемейное и вас не касается. Я предлагаю вам союз. Через несколько месяцев этой дряни в городе не будет. Конечно, мы не можем вычистить поголовно всех мелких торговцев, это нереально. Но одно обещать могу: ничего похожего на настоящий бизнес. Мы почистим город, и дышать станет легче. Само собой, вы получите этого сукиного сына, где бы он ни прятался.

— Вы всерьез думаете, что можете меня купить?

— Нет, конечно. Мы ж не дураки. Кое-что о вас знаем и купить не рассчитываем. Договориться, да. Мы выполняем работу правоохранительных органов, а вы делаете вид, что этого не замечаете. Я вас не прошу выдавать государственные тайны или освобождать наших ребят. Извините, справимся без вас. Просто не мешайте. И в городе будет тихо.

— Представляю, — усмехнулся он.

Я вздохнула.

— Станислав Федорович, у меня с наркотой свои счеты. Пока я в силах, буду с этим бороться. Может, звучит забавно, но что есть, то есть.

— Мне известно о вашем брате, — сказал он.

— Разумеется. Несколько строк на листе бумаги: шестнадцатилетний парень, кололся уже полтора года. Поздно вечером был задержан патрулем, оказал сопротивление, ножом убил одного милиционера и ранил другого. Потом поднялся на крышу родного дома и бросился вниз. Умирал долго и мучительно. Это то, что знаете вы... Мои родители так и не смогли смириться с этим. Мне было девять, но я уже тогда точно знала, что в мире худшее зло.

— Ваша история производит впечатление. Более того, я вас понимаю. Но сути это не меняет.

Я улыбнулась.

— Знаете, у меня есть подруга. Она утверждает, что человечество с веками не умнеет, отказываясь учиться на собственных ошибках. Люди видят, как растет и крепнет зло, но вязнут в собственных амбициях, рассуждениях, сварах, а потом зло их проглатывает и властвует, а каждый индивидуум в отдельности умывает руки и заявляет: «Я не поступился своими убеждениями». Не правда ли, занятно? Давайте проявим мудрость и объединимся против общего зла. Точнее, заключим краткое перемирие. Потом ничто не помешает нам колошматить друг друга. Я буду наживать деньги путем неправедным, а вы проявлять доблесть в борьбе со мной.

Астахов засмеялся, глядя на ребятишек, играющих в воде.

— Невероятно, — покачал он головой. — Очень поучительный экскурс в историю... Не ожидал, что могу услышать нечто подобное от вас.

— Мы не враги, по крайней мере сегодня.

— Допустим. И как вы представляете себе наше сотрудничество?

— Вы делаете свое дело, мы свое, и вы закрываете на это глаза. Почему бы не попробовать?

— Лада Юрьевна, — начал он, я покачала головой.

— Не торопитесь... Этого типа мы найдем в любом случае, независимо от того, согласны вы или нет. О нашем разговоре никто не узнает, разумеется, от меня. Если наша беседа только и останется беседой, будем считать, что я просто сделаю доброе дело, сдав правосудию преступника, из человеческих, так сказать, побуждений.

Я поднялась и стала одеваться. Астахов тоже оделся. Мы молча сели в машину, и я отвезла его к перекрестку, где он оставил свою «Волгу».

— До свидания, — сказала я, и он ответил:

— До свидания.

Танька сновала вокруг стола и смотрела на меня с томлением. Костя курил и разглядывал потолок.

— Что думаешь? — не выдержала Танька.

— Ничего.

— Почему б тебе не применить свое искусство обольщения?

— Дура, — скривилась я. — У тебя на него досье на восемьдесят страниц. Он добродетелен, как свежеиспеченный монах. Какое, к черту, обольщение?

— Ну, никогда не знаешь... мужик он молодой и вообще...

— Нельзя всех стричь под одну гребенку. Себе дороже...

Тут мы посмотрели на Костю. Он понял наш взгляд, пожал плечами:

— Все зависит от того, что для него дороже: семья или долбаная совесть. Дела у девчушки плохи, жена, считай, инвалид... Захочет поквитаться с судьбой, и он у нас в кармане. Сказав «а», говорят и «б», а там и весь алфавит до самого конца.

Семьей Астахов дорожил, горе жгло ему душу. Мы встретились еще раз и доверительно побеседовали. Пришлось мне кое-что рассказать ему. Особой опасности я в этом не видела. Забавно, но вскоре между нами установились нормальные человеческие отношения. Астахов мне нравился. Он был честен, но не до такой степени, чтобы считаться идиотом. А с умным человеком всегда проще...

В конце июля я позвонила Астахову домой.

— Здравствуйте, Таню можно?

— Вы ошиблись, — ответил он. Через час мы встретились в тихом переулке возле церкви. Прошлись вдоль ветхих домишек, встали на вершине холма, откуда открывался прекрасный вид на реку, мост через нее и раскинувшиеся внизу сады.

— Станислав Федорович, — начала я, — мне очень жаль, но передать преступника в руки правосудия не удастся.

— Не сработал основной двигатель любого дела? — усмехнулся он.

— Двигатель сработал. Но, как вам известно, он брат одного человека...

— Он что, заплатил больше?

— Он пытался его защищать. В общем, предать суду труп, по-моему, невозможно. Мне очень жаль, но у ребят была твердая установка — если нельзя привезти живым, то... Хотя, может, они просто поленились тащить его через всю Россию. И привезли это. — Я открыла сумку. Астахов сначала не понял, потом поморщился. — Он дважды привлекался, так что отпечатки у вас имеются...

— Без надобности, — глухо сказал Астахов. — Я вам верю.

— И я вам. Иначе не явилась бы сюда с его лапой.

— Пора всерьез браться за конкурентов, — заявила я Таньке, когда мы с ней обедали по-домашнему. Она заскочила с работы, выглядела довольной и уже раз пять успела сказать: «Делишки идут...»

— Конкуренты? — враз насторожилась она. — Не можем мы воевать на два фронта. Как же твой великий план борьбы с наркотой?

— Сама говоришь, дела идут. Надо смотреть в будущее.

— Ленчик? — с тяжким вздохом спросила Танька и запечалилась.

— Ленчик, — кивнула я.

— Ладка, боязно мне... может, повремени? Ленчик

мужик крутой, задираться с ним опасно. У нас мир, дружба и ананасы пополам. Чего на рожон лезть?

— По-настоящему опасен только он сам.

— Может быть. Только я не вижу, как мы провернем это дело. Киллер? И согласится ли Лом?

— Ему об этом знать ни к чему. Сделаем дело, а там он и сам сообразительность проявит.

— Сделаем дело, — передразнила Танька. — Легко сказать... Вовку, что ли, пошлем? Только ему с Ленчиком и тягаться. Тот везде с охраной, и вообще он умный...

— Так и мы не дуры...

— Со стороны привлекать человека опасно, а из наших на такое дело никто не годится.

— Ерунда. Подойдет твой Вовка.

Танька даже подпрыгнула.

— Зарываешься, Ладка, перспективу теряешь... Вовка... ему только пьяным ублюдкам «КамАЗы» подставлять или в дружка пальнуть в упор... И то под моим чутким руководством...

— А если Ленчик будет без охраны, да еще и без штанов, сможет твой Вовка с ним управиться?

Танька посидела с открытым ртом и ахнула:

— Шутишь?

— Век свободы не видать...

— Ладушка, красавица моя, когда ж ты его подцепила?

— Давно. Надобно будет встретиться, всколыхнуть в душе воспоминания. Займись этим: где, когда, и чтоб все совершенно случайно.

— Сделаем, радость моя, — пропела Танька и тут же обиделась: — Почему мне раньше ничего не рассказывала?

— Про запас держала. Ты баба бойкая, давно бы загорелась ему песенку спеть, а было не ко времени. Теперь, пожалуй, в самый раз. Уложим Ленчика, и вот тебе Империя.

— Хлопот будет много, — покачала головой Танька. — Молодняк полезет, свято место пусто не бывает, а они страх какие шустрые...

— На самых опасных заведи досье. Пока Ленчик жив, мы должны знать всех возможных претендентов. А как споем, вышлешь стрелков и уложим всех в один присест. Желательно в течение часа. Чтоб в себя прийти не успели.

— Свят-свят, — сказала Танька и перекрестилась. — Жуткое дело затеваем, Ладка.

— Ничего, справимся. Наша забота Ленчик, а там Лом потрудится. У тебя все должно быть готово — адреса, местонахождение на нужный момент и все такое...

— Не учи. Поняла...

— Вот и отлично. Схватка за трон всегда кровава. К финишу подходим.

— Косте скажем?

— Нет. Ленчик наша с тобой проблема: твоя, моя и Вовкина. Ну? — усмехнулась я. Танька почесала нос и, хохотнув, ответила:

— Заметано.

С Ленчиком мы встретились в казино. Он был с дамой, я с мужем. Мужчины поздоровались за руку и осведомились друг у друга: «Как дела?» Всерьез на эту глупость отвечать никто не собирался, потому обошлось обычным «нормально». Дама у Ленчика была так себе, а рядом со мной и вовсе никуда не годилась, потому я возле нее задержалась. Она в рулетку выигрывала и глупо радовалась. Я проигрывала с блуждающей улыбкой. Лом победно ухмылялся, сравнивая нас, и очень скоро Ленчик начал злиться. И правильно. Его подружка годилась разве что в официантки, хоть и была выше меня на полголовы и моложе лет на пять. Время от времени я поглядывала на него и одаривала особенным взглядом. Тут его подружка рот открыла, на радостях, что выиграла кое-какие гроши. Смотреть на нее и вовсе стало забавно. Только не Ленчику. Было заметно, что ему очень хотелось ее придушить. Что ж, подружек надо выбирать осмотрительнее.

Улучив момент, когда Лом ушел за выпивкой, а прелестная дама все еще вертелась у рулетки, я подошла к Ленчику, призывно улыбаясь.

— Шикарно выглядишь, — сказал он с легкой грустью и добавил между прочим: — Давно не виделись...

— Все никак не удается... — В этом месте я улыбнулась шире и попросила, понижая голос: — Завязывай так смотреть. Муж у меня ревнивый.

— Боишься? — усмехнулся он, облизывая губы.

— Боюсь, — кивнула я. — Не то давно бы нашла возможность с тобой встретиться.

Он вскинул голову, внимательно посмотрел, в общем, проявил живой интерес. Я отправилась навстречу мужу, демонстрируя Ленчику свою легкую походку. Надеюсь, ему было о чем подумать.

В казино мы находились довольно долго, друг к другу больше не подходили, но взглядами обменивались. Я вкладывала в них всю душу. Как любит выражаться Танька — покойника проймет. Ленчик покойником еще не был, и, как выяснилось позднее, проняло его основательно.

Я несколько дней размышляла, где бы могла свести нас с ним судьба и что такое позаБористей ему следует сказать, как он неожиданно позвонил. На такое я не рассчитывала и немного растерялась, чем очень развеселила Ленчика.

— Узнала? — спросил он.

— Ты с ума сошел, — вроде бы испугалась я, — а если бы Лом трубку взял?

— Как ты мужа-то боишься...

— Конечно, боюсь...

— Всегда можно что-то придумать, — заметил Ленчик.

— Он никуда из города не выезжает, — в тон ему ответила я.

— Днем он редко бывает дома...

— Возможно, и что?

— Мы могли бы встретиться и немного поболтать... о разном.

— Не годится, тебя в городе каждая собака знает, а народ у нас любопытный.

— На свете полно тихих мест...

— Не думай, что я не думала об этом... но... очень опасно. Кто-то из охраны обязательно проболтается. Ты и жена Лома... Такое не пропустят... — Ленчик засмеялся, а я молила Бога, чтобы у него хватило глупости на что-нибудь решиться.

— У меня есть дача. Тихое место, в сторонке... в общем, ни души. В пятнадцати километрах от старого городского кладбища. Свернешь у развилки направо, там еще ключик есть... увидишь...

— Нет, — теряя твердость, сказала я. — Он меня убьет.

— Кто, Лом? Брось, откуда он узнает?

— Он без конца звонит.

— Придумай что-нибудь...

Демонстрировать волнение не пришлось, я в самом деле была взволнована.

— Нет, — сказала, подумав. — Прости, нет... Обязательно кто-нибудь увидит.

— Кто? Только я и ты, и никакой охраны.

— Я не знаю...

— Дом на отшибе, за дубовым забором. Его не пропустишь, подъедешь, посигналишь два раза. Жду завтра, в двенадцать. Идет?

— Подожди. Я... мне надо подумать...

— Нечего думать, — хохотнул он и добавил с хозяйской интонацией: — Приедешь, — и повесил трубку.

— Конечно, приеду, — улыбнулась я и головой покачала: мужская половина человечества вызывала жалость своей доверчивостью.

Я позвонила Таньке, бросила коротко:

— Готовь Вовку. Завтра в двенадцать.

— Ладушка, цветочек мой, — пропела она, но дурака валять перестала и сказала серьезно: — Рискуем.

— Я люблю шампанское, — хмыкнула я.

— А я выражение «они жили долго и счастливо».

— Империя — это единоличная власть императора, а не мелкие герцогства, где каждый мнит себя владыкой.

— Ладно, не заводись. Решили, значит, так тому и быть. Ох, маетно мне...

Наутро, проводив муженька, я стала готовиться к любовному свиданию. Полежала в ванной, думая о приятном. Ленчик был мне симпатичен. После смерти Аркаши я могла обратиться за помощью к нему, и он бы не отказал... Тогда я была влюблена в Димку... Как ни крути, а Ленчик мой должник: от Лома спасла его я, стоило мне глазом моргнуть — быть Ленчику покойником. Я немного помечтала: предположим, не было Димки, я обратилась бы к нему за помощью... и стала бы его любовницей, а с моей способностью прилипать надолго, точно репей, пребывала бы в этой роли и по сию пору. Я рассмотрела эту идею подробно, и она мне не приглянулась. Ленчик не из тех, кто бабу к делам допустит, и, кроме тряпок да сомнительной любви, мне там ничего не светило. Выходит, выбор я сделала правильный. Поздравив себя с этим, я устроилась перед зеркалом и провела полтора восхитительных часа в созерцании небесных черт и прочего богатства, так щедро отпущенного мне природой. Потом вдруг загрустила. Ленчик видел во мне глупую красивую бабу, которой не терпится наставить мужу рога. И относился ко мне соответственно. Если бы он пригляделся и немного подумал... Надеюсь, это все-таки не придет ему в голову.

Я решительно поднялась, взглянула на часы и стала одеваться. В половине двенадцатого направилась к машине, села, завела мотор и перекрестилась.

В машине Вовкиными стараниями накануне были сделаны кое-какие изменения. С виду совершенно незаметные. Они должны были помочь Вовке тайно проникнуть на дачу.

Я свернула к старому кладбищу и сразу же увидела Таньку. Она курила на обочине, хмуро пялясь на дорогу. Я притормозила.

— Где Вовка?

— Здесь. Где ж ему быть?

Вовка появился из кустов, сел на заднее сиденье и откинул спинку.

— Пролезешь? — усомнилась Танька.

— Тренировался, — буркнул он. В нем чувствовалась нервозность. Думаю, он отчаянно трусил, но держался молодцом. Мы еще раз коротко прошлись по трем возможным вариантам. Первый, самый скверный: машина остается перед воротами. Вовке придется преодолевать забор, а мне определить, имеется ли сигнализация и как ее отключить. Второй, чуть лучше: машина во дворе, значит, мне надлежит позаботиться только о том, чтобы Вовка проник в дом. Третье, нам повезло: там вовсе нет никаких систем, и моя машина возле самого крыльца... значит, Вовке стоит только войти в подходящий момент и выстрелить один раз и наверняка. Лучше в упор. Моя задача — дать Вовке эту возможность.

— Все помнишь? — со вздохом спросила возлюбленного Танька.

— Да заколебали вы... Помню. Поехали.

Вовка устроился в багажнике, а я сказала:

— На веселое дело идем, Вовка.

— Чего? — проворчал он.

— У него двойка по литературе. Все. Ни пуха, — махнула Танька рукой и дверцей хлопнула. А я тронулась с места.

Дача Ленчика оказалась двухэтажным бревенчатым строением за дубовым забором. Доски плотно пригнаны одна к другой, так что дом не очень-то и разглядишь: красная крыша да кусок балкона. Я подъехала к деревянным воротам, красиво обитым железными полосками, и дважды посигналила. Прошло несколько минут. Ворота стали со скрипом открываться, а я увидела Ленчика.

— Машину загонять? — спросила я, открыв окно.

— Ставь к крыльцу, — усмехнулся он. — Не стоит твоей тачке глаза людям мозолить, — Ленчик выглядел чрезвычайно довольным.

Я к крыльцу подъехала и вышла из машины, оставив дверь открытой. Во-первых, Ленчику не мешало убедиться в том, что машина пуста, во-вторых, Вовке легче — шуметь понапрасну не стоит.

Я ждала, стоя на крыльце, пока он закроет ворота, Ленчик подошел, я шагнула ему навстречу и сказала:

— Не знаю, чего мне больше хочется: сбежать или остаться.

— Остаться. Тебе просто нужно, чтобы я стал тебя уговаривать, просить и все такое... да?

— А ты будешь?

— Что?

— Уговаривать, просить и все такое? — засмеялась я.

— Не буду, — хмыкнул он.

— Может, тогда я зря приехала?

— Тебе понравится, — заявил Ленчик и обнял меня. Я вложила в поцелуй всю страсть, которую только смогла обнаружить в себе. Сильной страсти способствовал тот факт, что в доме вовсе не было никакой охраны. Ни в виде мордастых и на многое готовых ребят, ни последних технических достижений. Вообще ничего. Обычный деревенский дом за высоким забором. И Ленчик решил здесь со мной встретиться... С ума сойдешь от такого везения...

— Покажи мне дом, — попросила я, демонстрируя некоторую неловкость.

— Особенно смотреть нечего, — сказал он. — Дом как дом. Здесь рыбалка хорошая. Вот и наведываюсь.

— Рыбалка? — удивилась я. — Вот уж не знала, что ты рыбак.

— Точно. А ты моя золотая рыбка. Сколько у тебя времени? — поинтересовался Ленчик.

— Лом придет в семь, значит, в шесть мне надо быть дома.

— Тогда не стоит тратить время на ерунду, — сказал он и взял меня за руку. Я всегда уважала деловых людей. Тянуть и разводить волокиту в самом деле не стоило.

Не знаю, чего ожидал от меня Ленчик, но под напором моего бурного темперамента малость подрастерял свою обычную самоуверенность. Что у него были за подружки, мне неведомо, но в любви он был искусен, как сапожник в кондитерском деле. Тут я некстати вспомнила одну его подружку и мысленно фыркнула. В общем, как говорит в таких случаях Танька, мужиком он был на слабую троечку. Из кожи вон я лезла совершенно напрасно, и малой толики моих усилий хватило бы с избытком. Короче, слезу по случаю своей ранней кончины он из меня вряд ли выжмет.

Ленчик уже некоторое время жалобно поскуливал, уткнувшись носом в подушку рядом с моим ухом. Тут и вошел Вовка. Я испугалась, что скрипнула дверь, и тоже застонала, даже взвизгнула. Вовка вытянул руку, а меня полоснула нелепая мысль: «А ну как он и меня уложит?»

Ленчик так ничего и не услышал. Вовка нажал на курок, а я дернулась и грязно выругалась:

— Твою мать... Да убери ты его с меня.

Я сползла на ковер, стараясь не смотреть на то, что осталось на подушке. Вовка выкатил глаза, открыл рот и на меня уставился с видом деревенского дурачка в Эрмитаже.

— Чего вытаращился? — рявкнула я. — Тащи канистру. Сожги все, здесь полно моих отпечатков.

С большим опозданием я сообразила, что в доме нет ничего похожего на душ. Баня в огороде: пожалуйста. В общем, Вовке здорово досталось. Вымылась я кое-как, он меня поливал из ведра, быстро оделась и пошла к машине. Вовка, загрузившись двумя канистрами, вернулся в дом. Выскочил, открыл ворота, а когда я стремительно выехала со двора, опять закрыл.

Танька сидела на пенечке и, не стесняясь, грызла ногти. Завидев машину, вскочила:

— Ну?

— Спели.

Я занялась своим внешним видом, а Танька номерами. Хотя дом Ленчика и стоял на отшибе, кто-то из особо любопытных мог заметить машину, потому номера поменяли.

Пока мы возились каждый со своим делом, появился Вовка. Бежал он через лес, сильно запыхался и вообще выглядел неважно. Тер лицо руками и вроде бы трясся.

— Эк тебя разбирает, — разозлилась Танька, — можно подумать, в первый раз.

— Да если кто узнает, — начал он.

— Не каркай. Ленчик — покойник, и забудь о нем. Все сделал, как велели?

— Все.

— Хорошо полыхает?

— В самый раз.

— Соседи бы не бросились тушить, — нахмурилась я.

— Это вряд ли. Богатеев в народе не жалуют. Подождут, пока основательно выгорит. Вот если б ветер в сторону деревни, но ветра вовсе нет...

Мы устроились в машине и поехали на кладбище. У Таньки здесь родители похоронены, и сегодня как раз была годовщина смерти ее матери. Так уж совпало. Танька позвонила Косте.

— Ленчик помер, — сказала коротко. — Через несколько часов об этом будут знать в городе. Ты все понял?

— Лом в курсе?

— О смерти конкурента еще не знает. Ты сообщишь: сгорела дача Ленчика, там обугленный труп, Ленчик исчез, выходит, труп — он и есть. Что в этом случае делать, Лом отлично знает. Все, кто опасен, у нас под присмотром. Проследи, чтоб никто не ушел,

— Ясно. Я к Лому, будем в конторе... Вы где?

— На кладбище, у мамы годины, вот Ладуля меня и сопровождает.

Костя вроде бы удивился, но на вопросы времени не было.

Мы с Танькой зашли в будку сторожа, подружка поздоровалась и дала денег.

— Своих навещали? — заискивающе спросил слегка подвыпивший дядька. Тяга к бутылке в таком месте была извинительной.

— Да, проведала, — вздохнула Танька, — с подругой посидели, помянули...

— А я на днях прибирался... слежу за порядком то исть.

— Спасибо.

Мы простились и двинули к машине.

— Какое ни на есть, а алиби. Точное время этот хмырь ни за что не вспомнит...

Вовка ждал в машине и нервничал, телефон звонил непрерывно, а спросить, кто нас домогается, он не решался. Домогался Лом.

— Ладуль, ты где?

— С кладбища едем.

— Ладуль, у меня здесь Костя, говорит, Ленчик помер...

— Что ж... Помер и помер... Ты ведь знаешь, что делать...

— Ага... езжай-ка ты домой, я кого-нибудь из ребят пришлю, мало ли что... Самому заехать вряд ли получится.

— Никого присылать не надо. Народ не сразу опомнится... Я тебя очень жду...

В одиннадцать вечера позвонил Астахов.

— Что происходит? — спросил он резко.

— Ничего особенного, — заверила я. — К утру все будет тихо.

Разговаривать далее он не пожелал, чему я не огорчилась.

Лом вернулся под утро, усталый, но довольный. Вместе с ним прибыли Костя и Саид. Победу отпраздновали скромно, по-семейному. Засиживаться не стали: нервы требовали передышки, всем хотелось спать. Оставшись с мужем, я крепко его обняла и расцеловала. Лом повел себя неожиданно: взял меня за плечи, легонько встряхнул и сказал, заглядывая в глаза:

— Вот что, радость моя, я на многие твои выкрутасы смотрю сквозь пальцы, но кое-что усвой сразу и на всю жизнь. Я своей женой не торгую... — В этом месте я вытаращила глаза, а Ломик продолжил: — Я выразился ясно?

— Гена, ты с ума сошел...

— Возможно. Ленчика пристрелили на даче, в упор, в затылок. Кого он так близко подпустил? И что делал там без охраны?

— У него что, врагов мало? — попробовала разозлиться я.

— Заткнись, — сказал Лом. — Вот что я думаю, дорогая. На даче он был с бабой, в городе им светиться не хотелось, он и потащился с ней в тихое место, да еще и без охраны, чтоб никто о бабе этой проболтаться не мог.

— Гена, — по-настоящему перепугалась я.

— Заткнись, — повторил Лом. — Спаси Господи, если хоть что-нибудь услышу. В гробу я видел вашу Империю, если за нее надо женой платить... Будешь нагишом в четырех стенах сидеть, а я соберу все деньги да разведу во дворе костер, а потом пойду к кому-нибудь в подручные, кулаками махать, чтоб тебе веселее было.

— Гена, — пискнула я и заревела с перепугу.

— Все поняла? — спросил он. Я кивнула. — Не слышу.

— Поняла, — жалобно сказала я и потянулась к любимому зализывать свежие раны.

На следующий день в контору прибыла делегация. Я, против обыкновения, поехала с мужем, скромно устроилась в комнате рядом с его кабинетом с намерением послушать, что скажут умные люди. Назвав их умными, я им здорово польстила. Ситуацию они не прочувствовали и начали с претензий. Лом завелся уже через десять минут, и вокруг все стихло. Танька сидела на подоконнике, дрыгала ногами и ухмылялась, прислушиваясь к тому, что происходит в соседней комнате. Голосовые связки мужа мне было жаль, и вообще бушевать по пустякам не стоило. Я появилась в дверях и тихо сказала:

— Не изводи себя, милый. У людей большое горе, они хотят поторговаться.

Первое, что сделали люди: малость обалдели от

моего появления на пороге, а еще оттого, что Лом не заехал мне дверью по носу, а подошел и пропел:

— Радость моя, тебе скучно? Потерпи немножко...

Все утро я старательно избавляла любимого от опасных подозрений, попутно наполняя уверенностью в моей искренней любви. Лом все еще находился под впечатлением и готов был простить что угодно.

Пока народ все переваривал, прошло какое-то время. Его хватило на то, чтобы самые сообразительные поняли — торговаться не получится. Нечем то есть. Хорошо, если по доброте душевной Лом живыми отпустит. Выражение на лицах прибывших сменилось, а муженек, погладив мою ручку, вдруг успокоился и даже хохотнул. Я удалилась, слыша, как он весело пропел:

— Ну, что надумали?

Нет, скучно мне точно не было.

Мы парились с Танькой в бане. Танька лежала на верхней полке и постанывала. Больше трех минут в парной я не выдержала, вскочила и кинулась в бассейн. Подружка появилась минут через пять, не раньше. Устроилась с термосом неподалеку, мне чашку чая подала. Пить, бултыхаясь в воде, неудобно, и я вылезла из бассейна.

— Хорошо, — покачала головой Танька.

— Да, — согласилась я. Хорошо-то хорошо, но чего-то Танька маялась. Я стала к ней приглядываться. Уловив мои заинтересованные взоры, подружка вздохнула протяжно и сказала:

— Вовка меня беспокоит.

— Бабу завел? — удивилась я.

— Не в этом дело. Много воли взял. Вроде шантажирует, по-глупому, но тенденция отчетливо прослеживается... придется ему спеть.

Я закашлялась и посмотрела на Таньку.

— Ты ведь его любишь?

— Люблю, конечно. Но, по-честному, тебя я люблю

больше. Ну и себя, конечно, тоже... После смерти Ленчика Вовка наглеть стал. Прикинь, если Лом узнает, в каком виде тебя Вовик застукал на момент трагического происшествия.

Я поежилась.

— То-то, — кивнула Танька.

— Кого пошлем? Лишние разговоры нам ни к чему...

— Я с ним сама разберусь, по-семейному.

— Спятила? — удивилась я.

— Ну, за это время я кое-чему научилась... И вот еще что. Таблетки жрать завязывай, роди Ломику сына. Он на чужих детей смотрит с заметной тоской. Нечего мужику комплексы наживать. Поняла?

— Отстань, — отмахнулась я, но задумалась.

Через три дня машина, в которой находился Вовка, взлетела на воздух, прямо под Танькиными окнами. Хоронить, в сущности, было нечего, но Танька за ценой не постояла, церемония вышла торжественной, я бы сказала, с некоторым шиком. Певчие выводили «Со святыми упокой...», а Танюшку держали под руки. Она рвалась к любимому, собрать которого так и не удалось.

Вовкина гибель была расценена как злобный выпад поверженных конкурентов, Лома она скорее удивила, нежели взволновала, а в милиции ее и вовсе списали на обычные бандитские разборки.

— Ведь как чувствовал, — причитала Танька по дороге с кладбища, — последнее время мы и не ссорились ни разу, он меня все Танюшенька да Танечка... И вот... ох, Господи. И ведь когда уходил, посмотрел на меня и говорит: «До скорого». Улыбнулся так, по-особенному, махнул рукой и пошел... — Танькин стон перешел в рыдания, я тоже глазки вытерла, сострадающий Костя обнял Таньку, сжав ее нежную ладошку, а она доверчиво прильнула к нему. С некоторых пор они относились друг к другу с заметной нежностью, выходило, что Вовка умер вовремя, да и за Костей, по Танькиному мнению, все же следовало приглядывать. «Уж больно умный», — неодобрительно отзывалась она. Мне стало завидно чужому счастью, и я потеснее прижалась к мужу.

Ломик ужинал и сообщал мне последние новости.

— Зверек на жёну жаловался. — С вестей, так сказать, политических он перешел на бытовые темы.

— Что так? — проявила я интерес к этому сообщению. Дурацким прозвищем Зверек обзавелся из-за фамилии Зверев; на настоящего зверя он не тянул и по сию пору ходил в Зверьках. Впрочем, парнем был вполне приличным, и я относилась к нему хорошо.

— Говорит, заколебала. Пацана в музыкальную школу записала, а теперь еще и в английскую. А там какой-то конкурс, экзамены, что ли, в общем, муштрует парня. И Зверек злится, на хрена, мол, мужику музыка и английский в придачу, мы и по-русски не очень, да ничего, живем.

— А ты что? — заинтересовалась я.

— Говорю, охота тебе с бабой связываться. Хочется ей пацана в эту школу отдать, сходи сам, заплати бабки, пусть учится, и жена подобреет.

— Между прочим, жена Зверька мудрая женщина, — задумчиво сказала я.

— Да? — насторожился Лом. — Это почему?

— Потому что сыну учиться надо и человеком стать.

— Оно конечно, — согласился Лом. — Чем с женой скандалить, сходил бы сам...

— Не получится, — покачала я головой. — Я сама в этой школе училась и много о ней знаю. Денег там вот так просто из его рук не возьмут. Тут знакомства важны, ну и, конечно, из какой семьи ребенок. Привилегированная школа, всегда такой была и осталась: педагоги, врачи, ну и начальство всех рангов туда деток устраивает.

Лом нахмурился и даже вилку в сторону отложил, так ему обидно стало:

— А мы что же это, рожей не вышли? И пацану Зверька туда хода нет?

— Есть. У меня там подруга завучем, устроим. Оставь телефон, позвоню его жене, поговорю.

Ломик заулыбался и за руку меня к себе подтянул:

— Добрая ты у меня баба, Ладка.

— О людях надо проявлять заботу, — усмехнулась я. — Человек ты теперь большой, должен быть отцом родным, чтоб шли к тебе с любой малостью, а ты не ленись, помоги. Делу на пользу, добро вернется сторицей. — Это навело меня на кое-какие мысли. — Гена, ты кого надумал в казино оставить?

После смерти Моисеева казино заправлял Славик, наш бухгалтер, и очень этим тяготился. Дел у него и так невпроворот, надо было мужика освобождать от лишней нагрузки. Лом все никак не мог остановиться на определенной кандидатуре.

— Воробья, наверное, — пожал Лом плечами.

— Пьет, — заметила я.

— А кто сейчас не пьет, Ладушка?

— Женат третий раз за два года, жену зовет «телка», двое детей проживают на соседней улице, а папуля мимо на «Мерседесе» катит и паршивой шоколадкой не угостит. Нет, Воробей не годится, — покачала я головой. Лом удивленно смотрел, не потому даже, что я решительно отмела кандидатуру Воробья, а оттого, что хорошо знала о личной жизни его соратников.

— Кого ж тогда? — спросил он.

— А вот Зверька и поставь. Пьет мало, жену уважает, мальчишку своего любит. Человек, если ему семья дорога, по-глупому на рожон не полезет, лучше сотня и покой, чем тысяча и риск большой. Так что ставь человека семейного, ему веры больше.

Не знаю, каким образом, но мои слова достигли ушей Воробья. Еще накануне он считал себя утвержденным в новой должности, обмывал событие с дружками, и вдруг такая неудача. Воробей, собравшись с силами, поехал к Лому в контору. Но тот в таких случаях всегда проявлял завидную твердость, и Воробей отбыл несолоно хлебавши. Новость долго обсуждали, после чего среди мужиков обнаружилась похвальная страсть к семейным устоям. Из конторы вдруг разом исчезли девицы, долгое время считавшие ресторан родным домом. Теперь, появляясь по вечерам с кем-нибудь из посетителей, они могли наблюдать, как бывшие дружки всячески подчеркивают свое желание видеть их как можно дальше от себя, и о бесплатной выпивке барышням мечтать не приходилось. Очень скоро красные дни календаря стали отмечать в компании дражайших половин, так как Лом задавал тон в этом начинании. Скоро перестали и краснеть, произнося фразу «я с женой». А я продолжала наблюдать и экспериментировать.

В октябре мы въехали в новый дом. Он мне нравился, и вообще жизнь радовала.

— Ладуль, надо новоселье справлять, — заметил Ломик.

— Надо, — согласилась я. — Если хочешь собрать своих дружков, пожалуйста. Собирайтесь и пьянствуйте на здоровье. Потом, с Божьей и Танькиной помощью, я как-нибудь смогу привести дом в порядок. Но на время празднования удалюсь. Ваши пьяные физиономии для меня труднопереносимы.

— Куда? Удалишься то есть? — забеспокоился Лом. Мои отлучки он не любил и неизменно был настроен категорически против всяких поездок в одиночку.

— Не знаю. Куда-нибудь съезжу на недельку.

— Еще чего... И что это за новоселье без хозяйки в доме?

— Тогда все будет так, как хочу я.

К семи часам к нашему дому стали подъезжать машины. Из них прилично одетые мужчины помогали выйти дамам в вечерних туалетах и бриллиантах. Бриллиантов было чересчур много, но о вкусах, как говорится, не спорят. Гости чинно расхаживали по дому, говорили вполголоса, пили мало, а в целом вели себя очень прилично. По виду определить, кто бандит, а кто человек, так сказать, порядочный, было затруднительно. Никаких тебе дурацких кличек и прочих глупостей. Если их тут собирать почаще, они, пожалуй, привыкнут. В общем, я за своих порадовалась. Танька тоже.

— Глянь, что делается, — резвилась она. — Светский раут, да и только. И никаких тебе пьянок по случаю... Воробей с женой пожаловал, дражайшая с перепугу по углам прячется от благоверного. Мне, что ль, замуж выйти? Чувствую себя одинокой...

Тихая и размеренная жизнь, каковой, по замыслу она и должна быть, вдруг была нарушена одним событием. Позвонил Астахов, в тот же день мы встретились.

— В городе появился киллер, — заявил он. — Живет в «Дружбе», думаю, явился по вашу душу.

— Почему? — забеспокоилась я.

— Денег стоит немалых, зря тратиться не станут... Следовательно, цель у него крупная...

— О Господи. — Я лихорадочно соображала, кто мог раскошелиться и вообще решиться на такое.

— Мы за ним присматриваем, — заверил Астахов, — только мои ребята вряд ли будут грудью защищать Лома. В ближайшие дни ничего у вас не намечается?

— Через два дня презентация, открываем Центр творчества.

— Очень подходяще, — кивнул он.

Я заспешила домой. В Центре творчества мы имели свой интерес, и презентация касалась нас напрямую. Конечно, Лому теперь ехать туда нельзя, но, узнав причину, он прятаться не станет, характер не тот. Следовало для начала накрепко посадить его дома. Потому я и отправилась в офис, гордо прошествовав к кабинету мужа. Блондинка с синими, как у куклы Барби, глазами маялась перед компьютером. О том, что с некоторых пор она сидит на этом месте, мне с большой осторожностью поведал муж, сразу же перечислив все ее недостатки: кривые ноги, лошадиное лицо и плоскую грудь. При этом заглядывал мне в глаза и очень боялся сказать, сколько ей лет. Зато приглашал посетить его на работе, чтоб самой убедиться, что эта мымра ни на что не годна. Кого-то ведь брать надо, так пусть она и сидит.

— Геннадий Викторович у себя? — спросила я.

— Да. — Девушка слегка растерялась, точно в комнате появилась не я, а торпедный катер, выкатила глазки еще больше и, попробовав стать грозной, поинтересовалась: — Вы по какому вопросу?

— По личному, — ответила я и вошла к мужу. Высунув от усердия язык и почесывая карандашом за ухом, он разгадывал кроссворд.

— Один из основных персонажей мультфильма «Аладдин». Ладуль, как попугая звали? — обрадовался мне Лом.

Я тоже решила его обрадовать.

— Это она? — кивнула на дверь.

— Кто?

— Ты вроде бы глухим не был?

— А... она, и чего?

— Ничего, — грозно ответила я. — Дома поговорим, — и выплыла из кабинета. Муженек потрусил следом, плавно обходя меня на поворотах, доверчиво заглядывая в глаза и повторяя:

— Ладуль, ну чего опять, а?

Я села в машину, он плюхнулся рядом, и мы отправились домой выяснять отношения. Я топала ногами, визжала, обзывала его бабником и в конце концов пару раз съездила по физиономии комнатной тапкой, предварительно сняв ее с ноги. Лом рассвирепел, схватил меня за руки и легонько подтолкнул к столу, вынудив принять несколько неприличную позу. Это его необыкновенно развеселило и направило мысли в совершенно другое русло. Гневаться в таком положении было затруднительно, но я попыталась и пару раз смогла лягнуть воздух за своей спиной. Громогласный мужнин хохот плавно перешел в мяукание, а мне ничего не осталось, как с отчаянием заявить:

— Боже, как я тебя ненавижу.

Драка закончилась тем, чем обычно заканчивались все наши ссоры.

Лом, взглянув на часы, заявил, что совершенно нет никакого смысла возвращаться в офис для продолжения трудового подвига. Я вспомнила, как звали попугая, а муженек порадовался, потому что слово как раз подходило по буквам. Мы выпили по чашке кофе, я перебралась на колени к любимому и твердо заявила, что пучеглазая мне не по душе. Лом принял покаянный вид и заверил, что она с завтрашнего дня больше не работает, а я могу сама подыскать ей на смену какую угодно каракатицу, он все примет с благодарностью, лишь бы она за древностью лет могла передвигаться самостоятельно. Так как у меня была на примете кандидатура: тетка одной из подруг, нуждающаяся в хорошем заработке, я сразу же обрадовала мужа.

— Теперь все? — развеселился он.

— Не знаю, — честно созналась я и добавила с сомнением: — Может, мне пойти у тебя поработать?

— Хорошая мысль, — ухмыльнулся Лом. — Поработай прямо сейчас. — Он поднялся, подхватил меня под мышки и поволок из кухни. Я немного повизжала и подрыгала ногами. В общем, муж был доволен, благодушен и даже счастлив, оттого, взглянув через некоторое время на свое отражение в зеркале, только присвистнул и сказал: — Убил бы тебя, ей-Богу... И куда я теперь с таким фингалом?

— Никуда, — нахмурила я брови. — Посидишь дома, пока в голове не прояснится. Скажи спасибо, что легко отделался, в следующий раз глаза выцарапаю, будет тебя Рокки на поводке водить.

— За что хоть выцарапаешь? — вздохнул Лом. — Ведь тыщу раз говорил тебе, глупой бабе, никто мне не нужен. Я тебя люблю, а остальные хоть завтра умри всем скопом... Черт-те что, жена поколотила, — Лом покрутил буйной головушкой и хохотнул. Я устыдилась и решила его утешить.

— А я рада, что у тебя синяк под глазом. Посидишь со мной дома. Дверь запрем и никого не пустим.

В общем, своего я добилась, и на презентацию мы отправились с Танькой. За пятнадцать минут до нашего отъезда Лом что-то заподозрил, стал выспрашивать — кто будет, и чего это я так вырядилась, глаза у меня горят и я что-то очень спешу, и если он чего узнает, то... Дослушивать мы не стали и, прикрываясь, как щитом, заехавшим за нами Костей, бросились к машине. Муженек вышел на крыльцо и рявкнул:

— Костя, смотри в оба...

Мы уже выслушивали четвертое выступление, стоя на широкой лестнице нового здания Центра. Говорившие никуда не спешили и вроде бы соревновались друг с другом протяженностью речей. А между тем погода не баловала. Улыбки замерли на губах, точно приклеенные, а в целом вид у собравшихся был кислый.

— Водочки бы грамм сто, — шепнула Танька. Я только было собралась кивнуть, как увидела Лома, точнее, его машину. Он выехал из переулка и теперь пытался где-нибудь приткнуться. Мне сделалось нехорошо, волосы на затылке вроде бы встали дыбом, а в голове настойчиво забилась одна мысль: не дать ему выйти из машины. Оратор закончил, раздались недружные аплодисменты, а я шагнула вниз.

Впоследствии я вынуждена была признать, что глупая Ломова ревность спасла мне жизнь. Я бросилась навстречу мужу, и в этот миг директор одного из банков, который тоже имел свой интерес в Центре и стоял ступенькой выше меня, получил в грудь пулю. Сначала заорала Танька, потом все остальные, началось что-то вовсе невообразимое, но мне было не до этого. Расталкивая граждан и одуревшую охрану, я рвалась к мужу. Каким-то чудом он вдруг оказался рядом, подхватил меня на руки, а вокруг непробиваемой стеной выросла охрана. Все невыносимо деятельные и бдительные. Если я была близка к обмороку, то муженек выглядел еще хуже. Он намертво вцепился в меня, точно утопающий за спасательный круг, и совершенно белыми губами повторял, должно быть, в сотый раз:

— Господи...

— Уходим, уходим, — орала Танька и тянула Лома за руку. В конце концов мы смогли-таки загрузиться в микроавтобус с охраной и покинуть так и не открывшийся Центр. Все остальные граждане пытались сделать то же самое. Краем глаза я заметила Астахова, он что-то кричал и даже размахивал руками.

Землистая бледность еще не сползла с физиономии мужа, но к слову «Господи» он смог прибавить еще несколько и с легким подвыванием пробормотал:

— Он мог попасть в тебя...

— Кой черт ты приехал? — прорычала я. Нервное напряжение чуть спало, но соображала я еще плохо. — Испугал до смерти...

Тут влезла Танька:

— Если б он не подъехал, лежать бы тебе сейчас на ступеньках.

Лом замер, вытаращив глаза, пошлепал белыми губами и жалобно сказал:

— Так ведь стреляли в этого... забыл его фамилию...

— Кому он нужен? — изумилась Танька. — Стреляли в Ладку, и если бы ты не подъехал и она к тебе неожиданно не кинулась... в общем, мне надо что-то выпить...

— Зачем в Ладку стрелять? — пугаясь все больше и больше, спросил Лом.

— Затем... Ох, Генка, есть у тебя враг, до твоего горла дотянуться не может, так решил напакостить и подойти с другого бока...

За пять минут с Ломом произошли разительные перемены. Могучая грудь заходила ходуном, челюсти сжались, а глаза полыхнули таким гневом, что мы разом поежились. Чувствовалось, что муженек готов перестрелять весь город, лишь бы зацепить одного, пока неведомого врага. Пока Лом сжимал челюсти, мы озабоченно размышляли, осторожно переглядываясь. Человек, устроивший столь неудачное покушение, стоял к нам чрезвычайно близко и дураком не был. Об истинном положении дел он был прекрасно осведомлен и иллюзий в отношении Лома не питал, точно зная, кто в действительности стоит за его спиной. Сам по себе муженек был ему не опасен, и это тоже наводило на множество мыслей. Вышло, что синяком я Лома наградила зря.

Само собой, при нем мы это не высказывали, но каждому из нас было ясно, какие мысли бродят в голове соседа.

— Я эту падлу из-под земли достану, — заявил Лом, а мы дружно кивнули: доставать надо было срочно.

До нашего дома добирались около получаса. За это время мысли пришли в порядок, стали появляться и кое-какие догадки. Поэтому я ничуть не удивилась тому, что произошло дальше.

А произошло вот что. Мы сели в гостиной, все еще исходя легкой дрожью. Лом принес выпивку и сам выпил стакан водки. Пил так, как пьют воду, и от этого зрелища у нас свело челюсти. Муж подошел с видом чокнутого человека и вцепился в мое плечо. В нем ощущалась настойчивая потребность держать какую-либо часть моего тела в своих руках. Должно быть, так ему было спокойнее. Мой страх окончательно прошел, остались злость и досада, обращенные против конкретного человека, не за то даже, что несколько минут назад по его желанию меня едва не убили, а за то, что я была такой дурой и ему поверила. На ошибках учатся, и это был хороший урок.

— Давайте подумаем, кто это может быть? — внес предложение Лом. Жажда деятельности буквально переполняла его.

— Саид, — тихо сказал Костя и посмотрел в глаза Лому спокойно и твердо.

— Саид, — эхом отозвалась Танька, а я кивнула:

— Саид...

Мы замерли, ожидая реакции Лома и прикидывая, как половчее объяснить ему, почему мы так решили, и при этом не нанести удар его гордости. Против ожидания Лом не стал кидаться грудью на защиту дружка. Вызвал охрану и направился к дверям.

— Ты куда? — вскочила я. Он усмехнулся, а мы поразились тому, как, в сущности, легко до сей поры могли управлять этой коброй. Короче, мы поежились, а Лом сказал с этой своей жуткой ухмылкой:

— Побеседую с дружком.

— Гена, — заторопилась я, — он от всего откажется, нужны доказательства...

— Он мне все выложит, — заверил муженек и ушел, а мы стали ждать, беспокойно прикидывая, что выйдет из этой встречи.

Лом вернулся поздно. Мы с Танькой дремали в креслах, даже Костя, не выдержав напряжения дня, прилег и закрыл глаза. Лом молча прошел в ванную и долго мыл руки. Я стояла рядом и смотрела на него, не скрою, со страхом. Тут он поднял голову и улыбнулся мне. Я подала полотенце, он вытер руки и обнял меня.

— Что? — робко спросила я, на всякий случай покрепче прижимаясь к мужу.

— Саид, — ответил он как-то равнодушно.

— Он сознался?

— Еще бы... Болтал как заведенный. Вот уж не думал, что дружок таким хлипким окажется...

— Он объяснил, почему? — облизнув губы, спросила я.

— А как же... Меня спасал. Бабы у нас в командирах, а я вроде на побегушках.

— Дурак он, — вздохнула я.

— Точно. Я б ему многое что мог простить, но только не тебя.

Прошло несколько месяцев. Мы с Танькой потихоньку отошли от дел, мудро рассудив, что теперь мужики вполне справятся без нас. Конечно, приглядывать за ними стоило, но делать это ненавязчиво. Ничего заслуживающего внимания за это время не произошло, за исключением того, что я готовилась стать матерью. Муженек совершенно спятил, носился по дому, перетаскивая мебель, изводил меня болтовней и вообще здорово действовал на нервы.

В настоящий момент он отсутствовал, и я наслаждалась краткой передышкой и оттого не обрадовалась Таньке. Она явилась, как всегда, некстати и бодро поинтересовалась:

— Где любимый?

— Ушел за персиком, — сказала я.

— Что? — не поняла Танька. Вздохнув, я пояснила:

— У О'Генри есть рассказ. Один придурок отправился за персиком, потому что его жене очень захотелось этот самый персик съесть. Он немножко постреля и даже несколько человек отправил в тюрьму, но персиком разжился. Правда, к этому времени жена захотела апельсин.

— А ты чего хочешь?

— Тишины.

— Ладно, чего вредничаешь? Старается мужик, угождает.

С этим я согласилась.

— Он вычитал, что женщины в период беременности эмоционально неустойчивы, проявляет понимание.

— Лом книжки читает? — испугалась Танька.

— Да, — кивнула я. — Энциклопедию семейной жизни. Правда, ее он уже освоил. Теперь у него другая настольная книга — «Вы и ваш ребенок. Советы молодым мамам».

— Ну и что? — обиделась Танька. — Есть же в них что-нибудь путное? Ты-то ведь точно советы читать не будешь... значит, надо Лому быть в курсе, и вообще...

— Вот именно, — вздохнула я.

— Чего чаем не поишь?

— Лень вставать.

— Ладно, я встану. Ломик давно убежал?

— С полчаса.

— Время позднее... — заметила Танька, — а ты один персик захотела?

— Да.

— Не выйдет. У Лома душа широкая, приволокет килограмм.

— Три, — вздохнула я.

— Что? — не поняла Танька.

— Три приволокет, душа у него и вправду широкая.

— Хочешь, поспорим? — предложила подружка.

— Давай, — пожала я плечами.

На счет широты души моего мужа мы обе дали маху. Лом возник в кухне в сопровождении двух парней, нагруженных ящиками. Они вышли, потом опять вошли, ящики прибывали. К персикам добавились яблоки, груши, три ананаса, вид которых почему-то всегда меня раздражает, вызывая ассоциации с головой любимого, потом появился виноград, манго, киви... Потом мне стало неинтересно. Танька сочувственно сказала:

— Что ж теперь... попробуем съесть.

А я спросила ласково:

— Геночка, а тебе обязательно превращать наш дом в овощной магазин?

— Ну чего ты, Ладуль? — запечалился Ломик. В последнее время он очень страдал от перепадов моего настроения, ходил по дому в носках и пытался говорить шепотом, по большей части сам с собой: — Тебе витамины нужны. Ты у меня какая-то бледненькая, и глазки такие грустные... ну скажи мне, чего ты хочешь, а?

Танька, подперев рукой щеку, смотрела на него с жалостью и сочувствовала мне.

— Ломик, отвязался бы ты от нее. Она... готовится к великому событию... ей хочется сосредоточиться, помолчать...

— А ты чего притащилась? — рассвирепел Лом. — Звали тебя? Как ты мне надоела, давно бы выгнал в шею, да Ладулю расстраивать неохота.

— Ломик, съешь персик, — посоветовала Танька.

— Тебя забыли спросить.

Однако, пошарив в ящиках и отобрав понравившиеся плоды, Ломик тщательно их вымыл, положил в вазу и пододвинул ко мне, правда, голос подать не решился. Поскучал, съел три персика и стал приставать к Таньке:

— И чего ты все таскаешься? Делать тебе нечего?

— Нечего, — согласилась та, — скука смертная. Городишко дохлый какой-то. Тишина, как ночью на кладбище. Сегодня сунулась в газету, вижу крупными буквами «Убийство» — и что? Жена мужа по пьянке зарезала.

— Дура ты, — разозлился Лом. — Все болтаешь и болтаешь. Скучно ей... Скучно — дома сиди. А то притащится, наплетет семь верст до небес, Ладуля потом лобик морщит, а мне одно беспокойство. Все ж таки выгоню я тебя...

— Да ладно, — вздохнула Танька, — еще чего-нибудь съешь...

Тут она посмотрела на меня и начала туманно:

— Я вот на досуге подумала и решила: пора о душе заботу проявить, чтоб жизнь не впустую прошла, сделать что-нибудь путное.

Заметив любопытство в моих глазах, Ломик оживился:

— Церковь, что ли, построить? Давайте... Я против Бога ничего не имею. Ладуля велит в церковь ходить, и хожу, каждое воскресенье. Деньги есть, мастеров найдем, мигом сляпают, то есть возведут. Купола чистым золотом покроем, чтоб Господь, значит, нас не проглядел. — Лом заткнулся и нерешительно посмотрел на меня, потом на Таньку. Я кивнула.

— Хорошая идея.

— Вот, — обрадовался муженек, а Танька кисло поморщилась.

— Что церковь... их без нас полно пооткрывали... Надо мыслить масштабно.

— Чего ты затеяла? — насторожилась я, а Лом рукой махнул и пошел к двери.

— Я вот что подумала: а не сделать ли нам Ломика президентом?

— Президентом чего? — притормозив и повернувшись к Таньке, хмуро спросил Лом.

— России, — с обычной скромностью ответила Танька. Я закашлялась, а Лом жалобно посмотрел на меня и сказал:

— Ладуль, я не хочу... в президенты то есть. Мне и это-то все надоело, так бы вот бросил все и ушел куда-нибудь, ей-Богу...

Лом не лукавил, подозреваю, он всерьез мечтал о трехлетнем отпуске по уходу за ребенком. Не обретя во мне поддержки, муженек затосковал и сказал со вздохом:

— Я, это... говорить не мастер, а там сплошной треп.

— Речи на бумажке умные люди пишут, а у тебя память хорошая, выучишь. И нечего рожу воротить... вот ты всегда так, заботятся о тебе люди, уважают и вообще... а ты нет бы спасибо сказать... какое там, начнет капризничать. Вот так и убила бы тебя, ей-Богу...

— Ну чего ты сразу орешь? — устыдился Лом. — Я же совсем-то не отказываюсь... — И на меня посмотрел.

— Слава тебе Господи. — Тут Танька ко мне повернулась. — Лом мужик видный, чем мы хуже американцев? Даешь молодого президента... Лом, вынь руки из карманов и встань как следует.

Муженек от стены отлепился, вынул руки и расправил широкие плечи. Я взглянула на него с интересом, а Танька продолжила:

— Дело это нелегкое и займет некоторое время. Лом к тому моменту интересной сединой покроется, и малышу-Клинтону с ним рядом не стоять.

Я оперлась локотком на стол и взирала на мужа со все возрастающим интересом.

— Опять же, у нас не первая леди, а конфетка. С такой женой хоть завтра на английский престол короноваться.

— Фиг этим англичанам, — заволновался Лом, испугавшись перемен в Танькиных планах. — Хотя, Ладушка, конечно, настоящая королева, тут говорить нечего...Только с какой стати нам об англичанах заботиться?

— Это я так, к слову, — успокоила его Танька, посмотрела на меня и спросила, раздвинув рот до ушей: — Ну?

Я хихикнула, кашлянула, потом опять хихикнула и ответила:

— Заметано.

— Вот и ладненько, — обрадовалась Танька. — У меня и план есть.

КАК БЫ НЕ ТАК

ПОВЕСТЬ

У Марка Твена есть рассказ: забавная такая рождественская история — как один врач помог больному бродячему псу. На следующий день пес вернулся к дому врача, но не один: привел с собой другого пса, тоже больного. Врач умилился собачьей дружбе и второго пса тоже вылечил. Через день возле дома сидели уже три собачки: врач больше не умилялся, но лечил. Так продолжалось довольно долго: собаки все прибывали, а врач тихо сатанел. В один прекрасный день он взял ружье и перестрелял всю собачью компанию, явившуюся к дверям его дома. Мораль: доброе дело никогда не остается безнаказанным.

Я вспомнила эту историю, потому что нечто подобное произошло со мной: я тоже имела глупость сделать доброе дело. Строго говоря, это не было добрым делом в том смысле, которое обычно вкладывают в данное словосочетание: вообще-то я выполняла свой долг, так мне тогда казалось. Мне и сейчас так кажется, несмотря на то, что последовало за этим.

Я, как и герой Марка Твена, по профессии врач, хирург, работала в областной больнице. В ту ночь я уже давно закончила дежурство, но домой не поехала — обстоятельства сложились так, что пришлось задержаться, причем надолго.

Дежурство выдалось хлопотное, я едва стояла на ногах и мечтала о том, как приду домой, встану под теплый душ, а потом завалюсь спать. На сутки, не меньше. Конечно, целые сутки мне ни за что не проспать, сплю я вообще мало, но мысль об отдыхе в тот момент согревала душу.

Я выпила стакан крепкого чая и перевела взгляд на часы, они показывали половину седьмого.

— Кто-нибудь займется этими проклятыми часами? — нахмурившись, задала я вопрос, разумеется, риторический. В ординаторской нас было трое: я, моя подруга Наташка, тоже врач, именно благодаря ей в ту ночь я все еще мыкалась в больнице, и медбрат Володя, которого в отделении уже лет пять звали просто Брат.

— Батарейки летят, менять не успеваю, — ответил Володя. Мужчина он крупный, медлительный и веселый. — Были часы механические, кому помешали? А эти... — он презрительно махнул рукой.

Пошарив на столе, под ворохом бумаг я обнаружила свои часы, взглянула на циферблат и присвистнула:

— Пора отчаливать.

Наташка слабо шевельнулась в кресле.

— Может, поспишь часок здесь, а потом поедешь?

— Нет уж, — заявила я. — О спокойном сне в этом заведении мечтать не приходится, а добраться до родного жилья я способна на автопилоте.

— Выспись как следует, — проявила заботу подружка, я согласно кивнула и направилась к двери. Наталья побрела за мной.

— Ты в воскресенье за Панькова дежуришь, — сообщила она. — Помнишь? — Я вздохнула. Конечно, я помнила, как и то, что сегодня пятница, точнее, уже суббота, потому отдохнуть, как задумала, опять не удастся.

Мы покинули отделение и через приемный покой вышли из больницы. Было темно, ветрено и оттого неприютно. Наташка поежилась:

— Темень какая, хоть глаз выколи. Давай, до воскресенья...

Мы расцеловались, я направилась к стоянке, где была моя машина, а Наталья осталась возле освещенного подъезда, ждать, когда я отъеду и махну рукой на прощание. Года три назад на этой самой стоянке пытались ограбить нашего главврача, с тех пор весь персонал больницы испытывает обоснованные опасения, а мы привыкли провожать друг друга.

Сейчас здесь стояло всего три машины: мой «жигуленок», «Запорожец» медбрата и шикарная «Ауди» Вовки Звягинцева из гинекологии. Поговаривали, что ему досталась богатая невеста. Везет же людям, мне вот достаются только тяжелые больные.

Я отперла машину, в душе надеясь, что она заведется хотя бы с пятой попытки — аккумулятор давным-давно пора менять. Но если я куплю новый, то в отпуск вряд ли уеду дальше Наташкиной Снегиревки, а мне хотелось на юг. Я вздохнула, повернула ключ, мысленно канюча: будь человеком. Машина завелась с первого раза, я удивилась, а надо бы насторожиться: с чего бы это коварной богине удачи проявлять обо мне такую заботу?

Я выехала со стоянки, махнула Наташке рукой в открытое окно, прикидывая, какую избрать дорогу. Дело в том, что областная больница, в которой я работаю, расположена за чертой города в лесном массиве. Сюда можно добраться рейсовыми автобусами и троллейбусом, но они ходят редко и как-то неохотно. Есть, правда, маршрутные такси, эти снуют веселее. По шоссе до города километров пять, но существует еще дорога, через лес, напрямую. Она значительно короче, но и несравненно хуже. То есть дорогой она зовется совершенно незаслуженно. Наташка именует ее ослиной тропой, имея в виду меня, как единственного, с ее точки зрения, осла, способного гробить здесь свою машину. По-моему, никто другой из персонала больницы проехать здесь даже не пытался. Подружка утверждает, что я принципиальный противник проторенных дорог, это не так, но если есть шанс сократить путь, я всегда его использую.

Я притормозила на развилке, прикидывая, какую дорогу избрать сейчас. Короткая предпочтительней, но три дня назад там образовалась здоровая лужа, понадобился бы катер, чтобы пересечь ее. Я с большим трудом смогла ее объехать: на двух колесах вплотную к деревьям. Повторить этот маневр в темноте мне вряд ли удастся. С другой стороны, дни стоят жаркие и лужа могла обмелеть. Переключив фары на дальний свет, я свернула вправо и оказалась в лесу. Темень была такая, что мороз по коже, несмотря на духоту.

Будет гроза, решила я, до конца открыв окно, и подумала о луже: после хорошего дождя здесь точно не проедешь. Придется пользоваться шоссе, очень оживленным, с постом ГАИ в полукилометре от поворота к больнице. Местные стражи порядка на дорогах хорошо меня знают и частенько останавливают за превышение скорости, правда, до сих пор ни разу не оштрафовали: как-то рассвирепев, я пообещала, что, если кто-нибудь из них попадет в мои руки, живым не выпущу. Не знаю, действительно ли они восприняли мою угрозу всерьез, но с тех пор вредничать — вредничали, но расходились мы всегда по-доброму. Наш человек мудр и помнит: все под Богом.

Однако лишний раз встречаться с ними особого желания не было, а потому дождь был бы весьма некстати, тем более что, по моим приметам, если дождь, то сразу и холод, а я в отпуск собираюсь. Размышляя таким образом, я высматривала лужу, она где-то посередине пути, то есть вот-вот появится. Я ехала не спеша, осторожно и, честно говоря, начала клевать носом, так что, если бы не лужа, я вряд ли бы его заметила. Но лужа беспокоила меня, и глаза я время от времени продирала. В той луже я его и увидела.

Он лежал прямо посередине дороги, раскинув ноги, и, странно вывернув голову, точно лежа на животе, пытался увидеть небо. Одна рука прижата к ребрам, а другая откинута в сторону. Ладонь как раз оказалась в луже. В целом зрелище мало приятное, но вполне обыденное. Недалеко отсюда свалка, где живут несколько бродяг, троих я знаю лично. Придется либо возвращаться, либо оттаскивать этого типа в сторону. Я тяжко вздохнула и заглушила мотор. Не могу сказать, что перспективы воодушевляли; вздохнув еще раз, я вышла из машины. Мысль об опасности даже не пришла мне в голову. Во-первых, я не пуглива, во-вторых, ценных вещей не имею, и взять с меня нечего. Если кому-то придет охота позаимствовать мою машину, так скажу прямо: не завидую я тому типу. Аккумулятор сдох, движок дымит, а задний мост устрашающе воет. Иногда я всерьез надеюсь, что какой-нибудь псих на нее позарится и я избавлюсь от проблем.

Когда я уже подходила к проклятой луже, меня внезапно охватило чувство близкой опасности, захотелось вернуться в машину: в голову лез всякий бред о сексуальных маньяках, нападающих на одиноких женщин. Я тут же себя одернула: маньяк должен быть большим оригиналом, поджидая одинокую женщину в месте, где никто не ходит и очень немногие ездят. Я усмехнулась, пытаясь вернуть себе уверенность, но беспокойство не проходило, потому к бродяге я приблизилась с осторожностью, не стала хватать за ноги и оттаскивать в сторону, а для начала оглядела его. Сразу же стало ясно: бродягой он не был. Одет в хороший костюм, причем не просто хороший, а, насколько я могла судить при свете фар, дорогой. На запястье часы, по виду золотые, а на пальце здоровый перстень с бриллиантом.

Я присвистнула и огляделась: машины нигде не видно. По моим представлениям, граждане в дорогих костюмах и с бриллиантами на пальцах по ночам пешком не бродят, а в лесу им и вовсе делать нечего. Наклонившись, я проверила пульс, он едва прощупывался. Пьян мужчина не был, потому что запаха алкоголя я не чувствовала. Был другой, очень знакомый запах, вызывающий смутную тревогу.

Чтобы валяться в луже, надо основательно упиться. Человек не был бродягой и не был пьян.

— Повезло, — сказала я самой себе, встала на колени и принялась его ощупывать. Убедившись, что переломов нет, осторожно перевернула его на спину. Он застонал, веки дрогнули, а до меня дошло, что знакомый запах — это кровь.

Правая сторона лица в крови, пиджак на груди превратился в лохмотья. Свет фар был тусклым, желтым и грозился погаснуть навсегда, потому я заторопилась и поднялась с колен.

Мужчину надо было срочно доставить в больницу. Оставалась слабая надежда, что он стал жертвой аварии. Хотя трудно представить, что он здесь прогуливался, был сбит неосторожным водителем и оставлен умирать возле грязной лужи. Честно говоря, я уже тогда знала, что это... Кроме нашей больницы, вокруг ничего не было похожего на место, откуда он мог возвращаться или куда мог идти. Неосторожных водителей я здесь, на лесной дороге, за пять лет ни разу не встречала. Однако за те же пять лет я успела много чего повидать: его могли сбить где угодно, а потом привезти сюда и бросить. Найдут, значит, повезло тебе, мужик, а нет, так не обессудь.

Я пошла к машине, пытаясь решить: вернуться ли в больницу и сообщить о происшествии или везти его туда самой. Чем быстрее он там окажется, тем лучше. Неизвестно, какие травмы он получил. Счет вполне мог идти не на минуты даже, а на секунды.

Я вплотную подогнала машину к нему и открыла заднюю дверцу. Моя бабушка во время войны была санитаркой, я всегда недоумевала, слушая рассказы о том, как восемнадцатилетние девчонки выносили с поля боя дюжих мужиков. Однажды я пыталась поднять своего пьяного мужа и с третьей попытки смогла лишь привалить его спиной к креслу, он тут же сполз обратно, а я махнула рукой. С той поры я только и делала, что махала на него рукой, и он как-то незаметно перестал для меня существовать. Муж обиделся (кому ж это понравится), и вот уже год мы жили врозь.

Помня тогдашнюю неудачу, я с большим сомнением вернулась к мужчине. На мое счастье, гигантом он не был. Ростом не выше меня, худой и жилистый. Я подхватила его под мышки и приподняла, с удивлением убедившись, что особых сил мне не потребовалось. Укладывать его на сиденье я не стала: время дорого, да он мог и упасть по дороге. Пришлось ему лечь на полу. Торопливо хлопнув дверью, я для начала попыталась развернуться. Дело нелегкое. Передним бампером я задела дерево. Надо полагать, машина от этого лучше не стала, ну да Бог с ней. Сейчас я думала только о том, как побыстрее довезти его до больницы. Конечно, потом станет жалко машину и досадно за свое извечное невезение. Но это лучше, чем жгучая обида, которая приходит, когда помочь ты уже не в силах, потому сейчас я и летела точно угорелая.

Над дверью приемного покоя горел неоновый свет, а медбрат Володя курил, поглядывая в темноту. Я затормозила рядом.

— За тобой что, черти гонятся? — вздохнул он.

— У нас работенка, — обрадовала я его. — Человека нашла на дороге, возможно, сбила машина.

— Хоть бы раз ты нашла чего путное, — пожаловался Брат, бросил сигарету и стал проявлять чудеса расторопности, при его комплекции и обычной лени неизменно меня удивлявшие.

Отогнав машину на стоянку, я поднялась в ординаторскую. Она была пуста. На столе горела ночная лампа, я включила верхний свет и чертыхнулась: мой элегантный костюм ярко-синего цвета был в крови.

— Не везет, так навсегда, — сказала я вслух, взяла халат и направилась в душ.

Там меня Наташка и нашла. Она хмурилась и явно нервничала.

— Плохи дела? — осведомилась я, на некоторое время высунув голову из-под струй воды.

— И никакая это не авария, — вроде бы с обидой заявила она. — Где ты его умудрилась подцепить?

— В лесу. Лежал в любимой луже.

— У него множественные пулевые ранения в область груди. Может, еще чего...

— А голова? — спросила я, принимая из ее рук полотенце.

— Ерунда. Скорее всего разбил, когда падал. Царапина. А вот грудь — это серьезно. По-моему, он давно должен был умереть. Сразу, как только схлопотал эти пули.

— Надеюсь, ты не в обиде, что он до сих пор жив? — осведомилась я, надевая халат.

— Ему всю грудь изрешетили, — не унималась Наташка. — А он держится. Прикинь?

— Да, без понятия человек, возись теперь с ним, — усмехнулась я. Наташка шла за мной и ныла:

— Ты ведь останешься?

— Я тридцать часов на ногах. Вызывай Петра Сергеевича.

— Звонят. Только ведь сегодня пятница, то есть суббота, дачный день. Мужика к операции готовят. Не можешь ты так со мной поступить...

Я плеснула в лицо холодной воды и обреченно кивнула:

— Ладно.

Петра Сергеевича разыскали под утро. Он приехал, когда операция уже закончилась. Похвалил меня с добродушной усмешкой и сказал:

— Значит, подарок из леса? Крестник то есть? Что же, если выживет, по гроб тебе обязан будет.

— Отчего ж не выживет? — обиделась я.

— Как сказал один остроумный мужчина о нашем брате: режут-то они хорошо, а вот выхаживать не умеют.

— Вы уедете? — спросила я.

— Уеду, Мариночка. Все, что возможно, ты уже сделала, а выходной — это свято. Особенно летом. Чего хмуришься? Ты ж не новичок, знать должна, что хирурги — жуткие циники. Привыкаешь, знаешь ли, когда каждый день с ножом на человека. А тебе немедленно спать. Такой красивой женщине круги под глазами строго противопоказаны.

— За красивую спасибо, а домой чуток подожду. Сами говорите: он мне вроде крестника.

Петр Сергеевич ушел, зато появилась Наташка, с бутербродами и термосом.

— Кишки от голодухи сводит, — пожаловалась она. — Выпей чаю...

— Не хочу.

— И я не хочу. А надо. Давай-ка, милая, ширнемся, как изысканно выражался мой бывший друг, ныне благородный отец семейства.

Я лениво протянула руку. Наташка быстро сделала укол мне, а потом и себе. Мы немного посидели с закрытыми глазами, ожидая, когда лекарство начнет действовать. Наташка долго молчать не умеет.

— Что бы я без тебя делала, — туманно начала она, а я насторожилась: не иначе как опять попросит за нее отдежурить.

— То же самое, что и со мной, — с некоторой суровостью ответила я.

— Никудышный я врач. Трусливая... Надо было идти в ветеринары, собачек лечить. И бабки там приличные, не чета нашим...

— Это точно, — согласилась я. — Давай чай пить. В девять придет Елена Кирилловна, тебе полегчает.

— Как я не люблю дежурить одна, — вздохнула Наташка, — прямо до стойкого физического отвращения. И всегда в мою смену что-нибудь случается... Ты заметила? Всегда... Быстрее бы лето кончилось...

— Чем тебе лето не угодило? — удивилась я.

— Так ведь отпуска... Смены черт-те какие, и ночами одна...

— Ладно жаловаться. — Я отодвинула чашку и, помолчав, спросила: — Как думаешь, выживет?

— Выживет, — кивнула Наташка. — У меня глаз наметанный, кандидатов вижу сразу... Силен мужик, шесть пуль не орешки к пиву... Я его одежду посмотрела. Думаю, стреляли в него вовсе не на этой дороге, а где-то в лесу. А на дорогу он сам выполз. Прикидываешь?

— Жажда жизни, — вздохнула я.

— Чего? — не поняла Наташка.

— Рассказ есть у Джека Лондона.

— А-а-а. Вот что, ты больше через лес ездить не моги. Видишь, какие дела вокруг творятся? Хуже всего на свете оказаться в неудачном месте в неудачное время. Те, что в него шесть пуль выпустили, явно не жадничали, могли и тебе отвесить на всю катушку. Улавливаешь, на что я намекаю?

— Еще бы, — кивнула я. — Только ведь и я не совсем дура, заслышав автоматную очередь, в лес бы не сунулась.

— А почему автоматную? — удивилась Наташка.

Я вздохнула и поинтересовалась:

— Может, тебе и в самом деле в ветеринары податься?

Наташка стала злиться:

— Интересно, почему это... Объясни.

— Не хочу, — отрезала я. — Не из вредности, а из лени. А чем ты здесь столько лет занимаешься, для меня по-прежнему тайна.

С хрустом потянувшись, я направилась к двери, прихватив пакет с загубленным костюмом.

На стоянке медбрат поливал из шланга мою машину.

— Чехлы придется стирать, а так все в полном ажуре.

— Спасибо, благодетель, — обрадовалась я, как оказалось, рано. Машина категорически отказывалась заводиться. Пришлось медбрату идти за нашим микроавтобусом и немного потаскать меня на буксире.

Домой я попала ближе к обеду. Спать уже не хотелось, в голове стоял ровный гул, а руки и ноги противно покалывало. Я открыла балкон, поставила кассету Фрэнка Синатры и легла на ковер, прихватив из холодильника бутылку пива.

Синатра — лучший в мире певец, у меня лучшая в мире профессия, а этот мир — лучший из возможных.

В конце концов я все-таки уснула.

Дежурство начиналось в девять. Вообще график работы у меня удобный: сутки отдежуришь, трое гуляй. Но, как правильно заметила Наташка, летом все усложняется: отпуска. Так как мне отпуск только еще предстоял, на жизнь я жаловалась вполсилы, а в воскресенье, отправляясь в больницу, испытывала некоторое нетерпение: очень меня интересовал мой «крестник». Разумеется, в больницу я звонила и о его состоянии была осведомлена, но все равно спешила.

Смену мне сдавала Елена Кирилловна, царственная дама неопределенного возраста с золотыми руками.

— Операцию ты делала? — улыбнулась она. — Молодец.

— Как он?

— В норме.

— Выживет?

— Отчего ж нет, если сразу не умер. Мужик крепкий. Пойдешь к нему?

— Конечно.

Я уже шла по коридору, когда Елена Кирилловна неожиданно меня окликнула:

— Мариночка...

— Да? — оглянулась я.

— Не скажешь, почему это с тобой всегда что-нибудь случается?

— Ну, это просто, — обрадовалась я. — Родилась в год Свиньи, так что у меня вся жизнь — сплошное свинство.

— Везет, — кивнула Елена Кирилловна и отправилась в ординаторскую.

— Марина Сергеевна, — от поста шла Ася, наша медсестра, мы часто дежурили вместе. — У меня в столе часы и перстень вашего дядечки. Дорогие. Пропадут, не дай Бог...

— Завтра отдашь завотделением. А документы у него были?

— Нет, ничегошеньки... только перстень да часы... Кругом больные шныряют, прямо хоть на себе носи...

— Что ж, ему они пока без надобности...

Я открыла дверь и вошла в палату. На вид ему было лет пятьдесят с небольшим. Ничем не примечательное лицо с широким носом и тонкими губами. Сейчас очень бледное, с синевой под глазами. Ссадина на лбу придавала его облику что-то мальчишески-хулиганское. На пальцах левой руки, лежавшей поверх одеяла, виднелась татуировка «Юра» — надо полагать, его имя.

Волосы совершенно седые, с неприятным желтоватым оттенком.

Я осмотрела его и осталась довольна. Во-первых, у Наташки действительно глаз наметанный, и кандидатов в покойники она отмечает сразу, во-вторых, мое собственное чутье подсказывало, что до похорон дело не дойдет.

Дежурство прошло спокойно. Так как было воскресенье, большинство больных после обхода незаметно исчезли и появились только к ужину. В пустынных и гулких коридорах стало прохладно. Ася дремала над журналом, медбрат устроился на кушетке в ординаторской и нахально похрапывал, а я то и дело заглядывала к своему «крестнику».

Утром в понедельник разразился скандал. Заведовал нашим отделением мужчина сорока двух лет, элегантный, болтливый и с хорошими связями. Его жена трудилась в областной администрации, о чем он нам простодушно напоминал дважды в неделю, как правило, в мое дежурство. Павла Степановича у нас не жаловали, считали выскочкой и неумехой. Он об этом, конечно, знал и к нам относился соответственно. Я предпочитала видеться с ним как можно реже.

Наташка считала, что он в меня влюблен. Возможно, однако любовь он выражал тем, что вечно цеплялся по пустякам. Говоря без ложной скромности, я — хороший врач, и всерьез ко мне придираться затруднительно.

Время от времени он начинал пристально смотреть на меня и заводил разговор по душам. Я неизменно пугалась, таращила глаза и отвечала односложно, чем в конце концов умудрялась его изрядно разозлить, и он, указав на очередную досадную оплошность, отпускал меня с миром.

В понедельник я совершенно не планировала встречаться с Павлом Степановичем. Он приезжает к девяти, а я в девять уже сдаю дежурство. Но не тут-то было. Он явился часов в восемь.

— Светило медицины черт принес, — сказал медбрат. — В понедельник и такая невезуха. Скажи, за что?

— Да, — кивнула я. — Сидим тихо, починяем примус...

— Или на нас какой грех?

— Может, и есть, только мы об этом еще не знаем.

— Пойду-ка я порядок наводить в своем хозяйстве...

Я взглянула на ворох бумаг на столе и тяжко вздохнула.

В отделении наметилось оживление, трудоспособность персонала резко возросла, глаза засияли, а души возжаждали великих свершений. Одна я пребывала в сонно-ленивом состоянии и покидать его без видимых причин за сорок пять минут до конца смены не собиралась.

Павел Степанович рассудил иначе. Он возник в ординаторской в сопровождении двух доверенных лиц и, забыв поздороваться, начал с порога гневаться:

— Марина Сергеевна, в ваше дежурство поступил больной из первой палаты?

Речь шла о моем «крестнике», я с готовностью кивнула.

— Больной не наш, подбирать на дорогах полутрупы дело «Скорой помощи».

Я внимала, преданно глядя ему в глаза, осознавая всю тяжесть своей вины. Зайти чересчур далеко Павел Степанович все же не рискнул и гневался не более трех минут. Тут его и осенило:

— Из милиции уже были?

— Сегодня, наверное, придут, — пожала я плечами.

— Черт-те что делается, — рявкнул он. — Третий день в отделении находится больной с огнестрельным ранением, а им и дела нет.

Я порадовалась, что достанется теперь не мне, а милиции, и с облегчением вздохнула.

— Кто звонил в милицию? — спросил он.

Я пожала плечами. Тут он вновь переключился с милиции на меня и возвысил голос. Честно говоря, я это не люблю, потому нахмурилась и слегка повысила свой:

— Насколько мне известно, сообщать в милицию о поступлении больного с пулевым ранением должна медсестра приемного покоя. — Это правда, а в приемный покой он не сунется. Мой папа полком командовал, и голосом я удалась в него. Шеф заметно растерялся и сказал на полтона ниже:

— Я вас не обвиняю, но в отделении полно бездельников, могли бы проконтролировать...

Стало ясно, что достанется медбрату, его шеф особенно не жаловал.

— Павел Степанович, — сказала я, — больной без сознания, так что для бесед с милицией совершенно не пригоден. Ничего страшного не случится, если оттуда придут позднее.

— Интересно вы рассуждаете, Марина Сергеевна, — усмехнулся он и прочел пятнадцатиминутную лекцию. Я нагло клевала носом, а под конец не удержалась и заявила:

— Я не несу ответственности за действия милиции.

— Так кто-нибудь звонил или нет?

— Понятия не имею.

Если день начался с нагоняя от начальства, добра ждать не приходится. Мотор не заводился, а когда с буксира его все-таки удалось завести, выяснилось, что ночью кто-то слил бензин. Я хлопнула дверью так, что заныла рука. Стало жалко машину, а вслед за ней и себя. Брат кашлянул за моей спиной и сказал:

— Брось. Понедельник, как известно, день тяжелый, а завтра уже вторник. Бензин у Сашки выпросим, он нам должен, как земля колхозу...

Горючее нашли и до города добирались вместе: на «Запорожце» медбрата спустило колесо, на работу он прибыл троллейбусом.

— Пальцы стучат, — заметил Брат через пару минут после того, как мы наконец тронулись с места.

— Там все стучит. Нужен ремонт, деньги и муж,

лучше золотой. Мужа нет, денег нет, значит, и ремонта не будет.

— Я бы на тебе хоть завтра женился, — заверил Брат.

— Все так говорят, — усмехнулась я.

— Мужик нынче мельчает, характер давно редкость, а у тебя его на пятерых. Оттого и боязно с тобой рядом.

— Утешитель, — фыркнула я.

— Не злись, — он рукой махнул. — Опять же любишь ты хлопоты себе наживать. Вот хоть с этим мужиком...

— Чего он вам дался? — удивилась я.

— Так ведь теперь менты привяжутся: где нашла, да что видела...

— Лужу я видела, Вова, так и скажу. Как привяжутся, так и отвяжутся.

— Не сомневаюсь, — хохотнул он.

Впрочем, как бы я ни хорохорилась, но с той самой ночи, когда на лесной дороге я обнаружила мужчину с наколкой «Юра» на руке, в душе моей поселилось смутное беспокойство.

Прогноз Брата не оправдался: милиция к нашему пациенту отнеслась с прохладцей. Жив ли, нет ли — пока не ясно, показаний дать не может, а то, что в городе стреляют и нет-нет да и убьют кого, давно уже не редкость. Задали обычные вопросы и уехали.

Тот, кого звали Юра, пришел в себя в мою смену. Я как раз была рядом. Он открыл глаза, мутные и поначалу бессмысленные, прищурился, пытаясь сфокусировать зрение, и очень отчетливо спросил:

— Где я?

Голос низкий, хриплый, что неудивительно. Я склонилась к нему, чтобы он мог меня видеть, и заговорила спокойно и ласково, с той особой интонацией, которая появляется сама собой в разговоре с больным или ребенком.

— Вы в областной больнице, вам сделали операцию, ваша жизнь вне опасности.

— Вы кто? — спросил он с явным беспокойством.

— Я врач. Самое страшное для вас позади...

— Кто... — прохрипел он, тяжело вздохнул и с трудом закончил: — Кто привез меня сюда?

— Я и привезла.

В этот момент я и сама забеспокоилась — с ним начало твориться неладное, он дернулся и вроде бы хотел встать. Я удержала его, сообщив скороговоркой:

— Вас нашла я, на лесной дороге, тут неподалеку, и привезла сюда. Вам не о чем тревожиться, все просто отлично, мы вас быстро поставим на ноги...

Он меня не слушал, вновь попытался вскочить, пришлось звать на помощь Брата. Не для того я тащила этого Юру и ночь напролет его штопала, чтобы он вот так, ни с того ни с сего, взял да и умер у меня на руках.

Проваливаясь в беспамятство, он успел схватить мою руку и прохрипел:

— Мне нельзя здесь... нельзя.

«И как мне это понимать? — думала я, возвращаясь в ординаторскую. — Что значит «нельзя здесь»? А где тогда можно? В какой-то другой больнице, где у него есть знакомый специалист и где, как он верит, все для него сделают?»

Эта мысль мне и самой не понравилась, я решила все с кем-то обсудить. Брат вошел за мной следом. Наташка раскладывала на столе пироги с ливером и сыр, кофеварка призывно фыркала, а я терзалась.

— Слышал, что он мне сказал? — обратилась я к Брату.

— Ну... — вяло ответил он.

— Что «ну», слышал или нет?

— Слышал.

— И что думаешь?

— Ничего.

— Как это «ничего»?

— Ты, Маринка, иногда такая зануда, просто беда. Человек имеет право думать или не думать. Я не думаю.

— А что за спор? — заинтересовалась Наташка.

— Тот, из первой палаты, сказал: «Мне нельзя здесь» — и повторил: «Нельзя». Что думаешь?

— Я? — вытаращила глаза Наташка. — Что тут думать? Бредит человек. Может, дома газ не выключил, и душой туда стремится, у нас задерживаться не желает...

— Глупость какая, — начала свирепеть я.

— Отчего сразу «глупость», — обиделась Наташка. — Бог знает, что ему в бреду привиделось...

— Вот-вот, — влез Брат. — Давайте не будем голову ломать. Наше дело мужичка на ноги поставить, а не загадки разгадывать.

— Он боится, — твердо заявила я. — Ты же видел, что с ним стало твориться, как только он понял, где находится. Человек приходит в себя и первое, что говорит: «Мне здесь нельзя». Заметь, не просит жене сообщить, или...

— Для мужичка кто-то не пожалел автоматной очереди... Лично я ничего знать не желаю. И другим не советую. Бредит себе человек, и пусть бредит.

— А может, у него с милицией нелады? Может, в розыске?

— Так ведь был милиционер.

— И что он увидел?

Мы переглянулись, и Брат заявил:

— Давайте без бурной деятельности.

— Ладно, — согласилась я. — Это дело милиции. Пусть они с ним разбираются. Мы свое дело сделали.

— Слава тебе Господи, — вздохнул Брат. — На рожон не лезем.

— Наташа, узнай, не справлялся ли кто о нем...

Наташка потянулась к телефону, а я пошла в двенадцатую палату, взглянуть на послеоперационного больного.

Когда я вернулась, Наталья все еще сидела за столом и названивала по телефону.

— Никто твоим дядькой не интересуется, — заявила она. — Я менту позвонила, что сюда приходил. Говорю, надо бы родственников отыскать. А он: «Вот сами и ищите, раз ваш дядька без документов. Может, он приезжий или одинокий». Тут я сострить решила и говорю: «А может, он у вас в розыске?»

— И он к нам бросился? — догадалась я.

— Как же, жди. Говорит, а хоть бы и в розыске, далеко все равно не убежит.

— Оптимист, — усмехнулась я. — Могу ему такого порассказать...

— Никто твоего дядьку не ищет, — сказала Наташка. — А Вовка прав, не стоит нам лезть не в свое дело. Он мудрую мысль родил: а ну как им заинтересуются те самые типы, что его не дострелили? И сюда заявятся. Не знаю, как ты, а у меня ни малейшего желания присутствовать при их свидании.

Я села в кресло, разглядывая стену напротив.

— Чего как неживая? — вздохнула Наташка.

— Пытаюсь сообразить. Куда ж нам его теперь?

— Ты что, спятила? — вытаращила она глаза.

— Еще нет. Но откровенно тебе скажу: не для того я его из кусков сшивала, чтобы какой-то придурок взял его и убил.

— Ладно пугать-то... Это ж просто Вовкины домыслы, ты знаешь, он к концу смены на многое способен.

— Домыслы или нет, а ты баба глазастая, так что по сторонам поглядывай и к разговорам прислушивайся.

— Заметано. Бдительность и еще раз бдительность. Довольна?

— Не очень. Маетно мне.

— Это оттого, что ты голову себе разной чепухой забиваешь. Человек бредит, и только... — Наташка помолчала и добавила виновато: — Правда, перед этим его пытались убить...

Под утро прибежала Ася.

— Марина Сергеевна, дядечка из первой вас зовет.

— Меня? — переспросила я несколько растерянно.

— Ага, волнуется и вас просит.

Я торопливо зашагала к первой палате. Он и вправду волновался, а это как раз то, что ему сейчас никак нельзя. Увидел меня, попытался приподняться и захрипел:

— Дочка, убьют меня здесь...

— Успокойтесь, — с порога начала я. — Вы в безопасности.

— Убьют... — повторил он.

— Вы хотите, чтобы я вызвала милицию? Хотите дать показания? — спросила я, взяв его за руку. Он вроде бы усмехнулся. — Вы назвали свое имя, адрес? Мы сообщим родственникам.

— Никаких показаний... Найди человека, очень прошу... Цыганский поселок, знаешь? Спроси Алену... он там... Скажешь, от Старика привет.

— Хорошо, я сообщу в милицию, они его разыщут...

Могу поклясться, он засмеялся.

— Послушайте, — попыталась я еще раз. — Этот человек, кто бы он ни был, вам не поможет. Вы перенесли тяжелую операцию и должны находиться здесь... — Тут мне пришлось заткнуться: он уже не слышал, впав в беспамятство.

Я же была в твердой памяти и здравом рассудке, по крайней мере, я так думала. А потому мне надлежало срочно решить, что делать. Может, я чересчур серьезно отношусь к его словам, но подобного бреда у больных мне раньше слышать не приходилось.

Конечно, разыскивать неизвестно кого в Цыганском поселке, куда даже днем порядочные люди старались не попадать, я не собиралась. Перевозить его сейчас просто нельзя. Мужик он живучий, но категория эта относительная и имеет свои пределы.

— Визитная карточка у тебя? — спросила я, отыскав Наташку.

— Ты имеешь в виду того типа из милиции?

— Его.

— Что — опять?

— Человек опасается за свою жизнь. Утверждает, что его здесь убьют. Я должна что-то сделать.

— Конечно, — развела руками Наташка.

Солдатова Евгения Петровича, который наведывался к нам, застать не удалось. Трубку поднял мужчина, представившийся Олегом Эдуардовичем. С максимальной убедительностью я поведала ему свою историю, особо указав на то, что страх за свою жизнь не способствует скорейшему выздоровлению больного и меня, как врача, это беспокоит. В отличие от своего коллеги Олег Эдуардович оказался более любознательным.

— Он назвал свое имя?

Я немного растерялась: может, и назвал, только я не догадалась спросить об этом у Аси.

— Сейчас я разыщу сестру и узнаю, — виновато ответила я.

— Я подъеду через час, — заверил он и записал приметы моего пациента.

Приехал он через три часа, когда я уже перестала ждать и начала подбирать слова и выражения для очередного телефонного разговора. Олег Эдуардович, оказавшийся тридцатилетним жгучим брюнетом с карими глазами и ресницами до подбородка, вошел в ординаторскую и, предъявив удостоверение, спросил:

— Можно с ним поговорить?

— Попробуйте, — кивнула я, испытывая легкое удовлетворение от того, что кто-то проявил должный интерес к моему «крестнику».

В палате Олег Эдуардович пробыл полминуты — больной спал, и беспокоить его я не позволила. Он посмотрел на бледное лицо, скользнул взглядом по наколке и кивнул.

— Вы его знаете? — не удержавшись, спросила я уже в коридоре.

— Еще бы, — вроде бы усмехнулся он. — Человек

он у нас известный. И, честно вам скажу, избери вы в субботу другую дорогу, многим бы услугу оказали.

— Вы имеете в виду тех, кто его хотел убить? — сурово нахмурилась я.

Олег Эдуардович тяжело вздохнул.

— Человек этот стойкий противник законов и почти все успел нарушить. В общем, ценным членом общества его никак не назовешь. Сейчас в городе неспокойно, думаю, в результате очередной бандитской разборки он и заполучил пули. И если бы не вы... — В голосе его звучала печаль и горькая обида. На меня это произвело впечатление.

— И что теперь? — как можно ласковее спросила я.

— Ничего, — пожал он плечами. — Лечите. Такие обычно живучие.

— Он боится, что его убьют, — напомнила я.

— В больнице? Это вряд ли... дождутся, когда выйдет, вот тогда может быть...

Я добавила в голос ласковости:

— Вы меня не поняли. Человек боится за свою жизнь, и у него для этого есть основания. Что вы собираетесь делать?

— Я? — искренне удивился он.

— Разумеется. Насколько мне известно, именно милиция оберегает жизнь сограждан от всяческих посягательств. Или я что-то пропустила и издали новый закон?

— Мне не понятна ваша ирония, — вздохнул Олег Эдуардович.

— А мне не понятна ваша позиция, — ответила я. — Я врач и лечу людей, не спрашивая, кто они и что затеяли сотворить завтра: ограбить ребенка или взорвать весь этот мир к чертям собачьим. Я просто выполняю свой долг. У вас же есть свой. Думаю, вы обязаны его выполнять. Обязаны?

— Обязан, — неохотно согласился он. — И как, по-вашему, я должен его выполнить?

— Охранять этого человека от возможных убийц.

— Да он сам убийца, — все-таки сорвался Олег Эдуардович — нервы у него были так себе.

— Тогда посадите его в тюрьму, — кивнула я. — А если не имеете такой возможности, потому что он умнее и удачливее вас, выполняйте свой долг.

Он лучисто мне улыбнулся:

— Такая красивая женщина и такой характер, — попробовал схитрить Олег Эдуардович.

— Прекратите, — сурово отрезала я. Он убрал улыбку. Тут в коридоре появилась Ася.

— Марина Сергеевна, дядечка ваш... этот... вас зовет.

— Теперь я могу с ним поговорить? — вежливо спросил Олег Эдуардович.

— Можете, — кивнула я. — Только должна вам напомнить, что допрашивать раненых и больных, находящихся под действием наркотических средств, вы не имеете права. Все, что он вам сейчас скажет, в суде недействительно.

— Марина Сергеевна, — вздохнул он, — вашу бы энергию, да в другое русло... — Он пошел в палату, а я стала ждать, что из этого выйдет.

Появился он где-то через полчаса.

— Что он вам сказал? — вежливо поинтересовалась я.

— А ничего, — усмехнулся Олег Эдуардович с некоторым злорадством. — Темно было, никого не видел, ничего не слышал и знать не знает, за что в него могли стрелять. Обычная история: они всегда молчат.

— Послушайте, но ведь он мне сказал... — начала я.

— Да? А мне он ничего не сказал. Всего доброго, Марина Сергеевна. — Он проникновенно улыбнулся на прощание и зашагал к выходу. Поразмышляв, я решила навестить завотделением. С утра он пребывал в благодушном настроении и меня встретил милостиво. Я начала с места в карьер:

— Павел Степанович, просто не знаю, что делать. Больной из первой палаты, Стариков, заявил, что его хотят убить. Я позвонила в милицию, пришел их сотрудник, поговорил с больным и ушел. Вроде бы их все это не касается. А если Стариков прав и его действительно здесь у нас убьют? Нужен нам труп в отделении?

Трупы мы не жаловали в принципе, а попасть в газету в раздел «Криминальная хроника» и вовсе было делом неприятным. Непременно копать начнут, лезть во все щели и задавать вопросы, например, почему сотрудников на данное время оказалось вдвое меньше, чем положено... Эти мысли отчетливо читались на высоком челе моего шефа.

— Они совершенно не желают понять, что у нас здесь больница и мы несем ответственность за людей... Даже теоретическая опасность... — зашлась я от негодования, а потом вожделенно поглядела на бутылку боржоми. Шеф торопливо налил мне целый стакан и уверенно заявил:

— Я сейчас же этим займусь. Не волнуйтесь, Марина Сергеевна, работайте спокойно, а этим деятелям придется несладко.

Слово шефа дорогого стоило: к концу моего дежурства возле двери первой палаты сидел милиционер в штатском, слегка расхлябанный и скучающий. Но это все же лучше, чем ничего.

Так совершенно незаметно спасение жизни незнакомого человека стало для меня личным делом. Хотя у него и имелись имя и фамилия, с легкой Наташкиной руки все в отделении называли его «твой дядька», и я сама, забываясь, говорила «мой», испытывая за него некоторую гордость: он уверенно и быстро шел на поправку. Одно было плохо: «мой дядька» никак не желал поверить, что находится в безопасности.

Я пыталась навести справки о его родных. Олег Эдуардович, к которому я обратилась вновь, несколько раздраженно заявил, что знает только одного близкого родственника моего пациента: зовут его серый волк и обитает он в тамбовских лесах. Я не стала сердиться на человека.

Собственные мои попытки отыскать его родственников к успеху не привели.

— Не слишком ли далеко ты заходишь? — недоумевала Наташка.

— А я никогда не разделяла твоей страсти к полумерам. Берешься за дело, так делай по максимуму.

В четверг Стариков окончательно пришел в сознание, и сразу же наметилось ухудшение. Больной волновался и звал меня.

— Ты съездила? — спросил он, как только я вошла в палату. — Нашла его?

— Послушайте, — начала я, — возле вашей двери дежурит милиционер, здесь вы в безопасности...

— Дурочка, — зло засмеялся он и тут же протянул ко мне руку. — Прости, дочка. Мне надо уходить отсюда.

— Вы не понимаете... вам нельзя. Еще минимум две недели... И даже после этого вы должны находиться под наблюдением врача.

— Они быстро узнают, — заметался он. — Я здесь как заяц в силке... Дочка, отыщи моего парня, только скажи ему, а он найдет выход...

— Хорошо, давайте я позвоню ему. Телефон есть?

— Какой телефон... — Он засмеялся и покачал головой. — Найди его, слышишь, Алена должна знать... — Он так разволновался, что ему пришлось сделать укол. Я пребывала в смятении. Может, действительно стоит съездить в этот Цыганский поселок? Искать там неведомую Алену и спрашивать о каком-то парне, которого «дядька» даже не удосужился назвать по имени? Нет, все это здорово отдавало дрянным детективом, к тому же ехать туда одна я просто боюсь, а желающие составить мне компанию вряд ли отыщутся.

Около двенадцати меня разыскала Ася.

— Марина Сергеевна, — с видом профессионального заговорщика зашептала она, — сейчас звонили по поводу вашего...

— Хорошо, — пожала я плечами. — Должно быть, родственники нашлись.

Ася кашлянула и заметила виновато:

— Голос такой противный, спрашивал, пришел ли в себя...

Я насторожилась. Асины сомнения вдруг передались и мне.

— А ты что сказала?

— А я сказала, что по телефону справок не даем, и трубку бросила. А он опять звонит. Я ему: обратитесь к лечащему врачу.

— Правильно, — кивнула я, Ася улыбнулась.

— Боязно, Марина Сергеевна, — через минуту сказала она. — А эти, что у палаты должны дежурить, на посту сидят с медсестрами. А то курить уйдут, и на целый час...

— Указывать, где им сидеть, мы с тобой, пожалуй, не можем...

— Да уж... целый день языками чешут, а такие крутые, куда деваться...

— Ты повнимательнее будь, если что-то не так, сразу ко мне.

Беспокойство тугим клубком залегло где-то в левой стороне груди и больше не отпускало. В три часа в ординаторскую постучали. Я крикнула:

— Да.

Дверь открылась, заглянула Ася и сказала:

— Марина Сергеевна, тут родственник больного, спрашивает о состоянии...

— Проходите, — кивнула я, и он вошел.

— Здравствуйте.

Его глаза впились в мое лицо и проглотили его вместе с белой шапочкой на голове.

— Садитесь, пожалуйста, — сказала я и стала перекладывать на столе бумаги. Мне требовалась как минимум минута, чтобы унять сердцебиение и прийти в себя. Тип, что сидел напротив, вызывал в моей душе смятение. Узкое лицо, узкие глаза, узкий рот. Хищный, как ястреб. Мне стало ясно: он именно тот, кого смертельно боялся мой подопечный.

Закончив с бумагами, я сложила руки, довольная

тем, что они не дрожат, ободряюще улыбнулась и сказала:

— Я вас слушаю.

— Меня интересует Стариков Юрий Петрович.

Я подняла брови.

— Стариков... ах, да, первая палата. Он поступил без документов и лежал, так сказать, безымянный. Нам пришлось обратиться в милицию. Одну минуту... — Я стала вновь перекладывать бумаги. Он пристально наблюдал за мной. Не взгляд, а луч лазера. — Вы родственник? — спросила я.

— Да.

— Близкий?

— Ближе у него нет.

— Что ж... буду с вами откровенна... — Я прочитала десятиминутную лекцию, обильно снабдив ее латинскими терминами.

Он мог понять одно слово из двадцати, если, конечно, не был врачом. Врачом он не был, он был убийцей, я это кожей чувствовала. Внимательно слушал, надеясь, что я подавлюсь очередным труднопроизносимым словом и скончаюсь от удушья. Подобные слова — мое хобби, от них я не умру, так же как от его взгляда, как бы он ни старался просверлить во мне основательную дыру. Для моей кончины требовалось кое-что посущественнее.

Я обратила внимание на карман его пиджака. Он заметно оттопыривался и наводил на невеселые мысли. Я произнесла последнюю фразу, с сочувствием вздохнула и закрыла рот.

— Как он, доктор, выкарабкается? — разлепил узкие губы этот тип.

— Делаем все возможное, — пожала я плечами. — Но вы должны понять: врачи не боги. Он до сих пор не пришел в себя, и его состояние особого оптимизма не внушает.

— Но шанс есть?

Я опять пожала плечами.

— Шанс есть всегда. Более или менее значительный... В этом случае скорее менее... В общем, ничего обещать вам, к сожалению, не могу.

— Но надеяться-то можно? — не унимался тип.

Я пожала плечами в третий раз.

— Чудеса еще случаются...

— А взглянуть на него я могу? — хищно спросил тип.

— Он в реанимации, доступ туда закрыт, но вы можете увидеть его в окно. Идемте, — сказала я и повела его к первой палате. Он торопливо заглянул в окошко. Стариков Юрий Петрович лежал неподвижно, с голубоватой бледностью в лице и плотно сомкнутыми веками. Гостю он, должно быть, понравился.

— Он неплохо выглядит, — заверила я.

— Да уж... — как-то туманно ответил он, и мы пошли к выходу.

— А почему он к вам попал? — спросил тип. — Мы через «Скорую помощь» искали.

— Его доставила не «Скорая помощь», а какой-то водитель на своей машине. Обнаружил на лесной дороге.

— Адрес оставил? — жестко осведомился тип и поспешно добавил: — Надо бы отблагодарить человека.

«Уж как-нибудь без вашей благодарности», — подумала я, а вслух сказала:

— К сожалению, нет. Он не представился, а нам и вовсе не до расспросов было, требовалась срочная операция. Попробуйте дать объявление в газету, может, откликнется.

Идея ему не особенно понравилась, и правильно, откликаться на его объявление я точно не стану.

Заботливый родственник сказал «до свидания» и удалился, так и не поинтересовавшись, что же случилось с близким человеком: авария или внезапный приступ аппендицита. Да и зачем, он не хуже меня знал, что аппендицитом здесь не пахнет. Может, те пули, что я извлекала с таким старанием, именно он и послал в цель?

Я вернулась к первой палате. Охрана в образе мордастого парня лет тридцати тосковала на стуле.

— Вы уже сообщили своему начальству? — ласково спросила я.

— О чем? — удивился он.

— О том, что Стариковым интересовался очень подозрительный тип. Ася ведь вас предупредила?

— Ну... предупредила, — отозвался он. — А почему сразу «подозрительный»? Пришел человек о здоровье справиться... Детективы надо меньше смотреть.

Мне очень хотелось свернуть ему шею, думаю, у меня неплохо бы получилось. Я и помыслить не могла, что всего через несколько часов я приложу немало усилий, чтобы вернуть к жизни этого сукиного сына, сидящего передо мной в ленивой позе.

Посовещавшись с Наташкой, я решила, что интерес к моему «крестнику» на некоторое время должен поутихнуть. Как выяснилось, мы жестоко заблуждались.

Около восьми в отделении появился посетитель. Я спешила по делам. А он шел по коридору мне навстречу. Поначалу я не обратила на него внимания, идет себе человек в белом халате, как видно, навестить родственника... И вдруг натолкнулась на его взгляд. Тот «дневной» тип рядом с ним выглядел невинным младенцем. Сердце подскочило и забилось где-то в горле.

Я быстро огляделась: слишком много людей вокруг, чтобы он мог вести себя особенно нагло. Даже типы с такими сумасшедшими глазами не открывают без причины стрельбу.

Я проводила его взглядом, он уверенно шел к первой палате. Мне хорошо был виден коридор и пустой стул, на котором должен был восседать охранник.

— Молодой человек, вы куда? — окрикнула я. — Там реанимация, посторонним вход запрещен.

В этот момент из третьей палаты появился медбрат с капельницей, преграждая ему путь. Тип притормозил, мазнул глазами вокруг и, не отвечая, пошел к выходу. Я предусмотрительно шарахнулась в сторону, съежившись под его взглядом до размеров булавочной головки. Мне расхотелось спрашивать, что он здесь делает. Впрочем, мудрость не свойственна одиноким женщинам, рожденным в год Свиньи, теперь мне это доподлинно известно.

Я бросилась искать охранника. Он шел из туалета, я подскочила к нему и машинально схватила за локоть.

— Только что в отделении был убийца...

— Серьезно? А вы откуда знаете?

— Вы бы видели его глаза...

— Вы бы видели глаза моей жены, когда я ей зарплату приношу...

— По крайней мере, не отходите от палаты.

— Что ж теперь, и в туалет нельзя?

Я покачала головой и пошла в ординаторскую. Наташки там не было. Я постояла немного, разглядывая линолеум, порванный в двух местах, и вернулась в коридор. Этот визит навел меня на мысль, что «крестник» мой до утра не доживет. Если я, конечно, не вмешаюсь.

Лестничная клетка отделяла хирургию от терапевтического отделения. Я направилась туда. Дверь терапии запиралась на крючок, я слегка ее подергала, и она открылась: фокус, известный всем в обоих отделениях. Лампы в этом крыле выключены, значит, палаты пустуют. Ближайшая ко мне «платная» с телевизором и душем была заперта, но ключ торчал в замке.

Я открыла дверь и вошла. На пару часов лучшего убежища не найти. Я торопливо вернулась в свое отделение. Наташка сидела в ординаторской.

— Ты чего дерганая какая-то? — спросила она.

— К нему приходили. Убийца.

— Что, так и представился?

— Без надобности. По глазам видела. Сначала один днем, а сейчас еще один со звериным взглядом. Если мы дядьку не вывезем, он труп.

— Спятила, — растерялась Наташка. — Что значит вывезем? Его место в больнице. И куда мы его перевезем, к тебе на квартиру? Можно, конечно, ко мне, да соседи на стенку полезут, скажут, опять мужика притащила.

— Он мне адрес дал... Подменишь меня, я мигом...

— Маринка, это не наше дело... В конце концов, ты можешь ошибаться.

— Точно, только проверять, так ли это, охоты нет никакой. Если мы его вывезем, у него появится шанс.

— Мы его не вывезем, — серьезно возразила она. — Некуда, это во-первых, во-вторых, если ты права, то они наверняка следят за больницей. Нас засекут и убьют вместе с ним.

— Точно. Поэтому мы спрячем его здесь, в больнице, в терапии, в платной палате. Ночью туда никто не сунется, свет можно не включать, а ключ возьмем с собой.

— А если ему станет хуже?

— Рискнем.

— Ты понимаешь, что это подсудное дело?

— Жизнь человеку спасти?

— Маринка, менты говорят, он бандит.

— Ага. Мы будем сидеть и ждать, когда его убьют.

— Позвони в милицию.

— Да им плевать... Ладно, не суйся. Помоги мне переложить его на каталку, а дальше я сама.

— Дура, мать твою... — рявкнула Наташка и шагнула к двери.

Вся процедура заняла минут двадцать. Работы слаженнее мне в жизни наблюдать не приходилось. Наташка работала, как швейцарские часы: уверенно и с максимальной точностью, а про меня и говорить нечего. Нам повезло, к этому времени пациенты уже заняли свои места ближе к телевизору, и мы беспрепятственно перевезли «крестника» в соседнее отделение, ни в коридоре, ни на лестничной клетке не встретив ни души.

— Оставим его на каталке? — заговорщицки прошептала Наташка уже в палате.

— Конечно. Одна здесь справишься?

— Справлюсь. А ты?

— Меня этот тип беспокоит, как бы он не вернулся.

— И что ты сделаешь? — ехидно спросила она.

— Откуда мне знать? Встану грудью. Между прочим, у нас больные...

— Да знаю я, знаю... А душа тоскует... Не делом мы занялись.

Дослушивать я не стала, выскользнула из палаты и вернулась в отделение. Стул возле первой палаты по-прежнему пустовал. Я прошла по коридору. Дверь на лестничную клетку была открыта. Спустилась на первый этаж. Возле подъезда на скамейке сидели две молодые женщины и курили. Пришлось напомнить им о режиме. Очень неохотно они отправились в палату. Я заперла дверь на засов, впервые согласившись с начальством, что дисциплина в больнице заметно упала.

Поднялась в отделение, заперла дверь на ключ и даже несколько раз толкнула ее плечом. Не будут же они брать отделение штурмом? Или будут?

Мордастый парень сидел на третьем посту и хихикал с медсестрой.

— Прошу прощения, — сухо сказала я. — Но ваше место возле первой палаты.

— Да ладно... — начал он, но под моим ледяным взглядом поднялся и неторопливо зашагал к своему посту. Медсестра притихла и стала что-то искать в столе. Ну вот, сегодня я у всех вызываю отрицательные эмоции.

Я прошла по отделению, заглядывая в палаты. Беспокойство меня не отпускало, я чувствовала себя как в осажденной крепости. Вернулась встревоженная Наташка.

— Дверь заперла?

— Конечно. Как ты велела. И вышла через первый пост. Ох, и получим мы по ушам...

— Не канючь. Ты здесь вообще ни при чем.

— Как бы не так, — разозлилась она.

— Ладно, я поехала. Надеюсь за час обернуться. Только бы без сюрпризов... Справишься?

— Куда ты едешь?

— Цыганский поселок...

— Куда? — вытаращила она глаза.

— Долго объяснять... Если что, звони в милицию. На этого типа, что у палаты тоскует, надежды никакой.

— У него пистолет есть, сама видела.

— Идем. Выпустишь меня и дверь запрешь.

Я сбросила халат, прихватила сумку и покинула больницу через приемный покой.

Было еще светло, но в кустах у стоянки сгустились сумерки и идти туда не хотелось. Я зябко поежилась. А если за мной следят? Ладно валять дурака, одернула я себя. С какой стати им за тобой следить?

Тут я подумала о машине и глухо застонала. А что, если она не заведется, на буксире таскать? Объясняй потом, по какой надобности и куда меня в рабочее время нелегкая носила. Я устроилась на сиденье, сделав несколько весьма дельных замечаний своей машине. Она неожиданно прониклась, потому что завелась сразу. Мысленно перекрестившись, я рванула с места.

Дорога была каждая минута, но ехать через лес я все-таки не рискнула. И изводила себя дурными мыслями. По существу, пытаясь спасти одного человека, я рисковала жизнями других. Ладно, там Наташка, кое-что она умеет не хуже меня, хоть и любит иногда прикидываться.

То и дело поглядывая в зеркало заднего обзора, я вылетела на шоссе. Про пост ГАИ, конечно, забыла. Страж дороги выпорхнул из тени будки, но, опознав мое транспортное средство, демонстративно отвернулся. Я попыталась выжать из машины все, на что она теоретически была способна.

Так называемый Цыганский поселок находился за железнодорожным переездом. Сбившиеся кучей несколько домов на отшибе, асфальта здесь не было, а само место пользовалось дурной славой. По доброй воле я бы ни за что сюда не сунулась.

Переезд был открыт, еще одна удача. Слева высились здания химкомбината, а дальше начиналась дикая территория, без уличного освещения и прочих благ цивилизации.

Тут я сообразила, что точного адреса у меня нет.

Мало того, я даже не знаю, кого ищу. Неведомый «он», который должен спасти жизнь человеку, тоже мне незнакомому. Я почувствовала себя дурой, но отступать было поздно: надо попытаться отыскать Алену, а там посмотрим...

Я въехала на единственную в поселке улицу, хотя назвать ее улицей было нельзя. По какому принципу здесь располагались дома, не понять самому Господу Богу. Меня встретили сумерки, лай собак и полное отсутствие граждан на улице. Покидать машину было страшно, а кричать «Алена» глупо. Впору разреветься или плюнуть на эту затею и вернуться в больницу. В конце концов, есть милиция и им за что-то платят деньги.

Искушение было весьма велико. Тут хлопнула калитка, и справа возник мальчишка лет семи с пушистым котом на руках.

— Мальчик, — обрадовалась я, — где здесь живет Алена?

Мальчишка нахмурился, подозрительно глядя на меня и мою машину.

«А если здесь не одна Алена?» — с опозданием подумала я.

— Зачем она вам? — наконец спросил мальчишка.

— У меня к ней важное дело, — заискивающе пояснила я и добавила: — Честно.

— Поезжайте за мной, покажу.

Через несколько минут мы оказались возле садовой ограды. Мальчишка подошел к калитке и, не обращая на меня внимания, исчез в саду. Я стала ждать. Прошло минут десять, не меньше, наконец появилась женщина. Ничего цыганского, как и в мальчишке, в ней не было. Обыкновенная женщина лет тридцати в цветастом халате. Я обрадовалась, но, как выяснилось, рано.

— Чего вам? — хмуро спросила она.

— Я ищу Алену.

— Ну, я Алена и что?

— А другой здесь нет? — насторожилась я.

— Вам чего надо?

— Так есть или нет?

— Нет.

— Видите ли, — вздохнув начала я, — меня человек послал, он сейчас в больнице. Сказал: «Найди Алену, передай, что Старик прислал, он у нее». Я не знаю, кто такой этот «он», но мне он очень нужен.

Женщина усмехнулась.

— Мне всякие глупости слушать некогда.

— Подождите, — я испугалась, что она сейчас же уйдет. — Я понимаю, что все это звучит глупо, но если тот, кто мне нужен, у вас, передайте, что речь идет о жизни этого самого Старика. Зовут его Стариков Юрий Петрович. Вам это ни о чем не говорит?

— Ни о чем. Я живу вдвоем с сыном. Кто-то над вами подшутил.

Она резко повернулась и исчезла за калиткой. А я осталась сидеть в машине. Может быть, я что-то напутала? Ничего я не напутала: это Цыганский поселок, Алена, и именно здесь должен быть тот, кто мне нужен. По крайней мере, Алена должна знать, где его найти.

Я посидела немного, собираясь с силами. Потом вышла из машины и решительно направилась к калитке. Не для того я потратила столько сил, чтобы проиграть из-за упрямства какой-то бабы.

Я подходила к крыльцу, когда дверь широко распахнулась и женщина сказала мне:

— Заходите...

Я вошла и оказалась в небольшой чистенькой кухне, мальчишка сидел за столом, но при моем появлении торопливо поднялся и исчез за дверью.

— Садитесь, — кивнула женщина, и я села на стул, который перед этим занимал ее сын. А она попросила: — Расскажите, в чем дело...

— Я врач областной больницы, в субботу ночью к нам поступил мужчина с огнестрельным ранением. После операции пришел в себя, попросил найти человека, который должен быть у вас. Стариков считает, что находиться в больнице для него опасно. Поначалу я не очень обращала на его слова внимание, но сегодня кое-что произошло, и я испугалась. Думаю, он прав, и его действительно хотят убить...

В этот момент я почувствовала чье-то присутствие, оглянулась и едва не вскрикнула от неожиданности: возле двери стоял мужчина и внимательно меня рассматривал. Все типы, виденные мною в этот день, разом показались симпатягами.

Он был огромным. Не просто высоким и крепким, а именно огромным. Наголо бритая голова с небольшими приплюснутыми ушами. Противнее физиономии я в жизни не видела. А глаза яркие, настороженные и пустые, как у ящерицы. Он здорово напоминал динозавра: максимум силы и агрессии, минимум интеллекта. Такой способен разорвать человека на куски и, не оборачиваясь, пойти дальше. В общем, он был человекообразен, если применять этот термин в расширенном смысле.

С опозданием я начала понимать, во что ввязалась. Мне разом захотелось три вещи: посетить туалет, выпить воды и упасть в обморок. Я решила ограничиться водой, перевела взгляд на хозяйку и попросила:

— Можно стакан воды?

Она с пониманием кивнула. Я торопливо выпила целую чашку, легче от этого не стало.

Верзила прошел в кухню и сел за стол прямо напротив меня. Дом слегка содрогнулся под его шагами, а я испуганно поежилась.

— Рассказывай, — произнес он, пристально глядя в мое лицо. Голос у него был странным: я-то ожидала громогласный рык или леденящий душу хрип, а он говорил тихо, с ленцой. Неизвестно почему, это пугало еще больше. Мне захотелось стать хамелеоном и слиться с обоями на стене, тогда я чувствовала бы себя много лучше.

Я торопливо повторила свою историю. Он слушал не перебивая, продолжая сверлить меня взглядом. Я выбрала точку в стене чуть выше его плеча и уставилась на нее. Так было легче переносить тяготы жизни.

Произвел мой рассказ впечатление или нет, судить не берусь. На его физиономии ничего не отразилось. Верзила поднялся и сказал своим ни на что не похожим голосом:

— Едем.

— Куда? — растерялась я.

— В больницу, — терпеливо пояснил он.

— Да вы не поняли. — Я вздохнула, посмотрела на него и отвела глаза. — Вы не можете вот так просто забрать его. Нужен врач, специальные аппараты...

Он кивнул, но понял меня или нет, по-прежнему оставалось загадкой. Видя, что я не собираюсь подниматься со стула, он добавил:

— Все будет, — и вышел с кухни.

Я перевела взгляд на хозяйку. Она стояла у окна, хмурилась и теребила пояс халата. Минут через десять верзила вновь появился в кухне, кивнул мне и пошел к выходу. Я отправилась следом.

Пока я искала ключи от машины, он терпеливо стоял рядом и вроде бы смотрел на куст сирени напротив. Ключи я нашла, села в машину, прикидывая: заведется она или нет? Она не завелась. Поурчала, поурчала и стихла. Запас ее благородства на сегодня был исчерпан.

Я испуганно посмотрела в окно. Верзила исчез. Тут на улице показался мальчишка, распахнул ворота, которые я до этой минуты не замечала, и на дорогу вылетела темная «Ауди». Правая дверь открылась, и тихий голос позвал:

— Садись.

Как ни была я напугана, но головы не теряла.

— Я не могу ее здесь бросить, — развела я руками.

— Не переживай, — сказал верзила и отвернулся. Мысленно чертыхаясь, я покинула свою машину и пересела к нему. Он сказал: — Пристегнись. — И мы полетели.

Через две минуты я поняла, что сильно заблуждалась на свой счет. На самом деле я очень дисциплинированный водитель и о настоящей скорости не имею представления. Я зажмурилась, вжала голову в плечи и попробовала думать о чем-то приятном.

Когда сердце стало биться в нормальном ритме, я рискнула приоткрыть левый глаз. Верзила как раз звонил по телефону. Спросил:

— Все готово?

Не знаю, что ему ответили, он молча убрал телефон и сосредоточился на дороге. Мы свернули к больнице.

— Они ведь могут следить, — неуверенно произнесла я. Он кивнул. Разговорчивым его не назовешь.

К стоянке он проезжать не стал, свернул к гаражам и очень медленно объехал вокруг здания больницы. Сделав полный круг, опять свернул и остановился на полпути к лесной дороге. Я начала злиться: сколько сил потрачено, а он ведет себя как придурок.

— Послушайте, — начала я. Он повернулся ко мне, и я замолчала.

— Что? — немного подождав, спросил он. Я вздохнула.

— Через приемный покой вы незаметно пройти не сможете, а в подъезд опасно: они ведь могут следить.

— Где он?

— Второй этаж, терапевтическое отделение, семнадцатая палата.

— Я пойду.

Мне ничего не оставалось, как покинуть машину. Стараясь выглядеть естественно, я через приемный покой вошла в здание больницы, поднялась на второй этаж и постучала в дверь терапевтического отделения. Открыла мне сестра с третьего поста.

— Добрый вечер, — сказала я. — Как дежурство? Варвара Сергеевна здесь?

— Здравствуйте, она в ординаторской.

Варька дремала на кушетке, услышав скрип двери, подняла голову.

— Спи, — тихо сказала я. — Журнал возьму...

— В верхнем ящике, — зевнула Варька. — У тебя кофе есть? Все выхлебали, гады, а купить некому. Что за люди, а?

— Приходи через полчасика...

— Как у вас, тихо?

— Бог миловал... — Я взяла журнал «Смена» и осторожно вышла. Медсестра первого поста подняла голову.— На крючок не запирайтесь, — сказала я. — Я сейчас вернусь.

Она равнодушно кивнула. Пока все идет отлично. Я постучала в дверь своего отделения.

— Кто? — спросила Наташка, голос дрожал.

— Я.

— Слава тебе Господи... — зашептала она, впуская меня.

— Как дела?

— Все нормально, только страшно очень, черт знает почему. Нашла, кого искала?

— Нашла. Ключи от бокового входа у тебя?

— Вот. И от отделения, и от бокового входа. Может, мне с тобой?

— Запри дверь и не высовывайся. — Взяв ключи, я вернулась в терапию. Коридор тонул в темноте. Я шагнула к палате и резко повернулась. От стены отделился темный силуэт, свет из окна упал на него, и я с облегчением вздохнула: тот самый верзила. Спрашивать, как он сюда попал, охоты не было.

Я открыла дверь палаты, мы вошли, он сразу же направился к каталке. Свет я не включала, но было не настолько темно, чтобы он не смог разглядеть лицо лежавшего на ней человека. Дядька был в сознании, попробовал улыбнуться:

— Ты...

— Я, — кивнул верзила.

— Слава Богу. — Он перевел взгляд на меня и добавил: — Спасибо, дочка.

Все остальное заняло несколько минут. Я еще только соображала, как вывести больного, а верзила уже подхватил его на руки и шагнул к двери. Давать советы я поостереглась, мне хотелось только одного: чтобы они поскорее исчезли из моей жизни.

Я шла впереди, указывая дорогу. Если бы мы вдруг встретили кого-нибудь из персонала больницы, мне пришлось бы долго объяснять, что за чертовщина здесь происходит. Но мы никого не встретили. С сильно бьющимся сердцем я открыла уличную дверь и осторожно выглянула. Отсюда до машины верзилы было довольно далеко. В этот момент он высунулся и тихо свистнул. В ту же минуту из-за угла появилась «скорая помощь».

Я растерянно замерла, а из «скорой помощи» вышел врач, по виду самый что ни на есть настоящий. Двери распахнулись, моего бывшего пациента умело загрузили, и, подмигнув мне габаритами, машина скрылась за углом. Я стояла с открытым ртом и потому прозевала номер машины, как в свое время шанс удачно выйти замуж.

В задумчивости я пребывала минут десять, стараясь понять: действительно ли все кончилось или это лишь мои мечты. Потом вернулась в больницу, заперла дверь и уже гораздо увереннее стала подниматься в свое отделение.

Над головой хлопнула дверь, раздался стук, а вслед за ним Варькин голос:

— Эй, вы чего закрылись?

Встречаться с ней сейчас было неразумно, я вернулась на первый этаж, где у нас гинекология, прошла к центральному подъезду и отсюда поднялась на второй этаж.

Дверь в отделение была открыта. Это меня насторожило. Хотя виновник моих тревог отбыл в неизвестном направлении, страх почему-то не исчез, и открытая дверь прямо-таки пугала. Из приемного покоя больных доставляют на лифте, а ключ от двери должен быть у Наташки. Следовательно, открыть дверь никто из персонала, а тем более из больных не мог.

Я торопливо зашагала по коридору, свернула за угол и тут увидела его: тип в белом халате со взглядом убийцы возвращался от первой палаты. Поравнявшись с ординаторской, он толкнул дверь и вошел, а я буквально похолодела. И кинулась к первому посту. Медсестры там не было, зато из четвертой палаты появилась Наташка.

— Кто в ординаторской? — испуганно спросила я.

— Никого. Я пять минут как оттуда.

— А ключ?

— Да там не заперто. Все нормально? Увезли? Ты чего такая?

— Ключ у тебя?

— В двери торчит...

— Позвони с поста в милицию: этот здесь. И найди охранника, черт знает, где его опять носит.

Наташка попыталась еще что-то спросить, а я уже неслась по коридору. До ординаторской оставалось всего несколько метров, когда дверь палаты напротив открылась и в коридоре показался один из больных, Иван Петрович. Господи, что ему здесь понадобилось?

— Марина Сергеевна, сосед на боли жалуется...

У меня засосало под ложечкой, тот, в ординаторской, наверняка его слышит. Как можно спокойнее я ответила:

— Вернитесь, пожалуйста, в палату, я сейчас подойду.

Он ушел, а я шагнула к двери, больше всего на свете боясь, что столкнусь с тем типом нос к носу. Но он, как видно, решил не торопиться.

Левой рукой я ухватилась за ручку двери, а правой быстро повернула ключ в замке, дважды. И к стене привалилась. Теперь главное, чтобы никто не появился в коридоре.

В ординаторской было тихо, ни шагов, ни подозрительного шороха. Наташка торопливо шла мне навстречу.

— Позвонила? — спросила я.

— Ага. А охранника нигде нет.

Я так и стояла у двери до тех пор, пока не приехала милиция. Явились они быстро, но мой рассказ впечатления не произвел.

— У него может быть оружие, — предположила я. — Надо эвакуировать больных...

Один из прибывших взглянул на меня с сожалением, спросил:

— Ключ где?

— В двери, — ответила я и наконец отлепилась от стены.

Он деловито шагнул вперед, а его товарищи выжидающе уставились на дверь. Она открылась, он вошел, правда, с осторожностью. Вслед за ним вошли остальные. Я тоже вошла.

Ординаторская была пуста. Легкий ветерок шевелил занавеску на открытом окне.

— Удрал, — высказала я предположение. Тот, что был за главного, выглянул в окно, хмыкнул и сказал:

— Конечно.

Мне не понять его иронии, лично для меня второй этаж проблема. Впрочем, тот, что здесь недавно расхаживал, выглядел очень решительно. Все дружно посмотрели на меня, а я чувствовала себя полной дурой.

— Что ж, — опять усмехнулся главный. — Бывает...

— Что бывает? — ринулась я в атаку. — По-вашему, я все это придумала?

Он пожал плечами:

— Я этого не говорил...

— Но вы так думаете.

— Думать я могу что угодно. Это не возбраняется. Но поднимать людей по тревоге только потому, что вам что-то привиделось...

— Вы его лица не видели.

— Ах, лица... тогда конечно, — он кивнул на телевизор. — Беда от этого ящика... — и пошел из ординаторской.

Я хотела возмутиться, но передумала. Тот, за чью жизнь я волновалась, благополучно покинул эти стены, а остальное не мое дело: на один вечер неприятностей хватит... Как оказалось, я ошиблась: все было еще впереди.

Стражи порядка шли по коридору, когда из первой палаты выскочила Ася с совершенно белым лицом.

— Марина Сергеевна, — стуча зубами, сказала она. — Там, в палате, охранник, раненый. А дядечки нет...

Стражи как по команде развернулись и ускорили шаг. Но до меня им было далеко.

Наш незадачливый охранник полулежал в углу, держась руками за живот, между пальцев стекала кровь, а сам он был без сознания.

— Черт... — кто-то охнул за спиной в два голоса, но мне уже было не до этого...

Задать мне свои вопросы в тот день им так и не удалось. Я была вымотана до предела и от разговоров решительно уклонилась. Прибыл шеф, взглянул на меня и тоже оставил подобную попытку. Что далее происходило в отделении, мне неведомо. Думаю, ничего хорошего. Больной исчез, а человек, который по долгу службы должен был охранять его, лежал в двенадцатой палате. Выходило, что беспокоилась я не зря, а вот кое-кому надлежало задуматься.

На следующий день мне все-таки пришлось поговорить с лысым дядькой в очках, который задавал каверзные вопросы. Я честно отвечала на большинство из них. Остальные попросту игнорировала.

Как и куда исчез Стариков Юрий Петрович, для всех оставалось тайной. Наташка в тот же день попробовала ее разгадать и обрушила на меня град вопросов. Я и не думала на них отвечать, вместо этого задала свой:

— Ты на машине?

— Спятила? Она вторую неделю без резины.

— Свистнули, что ли?

— А как же, только называется это «разули». И я тебе про машину рассказывала.

— Наверное. Только я забыла. Извини. Придется нам с тобой на троллейбусе ехать.

— А как же твоя? — насторожилась Наташка.

— А мою, наверное, тоже разули. — Мы как раз выходили из подъезда.

— Ты издеваешься, что ли? — разозлилась она.

— Я бы рада... — договорить мне не удалось: моя машина стояла на своем обычном месте. Я кивнула и добавила: — Пошутила, чего ж сразу злиться?

— Не до шуток мне после такой ночки, — посетовала Наташка. — Как думаешь, заведется?

— Кто ее знает. Попробовать всегда стоит. — Мы сели, я повернула ключ зажигания, и машина завелась.

— С полтычка, — уважительно заметила подружка и посмотрела как-то туманно.

— Мы сегодня сделали доброе дело, и Господь решил нас порадовать, — виновато сказала я.

— Замучаешься с добрыми делами, а новый аккумулятор так и не получишь, — рассвирепела она. — Рассказывай все, как было.

— Не буду, — покачала я головой. — Нам еще на разные вопросы отвечать, а ты дама жутко разговорчивая. Не знаешь — не проболтаешься...

Наташка подумала и согласно кивнула. Женщина она мудрая.

Прошло несколько дней. Все понемногу успокоились и вопросы задавать перестали. Шеф то сурово взирал на меня, то милостливо улыбался. В целом жизнь мне нравилась. До пятницы.

В пятницу я работала последний день перед отпуском. После смены мы немного задержались, чтобы отметить это событие. Выпили бутылку шампанского и до последней крошки съели торт, после чего я отправилась домой.

«Битлз» пели «Желтую подводную лодку», я стала подпевать и пошла на обгон: медленно плетущийся грузовик действовал на нервы. Вот тут он и появился: секунду назад его еще не было и вдруг вылетел с проселочной дороги, наперекор всем правилам, не желая пропускать меня. Я резко затормозила, сзади надвигалась громада супер-«МАЗа». В это утро все вроде бы спешили. Бог знает как, но я выскочила почти из-под его колес и взяла левее, но сукин сын на своем драндулете тоже шарахнулся влево, а я, вылетев на встречную полосу, прямо перед собой увидела самосвал...

Водитель отчаянно сигналил. Я уже представила лица своих подруг: «Надо же, только отпуск отметили...» После дружеского поцелуя с «КамАЗом» штопать меня будет бесполезно, кому ж знать, как не мне... Я заорала и, вывернув вправо, каким-то чудом втиснулась между двумя грузовиками.

— Мама моя, — шептала я, тормозя у обочины. От пережитого ужаса все части тела существовали как бы сами по себе, не желая работать слаженно.

Сумасшедший сукин сын тоже съехал на обочину

метрах в ста от меня, постоял немного и дальше отправился. А я вдруг поняла: меня только что пытались убить.

Вышла из машины, спустилась с обочины и прилегла на зеленой травке. Нашла в сумке таблетки и проглотила сразу две.

«Давай без истерик, — рассудительно посоветовала я сама себе. — С чего это кому-то тебя убивать? Сумасшедший сукин сын, который ездить не умеет, чуть не загнал тебя под «КамАЗ». Таких случаев каждый год по сотне. Потом он, конечно, испугался и притормозил, чтобы убедиться в том, что ты жива и даже не покалечена...» Мысль эта мне понравилась, но тут же явилась другая: тебя хотели убить, и ты даже знаешь почему... Может, не совсем знаю, но догадываюсь. Несколько дней назад я влезла на чужую территорию, где действуют свои особые законы, и вот результат...

Я посмотрела на голубое небо, посокрушалась своей способности ввязываться в неприятности и побрела к машине. Она опять легко завелась, что было неудивительно с новым-то аккумулятором, а вот двигатель по-прежнему дымил... Могли бы и его поменять. Если делать доброе дело, так по полной программе.

Вечером приехала Наташка. Долго вышагивала по моей квартире, тревожно на меня поглядывая, а потом сказала:

— Просто еще один идиот. Их на дорогах сколько угодно...

— Точно, — обрадовалась я.

— Глупые страхи.

— Конечно.

— И нечего тоску нагонять.

— Само собой, только чего ж ты зубами клацаешь?

— Так боязно...

— Вот и мне боязно.

— Маринка, у тебя же отпуск, мотай отсюда в Одессу к Вальке. Она тебя звала. Я резину купить хотела, да черт с ней, бери деньги, кати в Одессу.

— Деньги у меня есть, за отпуск получила. И Валька ждет, обещала обратный билет купить...

— Ну?

— Гну. Одесса город замечательный, но не могу я всю жизнь в гостях прожить.

— А всю и не надо. Ты отпуск поживи. Успокоишься, авось все и переменится.

Наташкины слова произвели впечатление, я потянулась к телефону с намерением звонить в Одессу.

От страхов я избавилась, как только села в поезд. Путешествия всегда меня увлекают. Попутчики попались веселые, и вопрос, хотели меня убить или нет, занимал меня не долго.

Через три недели я возвращалась домой загорелой дочерна и настроенной весьма оптимистично. Отдых явно пошел мне на пользу. Валентина Васильевна, или попросту Валька, моя институтская подруга, в очередной раз попыталась выдать меня замуж. Попытка с треском провалилась из-за моего свинского характера (Валька попросту забыла, что родилась я в год Свиньи). Так вот, хоть она и провалилась, но след в душе оставила: я чувствовала себя счастливой, юной и невероятно привлекательной, как будто только что победила на всемирном конкурсе красоты.

С вокзала я добиралась на такси. Жара стояла страшная, на пять делений термометра выше, чем в Одессе. Но даже это настроения не портило.

Я вошла в квартиру, бросила чемодан и отправилась на кухню: открыть балкон и разморозить холодильник. Перед отъездом сделать это я не удосужилась и теперь боялась в него заглянуть. Распахнув балконную дверь, я потянулась к холодильнику, да так и замерла, открыв рот. Обычно в нем, как говорится, ничего, кроме дохлой мыши, а сейчас... Кто-то основательно его загрузил.

Я достала банку красной икры (черная, кстати, тоже была), вскрыла, взяла ложку и, не торопясь, всю съела, присев на полу и размышляя. Первое, что пришло в голову: вернулся мой бывший муж. Но как-то эта мысль мне не показалась. Во-первых, с чего бы ему вот так вернуться, а во-вторых, опустошить холодильник он, конечно, способен, но заполнить первоклассным продуктом нет и еще раз нет.

Может, кто-то временно жил в моей квартире и в знак признательности оставил все это? Ключи были у Наташки, но она сама, при всей своей душевной щедрости, на такое не годилась.

Ну и что я должна думать? Кто-то перепутал мой холодильник со своим? Мне захотелось съесть банку черной икры, но, поразмышляв, я отказалась от этой мысли: если все это не дурацкий розыгрыш, то удовольствие лучше продлить.

Я зашвырнула банку в мусорное ведро, а ложку в мойку и пошла в комнату. На журнальном столе, в хрустальной чешской вазе величиной с ведро (подарок свекрови к дню моего рождения), стоял огромный букет роз. Я подошла и сосчитала цветочки: двадцать пять штук. Выглядели они свежо и нарядно. Я огляделась: нет ли иных перемен? На первый взгляд все как обычно.

Кто ж этот неведомый благодетель? Кому Наташка ключи доверила? Гадать я не люблю, потому подошла к телефону и ей позвонила.

— У кого это от жары припадок щедрости? — поинтересовалась я, как только смогла ответить на первые двадцать вопросов.

— Ты что имеешь в виду? — насторожилась Наташка, слово «щедрость» неизменно ее тревожит.

— Двадцать пять роз и целый холодильник жратвы.

— Заливаешь...

— Заливают за ворот, а я пятый день трезвая. Кому ключи давала?

— Никому. Хоть за язык повесь...

— О Господи, зачем? Только не пугай меня, а? Если ты ключи не давала, кто ж тогда по моей квартире бродил?

— Может, Андрюшка? — Андрюшка — это бывший.

— Умнее ничего придумать не могла? Двадцать пять роз переведи на бутылки. Да его удар хватит...

— Может, он изменился...

— Может. В жизни бывают вещи и вовсе невероятные. Вот один мужик с девятого этажа упал и не разбился.

— Остри на здоровье, только я вчера у тебя была, цветочки поливала, и ничего в твоей квартире такого особенного не усмотрела. И ключи никому не давала. К цветочкам претензии есть?

— Нет.

— Тогда не обессудь.

— Ладно, приезжай в гости. Как-то я все это съесть должна?

— Вечером приеду, а сейчас мне некогда.

Я повесила трубку и задумалась. Не верить Наташке причин не было, однако мысль о том, что кто-то неведомый бродил по моей квартире, вселяла тревогу. Мой дом — моя крепость. Вот тебе и высокие стены...

Тут телефон зазвонил, эта была Наташка.

— Слушай, ты золото с собой брала? Кольца, сережки?

— Нет. Зачем они на юге?

— Так проверь, а то, может, розочки оставили, а все вчистую выгребли. Видак цел? Их в первую очередь тащут... если взять нечего. Он легкий и вынести без проблем...

— Чего ты городишь? — изумилась я.

— Цел?

— Цел.

— Слава Богу... А золото проверь...

Я пошла проверять. Открыла шкатулку и слабо икнула: сверху лежали деньги. Как любит выражаться Наташка, «не рубли, а деньги», то есть доллары. Я извлекла пачку и пересчитала: тысяча «зеленых». Заглянула в шкатулку, на мое золото не позарились. Я принялась разглядывать пол, похлопывая пачкой долларов по коленке. И начала кое-что понимать. То, о чем я думала, мне не нравилось.

После обеда зазвонил телефон. Так как никто, кроме Наташки, о моем возвращении еще не знал, из ванной, где я в тот момент пребывала, я выскакивать не торопилась, а подошла не спеша, когда он прозвонил уже раз пять. Однако Наташкин голос я не услышала, и никакой другой, кстати, тоже. На том конце провода интересно молчали, наслаждаясь моим заунывным: «Алло, я слушаю...»

Я повесила трубку и еще минут десять смотрела на телефон. Потом оделась, села в кресло и стала ждать.

Ждать пришлось недолго. Где-то через полчаса в дверь позвонили, я глубоко вздохнула, собираясь с силами, и пошла открывать.

Сначала я увидела верзилу. Когда такие типы возникают перед тобой, то глаз способен зафиксировать только их, а уж потом приходит черед всяким мелочам: стенам, окнам и гражданам обычного роста. Мне понадобилась минута, чтобы сообразить: на меня со счастливой улыбкой смотрит бывший пациент Стариков Юрий Петрович.

— Здравствуй, дочка, — сказал он. Я вздохнула и сделала шаг в сторону, пропуская их в свое жилище. Они вознамерились прошмыгнуть в комнату, при этом забыв разуться. Хотя в квартире и наблюдался стойкий пылевой покров, это показалось обидным, и я сказала:

— Тапочки вот здесь, возле вешалки.

Юрий Петрович несколько суетливо вернулся в прихожую, снял ботинки и облачился в тапочки бывшего мужа. Верзиле тапок не нашлось, он потопал в носках.

Я приглядывалась к ним. Больше, конечно, к Старикову. В верзиле рассматривать было нечего, а его ответный взгляд рождал в душе смятение. В общем, я смотрела на своего недавнего пациента. Выглядел он неплохо. Куда бы ни отправился он тогда на «скорой помощи», а угодил к специалисту. Меня так и подмывало спросить, куда и к кому, но вряд ли они ответят.

Юрий Петрович устроился в кресле, вытянул ноги в тапочках и с улыбкой разглядывал меня, а я его. Дорогой костюм из легкой ткани, светлая рубашка, золотые часы, волосы подстрижены и аккуратно зачесаны назад, неприятный желтоватый оттенок исчез, седина отливала серебром, Юрий Петрович не лишен был некоторого щегольства. В целом выглядел респектабельно. Золотые часы навели меня на мысль, и я ее высказала:

— Ваши вещи, часы и перстень, в милиции...

Он как-то небрежно махнул рукой, целиком поглощенный созерцанием моей особы. Мне это надоело.

— Цветы и продукты ваша работа?

— Моя, — сказал он и улыбнулся шире.

— Я вам что, ключи от квартиры оставила?

— Не сердись, дочка, — запел он. — Хотел сюрприз сделать. Думал, приедешь, порадуешься...

— Я и порадовалась при мысли о том, что кто-то бродит по квартире в мое отсутствие.

— Прости старика, — убрав улыбку, попросил он. — Хотел как лучше, не сердись, очень прошу. Теперь на всем свете для меня нет человека дороже, чем ты, дочка...

— Вот что, Юрий Петрович, — начала я, но он меня перебил:

— Зови меня дядей Юрой...

— Никакой вы мне не дядя, и я вам не дочка. Это первое. Второе: вы мне ничем не обязаны. Я врач, мое дело лечить людей. Что я и делаю. За свою работу я получаю деньги, называется зарплата. За розы спасибо, а вот деньги заберите. — Я поднялась, достала доллары и положила на стол. — Продукты тоже. Правда, банку икры я съела, не буду врать, съела совершенно сознательно, а не по ошибке. Так что мы с вами квиты, и потому у меня убедительная просьба: появляться в моей квартире только по приглашению. Деньги за аккумулятор верну через месяц, а сейчас, извините, не могу — отпуск.

Юрий Петрович слушал, разглядывая свои руки, и заметно печалился.

— Не поняла ты, дочка, — вздохнул он. — Я, старый дурак, как-то все неправильно сделал... Не хотел я тебя обидеть, прости. И деньгами этими не за жизнь свою расплачивался. Я много чего повидал на свете и знаю: не все за деньги купишь. Потому и к тебе пришел, думал, если есть еще такие люди, значит, не зря мы землю топчем.

— Спасибо за лестное мнение, — нахмурилась я. — Но это ничего не меняет.

— Что-то я все-таки не так сделал, — покачал он головой. — Я ведь пока к кровати прикованный лежал, все думал — как поднимусь, к тебе поеду. И встреча наша не такой виделась. Прости, если что не так. — Он даже поклонился.

У меня стойкое отвращение к театральным эффектам, чувство такое, что тебя водят за нос. С другой стороны, он выглядел совершенно несчастным, а особого повода злиться у меня не было: в конце концов, икру я съела.

Подумав, я поднялась и сказала:

— Давайте пить чай.

— Ничего не надо, дочка, — забеспокоился Юрий Петрович, но я уже шагала в кухню.

Через десять минут мы пили чай. За это время доллары со стола перекочевали на полку. Я покачала головой, а Юрий Петрович засуетился:

— Что ты в самом деле, пусть лежат, вдруг понадобятся. Зарплата у тебя плохонькая, работа тяжелая. А мне куда деньги девать? Жены нет, детей не нажил, вот и мыкаюсь один на старости лет.

— Вам пятьдесят четыре года, и вы вовсе не старый, — одернула я, очень уж он увлекся. — Вполне можете жениться и даже детей завести. Вот мой сосед, к примеру, так и сделал и живет припеваючи.

Юрий Петрович с готовностью засмеялся. Понемногу разговор налаживался, а вот чай мои гости не жаловали. Юрий Петрович сделал пару глотков, а верзила как замер возле стены, привалясь к ней спиной, так по сию пору и стоял. Причем сразу и не решишь, то ли он стену, то ли она его поддерживает.

Я ему из вежливости налила чашку, но он ее как

будто не заметил, стоял и пялился в угол комнаты. Из любопытства и я взглянула: угол как угол, даже паука там не было, но ему чем-то понравился. Мне что, пусть.

Мой новоявленный дядька пел соловьем, я начала томиться, и, чтобы ему немного испортить настроение, поинтересовалась:

— А почему он стоит? — Хотя, по моему мнению, он правильно делал — ни мой диван, ни тем более стул такую тушу не выдержат. Юрий Петрович запнулся на полуслове.

— Коля? — спросил неуверенно.

— Вот он, — ткнула я пальцем в верзилу. Коля все-таки от угла оторвался и посмотрел на меня. — Он глухонемым прикидывается?

— Нет-нет, — очень серьезно ответил Юрий Петрович.

— Я знаю, что он говорящий, — заверила я. — Просто меня раздражают люди, которые стоят столбом и что-то за моей спиной высматривают. Лучше бы чай пил.

— Я не люблю чай, — этим своим дурацким голосом заявил верзила и на меня уставился. Было это обременительно для моих нервов, уж лучше пусть бы в угол смотрел.

— Ты о Коле плохо не думай, — ласково запел Юрий Петрович. — Он парень золотой, мы с ним давненько друг дружку знаем, не один пуд соли вместе съели. Это он с виду сердитый, а душа добрая...

— Да я верю, — пришлось пожать мне плечами, хотя в истинности сказанного я питала сомнения.

Коля взгляд отвел и вновь сосредоточился на стене. Мне стало легче дышать. Чай остывал, и по всему выходило, что пора нам прощаться. Верзила от стены отлепился, а Юрий Петрович поднялся.

— Спасибо за чай, дочка, — сказал он, и оба в прихожую потопали. С радостно бьющимся сердцем я отправилась следом. Вспомнила про деньги, вернулась. Оба за это время успели обуться.

— Возьмите, — сказала я.

— Обижаешь, — покачал головой «дядя Юра».

— Я от вас деньги принять не могу, и обсуждать

здесь нечего. За подарки спасибо. Желаю вам здоровья. Вид у вас цветущий, но поберечься все равно не мешает. Всего доброго.

Юрий Петрович вознамерился что-то сказать, но я уже дверь распахнула, и им ничего не оставалось, как выйти.

— До свидания, — сказали они дружно. Я слегка удивилась, что верзила открыл рот, улыбнулась, кивнула и хлопнула дверью.

— Свалились на мою голову, — посетовала я и занялась уборкой.

Вечером приехала Наташка, узнав о визите, обрадовалась.

— И чего ты дурака валяешь? — набросилась она на меня. — Хочется ему поиграть в доброго дядьку, ну и на здоровье. Деньги ей, видите ли, не нужны. Не нужны, неси мне. Приму с благодарностью. Я из-за этого сукина сына тоже натерпелась... Нашла когда проявлять честность и принципиальность. На честных воду возят.

— На дураках, — поправила я.

— А нынче что честный, что дурак — одно и то же. Дядька одинокий, ты ему вместо дочери, пусть раскошелится. Баксов небось полны карманы, коли тыщами швыряется.

— Деньги эти он не своим горбом заработал, — усмехнулась я. — Скорее всего украл.

— А кто не ворует? Я вот, к примеру, в больнице лекарства беру, бинт, вату. С паршивой овцы хоть шерсти клок. Кстати, ты тоже перчатки брала, на своей даче копаться. Брала?

— Ты, Наташка, дура совсем, — возмутилась я. — Сравнила...

— Не вижу принципиальной разницы. Воровство — оно всегда воровство... Чего-то мы не туда залезли... Старичок на благое дело потратиться хочет, не на водку и девок, а на молодое дарование.

— Ты точно дура, — кивнула я. — Во-первых, он не старичок, да и старички разные бывают, начнет с «дочки», а чем кончит, никому не ведомо. Нет уж, обойдусь без благодетелей. Хоть и не пожрешь икру ложкой, зато покой дорог.

— Да ну тебя, — отмахнулась Наташка. — В конце концов, он тебе действительно обязан. Повезло раз в жизни, спасла богатого человека, так чего ж от счастья рожу-то воротить?

— Слушай, может, ты его себе возьмешь? — не выдержала я.

— В отцы? Так я с радостью, но он мой вклад в общее дело принципиально не желает замечать. Ты у него спасительница.

Я покачала головой и стала пить чай.

В следующий раз Юрий Петрович появился через пару дней. Обошлось без сюрпризов. По телефону позвонил и так жалобно, точно милостыню просит, сказал:

— Здравствуй, дочка, я вот тут неподалеку от твоего дома... хотел проведать.

Я вздохнула и сказала:

— Хорошо, заходите.

В квартире он появился с корзинкой в руках, за спиной маячил верзила. Лицо без выражения, взгляд пустой, жуть берет. Черт знает, о чем он думает... Может, прикидывает, как половчее меня освежевать.

— А ему сюда обязательно? — не выдержала я. Юрий Петрович слегка растерялся и на меня уставился, а верзила рот открыл и тихим голосом произнес:

— Обязательно, — и мне улыбнулся. Не скажу, что душу согрел, скорее поразил. Я начала прикидывать: каким он был ребенком? Ведь был же? И что с ним такое приключилось, что от его взгляда нормального человека начинает трясти? И родители у него тоже есть, по крайней мере, были. Иного способа появиться на свет я просто не знаю.

— Ты Колю не бойся, — брякнул Юрий Петрович. — Он...

— Да я помню, — перебила я. — У него душа добрая. Только пусть он на меня так не смотрит. Добрая у него душа или нет, а физиономия, извините, зверская.

Коля стал смотреть в угол. Юрий Петрович в кресле устроился и осведомился о моем здоровье. Здоровье у меня было хорошее, у него, как выяснилось, тоже. Тут он о корзинке вспомнил и нерешительно потянулся к ней.

— Я вот тут с гостинцами... не откажи...

— Юрий Петрович, — укоризненно начала я.

— Я ведь от души, дочка, — он вроде бы даже испугался. Мне стало совестно, я взяла корзину и отнесла ее в кухню.

Снеди в ней было на небольшую армию. Я только головой покачала, потом вернулась в комнату, толкая перед собой сервировочный столик.

— Что ж, чай вы не пьете, — сказала я. — Давайте пить коньяк.

— Не беспокойся, — начал Юрий Петрович, но я уже накрывала на стол. Он благодарно улыбнулся и по виду был счастлив.

— Садитесь, — кивнула я верзиле. Тот отделился от стены и сел на диван. Я зажмурилась, но диван выдержал. — Что ж, давайте за знакомство, — предложила я.

— За твое здоровье, дочка.

— И за ваше...

Мы выпили и стали закусывать. Юрий Петрович долго молчать не умеет, потому принялся меня расспрашивать: о родителях, о муже и вообще о жизни. Тайн из всего этого я не делала и отвечала без особой охоты, но и без раздражения.

Время от времени на Колю посматривала, испытывая от его близости некоторую тревогу. Он сидел слева от меня и разглядывал стену. Слышал нас почти наверняка, а вот понимал ли, с уверенностью не скажешь.

С момента нашей первой встречи в Цыганском поселке волосы его заметно отросли, но выглядеть лучше от этого он не стал. Я могла предложить лишь один способ сделать его симпатичнее: скомкать, как следует размять и слепить по новой.

Почувствовав мой взгляд, он повернулся. В расстегнутом вороте рубашки я углядела татуировку, довольно странную. То ли листья, то ли лапы диковинного существа тянулись от плеча к шее. Он усмехнулся, точно спрашивая: будешь продолжать осмотр? Мне стало неловко, в конце концов, он может действительно быть вполне нормальным парнем, и нечего его разглядывать, как обезьяну в клетке.

Я сосредоточилась на Юрии Петровиче. С моей родней мы к этому времени уже покончили, выпили еще коньячку, и он вдруг сказал:

— Дочка, ты вот Коле рассказывала, что человек в больнице был, меня разыскивал. А узнать его ты сможешь?

Я отодвинула рюмку и внимательно посмотрела на своего благодетеля. Он заметно опечалился.

— Смогу, — наконец ответила я. — И что?

— Ничего, — засуетился он. — Так спрашиваю.

— Вы, Юрий Петрович, дурака не валяйте и вокруг да около не ходите. Зачем вам этот человек?

Тут он усмехнулся, жестко, так что лицо мгновенно стало другим: добродушный дядька вдруг превратился в типа, которого плечом лучше не задевать.

— Меня ведь убить пытались, — сказал он. — Я хочу знать кто.

— Да? — поинтересовалась я. — Меня, кстати, тоже. И восторга от этого я, по понятным причинам, не испытываю. Не знаю, за что хотели убить вас, но меня уж точно не за что.

Мои гости переглянулись и на меня уставились.

— Объясни, — попросил Юрий Петрович, и я рассказала о сумасшедшем типе на голубом расхристанном «Опеле», который едва не загнал меня под грузовик. Гости переглянулись вторично.

— Как видите, знакомство с вами радости в мою жизнь не внесло, — заключила я. — Оттого я совершенно не желаю вмешиваться в ваши дела.

— Дочка, они ведь как решат: если ты человека видела, значит, мне расскажешь. Здесь ведь кто кого — не мы их, так они нас.

— Да вы с ума сошли, — вытаращила я глаза. — Вы что мне предлагаете? О ваших делах я знать ничего не желаю, и оставим это.

После моих слов нависло тягостное молчание. Ни коньяк, ни еда, ни просящий взгляд Юрия Петровича нарушить его не смогли. Потосковав немного, гости отправились восвояси, а я задумалась — доброе дело принимало дурной оборот.

На следующий день меня пригласили на вечеринку. Собрались на даче у Людки Лебедевой, затеяли шашлыки, конечно, хорошо выпили. Потом отправились на речку купаться, километра за полтора. В общем, в город возвращались электричкой довольно поздно. Решили еще немного выпить, забрели к Наташке и выпили. Разумеется, не немного. Ближе к часу ночи стали разъезжаться по домам.

Я отправилась вместе с Сережкой Логиновым: он жил в моем районе и уже полгода набивался в женихи. Мы остановили машину, устроились на заднем сиденье, Сережка меня обнял и на ухо зашептал:

— Поедем ко мне.

Я категорически заявила, что с жениховством придется подождать. Официально я все еще замужем и, как порядочная женщина, ничего подобного позволить себе не могу. Мой кавалер не обиделся, но загрустил.

— С тобой не поймешь, когда ты дурака валяешь, а когда серьезно говоришь, — сказал он.

— Я и сама не знаю, — заверила я.

— Я тебе в любви клялся?

— Вроде бы...

— Ты подумать обещала?

— Обещала, но еще не подумала. Времени нет. Жизнь какая-то бешеная, некогда остановиться и подумать о прекрасном, о тебе, например.

— Вот я как-нибудь разозлюсь и пошлю тебя к черту.

— Не надо, я скучать начну.

— Теперь я понимаю, почему вы с Андрюхой разошлись, — начал Сережка, но я радостно объявила:

— Мы уже приехали, вот мой дом.

— В гости пригласишь?

— Кофе нет, а чай только без заварки.

— Я кипятка напьюсь, — заверил он.

— Шутишь, я ж от стыда сгорю. Как-нибудь в другой раз...

Мы вышли из машины.

— Подождите минутку, — попросила я водителя. Серега хмурился и выглядел побитой собакой.

— Отправляйся домой, — сказала я. — Завтра позвоню. Вечером идем в театр, ты помнишь?

— Помню, — буркнул он.

— Тогда спокойной ночи...

— Мне все это скоро надоест, и я заведу бабу...

— Заводят собак. А в женщин влюбляются. Вот ты, к примеру, влюблен?

— Ну...

— Повезло, значит, есть за что благодарить судьбу. — Я поцеловала его, махнула рукой и пошла к подъезду. Он остался возле машины, тоскливо провожая меня взглядом.

В подъезде было темно, это меня удивило. Дом у нас старый, жильцы в основном пожилые и за порядком следят строго.

Я сделала пару шагов почти на ощупь и тут же почувствовала, что за спиной кто-то есть. Я хотела крикнуть, споткнулась в темноте об нижнюю ступеньку и упала, успев вытянуть перед собой руки..

Что-то ударило в плечо, вскользь и почти не больно, звякнуло совсем рядом, в ту же секунду распахнулась дверь подъезда, я повернула голову и в свете фонаря смогла различить два мужских силуэта. Одним был Сережка.

Я кинулась к первой квартире, давила на кнопку

звонка, отчетливо слыша, как мужики внизу с тяжелым хрипом молотят друг друга.

Дверь мне не открыли, я с опозданием вспомнила, что Крутовы еще вчера отбыли в отпуск и я, между прочим, обязалась присматривать за квартирой.

В остальных квартирах телефон отсутствовал, следовательно, придется подняться к себе на второй этаж. Разглядеть, что происходит, было затруднительно, но за Сережку я не очень переживала — с юных лет он занимался классической борьбой, а в настоящее время работал инструктором по рукопашному бою.

Дверь распахнулась, кто-то выскочил на улицу, а чуть позже то же самое сделал Сережка. Я последовала за ним. Озираясь по сторонам, он чертыхался и разводил руками.

— Мать его... куда он делся?

— Да ладно, — попробовала я утешить. — Надеюсь, ему здорово досталось...

— Руку наверняка сломал...

— Садист, — покачала я головой.

— А мужичок-то наш тоже смылся, — хохотнул Сережка. — Ну, народ...

Тут я наконец заметила, что хозяин «Жигулей», на которых мы прибыли, исчез, не дождавшись честно заработанных денег.

— Идем, — потянула я Сережку за рукав. — Будем считать, что сэкономили на такси.

Мы вошли в подъезд, я с некоторой опаской.

— Посмотри лампочку.

Сережка вытянул руки, что-то скрипнуло, и свет вспыхнул.

— Гад, лампочку вывернул, — щурясь, покачал головой мой спаситель. Тут я заметила кое-что любопытное: на ступеньке лежал нож. Плечо сразу же заныло. Я достала из сумки носовой платок и взялась за лезвие.

— Черт, — охнул Сережка. — Да у тебя плечо в крови.

Я тем временем разглядывала холодное оружие. Тонкое лезвие, костяная ручка. Если бы я не споткнулась в темноте, лежать бы мне сейчас на этих ступеньках, а потом на столе у патологоанатома. Сережка тоже на нож смотрел, испуганно сказал:

— Что творится, а?

— Идем в квартиру, — заторопила я. В квартире я стянула блузку, и он вполне профессионально обработал рану. Я смогла рассмотреть ее в зеркало: пустяковая, но неприятная. Придется зашивать.

— Набери Наташкин номер, — попросила я. Сережка о чем-то задумался и понял не сразу.

— Надо в милицию.

— Подожди, сначала Наташке.

— Давай «Скорую» вызову?

— Смеешься? — покачала я головой.

Наталья только что легла спать, пришлось ей подняться и путешествовать темной ночью через весь город. Я взглянула на своего спасителя, он сидел грозовой тучей.

— Почему за мной пошел?

— Сам не знаю. Уже в машину садился, и вдруг точно толкнул кто... Маринка, он ведь тебя убить хотел. Не сумку отнять и даже не изнасиловать, а именно убить. Пропустил вперед и ударил в спину.

— Полно психов, — согласилась я.

— Позвоню в милицию.

— Думаешь, его найдут?

— А почему нет?

— Ты ведь не разглядел его как следует?

— Не разглядел.

— А я тем более. Возможно, отпечатки пальцев на ноже...

— Он в перчатках был, — вздохнул Сережка. — Умные стали, сволочи, в подъезде на бабу и то в перчатках охотятся...

— Остается сломанная рука.

— Это кое-что...

— Ага. А нас расспросами с ума сведут. Может, не стоит звонить? Ему больше, чем мне, досталось, глядишь, это отобьет охоту засады в подъездах устраивать.

— Маринка, — сказал он тревожно, — а я ведь у него пистолет отобрал. Вот. — Он сунул руку в карман и извлек самый настоящий пистолет. — Между прочим, полная обойма. То ли шпана пошла не чета прежней, то ли все серьезнее, чем мы думаем. С тем случаем в больнице это никак не связано?

— Нет. Каким образом? Может, меня с кем спутали? — хитро предположила я.

— У вас в подъезде никто такой не живет?..

— У нас одни пенсионеры живут. Верка Тихонова на рынке колбасой торгует, но ведь за это не убивают?

— Кто знает...

К подъезду подъехала машина.

— Наташка... идем встречать.

Наташка мое плечо осмотрела и не спеша заштопала.

— До свадьбы заживет, — сказала и устроилась в кресле. — Дела, ребята. В милицию звонили?

— Звонили.

— Выходит, кому-то ты сильно действуешь на нервы. — Я нахмурилась, а Натащка рот закрыла. Женщина она понятливая. Сережа был поглощен своими думами и на ее слова не обратил внимания.

Приехала милиция, но покоя в душу это не внесло. Была слабая надежда, что на нападавшего выведет пистолет, но ни я сама, ни милиция особенно на это не рассчитывали.

Наталья с Сережкой остались ночевать у меня, утром разбрелись на работу, а я подумала-подумала и позвонила дяде Юре.

Номер телефона он оставил мне еще в свой первый визит. И вот пришлось им воспользоваться.

Юрий Петрович, судя по голосу, перепугался больше, чем я накануне, и обещал незамедлительно приехать. Я только успела выпить чашку кофе, а он уже звонил в дверь. Спросил еще с порога:

— Как себя чувствуешь?

— Нормально, — заверила я.

На сей раз верзила отсутствовал, за спиной дяди

Юры маячил другой здоровяк, высокий и плечистый, но до Коленьки ему было далеко. Кстати, лицо у него было приятным, я бы даже сказала, симпатичным.

— А где ваш Полифем? — полюбопытствовала я.

— Кто? — не понял Юрий Петрович.

— Тот верзила, что мой угол обычно разглядывает.

— А... дела у него. Его Колей зовут.

— Да я помню, просто он на циклопа похож. Жил такой циклоп, звали его Полифем. — О циклопах Юрий Петрович раньше не слышал и потому нахмурился, а я пояснила: — Древние греки считали, что есть такие существа с одним глазом во лбу. Огромные людоеды.

— Коля не людоед, — совершенно серьезно сказал он и задумался, вроде как сам в своих словах усомнился. Я только головой покачала.

— Коньяка у меня нет. Могу предложить чай или кофе.

Здоровяк приткнулся в коридоре, а мы с дядей Юрой прошли в комнату. Я выглянула в коридор и позвала:

— Вы проходите, не стесняйтесь.

Парень улыбнулся и сказал:

— Спасибо, я здесь.

Юрий Петрович от угощения отказался и сразу же перешел к делу.

— Расскажи, дочка, что вчера случилось.

Я рассказала с максимальными подробностями.

— Может, ты у меня поживешь? — вдруг предложил он.

— Нет, к чему это? У меня есть своя квартира.

— Беспокоюсь я очень.

— Честно говоря, и я беспокоюсь. Юрий Петрович, а с вашим делом это никак не связано?

Он вздохнул.

— И я о том думаю. Если человек кого ограбить хочет или еще что... ты понимаешь... не станет он нож в спину втыкать. Ну, кулаком ударить, это понятно, а чтоб вот так...

— Я того же мнения, и не я одна... Вы это как-то

прекратить можете? — спросила я решительно. Он нахмурился и сказал, вздохнув:

— Как, дочка, коли ты мне помочь не хочешь?

— Это вы на предмет опознания? Прежде всего я с трудом представляю, как это может быть в реальности.

— Я... — начал дядя Юра, и мне пришлось его перебить:

— А самое главное — вмешиваться в ваши дела я совершенно не желаю. Я уже имела глупость влезть в них и теперь за это расплачиваюсь. Простите, если я вас обижу, но не могли бы вы оставить меня в покое?

— Я понимаю, — кивнул он, — и не обижаюсь. Все правильно ты говоришь. Только ты тоже понять должна: ты мне человек не чужой, я после твоего звонка места себе найти не мог, даже сердце прихватило... как же я тебя в беде оставлю, дочка? Ты не сердись на старика, умные люди говорят: нет такой беды, с которой справиться нельзя. И мы справимся... Ты поосторожней, по ночам-то из дома не выходи, да и днем лучше с кем-то. Замочек у тебя на двери плохонький, я вот Сашу привез, он дверью-то займется. А ты бы и вправду могла у меня чуток пожить. Спокойно, и мне, старику, радость.

Я только что не заплакала от умиления, но обижать его все-таки не стоило. Было заметно, что человек действительно переживает, а потому я просто головой покачала, мол, нет, и все дела.

— Ты погоди отказываться, — не унимался он. — Поедем ко мне, вдруг тебе понравится. Дом у меня большой, мешать я тебе не буду, не захочешь, так и не увидимся.

— Юрий Петрович, — слегка растерялась я, — что вы такое говорите?

— Не сердись, я ведь от всей души, и мне намного спокойнее будет, что ты рядом и в безопасности. А куда соберешься, я с тобой ребятишек отправлю. Вот хоть Сашу.

— Вы ведь это не серьезно? — спросила я.

— Очень даже серьезно.

— Но не могу же я у вас всю жизнь прожить!

— А почему нет? Живи на здоровье, я только рад буду. Дом большой, а я один. Если честно, и не нужен мне он, живу я в одной комнате. Может, ты опять замуж выйдешь, ты ведь красавица, а там ребятишки пойдут, ну и я рядом с вами, вроде деда. Мне ведь много не надо, так, словечком перемолвиться...

У него был явный приступ белой горячки. Я сидела и ресницами моргала, не желая верить, что все это он говорит серьезно.

— У тебя отпуск когда кончается? — спросил он.

— Отпуск у меня большой, еще наотдыхаюсь.

— Тогда, может, к морю съездишь?

— Была я на море.

— А ты в другое место. Мир большой. Вот люди сейчас в Турции отдыхают, ты в Турции была?

— Нет. И не хочу. Не о том мы говорим, дядя Юра, — назвала я его так вроде бы в шутку, с языка сорвалось, а вышло вполне душевно. Он улыбнулся.

— Давай-ка собирайся ко мне в гости, не хочешь надолго, так хоть на полчаса. Поговорим о том о сем, глядишь, и придет умная мысль в голову, как нам от бед избавиться.

Жил дядя Юра в том же районе, что и я, правда, от моей улицы довольно далеко. Место было красивое. Река, в давние времена судоходная, извивалась здесь тонким ручейком, петляла, скрытая тенистыми деревьями. Дома утопали в кустах сирени и акации. Никаких тебе многоэтажек и дворов-колодцев, одним словом — рай.

Преобладала здесь частная застройка. Встречались дома ничем не примечательные, но были и настоящие дворцы.

Дом Юрия Петровича выглядел совершенно особенным. Двухэтажный, деревянный и весь резной. Две башенки, стрельчатые окна, огромная веранда и крыльцо как в русском тереме. Декорация к сказочному фильму. Впечатление слегка портил гараж в полуподвале с двойными воротами. Забор и калитка под стать дому — резные, добротные. Я только головой покачала:

— Неужели вы сами?

— Нет, дочка, куда мне. Не дал Бог такого таланта. Художника одного дом. Художник по осени за границу уехал, в пожизненную командировку, а я вот купил. Нравится?

— Красиво, — кивнула я.

— Ну, вот видишь, — обрадовался дядя Юра, и мы вошли в дом. Здоровяк Саша остался в машине.

Надо полагать, дом Юрий Петрович купил вместе с мебелью. Все здесь было дорого и подобрано с большим вкусом. Сам хозяин выглядел среди этого великолепия как-то невзрачно.

— Вот здесь я и живу, — указал он на одну из комнат. — А в остальных мыши бегают.

— Правда мыши? — удивилась я.

— Нет. Шучу. Кота завел, так он, бедный, здесь заплутался, орал полночи, словно его режут. Потом и вовсе пропал, пока я по больницам мыкался. Ты, дочка, не стесняйся, будь как дома. У меня здесь много чего есть. В подвале сауна, а в саду баня, наша, настоящая. Может, соберетесь с друзьями отдохнуть, я только рад буду.

— Дом у вас замечательный, — согласилась я, стоя на веранде. Отсюда открывался прекрасный вид на старый город.

— Дом-то хороший, только одному в нем тоска. По молодости все не о том думал, все рвался куда-то, а теперь... и рад бы в рай, да грехи не пускают. Выходи, дочка, замуж, детей заводи, чтоб в старости внуков на коленях держать, а не кота бродячего.

Ответить на его слова мне было нечего. Конечно, он прав, но не внуки меня сейчас заботили. Он обещал поделиться идеей, как от неприятностей избавиться, но что-то не спешил.

Через полчаса стало ясно, что идей у него не больше, чем у меня. Я совершила увлекательную прогулку по дому и прилегающему к нему саду и заторопилась домой. Юрий Петрович отговаривал, но я осталась непреклонной. От машины с шофером тоже отказалась и отправилась на такси. Но поехала не домой, а к Наташке.

Она бродила по квартире нечесаная, злющая и на меня смотрела хмуро. Я налила себе кофе, устроилась на диване и стала смотреть в окно.

— Чего надумала? — спросила Наташка.

— Ничего.

— А с дядькой своим разговаривала?

— Разговаривала.

— Помочь обещал?

— Конечно. Ты мне поможешь, а я тебе помогу. В общем, давай поможем друг другу.

— Ну? — нахмурилась Наташка. — Отчего ж не помочь хорошему человеку?

— Как ты думаешь, для чего они хотят найти типов, что к нам в больницу приходили?

— Это просто, — усмехнулась Наташка. — Скорее всего дядечка не знает, кто в него стрелял. Потому и нужны ему эти люди. Они, вероятно, просто исполнители, но через них есть шанс выйти на заказчика. — Я смотрела на Наташку с уважением, она выпятила грудь и улыбнулась пошире.

— Голова, — вздохнула я.

— Такое дерьмо увидишь и в самом задрипанном боевике. Так что зря хвалишь. Ты любишь Спилберга, а я мордобой. Вот и умнею.

— Оно, может, и так, в смысле ума и ситуации в целом. Но он переигрывает.

— Кто? Твой дядька? Что значит «переигрывает»?

— А то и значит. Одинокий, несчастный, ласковый, одним словом: добрый дедушка. А это неправда. Можешь смеяться сколько угодно, но я чувствую.

— Чтоб я над твоим чутьем смеялась? Да никогда. Ты на Пашку раз взглянула и сказала «придурок», все так и оказалось, только я на тот же диагноз восемь месяцев ухлопала. Хотя, может быть, зря ты к нему придираешься? Человек ты у нас начисто лишенный сентиментальности, а дядька, если мент не заливает, в тюрьме отдыхал немало годов. А зеки народ интересный, ты их песни послушай: сплошные слезы. Мама, под окном акация; прощай, любимая. Еще про сирень под окошком очень уважают... Так что некоторая слезливость вещь для них вполне обычная.

Я продолжала смотреть в окно, слушая Наташку вполуха. Она подошла, села рядом и позвала:

— Эй, ты где?

— Здесь. Не могу понять, что ему от меня надо. А ведь что-то надо, Наташка.

— Меня больше тревожит нападение в подъезде... Слушай, ты ведь не думаешь, что он сам это подстроил?

Я пожала плечами.

— А смысл?

— С понедельника иду в отпуск. Может, нам в самом деле куда подальше отправиться? А оплатит круиз твой дядька, по справедливости просто обязан.

— Бегство ничего не решает. Вернемся, а проблемы останутся. Здесь надо в принципе разбираться.

— Я так не умею, — заявила Наташка. — А может, стоит ему помочь, то есть опознать этих типов, что в больнице были?

— Дура ты, их же убьют.

— Почему?

— По кочану. А еще боевики любишь.

— Ну и убьют... — обиделась Наташка. — Лично я знаю одно: наши предки были людьми мудрыми, а у них на этот счет существуют точные инструкции — своя рубашка ближе к телу.

— Я не хочу быть замешанной в подобных вещах, ты понимаешь?

— Конечно, понимаю. Только ты уже влезла по уши. Чего б тебе не оставить старичка на лесной дорожке, добраться до квартиры и спокойно позвонить в «Скорую», мол, лежит некто неприбранным, движению мешает.

— Не добивай, — вздохнула я.

— Не буду.

В родной подъезд я входила с опаской, поднялась на второй этаж и вытаращила глаза: на месте моей многострадальной двери, обитой светлым дерматином, изрядно ободранным жившим у меня пять лет псом по кличке Топа, находилось железное чудовище, с глазком и тремя замками, ключей от которых у меня не было.

Потосковав немного, я нажала кнопку звонка. Внутри что-то загрохотало, раздался зловещий скрежет, и дверь открылась. В прихожей стоял здоровяк Саша и застенчиво улыбался мне. Я прошла, слегка поеживаясь. К трем замкам прилагалась цепочка. Саша незамысловато пояснил:

— Вот...

— Спасибо.

— Да не за что, — обрадовался он. — Вот тут кнопочку видите и огонечек? Если кто попытается дверь открыть, сработает сигнал. Вой будет, как при воздушной тревоге.

— Здорово. А отключить это можно?

— Конечно.

— Тогда отключите.

— А Юрий Петрович...

— Соседи у меня в основном пенсионеры и воздушную тревогу могут просто не пережить.

Саша выглядел немного обиженным. Собрал свои вещи и удалился.

На следующее утро я собралась на рынок. До рынка пять остановок, но отправилась я пешком, решив немного прогуляться. День был солнечным и не жарким, а настроение с утра просто отличное.

Я заметила его в витрине магазина, когда покупала мороженое. Он явно переигрывал, изображая интерес к макаронным изделиям. Решив испытать свое шестое чувство, я купила у мальчишки-разносчика газету и устроилась тут же, на подоконнике. Задержавшись у каждого прилавка гораздо дольше, чем необходимо, и купив пакетик чипсов, парень в джинсах и ярко-красной рубашке «тропик» вышел на улицу, не удостоив меня взглядом. Подождав минут десять, я покинула магазин.

Парня видно не было, что не удивительно. Если я права, то к чему глаза мне мозолить. Я не спеша направилась к парку за Дворцом культуры. Парк был почти безлюден. Я просматривала объявления в газете, двигаясь в глубь аллеи.

Если парень за мной следит, он скорее всего шагает по соседней аллее или устроился где-нибудь в тени и с комфортом за мной наблюдает.

Решив усложнить ему жизнь, я свернула влево, пробралась сквозь боярышник и вышла на полянку. Здесь стояла скамейка, а прямо за ней была дыра в заборе, сейчас не бросавшаяся в глаза из-за бурно разросшегося вьюнка. Устроившись на скамье, я уткнулась в газету. Кто-то почти бесшумно прошел по аллее. Шаги удалялись, должно быть, он намеревался обойти фонтан и вернуться. Я быстро поднялась и покинула парк через дыру в заборе. Бросилась бегом к центральному входу и устроилась на скамье, недалеко от афишной тумбы, минут за пять до того момента, когда на аллее появился мой паренек, озирающийся по сторонам и изрядно запыхавшийся. О дыре в заборе он не знал, следовательно, рос в другом районе. Я свернула газету и пошла на рынок.

Вернувшись домой и поразмышляв немного, я решила позвонить дяде Юре. Однако дома его не оказалось. Трубку снял Полифем, поздоровался своим тихим и вкрадчивым голосом и поведал, что дяди Юры дома нет, но он может с ним связаться и тот ко мне непременно заедет. На том и порешили.

Дядя Юра приехал уже к вечеру, вместе с Полифемом. На этот раз Полифем стенку подпирать не стал, а устроился на диване, в общем начиная понемногу осваиваться в моей квартире. Дядя Юра занял кресло, которое, судя по всему, уже считал своим, а я, дождавшись, когда они устроятся, заявила:

— За мной следят.

Юрий Петрович нахмурился.

— Следят? Кто? Откуда ты знаешь?

— Я видела. Парень лет двадцати семи, рост под сто восемьдесят, шатен, длинные волосы, собраны в хвост, смуглый, ямочка на подбородке, в ухе серьга в форме крестика, на правой руке татуировка, небольшая, рисунок не разглядела. Одет в джинсы и рубашку навыпуск, красно-желтого цвета.

Полифем с хозяином переглянулись. Юрий Петрович нахмурился, а Полифем вдруг засмеялся. Смеялся он, как и говорил, тихо и мягко.

— Она его засекла, — пояснил он для бестолковых и взглянул на меня с улыбкой. Я стала ждать, что будет дальше. Юрий Петрович счел нужным пояснить:

— Это мой парнишка. Беспокоился я очень, вот и приставил его к тебе, для охраны то есть. Береженого, как говорится, Бог бережет.

— Я испугалась, — сурово сказала я.

— Прости старика. Как лучше хотел. Ты бы на него внимания не обращала, идет себе и идет. Мало ли что...

Полифем улыбаться перестал и душевно произнес:

— Если в подъезде на тебя не случайно напали, могут еще объявиться. Второй раз вряд ли повезет.

— Ага, — воскликнула я, изображая облегчение. — А вашего интереса здесь нет? — полюбопытствовала я минуту спустя. Юрий Петрович заулыбался было и сразу сник, а я продолжила: — К примеру, кто-то на меня охотится, а вы на него. Или все не так и я не подсадная утка?

— Было бы проще, решись ты нам помочь, — запечалился дядя Юра.

— Не решусь, — ответила я.

— Вот ведь характер, — покачал он головой, вроде бы смиряясь с этим фактом.

Мы посидели в молчании, потом дядя Юра опять заговорил:

— Я ведь просить тебя хотел, дочка. Послезавтра день рождения у меня, пятьдесят пять лет. Дата. Уважь старика, приди. Хочешь, с подружкой или с другом... Гостей немного, так, свои. А тебе буду очень рад.

— Вообще-то я собиралась с подругой на дачу, обещала уже...

— Очень прошу, — повторил он и даже приложил ладонь к сердцу.

— Я постараюсь, — уклончиво ответила я.

— Я машину за тобой пришлю, к пяти...

— Спасибо, на такси приеду.

— Зачем же на такси. У меня две машины без дела в гараже стоят. Пришлю. — Он поднялся и торопливо зашагал к выходу, не дожидаясь, когда я придумаю какую-нибудь отговорку и откажусь. Полифем направился следом, лицо отрешенное, взгляд пустой. Наши дела тревожили его мало.

Наташка днем рождения заинтересовалась.

— Пойду с тобой, — заявила она, но я была непреклонна.

— Нет.

— Почему это? — Она вроде бы даже обиделась.

— Потому что пригласил он меня не зря. И гости эти... А что, если там ожидается один из наших типов?

— Ну и?.. — спросила Наташка.

— Тебе к чему засвечиваться? Хочешь, чтобы и тебя в подъезде встретили?

Наташка не хотела, потому в гости я отправилась одна.

Как и обещал дядя Юра, без двадцати минут пять к моему подъезду подкатила машина: огромный серебристый «Форд». Из него вышел молодой человек и замер у двери, задрав голову и поглядывая на окна. Бабульки на скамье тоже замерли и поглядывали на него. Я не люблю заставлять людей ждать, особенно пожилых, потому поспешила на улицу.

Полдня я размышляла, что преподнести в подарок так неудачно свалившемуся на мою голову дорогому дядюшке. С деньгами у меня было туго, да и не удивишь его деньгами, вкусы его для меня загадка, пятьдесят пять лет — это дата. Изрядно помучившись, я решила подарить Юрию Петровичу шкатулку, доставшуюся мне от бабушки. Вещь красивую и бесполезную, которая вполне могла сойти за антиквариат. Я упаковала ее в нарядную коробку и прикрепила открытку. Получился неплохой подарок.

Мы подъехали к дому. При нашем появлении ворота открылись, мы оказались во дворе. Откуда-то слева появился парень в темном костюме, распахнул дверь и помог мне выйти.

В дверях возник дядя Юра, одарил счастливой улыбкой и пошел навстречу, раскинув руки.

— Здравствуй, дочка. Спасибо, что приехала.

Он меня обнял, я его поцеловала, а потом вручила подарок.

— Не знаю, понравится ли, но я старалась.

Могу поклясться, что на глазах его появились слезы. Человек Юрий Петрович забавный.

Столы были накрыты в саду под белым тентом. Говоря о том, что гостей будет немного, дядя Юра явно лукавил. Собралось человек пятнадцать, это те, что за столом. Помимо этого, в саду в разных местах, порой совершенно неожиданных, маячила охрана. Из женщин только я, неудивительно, что чувствовала я себя неуютно.

— Вот, познакомьтесь, — сказал Юрий Петрович, подводя меня к столу. — Это Мариночка, моя спасительница, дорогой для меня человек.

Он представил гостей, но я почти никого не запомнила. Мужчины в основном были в возрасте. Резко выделялись два молодых здоровячка. Один со шрамом на губе, у другого не хватало мизинца на правой руке. Дорогие костюмы сидели на них, как седло на корове.

За столом царила скука. Разговор не клеился, а потому перерывы между тостами становились все короче.

Беспалый принялся за мной ухаживать. Сидел он рядом, и избавиться от его назойливых взглядов возможным не представлялось. Когда лица запылали, разговор пошел веселее. Изъяснялись довольно туманно, о делах мне неведомых, я откровенно скучала. От нечего делать стала наблюдать за охраной и вскоре заметила Полифема. Он сидел в тенечке, в легком плетеном кресле, в джинсах и тонком свитере под горло, нацепив темные очки, и вроде бы дремал. Поразмышляв немного, я поняла, что позицию он занял удобную: оттуда сад как на ладони, а сам он в глаза не бросается. На стуле рядом с его креслом стояла банка тоника и лежал самый настоящий автомат.

Мне здесь мгновенно разонравилось. Я поднялась и сказала дорогому дядюшке ласково, но твердо:

— Юрий Петрович, очень жаль, но мне пора. Ждут в больнице. Сложный случай, требуется консультация.

Иногда соврать не грех. Он изобразил страшное горе и пошел меня провожать, пояснив гостям:

— Что поделаешь, такая у нее работа.

Гостей в отличие от хозяина мой уход не огорчил.

Того типа я заметила, когда садилась в машину. Стриженый блондин с физиономией палача, именно его я заперла в ординаторской.

Сейчас он стоял на веранде и осторожно наблюдал за мной. Возможно, я бы его не заметила, но стоявший внизу парень назвал его, задрав голову:

— Трофим, Трофим, оглох, что ли?

Я поискала глазами оглохшего Трофима и нашла за полсекунды до того момента, как он укрылся за резной колонной.

Юрий Петрович заглядывал мне в глаза, силясь там что-то прочитать. Неужто меня для этого и приглашали? Я пленительно улыбнулась и сказала на прощание:

— Всего вам доброго.

Следующие несколько дней ничего не происходило, и я понемногу успокоилась. Юрий Петрович неизменно трижды в день звонил, а пару раз и заезжал по-родственному. Был ласков, ни о чем не просил и подозрительных вопросов не задавал, и я начала сомневаться — может, зря я к человеку придираюсь, ничего он в отношении меня не замышляет? Проявляет отеческую заботу, а я его Бог знает в чем подозреваю.

Между прочим, на мою машину поставили новый двигатель, договорились, что деньги отдавать буду частями. Юрий Петрович от широты души порывался купить новую машину, но я с благодарностью отказалась.

В понедельник он не позвонил. Утром я не обратила на это внимание, в обед удивилась, а к вечеру, как ни странно, забеспокоилась и позвонила сама. Дома его не оказалось, так же как и Полифема и кого-либо другого вообще.

Ночью я плохо спала и все думала: неужели с ним что-нибудь случилось? А если убили? Утром, едва проснувшись, потянулась к телефону. С тем же результатом. Весь день я провела дома, то и дело набирая его номер. Юрий Петрович не отвечал и сам не звонил. Ну и что делать? В милицию обращаться? К вечеру я поехала к нему домой, долго звонила, стоя у ворот. Никаких признаков жизни.

Наташка накануне отбыла в Северную Чехию, и поделиться своими страхами было не с кем. Я бродила по квартире и только что ногти не грызла. В дверь позвонили, я кинулась открывать и увидела Юрия Петровича в сопровождении Полифема. Оба выглядели совершенно здоровыми.

— Дядя Юра, — с легкой укоризной начала я, — куда вы пропали? Я уже волноваться начала.

— В Москву ездил, дочка. Вот только что вернулся.

— Что же не позвонили? Я и домой к вам ездила...

— Извини, замотался, знаешь ли...

— Вы проходите...

— Нет-нет, не беспокойся, мы только на минутку, на тебя взглянуть. Жива-здорова, все в порядке, и слава Богу... Поеду к себе, устал очень...

Они уехали, а я задумалась. Совершенно чужой человек, с которым у меня нет и не может быть ничего общего, стал играть в моей жизни большую роль.

Через два дня Юрий Петрович позвонил мне очень поздно, где-то ближе к двенадцати. Был явно взволнован. На вопросы по телефону отвечать отказался, попросил разрешения приехать. Подумав, я согласилась.

Приехал он после двух, когда я уже ждать перестала и спать легла. В дверь позвонили, я спросонья испугалась и открыла не сразу.

Юрий Петрович выглядел неважно: землистая бледность, круги под глазами и щетина, точно он с утра забыл побриться. Мужчина он аккуратный, это на него не похоже, потому я сразу встревожилась. Конечно, Полифем был с ним. На его лице беспокойства не проглядывало. Взгляд обращен куда-то внутрь себя, а рта он в этот раз вообще не открывал, поздоровался кивком. В руках держал кейс из кожзаменителя, дешевый и довольно обшарпанный. В его лапах такая вещь выглядела совершенно нелепо.

Мужчины прошли, расселись по своим местам, а я спросила:

— Что случилось?

— У меня неприятности, дочка. Очень серьезные. И чем кончатся, могу только гадать. И к тебе я приехал не на жизнь жаловаться, а с огромной просьбой. Очень прошу, не откажи...

— Да я не против, если смогу, конечно, — спросонья я соображала туго. Юрий Петрович взял у Полифема кейс, положил на журнальный стол, глядя на меня очень серьезно. Вздохнул и попросил:

— Оставь у себя.

— А что здесь? — растерялась я.

— Деньги, дочка. Большие. — Он щелкнул замками и поднял крышку. Я не удержалась и присвистнула. — Большие деньги, — кивнул он. — Не мои. Принадлежат многим людям, а я только храню. Но сейчас так дело повернулось, что у себя держать не могу. Вот и прошу: оставь у себя.

Я вытаращила глаза, моргнула несколько раз и только после этого смогла открыть рот:

— Юрий Петрович... я не могу, просто не могу... Да и страшно мне...

— Дочка, — поднял он руку, — я все понимаю. Только на пару дней. Нельзя эти деньги никому доверить. Ты человек честный, чужое не возьмешь. Тебе я верю.

— Да не в том дело, — отмахнулась я. — Не могу я их оставить. Вдруг случится что: обокрадут меня, или квартира сгорит...

— От судьбы не уйдешь. Сгорит, значит, так тому и быть.

— Послушайте, ну закопайте их где-нибудь, в конце концов, арендуйте сейф в банке...

— Я уж и сам думал и так и эдак: зарыть опасно, а в банк... если со мной что случится, вернуть их будет непросто. Остаешься ты. Пусть полежат пару дней, может, я зря тревожусь и дела мои на поправку пойдут. А пока спрячь...

Я тяжело вздохнула.

— Юрий Петрович, мне нелегко вам отказывать...

— А ты и не отказывай. Пару дней. Убери их куда-нибудь, хоть под диван, и забудь. Обещаю, что в первый и последний раз, больше ни о чем не попрошу.

Я взглянула на Полифема. Он сидел, вытянув длинные ноги, и спал с открытыми глазами. Я была почти уверена в этом.

— Ты мне поможешь? — спросил дядя Юра. Я встала, взяла кейс и направилась с ним к пианино. Открыла нижнюю крышку и убрала кейс в образовавшийся тайник.

— Вот здесь он будет пока, — сказала я. — Но если его свистнут, это ваша головная боль.

— У тебя дверь надежная, — заверил дядя Юра и торопливо поднялся. Вслед за ним встал Полифем, значит, я ошибалась: он не спал и все слышал.

После того, как я имела глупость оставить деньги у себя, Юрий Петрович позвонил только однажды, на следующий день, ближе к обеду. А потом пропал. Я сохраняла спокойствие два дня, которые он мне обещал. За кейсом никто не явился и вообще про меня вроде бы забыли. На телефонные звонки никто не отвечал, я оставила сообщение на автоответчике и пыталась решить: что же теперь делать? Кейс в пианино здорово действовал мне на нервы. Покидать квартиру я боялась: надежная дверь или нет, а рисковать не стоит. Но двадцать четыре часа в сутки сидеть в квартире, точно в одиночной камере, тоже не получалось, в общем, я сильно гневалась и даже не желала этого скрывать.

Когда прошло четыре дня, беспокойство погнало меня к его дому. Решение созрело ближе к полуночи, когда я безуспешно пыталась дозвониться в очередной раз. Что-то подсказывало мне, что Юрий Петрович не желает отвечать на мои звонки.

Чертыхаясь, я села в машину и отправилась на Ново-Московскую улицу, где находился резной терем. В темноте свернула не в тот переулок, потребовалось несколько минут, чтобы сообразить, как проехать на нужную улицу, пересекла Гончарный переулок, сокращая путь, и оказалась сбоку резного терема. Глухой забор скрывал эту часть здания от любопытных прохожих.

Переулок тонул в темноте, только на углу горел фонарь, но туда, где стояла моя машина, свет не доходил. Я вышла, поеживаясь от ночной сырости, зашагала к парадному, поглядывая на дом, и тут заметила кое-что, что меня обрадовало: внизу, в окне рядом с дверью горел свет, тусклый и какой-то странный, однако указывающий на то, что дом обитаем.

Я тянулась к кнопке звонка, когда внезапно почувствовала холод в спине: свет был не только тусклым, он двигался.

Фонарик, с опозданием поняла я. Свет удалялся и вскоре вовсе исчез где-то в глубине дома, а я поспешно отступила в тень. Хозяин дома вряд ли будет ходить с фонарем в руках, конечно, если у него пробки не вышибло... Мне это показалось маловероятным.

Я скользнула в переулок. А что, если те, в доме, видели меня возле калитки? Там может быть еще выход, наверняка есть, и они уже ждут меня возле машины.

Вот черт... Позвонить в милицию? Хорошая мысль, но для начала неплохо бы найти телефон.

К машине мне возвращаться не обязательно, пусть до утра стоит, хотя возле дома меня могли и не заметить, а машину обнаружат, и кому-то станет интересно, что я здесь делала темной ночью? Найти владельца по номеру транспортного средства проще простого.

Я стояла в темноте, прислушиваясь и размышляя. В конце концов решила обойти дом и приглядеться к своей машине из соседнего переулка: даст Бог, что-нибудь да замечу. А может, и уеду домой. Если повезет...

Решив так, я стала осторожно пробираться вдоль забора. Это было нелегко: от соседнего дома его отделял узкий проход, заросший кустами и крапивой.

«Вроде бы живут богатые люди, а развели всякую дрянь», — зло подумала я, уже шагнула в переулок, когда заметила машину — не свою, конечно, до нее было далеко.

Сама по себе машина вроде бы угрозы не представляла, мало ли кто мог ее здесь оставить, но я решила проявить осторожность и не спешить. Потому вернулась назад, в крапиву, и замерла.

Свет фонаря едва пробивался к этой части переулка, определить марку машины, а тем более увидеть номер я не могла, но было ясно: это, безусловно, дорогая иномарка. Огни потушены, и вроде бы никого в ней нет, хотя клясться в этом я бы не стала. Машина стояла почти вплотную к забору Юрия Петровича, и я логично предположила, что ее хозяева или хозяин в настоящий момент бродят с фонарем по его дому. Интересно, что будет дальше. Покидать укрытие охоты никакой, есть шанс столкнуться с незваными гостями нос к носу. В общем, я укрылась в крапиве и стала ждать.

Послышались голоса, два, может, и три. Говорили тихо, но в ночном безмолвии слова звучали довольно отчетливо. Вдруг совсем рядом открылась невидимая с этой стороны калитка, и в поле моего зрения возникли три мужских силуэта.

— Садись за руль, — сказал один из мужчин, я сразу же узнала голос Юрия Петровича. Они подошли к машине. Шедший в середине тип был дядей Юрой, а впереди Полифем, этого ни с кем даже в кромешной тьме не спутаешь. Он сел за руль, а Юрий Петрович с третьим парнем сзади. Когда садились, в матовом свете машинной лампочки я отлично видела лица обоих: землисто-серую физиономию дорогого дядюшки и бледное, узкое, с тонкими губами и орлиным носом лицо молодого парня.

Я совсем было собралась покинуть свое укрытие и окликнуть Юрия Петровича, но в последний момент разумно предположила, что от моего появления он вряд ли придет в восторг — место здесь глухое, темное, а человек только что бродил по собственному дому с фонарем в руке. Наверное, неспроста.

Машина отъехала, а я все еще пребывала в сомнениях. Потом выбралась в переулок и заспешила к своим «Жигулям». Уже в кабине взглянула на часы: пять минут второго. Ну, и что делать дальше? Если он плюет на мои сообщения на автоответчике, то и записка тоже не произведет впечатления.

Еще с полчаса я продолжала сидеть в машине, вглядываясь в темноту ночи и пытаясь размышлять. От денег необходимо избавиться, для этого надо встретиться с Юрием Петровичем, он по неведомой причине встреч со мной избегает. Было над чем задуматься. Собственный дом он покидал воровским способом, и это тоже тревожило, но он ведь мог сюда вернуться. Что, если попытаться перехватить его здесь и втолковать, как мне все это не нравится? Мысль так себе, но других не было, и я решила подождать. Хватило меня на два часа, после чего сидение в темном переулке рядом с пустым домом в ожидании Бог знает чего мне показалось невероятно глупым и я завела машину.

Выехала не спеша на Ново-Московскую, потом свернула на светофоре, и тут из переулка справа выскочил какой-то псих, я чертыхнулась, тормозя и пропуская его вперед. Машина оказалась древним «Запорожцем», ее швыряло по дороге, а из раскрытого окна на весь квартал неслась музыка.

«Гуляют люди», — подумала я, пристраиваясь за ними на некотором расстоянии. Вот тогда и появилась еще одна машина, темная, мощная, скользящая точно выпущенный снаряд. «Запорожец» шел с дальним светом, луч скользнул по кабине мчавшейся навстречу машины, и в приоткрытом окне я увидела лицо Юрия Петровича. Длилось это секунду, не больше, но, вне всякого сомнения в машине сидел он. Дорогой дядюшка промчался мимо, а я притормозила. Вернуться к его дому? Что-то мне расхотелось.

Светало, глаза слипались, а мозг работал вхолостую. В таком состоянии лучшее, что можно сделать, это лечь спать. Юрий Петрович жив и здоров, играет в странные игры, а я его по ночам выслеживаю. С утра позвоню и оставлю сообщение на автоответчике: если в ближайшие два дня он не заберет свои деньги, я выброшу их на помойку. Мысль мне понравилась, и я поехала домой.

Уснула я не раньше шести, потому подняться смогла только в одиннадцать. О ночном приключении думать не хотелось, поскучав немного, я придвинула телефон. Говорить со мной не желали, что меня не удивило, я продиктовала свое сообщение и отправилась в ванную. Там и застал меня звонок в дверь. Накинув халат, я бросилась открывать. Передо мной возник Полифем.

— Ну, вот... — обрадовалась я, как выяснилось, рано. Полифем был один.

— Здравствуйте, — сказала я, ища глазами Юрия Петровича. Его нигде не наблюдалось. Полифем ответил:

— Здравствуй. — Прошел в комнату, сел на диван и задумался. Я стояла в дверях и на него таращилась, все это начинало здорово злить.

— Ну? — не выдержала я. Он поднял голову, посмотрел мутно, так что оставалось только гадать, видит он меня или нет, перевел взгляд на стену, поскучал и опять на меня взглянул.

— Где Юрий Петрович? — задала я вопрос, сообразив, что Полифем скорее всего заснул и слова добровольно не вымолвит.

— Убит, — ответил он, тихо и совершенно равнодушно, точно сообщал, что в подъезде лампочка перегорела.

— Как это? — растерялась я.

— Как убит? — уточнил он.

— О Господи... — Я осела в кресло и попыталась понять, что происходит. Прошло минут пять, прежде чем я спросила: — Когда?

— Сегодня ночью, — терпеливо ответил он. Надо полагать, эмоции у него просто отсутствуют. Полифем смотрел не моргая и был впечатляюще спокоен.

— Как же так... — начала я и осеклась. Пожалуй, о своем ночном визите говорить не следовало. — Не могу поверить, — вместо этого заявила я. Он кивнул. — Как это произошло?

— Он поехал на деловую встречу, домой не вернулся и туда не доехал...

— А ты? — насторожилась я. — Ты ведь всегда с ним.

— Я был занят другими делами.

— Ты видел его мертвым?

— Нет, — пожал он плечами.

— Тогда почему ты решил, что он убит?

— Он уехал к одиннадцати, его ждали до часу. Он не появился. Машина исчезла, вместе с ним, шофером и охранником.

Полифем смотрел на меня и нагло врал. Во-первых, шофером был он сам, во-вторых, десять минут пятого я видела Юрия Петровича в полном здравии направляющимся к родному дому. Чушь какая-то... Зачем Полифему понадобилось врать?

— Это ничего не значит, — сказала я. — Мало ли что могло случиться? Он вернется.

— Он убит, — заверил Полифем своим дурацким голосом.

— Откуда ты знаешь? — разозлилась я.

— Знаю. Если я говорю убит, значит, у меня есть повод так думать.

Я замолчала, пытаясь переварить информацию, он тоже замолчал, устремив взгляд в стену. Скоро в ней будет дыра. Я гадала, что они вдвоем задумали.

— Ты возьмешь деньги? — спросила я.

— Нет, — покачал он головой.

— Как это нет?

— Деньги повезешь ты...

От неожиданности я открыла рот, да так и замерла, глупо тараща глаза. Чтобы прийти в себя, мне понадобилось довольно много времени.

— Что? — спросила я, ухмыляясь, хотя мне было не до ухмылок.

— Ты же слышала, — пожал он плечами, закинул ногу на ногу и посмотрел на меня.

— Я должна отвезти эти деньги? — В том, что это шутка, я сильно сомневалась, но в серьезность его слов верить все-таки не хотелось.

— Ты, — подтвердил он.

— Чокнулся, — покачала я головой. — А зачем мне это, ты не знаешь?

Он молчал, продолжая смотреть на меня. Такой взгляд выдержать нелегко.

— А если я скажу «нет»? — попытала я счастье.

— Не говори, не надо, — тихо попросил он.

— Ясно, — я облизнула губы. — Слушай, а почему бы тебе самому не отвезти эти деньги?

— Не выйдет. Сегодня уже все будут знать, что он убит. Никто из наших не доедет.

— А я доеду? — развеселилась я.

— Никому в голову не придет, что он мог доверить тебе деньги.

А вот я так не думала. И Полифем, не будь он идиотом, должен был знать, что самые невероятные предположения с ходу отметать не стоит. Сообразительность Полифема волновала меня мало, а вот среди друзей Юрия Петровича вряд ли все поголовные дурни. Было над чем задуматься.

— Ты сказал, что о его гибели сегодня узнают все. О деньгах, я полагаю, тоже кому-то известно, если Юрий Петрович не рискнул держать их у себя. Деньги будут искать и не найдут...

— Правильно, — кивнул Полифем. — Ты выезжаешь завтра. — Он достал из куртки конверт и бросил его на стол. — Здесь билет, поезд в 15.05. Адрес запомни: Вторая Привокзальная, дом семь, квартира два. Запомнила? Приедешь, возьмешь такси, забросишь деньги и сразу назад. Билеты в оба конца.

— Подожди, я еще не сказала «да». Эти ваши... друзья, они знают, кому я должна отвезти деньги?

— Конечно, — слабо улыбнулся он.

— Тогда меня будут ждать там...

— Не будут. Я сказал, они знают, к кому должны попасть деньги, но не знают, кто и где их получит.

Для меня все это было слабым утешением.

— Мой внезапный отъезд после смерти Юрия Петровича может кого-то заинтересовать... — не сдавалась я.

— Кому ты нужна, — пожал он плечами. — Ты в отпуске и не обязана знать, что он убит...

— На автоответчике мои послания, я прошу забрать деньги, — разволновалась я.

— Нет никаких посланий, я все стер.

— Меня видели на его дне рождения.

— Ну и что? Это не значит, что он доверил тебе деньги.

— Но ведь ему пришло такое в голову? Вдруг там отыщется еще один умник?

Полифем вновь едва заметно улыбнулся. Интересно, что его так радовало?

— Везти с собой большие деньги само по себе опасно, а тут еще на них полно охотников.

— Все-таки тебе придется это сделать, — пожал он плечами.

— А вот я не уверена, — начала я и запнулась — не стоило ему так на меня смотреть. Я разозлилась и сказала: — А если я с вашим чемоданом в милицию отправлюсь?

— Ты ж не дура, — удивился он.

— Уверен, что не дойду?

— Может, и дойдешь, — вздохнул он. — Только ведь и в ментовке на кого нарвешься. Жадность — черта в народе популярная. Вот менты тебя сами и прирежут за такие-то бабки...

— Это ты меня пугаешь, — усмехнулась я.

— Пугаю, — кивнул он. — Но проверять не советовал бы. — Он помечтал о чем-то, глядя на стену, и добавил: — В поезде ты будешь не одна. За тобой присмотрят. Так что особенно не переживай.

— Мне это не нравится, — твердо заявила я. — Если кто-то заметит ваших людей, может связать их с моим появлением в поезде. И тогда у меня никаких шансов...

— Мы ж не дураки, — пожал он плечами.

— Откуда мне знать? — проворчала я. — В поезде ты будешь?

— Возможно, — сказал он, поднялся и пошел к выходу. — Адрес запомнила?

— Запомнила.

Трогательной сцены прощания не вышло, он кивнул и удалился. Я вернулась в комнату, постояла возле книжного шкафа, машинально перекладывая книги.

— Чепуха получается, — сказала вслух. — Полифем врет, что хозяин погиб ночью. Конечно, дядя Юра мог умереть под утро или чуть позже, но какой смысл врать?

Объяснений я не находила. Изрядно поломав голову, я направилась к пианино. Кейс был на месте, кстати, им Полифем даже не поинтересовался. Еще одна загадка для тупых.

Я достала кейс, бросила на журнальный стол, села в кресло и уставилась в любимую стену Полифема. Все-таки история выглядит невероятно глупой, если только...

Я попробовала открыть кейс, заведомо зная, что ничего из этого не выйдет: ключ Юрий Петрович оставил у себя. Я пошла в кладовку и немного покопалась в старом чемодане. Кейс — это вам не сейф в швейцарском банке. Раздался щелчок, и замки открылись.

Я подняла крышку: доллары новенькие и вполне зеленые.

Полный бред. Я вынула пачку из середины, проверила ее и засмеялась. На любом конкурсе идиотов мне обеспечено первое место. Во всем чемодане набралось не больше четырех тысяч долларов. Остальные явная подделка. Сумма для Юрия Петровича ничтожная и душевного трепета не вызывающая. Сам он скорее всего жив-здоров, а его желание видеть меня в гостях в свой день рождения становится вполне понятным.

Я немного послонялась по комнате и сказала:

— Ладно, сукины дети, вы со мной наплачетесь.

Боевого задора было сколько угодно, но одной мне не справиться. Я вышла на балкон, постояла немного на свежем воздухе, стараясь успокоиться и мыслить здраво.

В голову пришла только одна кандидатура: Максим Чернышев, мой давний приятель, авантюрист и рубаха-парень. В настоящее время он переживает очередной развод и в любую аферу влезет с удовольствием.

Я покосилась на телефон, но звонить не стала. Оделась и вышла из дома. Машина была на стоянке. Стараясь выглядеть естественно, я в нее загрузилась и направилась в торговый центр. Побродив там около часа, зашла еще в пару магазинов.

Требовался одинокий телефон-автомат. Вскоре он появился. Я притормозила, осторожно огляделась по сторонам. Как будто ничего подозрительного.

Максим был дома. Судя по голосу, маялся с перепоя.

— Привет, — сказала я.

— Привет. Вспомнила старого друга? Когда вернулась?

— Давно.

— Здорово. А я тут, понимаешь, чуть руки на себя не наложил...

— Потом расскажешь, — перебила я. — Дело есть. Сможешь к Вике подъехать?

— А почему не к тебе?

— Потому что за мной, возможно, следят.

Он тихо икнул и сказал уважительно:

— Заливаешь...

— Если бы... Я буду у нее через сорок минут, ты должен приехать раньше, чтобы тебя не засекли. Она дома, я с утра звонила. У нее и поговорим.

Я повесила трубку. Поблизости никто не вертелся, это вселяло надежду, что нас не подслушали.

Выждав время, я направилась к Вике. Жила она в старом городе, в бывшем купеческом особняке, умело поделенном на крохотные квартирки. От былого великолепия остались два каменных столба перед домом и кованая калитка; забор давно рухнул, сам дом обветшал, но все равно мне нравился.

Викина квартира располагалась на втором этаже. Войдя в подъезд, я услышала Викин голос:

— Привет отдыхающим... — Она стояла, опершись на перила, и улыбалась. Я поднялась по крутой лестнице, мы обнялись и вошли в квартиру.

— Макс здесь? — понизив голос, спросила я.

— Здесь и несет какую-то ерунду. Это белая горячка?

— Возможно, только, к сожалению, у меня.

— Так ты ж не пьешь?

— Когда это было...

Макс сидел в кухне и пил кофе. Я мысленно его похвалила: место он выбрал удачное, в окно его не увидишь. Мы с Викой тоже сели и заварили кофе. Я покосилась на своего друга. Выглядел он на троечку. Осунулся, небрит и нестрижен, за версту несет пессимизмом и лютой обидой на женскую половину человечества, куда нас с Викой предусмотрительно не включили.

С женщинами Максу не везло упорно и всегда. Подозреваю, виноват в этом он сам. Макс обладал внешностью мушкетера и умел выглядеть благородно. Был остроумен, безрассуден и пылок, иногда до неприличия. Многие женщины влюблялись в него безоглядно. Но очень скоро к ним приходило прозрение. Макса влекли слишком многие вещи, чтобы одна-единственная женщина смогла их заменить. На самом же деле он был веселым циником и знал это, хотя и любил прикидываться романтиком.

Для меня важно было другое: он крепкий парень с патологической страстью к авантюрам, всегда готовый рискнуть. А главное — я могу на него положиться. Пять сезонов подряд мы с Викой и Максом ходили в горы и хорошо узнали друг друга. На шестой вместе с нами отправился новичок, парнишка двадцати лет, и восхождение закончилось тем, что мне пришлось делать Вике операцию в полевых условиях. Шрам через все лицо, теперь едва заметный, превратил красивую, нежную женщину в колдунью из детских сказок. Этого оказалось достаточно, чтобы навеки охладеть к альпинизму. Я начала считать, что, посылая меня в данный мир, Господь имел в виду что-нибудь поважнее преодоления очередной никому не нужной вершины. На следующий год нелепо и странно погиб в горах муж Вики, после чего Макс тоже забросил альпинизм, переключился на женщин и запил. Периоды запоя, длившиеся три-четыре дня, протекали бурно и производили незабываемое впечатление на окружающих. Они чередовались с периодами аскетизма и неуемной жажды знаний. Макс читал все подряд и истязал себя гимнастическими упражнениями, чему немало способствовала его работа: он был пожарным и, когда товарищи мирно спали, неуклонно совершенствовался интеллектуально и физически. В общем, Макс парень интересный.

Сейчас он сверлил меня взглядом и собирался сказать гадость.

— Что ты плела по телефону? — спросил он.

— Не прикидывайся, тебе хорошо известно — такие шутки не по мне.

— Тогда во что ты вляпалась?

— Еще сама не знаю. Но догадываюсь.

— Уже кое-что... Рассказывай.

Я посмотрела на Вику.

— Почему? — обиделась она.

— Потому что у тебя ребенок, а все может оказаться серьезней, чем я думаю.

— Я считала, ты пришла за помощью, — нахмурилась она.

— Так ты уже помогла. Если за мной следят, пусть думают, что я просто заехала к подруге. А вот Максу им на глаза показываться ни к чему.

— Похвастаешь, когда все кончится?

— Еще бы.. — пообещала я, и она ушла из кухни.

Макс прядал ушами, как боевой конь при звуках трубы. Может, не прядал, я боевых коней сроду не видела, но энтузиазмом явно пылал и готов был на многое.

— Не тяни, — нахмурился он и приготовился слушать.

— Я рассказываю: вопросы как — оставляем на потом или отвечаю в рабочем порядке? — С Максом лучше договориться сразу, не то разговор плавно перейдет в философский диспут, и мы состаримся, так и не закончив.

— Как тебе удобней, — милостиво кивнул он. Я коротко, но доходчиво поведала предысторию появления у меня кейса, затем перешла к рассказу о предстоящей поездке и самом кейсе. Макс тер подбородок и выглядел озадаченным.

— И что ты обо всем этом думаешь? — спросил он.

— А что подумал ты?

Он усмехнулся:

— Что меня подставляют. Разыгрывают втемную.

— Наши впечатления сходны, — кивнула я. — У моего дяди Юры хранились деньги, чужие, что бы это там ни значило. Его пытались убить, он знает, что у него есть враги, но не знает, кто. Далее — деньги необходимо передать, он решает отправить меня, предварительно растрезвонив о моем существовании всем желающим услышать.

— А это ведь не так глупо, как кажется, — заметил Макс. — Человек средней сообразительности мог бы уловить в этом намек на хитрость. Мол, все решат, что деньги девчонке, да еще со стороны, не доверят, но, впрочем, почему бы и нет? А пока умные головы загадки отгадывают, настоящий курьер повезет настоящие деньги. Так?

— Если мы правы, конечно.

— Мы правы. Иначе все это просто ни на что не похоже... Ты хочешь, чтобы я поехал с тобой и тебя страховал?

— А ты поедешь?

— Конечно.

— Спасибо, Макс. Теперь главное. Я думаю, настоящий курьер поедет тем же поездом. Полифем хозяина оставлять не любит и делает это в особо важных случаях. Он будет следить за мной и страховать настоящего курьера.

— Вполне возможно, — кивнул Макс. — Дураки решат, что он прикрывает тебя, и еще больше уверятся в том, что ты везешь деньги.

— Тебе придется быть очень внимательным. Следи за Полифемом. Его ни с кем не спутаешь: в два раза больше нормального человека, стриженый брюнет, такое впечатление, что сутки не брит; очень яркие глаза, пустые до жути.

— Такого не пропустишь, — кивнул Макс. — Моя задача?

— Попытаться вычислить курьера.

— И что дальше?

Я усмехнулась, глядя в его глаза, через полминуты он тоже усмехнулся, а потом захохотал.

— И чего тебе так радостно? — спросила я.

— Я всегда тебя считал красивой и наглой бабой и пытался решить, чего в тебе больше?

— Ну и как, решил?

— Красота бьет в глаза, но время на размышления еще есть... Давай обговорим детали.

Утром я встала рано и немного послонялась по квартире. На ходу мне лучше думается. А подумать было о чем.

В одиннадцать позвонила Вика, мы поболтали о том о сем, она произнесла условную фразу: «У меня полный порядок». Это значило, что Макс к путешествию готов и в первоначальном плане изменений не будет.

Теперь осталось только ждать. Минут двадцать я простояла под душем и почувствовала себя бодрой и готовой на все. Достала спортивную сумку и упаковала в нее кейс. Взяла немного белья и термос (в дороге пригодится), тапочки и свое любимое платье (оно приносит удачу). Предполагалось, что в пути я пробуду почти сутки, завтра в 14.40 поезд прибудет к месту назначения. Со мной или без меня — еще вопрос.

В два часа позвонил Полифем.

— Ты готова? — спросил он. Я вздохнула и ответила:

— Готова.

— Вызовешь такси?

— Поеду на троллейбусе. Вещей мало, а на месте мне уже не сидится. Не возражаешь?

— Нет. Поступай как хочешь.

— Серьезно? — съязвила я. Он помолчал немного и этим своим вкрадчивым голосом заявил:

— Не думаю, что ты рискуешь.

По телефону я разговаривала с Полифемом во второй раз, его голос всегда вызывал некоторую растерянность, а сейчас, когда перед моим взором не было его звериной физиономии, и вовсе выбивал из колеи. Хотелось разрыдаться, поведать наболевшее или на худой конец в грехах покаяться. С таким голосом надобно в церковь или в психиатры, а не в бандиты. Тут я вспомнила о его внешности и согласилась с тем, что он сделал правильный выбор.

— Не думаю, что ты очень обо мне тревожишься, — ответила я. Так как высказываться по этому поводу он вроде бы не собирался, я спросила: — Ты будешь в поезде?

— В любом случае о тебе есть кому позаботиться.

— Большое спасибо, — искренне сказала я и повесила трубку. Переоделась, взяла сумку и направилась к выходу.

От моего дома до железнодорожного вокзала примерно сорок минут езды троллейбусом. Я заняла место впереди, лицом к салону. На остановке «Речная» вошел Макс. Рюкзак, удочки, бейсболка, старые шорты и видавшие виды кроссовки указывали на то, что бывалый турист отправился за новыми впечатлениями. Он перебросил рюкзак на другое плечо, значит — меня увидел. Друг на друга мы внимания вроде бы не обращали. Макс остался стоять на задней площадке и смотрел в окно.

«Вокзал» был конечной остановкой, я не спешила и покинула троллейбус одной из последних. Если за мной и наблюдали, то я этого не заметила.

Объявили посадку на мой поезд. Отправлялась я не на юг, а на восток, и желающих провести там свой отпуск оказалось мало. После объявления посадки народу на перроне прибавилось, но не настолько, чтобы вызвать у меня беспокойство. Я предъявила проводнику билет. Первое купе. Вошла и осмотрелась. У меня нижняя полка. Я убрала сумку и устроилась у окна. По-прежнему ничего примечательного, хотя, если честно, всерьез я и не ожидала что-то заметить. В купе даже никто не заглянул, как видно, путешествовать мне предстояло в одиночестве.

Я посмотрела на часы: отправляемся через пять минут. Самое время. Посадка уже закончилась. Я прошла мимо проводника, молодого парня с загорелым до черноты лицом, он сказал вдогонку:

— Сейчас отчалим, смотрите опоздаете.

— Я на минутку, — заверила я и припустилась к зданию вокзала. Здесь, у входа, продавали газеты, я схватила несколько штук, расплатилась и вернулась в вагон.

Поезд дрогнул и тронулся. По коридору навстречу мне шел мужчина.

— Девушка, вы далеко едете? — глупо улыбаясь, поинтересовался он.

— Еще не решила, — ответила я.

— Не знаете, когда ресторан откроют?

— Вы у проводника спросите.

Я вошла в купе и стала смотреть в окно. Ничего такого, чего бы я не видела раньше. Мне это быстро надоело, и я уткнулась в газету.

Где-то через час в дверь постучали, и проводник весело поинтересовался:

— Чаю не желаете?

— Еще как желаю.

Мы немного поболтали. Улыбаясь, он спросил:

— Не скучаете?

— Пока нет. Весь вагон пустой, или только мне повезло?

— Да есть люди. Кто-нибудь по дороге подсядет. В соседнем купе трое мужиков с четырьмя билетами, по виду бандиты. Поосторожнее, лучше запритесь. Мало ли что, женщина вы красивая, такую не пропустят.

— А нельзя мне в другое купе перейти, одной и вправду жутковато. Может быть, есть место с женщиной или пожилыми людьми?

— Что-нибудь придумаем.

Он ушел, а я опять на часы взглянула: пора.

Я направилась в туалет, он был занят. В тамбуре стоял Макс и курил в одиночестве.

— Не желаете? — улыбнулся он, протягивая мне пачку.

— Спасибо, — ответила я и взяла сигарету. Окно было открыто, я повернулась к Максу спиной, а он придвинулся ближе ко мне и заговорил:

— Полифем здесь. Купе рядом с тобой, их трое. Если я что-нибудь понимаю, пасут носастого парня из шестого купе. В шестом купе едут двое, по виду друг с другом незнакомы.

— Почему решил, что они его пасут?

— Интуиция. Они столкнулись в коридоре и обменялись взглядами. Уверен, что не ошибся. Горбоносый вошел в вагон одним из первых, сидит тихо, газету читает. Полифем, а с ним еще двое, загрузились за минуту до отправления в последний вагон. Я бы их пропустил, да ты за газетами бросилась, у людей нервы не выдержали, и один мальчик за тобой припустил. В этот вагон они пришли через десять минут и в коридоре встретились с горбоносым. Мазнули друг друга взглядами и разошлись.

— И ты решил, что горбоносый курьер?

— Я же сказал: интуиция.

— Ладно. Увидимся в ресторане.

Туалет был свободен. Я мыла руки и ломала голову. Конечно, Макс мог ошибиться, с другой стороны, сомнительно, что Полифем здесь для того, чтобы оберегать мою драгоценную жизнь.

Я встала возле окна в коридоре, со скучающим видом наблюдая картины родной природы. Из шестого купе вышел мужчина лет тридцати, среднего роста, коренастый блондин в полосатой футболке. Поравнявшись со мной, широко улыбнулся и поздоровался. Я вежливо кивнула.

— А где ваш муж? — спросил он с той дурацкой интонацией, которая в другое время вынудила бы меня ответить коротко и впечатляюще. Однако он был из шестого купе, это меняло дело. Я улыбнулась и кокетливо ответила:

— Муж остался дома.

— Он не прав. Отпускать такую женщину одну никак нельзя.

— С чего вы взяли, что я одна?

— С ребенком? Или с подругой? Хотите, компанию составим, нас в купе двое...

— Едете с другом?

— Да нет, попутчик. Серьезный, газеты читает.

— Пожалуй, и мне стоит немного почитать.

— В ресторан не желаете?

— Для ужина еще рано.

Обменявшись улыбками, мы расстались. Я вернулась в купе, заправила белье, прислушиваясь к тому, что происходило за стеной. Судя по тишине, в соседнем купе вовсе ничего не происходило. То ли они спят, то ли в ресторан отправились.

Часов в семь я решила поужинать. Очень скоро пришла к выводу, что поезд битком набит одинокими мужиками, которым нечем себя занять. А мои подруги вечно жалуются, что женщин на свете больше, чем мужчин. Не там ходят, не туда ездят. У меня, например, сложилось впечатление, что женскую половину человечества я здесь представляю в одиночку. И всем до меня есть дело.

В ресторане почти все столы были заняты. Мне место нашлось сразу: блондин в полосатой футболке поднялся навстречу и радостно пролаял:

— Девушка, у меня свободно.

Я подошла, за соседним столом спиной к Полосатому сидел Макс.

— Спасибо, — вежливо сказала я и села у окна.

— А где ваша подруга? — спросил он.

— Я пошутила, подруги нет. Еду одна.

— Ну, ничего. Я вам компанию составлю.

— А как же ваш сосед по купе?

— Все читает. Звал ужинать, говорит, не хочу. Язвенник, наверное. — Полосатый уже выпил, и жизнь в нем била ключом. — Давайте знакомиться. Меня Володей зовут.

— Марина.

— Красивое имя. Кушать что будете, Марина?

— Все, что угодно. Я голодная. Только расплачиваюсь я сама.

— Ох уж эти современные женщины, — покачал он головой, но остался доволен. На богача он не тянул, и настоящий ужин мог пробить в его бюджете основательную брешь.

Я сделала заказ и огляделась. Три семьи с детьми, компания молоденьких девушек с двумя мужчинами старше пятидесяти, еще одна компания из четырех парней, двое из которых в любой момент могли свалиться под стол, две женщины у самого входа и старичок с палочкой... Полифема нигде не было.

— Пиво хотите? — спросил Володя.

— Нет, — покачала я головой. — Лучше водки, грамм сто.

— Вот это по-нашему, — обрадовался он. Мы выпили, он стал анекдот рассказывать и вдруг вскочил: — Женя, давай к нам. Попутчик, — пояснил он мне. Я оглянулась. К нам шел парень лет двадцати восьми, узкое лицо, нос с горбинкой. Не далее как прошлой ночью я видела его в компании Юрия Петровича и Полифема.

Он поздоровался и сел рядом со мной.

— Знакомьтесь, это Мариночка, а это Женя, — сказал полосатый Вовка. Был он парнем деятельным, сидеть спокойно просто не мог.

— В отпуск? — спросил Женя.

— Навестить родственников, — ответила я.

— Как тут, не отравят? — усмехнулся он.

— Трудно сказать, на вид страшная гадость.

Оба засмеялись, я тоже похихикала, ужин прошел в атмосфере взаимопонимания. Где-то через час мы вернулись в свой вагон, прихватив бутылку коньяка и кое-какой закуски. Возле моего купе вышла заминка.

— Спасибо за компанию, — сказала я. Полосатый был потрясен, выкатил глаза и гнусаво начал:

— Мариночка, время детское, идемте к нам. Посидим, выпьем по маленькой, я вам такую историю расскажу...

Женя улыбался, но молчал, как видно, не испытывая особой охоты продолжать знакомство.

— По-моему, это неудобно, — нерешительно заметила я.

— Да бросьте, мы ж современные люди. Неудобно, знаете что...

Я знала. Поотнекивавшись немного, кивнула в знак согласия.

— Только ненадолго. Мне надо лечь пораньше.

— Конечно, посидим часик, и по местам.

Мы прошли в их купе. Я старательно выполнила роль хозяйки, разложила закуску, и мы сели за стол.

Полосатый стал рассказывать свою историю, длинную и довольно бестолковую. Если так пойдет дальше, мы начнем дремать и очень скоро простимся. Это в мои планы не входило, пришлось проявлять инициативу и рассказать несколько дежурных историй, которые во всех компаниях, как правило, идут на «ура». Не подвели они и сегодня. Оба моих новых знакомых хихикали очень громко, а Женя заметно расслабился и рюмку коньяка проглотил легко и непринужденно, без угрызений совести. Я поторопилась закрепить успех и поболтала еще немного.

Где-то через час я поднялась.

— Что ж, пожалуй, пора...

Теперь не только Полосатый, но и Женя стали уговаривать меня остаться.

— Светло еще, ты ж не уснешь.

— Я, конечно, усну, но, честно говоря, мне наша компания нравится, и поболтать еще можно.

— Вот это по-нашему, — опять развеселился Володя. — Может, мне в ресторан сбегать, а?

— Ребята, — урезонила я, — не следует превращать наши посиделки в вульгарную пьянку. Хорошо сидим. Лично я пью очень мало, чего и вам желаю.

Жене мои слова понравились, он утвердительно кивнул, вслед за ним кивнул и Вовка.

— Придется мне вас покинуть на пару минут, пойду проверю свои вещи, — сказала я и направилась к двери.

В тамбуре стоял Макс. Я пошла к своему купе, на ходу поправляя волосы, он ладонью отбросил назад свои.

Возле купе я столкнулась с проводником и спросила:

— Ничего подходящего для меня не нашлось?

— В четвертом купе мать с дочерью и двое мужчин. Думаю, парни не откажутся с вами поменяться. Сейчас они в ресторане, наверное. Я с ними поговорю, вы не беспокойтесь.

— Спасибо большое. Если что, я в шестом купе.

— Отдыхаете?

— Время коротаем.

Обменявшись улыбками, мы расстались. Я вошла в свое купе и достала сумку. В «молнию» была аккуратно продета нитка, сейчас порванная. Значит, содержимым интересовались. Волосок с кейса тоже исчез. Что ж, либо кейс мне подменили, либо они знают, что денег в нем нет. Не хотелось думать, что они такие дурни и не догадались проверить пачки. Надеюсь, моя персона интереса больше не представляет.

Окрыленная перспективой выбраться из передряги с целыми ушами, я вернулась к своим новым знакомым.

— Как вещички? — спросил Вовка.

— На месте.

— Золото, бриллианты?

— Нет, к несчастью. Но и того, что есть, жалко.

— Это точно, — кивнул он.

— А мы уже заскучали, — улыбнулся Женя. Со мной не соскучишься, мысленно пообещала я и вспомнила еще пару забавных историй. Касались они студентов-медиков и происходили в морге, после этого речь неизбежно зашла о покойниках.

— Вот ты, Марина, врач, человек грамотный. Как думаешь, есть у человека душа? — проникновенно спросил Вовка.

О душе я могла говорить часа три, не меньше, это вообще моя любимая тема.

— Я позже расскажу, что думаю, а пока свои вещички проверю.

— А много ли вещей? — заинтересовался он.

— Сумка.

— Так давай я ее сюда принесу.

Я плечами пожала:

— Чего с ней туда-сюда таскаться, все равно скоро спать.

— А ты у нас оставайся, — обрадовался Вовка. Мы посмеялись, и я сказала:

— Спасибо, конечно, но мужу это вряд ли понравится.

— А он не узнает.

— Наперед никогда не скажешь, так что лучше не рисковать.

— Да мы тихие, правда, Женя?

— Конечно, — улыбнулся тот.

— Вы, может, и тихие, а я нет, — засмеялась я и к двери направилась.

— В самом деле, давай принесем сумку, — поднялся Вовка. — И будем сидеть спокойно. В ней ведь не три тонны, два раза по коридору я ее пронести смогу.

— Хорошо, — согласилась я.

В купе я его не пустила. Знать, что я еду одна, ему необязательно. Вынесла сумку и вручила ему. Он, очень довольный, зашагал вперед.

Женя за это время прибрал на столе и шторы задернул. Мы допили коньяк и взялись за анекдоты. Впервые за пять лет я сказала медбрату «спасибо» за его неуемную тягу к этому виду устного народного творчества. Знал он их превеликое множество и очень любил рассказывать, иногда в ущерб слушателям.

Я немного покопалась в мозгах и выудила целую серию еврейских анекдотов. Смеялись до слез.

— Женька, пойдем покурим, — предложил Полосатый, когда отдышался.

— Не хочу.

— Марин, ты куришь?

— Нет.

— И правильно. Ничего интересного без меня не рассказывайте.

Он ушел, беседа приобрела более лирический характер. Вовка не возвращался довольно долго, и мы наконец это заметили.

— Может, в ресторан пошел? — предположил Женя. — Любит выпить человек, это видно.

Тут в купе возник Вовка, лицо пылало праведным гневом.

— Что случилось? — спросила я.

— Да пристал один... козел. Поезд дернуло, ну я его плечом и задел, извинился даже. А он выступать начал...

— Надеюсь, до драки не дошло? — испугалась я.

— Надо бы ему пару раз врезать...

Если речь шла о Максе, а так оно, конечно, и было, я бы не советовала. Макс был большой обманкой не только для женщин, на его счет сильно заблуждались и мужчины, принимая за худосочного интеллигента. Однажды я лично наблюдала, как здоровенный детина минут двадцать вынужденно отдыхал в углу, после того как Макс убедительно попросил его не шалить. Так что Вовкино геройство рождало печаль. Женя отнесся к происходящему примерно так же.

— Брось, — сказал он. — Не обращай внимания.

Вовка понемногу начал успокаиваться, потянулся к бутылке, но она уже давно была пуста.

— Может, еще по маленькой? — предложил он. — А, Марин?

— Не увлекаюсь, — развела я руками.

— Так и я не увлекаюсь, по маленькой... — Я еще только думала, что ответить, а он уже исчез за дверью.

— Пусть выпьет, — усмехнулся Женя. — Спать крепче будет.

— Да, пора, наверное...

— Рано, смотри, светло совсем... — Он не успел договорить, дверь распахнулась, и появился Макс, по виду совершенно пьяный.

— Где этот? — спросил он и нахмурился.

— Вам кого надо, молодой человек? — тревожно спросила я.

— Да я ему за козла рога поотшибаю... Ясно? — далее начался обычный в таких случаях пьяный бред.

Макс споткнулся и едва на меня не упал. Я взвизгнула, а Женя поднялся.

— Вот что, мужик, давай-ка отдохни. Уже поздно, спать пора...

— Я ведь его даже пальцем не тронул, это он меня толкнул...

Макс, пятясь задом, а Женя на него надвигаясь, вышли в коридор. Дверь Женя за собой закрыл, чтобы Макс, изловчившись, не проскочил в купе. Но тот свое дело знал, и по голосам я скоро поняла, что он стоит спиной к двери, загораживая ее от Жени и продолжая слезную повесть о своей нелегкой судьбе.

Пара минут, чтобы проверить багаж, у меня есть. Я приподняла нижнюю полку, расстегнула потертый чемодан, тревожно прислушиваясь к голосам. Под ворохом одежды лежал кейс, по виду мало чем отличающийся от моего, а если и отличался, так тоже не беда. Не раздумывая, я поменяла кейсы, на что ушло меньше минуты.

За дверью прибавился Вовкин голос, а следом и голос проводника. Уже не торопясь, я попыталась скрыть следы насильственного вторжения, потом приоткрыла дверь и выглянула. Все четверо говорили разом, но гроза заметно шла на убыль. Макс принял покаянную позу и в третий раз спросил:

— Я тебя задел? Нет, ты скажи: задел или нет? Не-ет, а ты меня...

— Все мужики, по местам, — твердил проводник. — Девушку перепугали...

Все разом посмотрели на меня. Надо полагать, выглядела я, как овца, завидевшая волка, и дрожала как осиновый лист, что неудивительно, если учесть, чем я только что занималась.

Мой вид произвел впечатление, мужики закручинились и стали откатываться в разные стороны. Наконец мы втроем оказались в купе.

— Господи, каких только сумасшедших не встретишь, — вздыхала я. — Женя, он тебя не ударил?

— Я б ему так ударил...

— Что значит пьяный, уперся как баран...

— Надо бы все-таки с ним разобраться, — хмурился Вовка.

— Охота тебе связываться. Проспится мужик, в голове просветлеет...

Веселой беседы не получалось, не помогла и принесенная Вовкой бутылка, мы пить отказались. Вовка выпил и тяжело задумался, надо полагать, строил планы мести. Тут и появился проводник. Постучал, вошел и сказал:

— Девушка, если не передумали, можете заселяться. Ребята не против. Они в соседнем вагоне в карты играют и ночевать вряд ли придут...

— Спасибо, — поблагодарила я, с готовностью поднимаясь.

— Может, у нас останешься? — спросил Женя. Мои чары наконец возымели действие.

— Нет, я к дамам, — с улыбкой ответила я.

— Давай помогу, — предложил свои услуги Вовка.

— Не надо, вдруг этот тип там болтается, чего доброго, опять пристанет. Сумка не тяжелая, я справлюсь.

— Я донесу, — сказал проводник. В этот вечер я шла нарасхват. Он подхватил сумку, я простилась, и мы пошли в купе. В тамбуре Макс курил в компании молодой брюнетки, я едва заметно кивнула. Он прикрыл веки.

— Ребята свои вещи перекинули к вам в купе, — сообщил проводник. — Ваша полка нижняя...

— Спасибо вам большое.

Я постучала, женский голос ответил «да», и я вошла. Женщина лет пятидесяти застилала постель, ее дочь устроилась на верхней полке и отвернулась к стене; заслышав меня, взглянула мельком и поздоровалась.

— Здравствуйте, не помешаю? — широко улыбнулась я.

— Что вы, мы очень рады. Ребята вроде бы неплохие, да выпить любят. А нам, сами понимаете, поспокойнее — получше. Ваш рюкзак мужчина принес, поставил под полку.

— Спасибо, я знаю.

Она продолжила возню с постелью, а я подняла полку, расстегнула рюкзак, достала из него матерчатую сумку и кейс. Тот, что вез Макс, был подобием того, что я получила от дяди Юры: много макулатуры и немного баксов, уложенных так, что не придерешься. Макс у нас на все руки мастер.

Кейс Макса я переложила в свою сумку, а позаимствованный у Жени сунула в сумку Макса и застегнула «молнию». Рюкзак свернула и тоже убрала в сумку. Переоделась, поверх махрового халата набросила кофту, через плечо перекинула полотенце, свернула одеяло и, подхватив его под мышку вместе с сумкой Макса, вышла из купе. Выглядела я копной сена, и разглядеть сумку под одеялом мог только очень проницательный человек. Кстати, он вполне может быть совсем рядом.

Проводник в своем купе выяснял отношения с очень сердитой женщиной, тамбур был пуст, но Макс как раз выходил из туалета. Я перехватила одеяло, левой рукой поставила сумку к стене и, прикрывая ее своим телом, ногой толкнула к Максу. Он легко ее подхватил.

— Сматывайся, — прошептала я. Макс кивнул и исчез в тамбуре. Если мы напутали и Женька все-таки не курьер, будет смешно.

Проводник наконец отделался от гневной дамы, и я смогла подать голос:

— Можно одеяло поменять? Это влажное.

— Ни одного нет, сами посмотрите, если не верите...

— Жаль, — загрустила я.

— А вы в первом купе поменяйте, ребят все равно нет...

— Неудобно без хозяев, там же их вещи.

Я вернулась в свое купе, женщина уже легла.

— Хотела одеяло сменить, — пояснила я.

— Все сырое, будто нарочно намочили, — откликнулась она. — Безобразие, на белье смотреть страшно, а не только спать на нем. За что деньги платим?

Мы посокрушались немного, и я пошла умываться. Возле туалета встретилась с Женей.

— На покой? — улыбнулся он.

— Пора.

— До завтра.

— Спокойной ночи.

Мое пожелание было несбыточным, когда вокруг такие дела...

Я вышла из туалета и едва не налетела на проводника. Он хмурился и бормотал под нос ругательства.

— Что случилось? — спросила я.

— Кто-то дверь открыл. Самоубийцы чертовы, на что она им понадобилась... на два вагона хоть бы один трезвый мужик.

— Любит народ выпить...

Я посмотрела в окно, поезд шел в гору, но скорость приличная. Надеюсь, Максу повезло.

Я пыталась уснуть. Не тут-то было. В одиночестве вдруг стало невыносимо страшно. Женщины спали, а купе даже не запирается как следует. Если кейс проверили, то уже знают, что курьер я липовый. А если они следили за моими передвижениями по вагону и смогли вычислить Макса? О Господи... Лучше об этом не думать. А если они только увидели кейс, а открывать не стали? Считают, что курьер я? И придут ночью. Или встретят на вокзале. Или решат проводить до места? Для меня предпочтительней последнее. Ввалиться в купе ночью не очень умно: три женщины поднимут визг, взбудоражив весь поезд. Хотя можно сделать так, что ни одна из нас рта раскрыть не успеет. Об этом тоже лучше не думать.

Прыть неведомых врагов должны сдерживать Полифем с подручными. Перестрелка в поезде им вряд ли нужна... Вся беда в том, что они меня знают, а я их нет. А что, если эти женщины... бред. Полифем не подает признаков жизни, сидит безвылазно в купе. Хотя о том, что я умудрилась познакомиться с Женей, наверняка осведомлен. Почему не вмешался? Боится таким образом указать на настоящего курьера? Может, зря я трушу, и никаких врагов здесь вовсе нет?

Хоть бы Макс уже добрался до человеческого жилья и был в безопасности... Неужели его выследили? Уснуть бы...

Помучившись еще немного, я потянулась к часам. Пятнадцать минут третьего. Самое жуткое время. Нечисть гуляет, и бандитам раздолье. Кто-то прошел по коридору... или показалось? Дверь скрипнула... ну и что? В туалет бы надо сходить. Покидать относительную безопасность купе было страшно. Я помучилась еще полчаса и решительно поднялась. «Чему быть, того не миновать», как говорил мой папа.

Я накинула халат и вышла в коридор. За окном быстро промелькнули огни, видимо, какой-то поселок. Я поежилась и пошла к туалету. Тишина, если не считать мерного перестука колес. Из купе проводника слышался женский смех, мужской голос произнес:

— Да ладно... — и все стихло.

Дверь туалета приоткрыта. Я потянула на себя ручку и поначалу даже не поняла, в чем дело.

— Извините... — Я хотела закрыть дверь и только

через несколько секунд почувствовала холод в затылке, а в горле рвавшийся наружу крик. Извинялась я перед трупом. Я шире открыла дверь и заглянула. Человек нелепо, боком сидел на унитазе, привалившись к стене. Лицо не разглядишь, голова сильно запрокинута, от уха до уха шла кровавая полоса. Я узнала его по рубашке: Женя. Ему не только горло перерезали, но и позвоночник сломали. Работа настоящего мясника.

Я глубоко вздохнула, пытаясь решить, что разумнее предпринять в такой ситуации.

— Прежде всего в туалет сходить, — разозлилась я и пошла в другой конец вагона. За это время смогла кое-что обдумать, потому сразу же направилась к шестому купе. Осторожно постучала. Мне никто не ответил. Я толкнула дверь, взрыв смеха из купе проводника едва не заставил меня упасть в обморок.

То, что я увидела, сил не прибавило. Вовка лежал грудью на нижней полке, ноги на полу, рука сжимала край стола. Его можно было бы принять за пьяного, но темная лужа, которая уже образовалась на полу, и абсолютная тишина ясно говорили о том, что он не спит. Если, конечно, не прибегать к дурацкому сравнению смерти с вечным сном.

Я направилась в купе Полифема; играть в прятки больше не было смысла. Постучала, сначала тихо, потом громче. Отвечать не желали. Я потянула дверь, и она открылась. В купе никого не было, как не было и следов недавнего пребывания здесь людей.

Коридор был по-прежнему пуст. Я решила рискнуть, вернулась в шестое купе и, стараясь не обращать внимания на труп, проверила, на месте ли Женькин чемодан. Чемодан на месте, но кейса в нем не было.

Стуча зубами, я пробралась к себе. Женщины спали. Я завернулась в одеяло, пытаясь согреться. Мысли путались и отказывались повиноваться.

Начинало светать, когда в коридоре раздался женский крик. Так ужасно могла кричать только женщина, обнаружившая труп. Так оно и оказалось. Я «проснулась» после того, как моя соседка, тронув меня за плечо, трагически прошептала:

— В туалете труп нашли.

— Что? — вытаращила я глаза. Ее дочь, кутаясь в халат, выглядывала в коридор.

— Что делается, Господи, прямо хоть из дома никуда не выходи...

— А что случилось? — быстро одеваясь, спросила я. — Инфаркт?

— Какое там... убили, горло перерезали... страсть...

Выходить из купе я не решилась, стояла в дверях. Мне совершенно не хотелось, чтобы в суматохе кто-нибудь ткнул меня ножом. Те, кто охотился за кейсом, вполне могли все еще быть здесь. Хотя таинственных врагов может и вовсе не существовать, а происходящее — шуточки Юрия Петровича и его Полифема.

Только-только народ стал приходить в себя, как обнаружили второй труп. Мужчина в форме, видимо, начальник поезда, пытался успокоить пассажиров, при этом был так бледен и взволнован, что напугал всех еще больше. На первой же станции прибудет следственная группа, сообщил он, а пока всем лучше разойтись по местам.

Народ расходился весьма неохотно — толпой вроде бы спокойнее. Только не мне, я и в толпе, и в одиночестве чувствовала себя одинаково паршиво. Прежде всего меня беспокоил Полифем: куда он исчез и что это значит? Должна я, по гениальному замыслу Юрия Петровича, добраться до конечной станции или отойду в мир иной по дороге?

Тут из коридора вернулась моя соседка, звали ее Нина Федоровна, и сообщила:

— Проводник говорит, еще четверо пассажиров пропало, из второго купе трое и из соседнего вагона один. Что делается-то, Марина, страх...

— Да. Агата Кристи, да и только... Когда станция?

— Через двадцать минут.

Времени в обрез, надо решаться. Прибудет милиция, выяснится, что с обоими покойниками я вчера допоздна сидела, и мной займутся вплотную. Если проверят багаж, кейс с липовыми пачками долларов вызовет бездну вопросов. Чем кончится беседа с органами — тайна за семью печатями. Мне и всегда-то нелегко было с ними общаться, а уж в такой дерьмовой ситуации и вовсе не хотелось.

На станции вряд ли кого из вагона выпустят, значит, уходить надо сейчас. Юля, дочь Нины Федоровны, тоже вернулась и теперь лежала на верхней полке с журналом. Читала или нет, судить не берусь, я бы, наверное не смогла. Нет, страницу перелистнула... Нина Федоровна тоже легла.

Я быстро собрала свои вещи, пояснив в ответ на заинтересованные взгляды:

— На станции сойду. Дальше автобусом, тут уже недалеко.

Поверили они или нет, не знаю. Надеюсь, всерьез они не думали, что этой ночью я укокошила двоих мужиков, причем одному перерезала горло, а второму прострелила голову. Не дожидаясь вопросов, я взяла сумку и покинула женщин. К счастью, граждане оказались дисциплинированными и отсиживались в купе. Проводника я тоже не встретила: он был один на два вагона, а хлопот прибавилось.

Пошла в конец поезда. В тамбуре никто не курил. Я взглянула на часы. Если сматываться, то сейчас. Тяжко вздохнув, подошла к двери.

Ветер бил в лицо с чудовищной силой. Насыпь крутая, но симпатично зеленая. Ладно, Максу повезло меньше, он прыгал в темноте. Я-то хоть вижу, где сверну себе шею. Чем дольше оттягиваешь счастливый миг, тем страшнее... Кто-то торопливо приближался... Что, если за мной? Я бросила сумку и прыгнула следом.

Был у меня приятель, звали его Мишей. Он жил в пятнадцати километрах от города и вечно опаздывал на электричку, вот и добирался товарняками и прыгал с поезда ежедневно по два раза. Так привык, что считал это совершенно естественным. Поэтому, когда мы однажды возвращались от него на задней площадке товарного поезда в наивной надежде, что на вокзале родного города он остановится, Мишка, просветив нас на этот счет, даже обиделся, когда мы в гневе едва его не поколотили. Но всем надо было на работу, потому Мишку бить не стали, а прыгнули. Я прыгала в первый раз, честно говоря, думала, что и в последний. Тогда Мишка надавал нам кучу советов, как сие исполнить половчее. Наверное, я их забыла и все сделала наоборот и неправильно. Соприкосновение с землей оказалось очень неприятным, я взвыла, но ничего полезного для себя сделать не могла, с трудом понимая, где у меня руки, а где ноги. Я кубарем скатилась вниз, тонко повизгивая и надеясь, что это когда-нибудь кончится. Это кончилось, и даже приятнее, чем я предполагала: все еще на приличной скорости я влетела спиной в небольшую копну сена. Она развалилась, накрыв меня с головой, чему я не препятствовала. Стряхнула с лица сенную труху и с минуту лежала с закрытыми глазами. Мир перестал бешено вращаться и не спеша встал на свое место.

Я выбралась из-под сена. Поезд успел отойти на приличное расстояние. Впереди угадывался крупный населенный пункт, дома и заводские трубы выступали из сизой дымки.

Оглядевшись, я не заметила ни одной живой души вокруг и вздохнула с облегчением: никто с поезда за мной не последовал. Уже заметно успокоившись, я тщательно ощупала себя. Переломов нет, а ушибы не в счет. В голове слегка шумело, но ей повезло больше, чем коленям, потому особенно я не переживала. Теперь необходимо отыскать сумку.

Я поднялась и сразу же поняла, что переоценила свои силы. Ноги держали плохо. Слегка пошатываясь, я побрела вдоль полотна. Сумка могла отлететь на очень приличное расстояние. Так и вышло. Я искала ее никак не меньше часа и обнаружила совершенно случайно под кустом. Вид у нее был не ахти, потому что угодила она в лужу. У меня вид тоже не очень, так что грех возмущаться. Я взглянула на часы, они были целы и вроде бы показывали точное время. Пора отсюда выметаться. Обнаружив мое исчезновение, сюда вполне могли послать кого-нибудь для проверки. Надев сумку на спину наподобие рюкзака, я зашагала в южном направлении. Поселок располагался от меня к юго-западу, но туда мне торопиться не стоило, вряд ли меня там ожидало что-нибудь хорошее.

Плутать я не умею. Мне было лет пять, когда я с превеликим удивлением узнала, что есть люди, которые могут заблудиться. Я могу попасть из одной точки в другую кратчайшим путем, точно зная, в какую сторону двигаться. Мама называла это «шишкой направления». Не знаю, шишка или нет, но в голове у меня вроде компаса. Теперь я шла на юг, ожидая найти там шоссе. Мои ожидания оправдались. Я вышла на перекрестке в том месте, где стоял указатель: Воронеж — 70 км. В Воронеж мне было не нужно, оттого я и решила направиться туда, в противоположную сторону от цели своего путешествия. Воронеж город крупный, и автобусом из него можно добраться куда угодно, а мне хотелось убраться отсюда подальше.

Я немного почистилась, потерла сумку и, приобретя сносный вид, села на обочину в ожидании попутного транспорта.

Шоссе не скажу, чтобы было оживленным, но два «Запорожца» в сторону поселка все-таки проехали, и это вселяло надежду. Я не сомневалась, что меня заметят и не дадут состариться на обочине. Не заметить меня вообще трудно. Не помню, говорила я или нет: волосы мои цвета спелой пшеницы. Некоторые нагло называют их рыжими. Мне все равно, но рыжий это рыжий, а спелая пшеница куда как завлекательней. Вообще я люблю поэтические сравнения. Кожа у меня белая, а вовсе не красноватая, как у рыжих, брови и ресницы темные, а вот глаза светлые. Определить их цвет я не берусь, но если обратиться к поэтическим сравнениям, то они янтарные, а если верить моему мужу, то кошачьи. Мужу я когда верю, когда нет. Он говорил: увидишь тебя, запомнишь на всю жизнь. К сожалению, это правда. Внешность у меня запоминающаяся. Попробуйте выглядеть незаметной, имея на голове полыхающий костер. В настоящий момент это было очень некстати. От безделья я расчесалась и заплела косу, стараясь выглядеть студенткой на каникулах, путешествующей автостопом. Со стороны поселка появился «КамАЗ» с прицепом, я торопливо поднялась, вышла на дорогу и махнула рукой. Водитель затормозил и дверь открыл.

— До Воронежа довезете? — прокричала я, задрав голову. «КамАЗ» машина высокая, а рост у меня так себе, в манекенщицы не гожусь.

— До Воронежа нет, — ответил парень лет тридцати в черной майке и защитных очках, больше похожий на героя американских боевиков, чем на простого российского дальнобойщика. — Не доезжая тридцати километров сверну. Там вы на любом автобусе уедете. Садитесь.

Меня дважды просить не надо. Я закинула сумку и внедрилась сама. Мы тронулись, парень улыбнулся и спросил:

— Откуда путь держим?

Врать не хотелось, он мог быть местным и легко поймать меня на лжи. Поэтому отвечала я уклончиво:

— Тут неподалеку, — нежелание отвечать на вопрос я компенсировала широкой улыбкой, она должна была подействовать.

— А живете в Воронеже?

— Нет, живу я еще дальше, а в Воронеже у меня друзья. Хочу навестить.

— Друзья — дело хорошее. — Он поставил кассету, и Чиж спел нам о любви. Я ему охотно подпевала, у водителя поднялось настроение, и закончили мы трио. После чего можно было легко рассказать историю своей жизни, обругать отечество или поговорить о душе. Мы успели поделиться многим, но не всем, поэтому Витя, а именно так звали водителя, решил заехать в Воронеж: в конце концов тридцать километров сущая ерунда, когда встречаются две родственных души.

Не могу сказать, что это меня обрадовало: в Воронеже я никогда не была, и где могут жить мои предполагаемые друзья, понятия не имела. Потому туманно сообщила: возле вокзала. Его нашли легко. Заметив знак «Проезд для грузового транспорта закрыт», я ткнула пальцем в ту сторону и улыбнулась. Витя был человеком широкой души, но ненавязчивым. Мы тепло простились, оба с легкой грустью.

Я зашагала по улице, дважды обернулась и помахала рукой. Обернувшись в третий раз, увидела, что «КамАЗ» сворачивает направо и исчезает из моей жизни.

Я заприметила скамейку, доплелась до нее, села и немного поработала ногами. Теперь надлежало вернуться на автовокзал и выяснить, как я могу добраться до нужного мне города.

Мне повезло: автобус отправлялся через пять часов, очередь в кассу отсутствовала и билетом я разжилась без проблем. Сдала сумку в камеру хранения и отправилась прогуляться по городу, в конце концов, должна быть польза от этой поездки. Воронеж мне понравился, увидела я немного, но впечатление было хорошее.

Пообедав в кафе, я вернулась на вокзал. Купила пепси в буфете, забрала сумку и пошла на посадку. Никакого подозрительного движения вокруг. Глупо думать, что мои враги, какими бы смышлеными они ни были, станут искать меня на автовокзале в Воронеже.

День был душным, а для меня и утомительным, поэтому, устроившись в автобусе, я почти сразу уснула и просыпалась только дважды, в местах запланированных остановок: один раз посетила туалет, а во второй купила мороженое. К месту назначения мы прибыли точно по расписанию, в 20.55. Я протерла глаза, зевнула и взяла сумку.

На стоянке такси выстроилась приличная очередь. Очереди я не люблю, потому, отойдя чуть в сторону, стала поджидать частника. Он не замедлил появиться.

Улица Вторая Привокзальная могла быть рядом, а могла и на другом конце города, если имеется еще один вокзал, поэтому, пленительно улыбаясь, я попросила:

— Вы не могли бы подвезти меня до Второй Привокзальной? — «Дом семь, квартира два» — хотелось мне добавить, но я все-таки сдержалась.

— Садитесь, — помешкав секунд двадцать, ответил водитель, я устроилась на заднем сиденье и с интересом стала смотреть в окно. Много чего увидеть я не успела.

— Вот она, Вторая Привокзальная, — повернувшись ко мне, сказал парень. Дом... пять, значит, седьмой следующий. Он остановился, и я попыталась всучить ему деньги, от них он благородно отказался и уехал, чему я, признаться, не очень обрадовалась. Бог знает, что меня здесь ждет, всегда приятно видеть рядом мужчину. Я вздохнула и пошла к калитке.

Дом был одноэтажный с двумя верандами и крылечками по бокам. На калитке прибит почтовый ящик с цифрой «два», я ее толкнула и вошла. Из-за веранды выскочил доберман, я взвизгнула и вылетела на улицу, шаря глазами в поисках звонка. Если он и существовал, то был тщательно замаскирован. Доберман заходился лаем, а я томилась: кричать «хозяева» как-то неудобно, а ждать появления этих самых хозяев можно и до самого утра. Однако на лай собаки все-таки обратили внимание. Скрипнула дверь, послышались шаги, и я увидела перед собой молодую женщину в синем халате. Не знаю, кого ожидала я здесь встретить, но, увидев ее, растерялась и тут же сообразила, что Полифем забыл сообщить, кому я должна передать кейс. У меня только адрес. Возможно, мой большой человекообразный друг не ожидал от меня подобной прыти и считал, что коли до места я все равно не доберусь, то имя мне и не понадобится. А я вот добралась. И теперь чувствовала себя дура дурой, вполне возможно, что никто меня здесь вовсе не ждал, да и адрес мог быть липовым, живут себе люди спокойно и ни о каких бандитских делах не ведают.

Так как женщина смотрела выжидающе, я для начала поздоровалась. Она ответила кивком.

— Извините, — отчаянно начала я. — Я в вашем городе проездом, мне дали адрес и просили передать одну вещь. Вы посылки не ждете?

Она посмотрела как-то вскользь и вроде бы задумалась, потом позвала:

— Идемте.

— Там собака, — засомневалась я. Идти мне никуда не хотелось, на улице дышалось легче, я вполне могла отдать кейс прямо здесь.

— Она не тронет, — отмахнулась женщина.

Если собачка будет резвиться у калитки, без хозяйской помощи я дом покинуть не смогу. Потому я заявила совершенно определенно:

— Тронет или нет, я точно не знаю. Может, у нее аллергия на мой цвет волос. Привяжите ее или давайте общаться здесь.

Женщина посмотрела на меня как на потенциального претендента в сумасшедший дом, но, позвав собаку, увела ее за веранду. Лай прекратился, собачка, видимо, успокоилась, а женщина вернулась.

— Идемте, — повторила она.

Мы поднялись на застекленную веранду, увитую розами. Из-за сплошной зелени здесь было уже темно, и потому горел свет. На веранде стоял стол, два плетеных кресла и такой же диван.

— Садитесь, — сказала женщина. Я устроилась в кресле, вытянула ноги и стала смотреть на дверь, за которой только что скрылась хозяйка. Ее не было минут пять.

Осматривать на веранде было нечего, разглядывать дверь мне тоже быстро надоело, так что я начала томиться. Наконец она появилась, задумчивая, я бы даже сказала — хмурая, посмотрела на меня и сказала:

— Давайте.

Не торопясь, я расстегнула сумку и достала кейс, положила его на стол и вежливо сказала:

— Пожалуйста.

«Спасибо» я не дождалась. Женщина взяла кейс, а я встала и взяла свою сумку.

— Подождите, — бросила она тем особым приказным тоном, который и у более покладистого человека вызывает бурный протест.

— А я не хочу, — ответила я и широко улыбнулась.

Женщина растерялась, моргнула и, видимо, попыталась вспомнить что-нибудь подходящее к случаю, а я направилась к двери.

— Куда вы? — позвала она вроде бы испуганно.

— Меня просили передать кейс, я его передала. Всего доброго.

— Подождите. — Она шагнула ко мне и протянула руку.

— Я спешу, — все еще улыбаясь, пояснила я.

— Но... подождите пять минут... пожалуйста. — С вежливыми словами у леди были проблемы, они давались ей с явным трудом.

— Хорошо, — согласилась я. — Только мне в туалет надо. — По моим представлениям, он должен был находиться где-то в доме.

— Я вас провожу, — кивнула женщина. — Подождите минуту, — и скрылась за дверью.

На этот раз вернулась она очень быстро, как видно, передала кому-то кейс и сразу ко мне:

— Идемте.

С туалетом я ошиблась, мы вышли из дома, свернули за веранду, и, указав рукой на весьма шаткое сооружение, она сказала:

— Это там.

— Спасибо.

Что ж, нет — значит нет. Я прошла по тропинке и уже дверь открывала, когда обратила внимание на окно дома. Оно было завешано плотной шторой, но в комнате, как и на веранде, уже горел свет, и я увидела силуэт мужчины. Лично я знала только одного человека, способного отбрасывать такую тень. Выходит, мой дружок Полифем здесь и сейчас развлекается с кейсом. Я прикинула, хочется мне с ним встречаться или нет? Выходило, не очень. Ну его, в самом деле. Я покосилась на женщину, она все еще стояла возле веранды, но смотрела в противоположную сторону. Вот и славненько.

Я обошла туалет и с любопытством огляделась: низкий заборчик, а за ним уже чужая территория. Не долго думая, я преодолела эту преграду и по тропинке, никем не замеченная, прошла к калитке. Осторожно выглянула, женщина все еще терпеливо ждала. Терпение — похвальное качество, сейчас оно мне особенно нравилось. Тут меня заприметила девочка лет шести с лохматой дворняжкой на поводке.

— Тетя, вам кого? — удивилась она.

— Максимовы где живут? — спросила я с проникновенной улыбкой.

— А у нас таких нет, — ответила девчушка. Конечно, откуда же им взяться.

— Да? — удивилась я. — А троллейбусная остановка где?

— Вот там, за углом, — махнула рукой девчонка и вроде бы обиделась. А я быстренько набрала обороты и через пару минут вышла к остановке. Троллейбус поджидал меня. Я вошла и села у окна. Деньги и документы при мне, а сумку пусть оставят на память. Троллейбус как раз тронулся с места, когда в переулке появился стриженый парень в спортивном костюме, он торопился и вроде бы кого-то искал. На следующей остановке я вышла. Ребята могли сообразить и отправиться за троллейбусом, а догнать его на машине большого труда не составит.

Стало смеркаться, с одной стороны, это было хорошо, с другой — плохо. В темноте меня не очень разглядишь, но если они на машине, то имеют передо мной преимущество и нарваться на них проще простого. К тому же я по-прежнему их не знаю, а они меня знают очень хорошо — яркий опознавательный знак у меня на голове.

Бродить по чужому городу, да еще ночью, занятие не из приятных, надо было позаботиться о ночлеге. Гостиницы отпадали, так же, как и вокзал; там будут искать в первую очередь. Под мостом спать я не приучена, лестничные клетки и скамейки в парке тоже не годились, да и не безопасное это дело. Надо было что-то срочно придумать. Гениальные идеи меня покинули. Ожидая их возвращения, я шла вперед, стараясь держаться в тени домов, и через несколько минут оказалась на площади, ярко освещенной и оживленной, не сразу сообразив, что это вокзал. Железнодорожный. В сторонке возле машины стояли два милиционера и поглядывали по сторонам, а я подумала: им платят деньги за то, что они охраняют покой граждан, то есть мой. Почему бы именно сегодня им этим и не заняться?

Для начала я немного прогулялась и освоила расписание поездов. Потом, выжав из себя слезу, отправилась к ближайшему стражу порядка. Он заметил меня издалека и ждал моего приближения с заметным любопытством. Срывающимся голосом я сообщила, что у меня украли чемодан. Он вздохнул и поинтересовался, где это случилось.

— Вон там, я его в уголке поставила и пошла за газетами, вон туда, а вернулась, его уже нет, — в этом месте слезы полились градом.

— Девушка, вам никто не говорил, что вещи без присмотра оставлять нельзя? — вздохнул он. На мое счастье, парень был молод, а мой жалкий вид произвел впечатление. — Чемодан ваш уже уехал, — пояснил он и головой покачал. — Камеры хранения для чего существуют?

— Я же только за газетой...

— Только... — хмыкнул он. — Это ж вокзал, а не монастырь. Идемте.

— Куда? — вроде бы испугалась я.

— Заявление писать.

— А поможет?

— Нет, конечно.

— Тогда чего ж писать?

— А чего вы от меня хотите в таком случае?

«Многого», — ответила я, правда, мысленно.

— Идемте, — сказал он и даже за локоть меня взял, но не привычным милицейским жестом — мол, пройдемте, гражданка, — а почти нежно, словно свою подружку. Я доверчиво поплелась рядом.

В комнате, куда меня привели, сидел еще один милиционер, тоже молодой. Я изложила свою историю на бумаге. Впечатления она, конечно, не произвела, ребята тут не такое видели.

— Денег много сперли? — спросил тот, что привел меня.

— Немного, но ведь других-то нет.

— А куда едешь? — Я назвала город в пятидесяти километрах отсюда, предусмотрительно обнаружив его в расписании.

— Я на десятичасовом хотела уехать, — пояснила со слезой.

— Теперь не уедешь, домой отправляйся.

— До дома мне далеко. А здесь только подруга, но она сейчас на юге отдыхает.

— Паспорт тоже увели?

— Нет, документы со мной, и денег немного.

Рассмотрев паспорт, милиционер протянул его мне и сказал, выглянув в окно:

— Вон твой поезд пошел...

— А когда следующий? — Тут я вспомнила, что деньги на билет у меня вроде бы увели, и заплакала, горько, но тихо, стараясь не особенно раздражать своих защитников.

— Чего теперь реветь-то, — проворчал тот, что старше званием. — Учат вас, учат... и все без толку.

— Мне бы только до тетки добраться, — запечалилась я.

— Телефон у тетки есть?

— Нет. Но я телеграмму пошлю. У них машина, может, приедут? Почта здесь есть?

— Сережа, проводи ее, — кивнул старший, и мы отправились на почту.

Там был перерыв на пятнадцать минут, который продлился больше часа. За это время мы трижды обошли территорию, находившуюся под охраной Сережи, и успели познакомиться. Парень он был забавный, любил поболтать, чему я не препятствовала. Лишь бы трудных вопросов не задавал. Все это время я по сторонам посматривала: не появится ли Полифем или стриженый в спортивном костюме? Залы были пустынны, а редкие ожидающие дремали на скамьях. Жизнь бурлила только в буфете, куда мы заглянули выпить по стаканчику кофе. Сереже этого показалось мало, и он всучил мне бутерброд с колбасой, считая, что если я обворованная, то непременно голодная.

Почта наконец открылась, и я послала телеграмму

несуществующей тетке по несуществующему адресу. Сережа дожидался меня в коридоре возле камеры хранения.

— Вот где нужно чемодан оставлять, — сказал он наставительно. Я не возражала, пожала плечами и сказала:

— Спасибо вам.

— За что? Чемодан я не нашел.

— Все равно... заботу проявили. В чужом городе страшно... пойду себе место искать.

— Вот что, — подумав, заявил он. — Идем-ка, я тебя сам устрою. Шпаны полно всякой, а мимо такой, как ты, не пройдешь.

— Это в каком смысле? — засомневалась я.

— Это в таком, что больно уж ты красивая.

— Я и не знала, что это плохо.

— Может, и хорошо, только не для вокзала.

Мы направились к милиции, но не в ту комнату, где были до этого, а в соседнюю. Там сидела женщина в форме и пила чай.

— Светлана Юрьевна, пустите девчонку, чемодан у нее украли, родственникам телеграмму послала, надо ей где-то их подождать...

— Проходите, — кивнула женщина и даже мне улыбнулась. — Садитесь на диван.

Не могу сказать, что я очень обрадовалась. Женщины существа любопытные, это я по себе знаю, к тому же приметливы и подозрительны. Моя история могла сыграть в ящик. И как только за Сергеем закрылась дверь, я устроилась в уголке и сразу же задремала.

Сережа заглядывал трижды, проявляя заботу. Где-то после шести я стала подумывать, что мне делать дальше. Ночь я пережила, но надо отсюда как-то выбираться. Телеграмма тоже беспокоила. Пользуясь отсутствием Сережи, я послала обычную, а не срочную, но почтовые служащие могли проявить оперативность и, не дожидаясь восьми утра, ответить, что такого адреса в данном городе нет. Объясняться с милицией на эту тему не хотелось. Пока я прикидывала и так и эдак, опять появился Сережа.

— Твои не приехали, — сообщил он, подумал и добавил: — Неизвестно, когда они телеграмму получат.

— Они могут быть на даче. У них сад рядом с городом, в десяти минутах езды. Телеграмму могли отдать соседям, а мне сиди здесь и жди у моря погоды.

— Поезд будет где-то в два, — сказал Сережа. — Слушай, может, тебе автобусом лучше? Быстрее получится... Или знаешь что: у меня в семь дежурство кончится, я тебя до поворота довезу и автостопом отправлю. — Идея мне необыкновенно понравилась.

— Хорошо, — кивнула я.

В восьмом часу я покинула город на милицейском «газике». На объездной дороге Сережа тормознул грузовик и попросил заспанного дядьку:

— Довези девчонку, у нее на вокзале чемодан свистнули, надо к тетке добраться. — Тот молча кивнул.

Дядька попался неразговорчивый, и я помалкивала. Уже въехав в город, он спросил:

— Где выйдешь?

— Поближе к автобусной остановке, — попросила я и вскоре оказалась на вокзале.

Прямого сообщения с моим родным городом здесь не было. Я выбрала ближайший по времени и шедший в том же направлении автобус и через полчаса уже дремала в «Икарусе». Сменив еще два автобуса, в половине десятого вечера я прибыла в родной город. И тут встал вопрос: а хочу ли я домой? Конечно, хочу, если меня там не ждет никто, похожий на Полифема. Если ждет, то спешить не стоит. Первое, что необходимо сделать, это позвонить Максу.

Трубку он снял сразу, точно ждал.

— Наконец-то, — сказал он и тяжко вздохнул. — Как дела?

— Как сажа бела. А у тебя?

— Руку сломал, когда с поезда прыгал. Болит, стерва.

— Гипс наложили?

— Наложили. Между прочим, я здорово перепугался. Не было уговору разделяться.

— Чего про кейс молчишь? Или мы с тобой лопухнулись и в кейсе кукиш?

— Еще чего. В кейсе бабки, да такие, что выговорить страшно. Ума не приложу, куда спрятать.

— Подальше.

— Что-то я радости в голосе не слышу? Плохи дела?

— А черт их знает. На месте меня ждал Полифем. Надеюсь, он не ожидал, что я ему настоящие деньги привезу. Но выяснять я не стала и смылась, тем более что он вел себя невежливо и даже не соизволил показаться. А в поезде обнаружились трупы, причем сразу два. Отгадай, кто?

— Полосатый и его приятель?

— Точно. Так что о настроении говорить не приходится.

— Где ты сейчас?

— Возле универмага на Мичурина.

— Я за тобой приеду.

— Со сломанной рукой?

— Так я на такси.

— Вот что, Макс. Тебе светиться нельзя, так что держись от меня подальше, не звони и вообще не высовывайся. Если я тебе понадоблюсь, сообщи Вике, связь будем держать через нее. На квартиру к ней не суйся и вообще поосторожней. Деньги спрячь и руку лечи.

— Маринка, пока все просто здорово, но так будет не всегда. Трупы — это серьезно, и тебе стоит ненадолго исчезнуть.

— В корне неверно. Они послали меня с макулатурой, я макулатуру привезла. Сбежала от Полифема, потому что испугалась. А кто бы не испугался? А теперь исчезать мне не с руки: все я сделала, как велели, и заслужила поощрительный приз.

— Вдруг у них свое мнение на этот счет? Приезжай ко мне, все обсудим.

— Нет. Я уже все объяснила. Держись подальше. Если смогу, буду звонить. — Я повесила трубку, не дожидаясь, пока Макс начнет приводить доводы в пользу соединения наших усилий.

Пройдя метров двадцать, я вошла в сквер и села на скамейку. Две девушки выгуливали овчарку, собачка явно хотела спать. Они брели вокруг фонтана, который в настоящее время не работал, а я думала. Макс, конечно, прав. Положение у меня шаткое и весьма опасное. Захочет ли кто выслушать мои доводы или нет — еще вопрос. А ну как они рассудят по-своему и, не мудрствуя понапрасну, для начала оторвут мне голову? Мысль паршивая, но в чьем-нибудь мозгу вполне может вызреть.

Полифем, к примеру, не производит впечатление мудрого человека. Он вполне может решить, что если денежки пропали, а я по соседству вертелась, так знать должна, где их теперь искать. Тогда мое будущее выглядит не просто туманно, а из рук вон плохо. И хоть я воспитывалась на хрестоматийных примерах стойкости и силы духа, да и характером меня как будто Бог не обидел, но, если честно, оказаться в положении подпольщика, схваченного гестапо, мне совершенно не улыбалось, а пытаться проверить силу своего духа желания не было. Человек с глазами Полифема вполне мог перещеголять самого большого фантазера из всех известных палачей, и тогда мой дух против его фантазии будет как рубль против доллара: усмехнуться, вздохнуть и махнуть рукой.

Такое направление мыслей меня изрядно выбило из колеи, я начала постукивать зубами и ежиться. Ночной воздух, ветерок и жуткая темень в парке, который даже девицы с собакой уже покинули, оптимизма не прибавили. Я почувствовала себя одинокой, маленькой и беззащитной. Захотелось пролить слезу, прижаться к широкой груди и услышать что-то ласковое и успокаивающее. Кандидатов на роль спасителя несчастных девиц поблизости не наблюдалось, и от мысли зареветь пришлось отказаться.

Я встала и прошла вокруг фонтана, чтобы согреться и размять ноги. На ходу лучше думается и мысли приобретают оптимистическое направление. Кто-то сказал, что лучший способ защиты — нападение. Я решила это проверить. Покинула сквер и зашагала по проспекту, насвистывая и ускоряя шаг. Получалось что-то вроде марша, и польза от этого была явная: я согрелась, а в голове зарождались наполеоновские планы.

С этим самым маршем в душе я вступила на улицу, где стоял дом Юрия Петровича. То, что сукин сын жив и благодаря моим стараниям и неусыпному попечению здоров, сомнений у меня не вызывало. Следовало с ним разобраться.

Стараясь держаться в тени, я приблизилась к дому. Ни в одном окне свет не горел. Дом темной громадой высился за забором, рождая в душе трепет. Я обошла его, старательно разглядывая темные окна и прислушиваясь. Ни огонька, ни звука. И все-таки что-то подсказывало мне, что Юрий Петрович здесь и, возможно, ждет меня. С нетерпением или без — не скажу, а вот что ждет, я чувствовала. Полифем о моем побеге уже рапортовал, а так как деться мне, в сущности, некуда, дорогой мой человек ожидает появления «дочки» с часу на час.

Я прошлась вдоль забора и выбрала дерево поветвистее. Влезла на него, устроилась на толстом суку, прижавшись спиной к стволу, и уставилась на дом. Ничего примечательного не происходило, и я очень скоро заскучала. Ни одна веточка в саду не хрустнула, ни один, даже легкий шум не коснулся моих ушей, а дом как был безмолвен и мрачен, таковым и оставался.

Я попробовала припомнить: в мой прошлый визит были здесь собачки или нет? Никто поблизости не тявкал, но встретиться с разъяренным догом или ротвейлером мне совершенно не улыбалось. Нет, собак в прошлый раз я не видела, хотя ничто не помешало бы Юрию Петровичу их на днях завести.

Вздохнув и припомнив фразу: кто не рискует, тот не пьет шампанского, я слезла с дерева и зашагала к телефону. Он должен быть в квартале отсюда возле почты. Телефон был и работал, я набрала номер Юрия Петровича. Красивый женский голос сообщил, что я могу оставить свое сообщение.

— Юрий Петрович, — сказала я, — мне надо с вами поговорить. А может быть, идти в милицию. До разговора с вами я этого делать не хочу. В общем, встречайте.

Я повесила трубку и бегом устремилась к дому. Ни одной машины, ни одного прохожего. Все точно вымерли.

Я влезла на дерево, перебралась за забор, а потом не очень удачно спрыгнула: за что-то зацепилась курткой, она треснула, а я упала и потому шла к дому слегка прихрамывая. Свет в окнах не манил из темноты и приют не обещал. Но я могла бы поспорить, что сообщение этот сукин сын получил и теперь поджидает меня, точно паук муху.

Я поднялась на крыльцо и, не обнаружив в темноте кнопки звонка, постучала. Сначала осторожно, потом громко: гул пошел по всему дому. Что-то щелкнуло, и дверь открылась.

Передо мной был длинный темный коридор. Я шагнула вперед, напомнив себе на всякий случай, что темноты я не боюсь. Дверь за мной закрылась. Я прошла до конца коридора почти на ощупь и, свернув направо, заметила свет. Тусклый от ночника с темным колпаком, он пробивался из кухни.

— Юрий Петрович, — крикнула я, — вы здесь?

— Проходи, дочка, — ответил он. Я вздохнула с заметным облегчением и зашагала быстрее.

Ночник стоял в дальнем углу, большая кухня в полутьме казалась огромной, населенной призрачными тенями и еще чем-то очень страшным. Но Юрий Петрович, сидевший за столом, призраком не был.

— Вы живы, — сказала я, особой радости не выказывая.

— Конечно, — кивнул он. — Садись.

Я подвинула стул и села. Он молча меня разглядывал, немного подождав, я сказала:

— Вы плохой человек, Юрий Петрович. Неловко говорить это мужчине, который мне в отцы годится, но вы обманщик и негодяй.

— Ты пришла, чтобы сказать мне это? — спросил он и вздохнул.

— Конечно, — удивилась я. — Вы с самого начала

вели себя нечестно, притворялись, что заботитесь обо мне. — Тут я подумала, что, может, стоит заплакать? Нет, пережимать неразумно. — А на самом деле просто меня использовали. То, что вы сделали, отвратительно и подло.

— Разумеется, — кивнул он. — Что дальше?

— Дальше вы мне скажите, зачем вам все это понадобилось? Придумывать, что вас убили, и посылать меня с этими деньгами?

Он засмеялся, тихо и довольно противно, потом взглянул на меня и спросил:

— Где кейс?

— Что? — не поняла я.

— Где кейс? Тот, настоящий.

— Что значит «настоящий»? — начала злиться я. — Что вы имеете в виду, говоря так? Был еще и не настоящий?

Он побарабанил пальцами по столу, задумался, посмотрел на меня, потом на свои руки, потом опять на меня.

— Где деньги?

Я даже подпрыгнула. Вытаращила глаза, глотнула побольше воздуха и головой покачала:

— Юрий Петрович, я не воровка, и не пытайтесь убедить меня в обратном, про себя я все знаю. Вы дали мне кейс с деньгами и велели их отвезти. То есть не вы велели, а велел Полифем, и я их отвезла, хотя было это не просто и мне здорово досталось. Мне не говорили, что это так опасно. В вагоне убили двоих парней, может быть, за то, что они со мной ехали. И меня могли убить. Мне пришлось прыгать с поезда из-за ваших паршивых денег. Но я все-таки привезла их и отдала женщине.

— В кейсе денег не было, — равнодушно заметил Юрий Петрович, а я засмеялась.

— Вы лжете. Черт знает, зачем вам это, но вы лжете. Я отвезла ваши деньги, как велел Полифем. Кстати, он уже ожидал меня по этому адресу. Не скажете, почему, если уж ему по пути, он не смог прихватить этот кейс? Зачем надо было посылать меня? Чтобы потом обвинить в краже? Мерзко, и должна сказать, без фантазии.

— Разве их не могли украсть в поезде? — усмехнулся Юрий Петрович.

— Украсть деньги? — удивилась я. — Кейс был заперт, разве нет? И он лежал в моей сумке...

— Но ты ведь не всегда была рядом. Его могли подменить... — Я вроде бы растерялась, но быстро с собой справилась.

— По-вашему, я должна была пристегнуть его к себе наручниками? А о чем вы думали, отправляя меня с ним? Что я Джеймс Бонд? Вовсе нет. Вам нужен был кто-то другой.

— Деньги исчезли, — заметил он.

— Серьезно? А я вам не верю. Вы опять хитрите, что-нибудь затевая. Отправили чужие деньги с женщиной, без охраны. Для чего? Чтобы они к хозяевам не попали? Чтобы их по дороге свистнули? Кстати, может быть, вы сами это и проделали, чтобы потом в краже обвинить меня. Вот, мол, доверил человеку, а она воровкой оказалась. — Я всплеснула руками и даже пробежалась вокруг стола. — Ну, конечно, как же это я сразу не сообразила? Заграбастали чужие денежки, а меня обвиняете? Здорово. Вот так Юрий Петрович, заботливый дядька, благодетель... Надеюсь, у хозяев хватит мозгов понять, насколько все это глупо и неправдоподобно...

— Значит, денег ты не брала? — прерывая поток моего красноречия, спросил Юрий Петрович.

— Конечно.

— Значит, кто-то другой?

Я засмеялась.

— Если вам так удобней. Лично я считаю, что кто-то другой — это вы. Возможно, не вы лично, а кто-нибудь из ваших людей, что в принципе одно и то же.

— Нет, дочка, это не я.

— А я не верю. И оставьте наконец привычку называть меня так. С дочками подло не поступают.

— Ты многого не понимаешь.

— Еще бы, куда мне. Вы, как всегда, обо мне заботились, а я все напутала.

— Деньги пропали, и это очень плохо.

— Поищите их у себя.

— И все-таки они пропали. Я думал, ты идешь ко мне, чтобы предложить сделку.

— Что? — Я головой покачала. — Я пришла сказать вам, что вы сукин сын. А теперь я ухожу, и не пытайтесь мне угрожать. Я завтра же пойду в милицию и расскажу об этой истории. Все как есть. И о ваших туманных угрозах тоже. У вас пропали деньги? Так давайте их искать.

— Сядь, дочка, — тихо сказал он. Жаль, что моя речь не произвела должного впечатления. — Сядь. Выпей что-нибудь. И немного помолчи.

— Пожалуйста, — пожала я плечами, прошла к холодильнику и открыла его. Огромный холодильник был почти пуст, внизу лежали три яблока, по виду чемпионы среди долгожителей, и арбуз. В желудке у меня заурчало. — Можно, я арбуз съем? — спросила я, поворачиваясь к Юрию Петровичу.

— Ешь, конечно, ешь, дочка.

Я нашла тарелку, нож, села за стол напротив бодрого дядьки и принялась уплетать за обе щеки арбуз.

— А вы не хотите? — спросила из вежливости.

— Нет... — Он помолчал, глядя на свои руки, потом заговорил тихо и вроде бы равнодушно: — Мы с тобой оказались в очень плохой ситуации...

— Ничего подобного, — ответила я. — Это вы оказались. И нечего перекладывать с больной головы на здоровую. Если эти деньги вам так дороги, надо было найти курьера получше. Так что извините, а проблема эта ваша, и на мое сочувствие можете не рассчитывать. Вы меня только обманывали и использовали, так что «спасибо» мне вам сказать не за что.

— Ты ведь не дура и понимаешь, что в стороне остаться не сможешь, — сказал он, а я разозлилась.

— Конечно, меня можно убить. Но деньги от этого не появятся. Даже если вы меня убьете дважды или трижды, что физически невозможно. Это первое, а второе, Юрий Петрович, мне очень неприятно вам напоминать, так как это не в моем характере, но вы мне, между прочим, жизнью обязаны. Причем трижды. Хотите перечислю: я нашла вас в лесу, где вы запросто могли скончаться. Я сделала вам операцию, очень сложную, смею заметить, которая стоила мне больших усилий, и неустанной заботой смогла вернуть вас с того света. А потом, рискуя собственной головой и, к сожалению, многими людьми, находившимися в то время в больнице и не имевшими к вашим делам никакого отношения; так вот, рискуя их и своей жизнью, я в третий раз сохранила вашу. Так имейте, по крайней мере, совесть и прекратите меня запугивать. Мне и так страшно. Не могли бы вы оставить меня в покое? Я хочу жить и работать, да поскорее забыть, что на свете есть человек по имени Юрий Петрович.

Я поднялась, отшвырнула нож и пошла к двери.

— Ты пойдешь в милицию? — спросил он.

— Нет. Если мы договорились.

— Хорошо.

Я оглянулась, желая убедиться, что он не шутит. Юрий Петрович сидел ссутулившись и разглядывал свои ладони. Одинокий пожилой человек в большом доме, как старый медведь в пещере. Еще немного, и я начну его жалеть.

— До свидания, — вздохнула я и поскорей покинула этот дом. Не люблю я сюрпризы, а здесь их можно ожидать в любую минуту.

На улице меня никто не встретил, вообще, народ в эту ночь сидел по домам. Я решила, что тоже могу вернуться в свой дом, и потрусила к ближайшей стоянке такси.

Проснулась я оттого, что кто-то пристально и, как видно, довольно долго на меня смотрел. Я открыла глаза, подняла голову и увидела Полифема. Он сидел в кресле неподалеку и увлеченно меня разглядывал.

— Черт, — сказала я и метнула подушку. Полифем уклонился от моего метательного снаряда с ловкостью прямо-таки удивительной для такой туши. Я огорченно вздохнула и, окончательно проснувшись, задала вопрос: — Как ты вошел? — Он удивился, а я досадливо поморщилась: в самом деле, смешно рассчитывать, что стальная дверь, заботливо возведенная стараниями дяди Юры, сможет меня защитить. — Ладно, — убедившись, что Полифем исчезать как дурной сон не собирается и вообще, что он существо из плоти и крови, я сказала: — Чего надо?

— Деньги, — лаконично ответил он и даже не улыбнулся. Я хохотнула.

— Про деньги вчера говорили. И добрейший дядя Юра обещал оставить меня в покое.

— Он мертв, — заявил Полифем, не особенно тоскуя.

— Кто? — не поняла я.

— Он.

Это было уже смешно.

— Что, опять? — ахнула я. — И не надоело ему? Слушай, выйди, мне надо одеться. — Полифем не шелохнулся. — Ясно. Хочешь посмотреть? Что ж, смотри, если любопытство одолело.

Я протянула руку, но достать халат так и не смогла, до него было еще добрых полметра, а сплю я голая. Рассвирепев, я поднялась, взяла халат и не спеша оделась, совсем некстати подумав: «Наверное, у Полифема есть женщина. Интересно, какая? Здоровущая Полифемка. Что-то я не помню: существовали в природе циклопки? Папой Полифема был Посейдон, а мамой — вроде бы какая-то богиня. И братья у него были, несколько штук, а о циклопках я точно ничего не слышала. Скорее всего их и вовсе не было, а род поддерживался только стараниями папули».

Что за чушь лезет мне в голову? Впрочем, не удивительно, если с утра вместо яркого солнечного луча я вынуждена видеть Полифема с известием, что мой дорогой дядя Юра второй раз на неделе скончался.

Полифем сидел в кресле, не шелохнувшись и вроде бы не дыша. А что, если он взял да и умер? От тоски по хозяину? Тут он повернул голову, и мечта, как говорится, растаяла как дым.

— Его убили? — начала я проявлять чудеса сообразительности, чтобы поддержать разговор и вообще наладить взаимопонимание. Полифем кивнул, а я спросила: — И кто ж на этот раз?

— Ты, — незамысловато ответил он.

— Серьезно? — ахнула я, но на всякий случай поискала глазами место, чтобы упасть в обморок с максимальными удобствами. Села в кресло, почесала нос и спросила: — И когда же я его?

— Сегодня ночью, — поведал он. — В его доме. Кухонным ножом.

Было от чего прийти в отчаяние.

— Я зарезала дядю Юру кухонным ножом? — уточнила я, чтобы знать наверняка.

— Ага, — кивнул Полифем.

— Слушай, а ты часом не спятил? Как ты вообще себе это представляешь?

— А я ничего не представляю, — разговорился он, — сегодня ночью ты пришла к нему, он был один, вы поскандалили, и ты ударила его кухонным ножом в грудь. Утром его обнаружили за столом с этим самым ножом в груди и в луже крови. Зрелище неприятное.

— Еще бы, — кивнула я, пытаясь понять, зачем люди так шутят. Или не шутят? Полифем не шутил. Он смотрел на меня спокойно и вроде бы равнодушно и смеяться точно не спешил. Я испугалась, хотя за секунду до того делать этого не собиралась.

— Не знаю, что вы опять затеяли, только все чепуха, какой свет не видывал.

— В милиции расскажешь, — сказал Полифем. — Они любят послушать. На ноже отпечатки твоих пальцев, на кассете хорошо видно, как ты заходишь в дом и как летишь оттуда сломя голову.

— На какой кассете? — задала вопрос я, пугаясь все больше и больше.

— В доме система охраны, над дверью видеокамера. Знаешь о таких штуках?

— Слышала.

— А соседи слышали, как скандалили ночью. Пара свидетелей всегда найдется.

— Черта с два там чего услышишь, — разозлилась я. — Вокруг сад, забор, и до ближайшего дома сто километров. Кричать «ау!» замучаешься.

— Расскажи ментам, — посоветовал он.

Я прошла на кухню, выпила стакан воды и вернулась.

— Я его не убивала, и ты это отлично знаешь, — сказала я, теряя остатки оптимизма.

— Я знаю, что ты была у него ночью, что вы скандалили. А утром я нашел его мертвым. Сигнализация работала, и никто после тебя в дом не входил. Проведут экспертизу, и станет ясно, в какое время его убили. Думаю, когда ты была в доме.

— Здорово. И что дальше?

— Дальше суд и тюрьма. Если сможешь придумать жалостливую историю, получишь пять лет. Хотя могут дать и десять.

Тут я начала кое-что понимать и задышала ровнее.

— А чего ж тогда явился ты, а не милиция? Пленка, отпечатки пальцев и показания соседей — вполне достаточно, чтобы меня арестовали.

— Достаточно, — согласился он, — только об убийстве они пока не знают. Нет трупа — нет убийства.

— Ага, — сказала я, подумала и спросила: — И чего тебе надо?

— Деньги, — охотно ответил он. — Деньги, которые ты свистнула в поезде. Они чужие, и их надо вернуть.

— Я отвезла кейс по адресу и отдала хозяйке. Ты был там и знаешь об этом не хуже меня.

Полифем стал смотреть в стену. Молча. Минуту, вторую, третью, я не выдержала и заговорила:

— Не знаю, что вы с дядей Юрой опять напридумывали, но я ему уже говорила: никаких денег у меня нет. И взяться им неоткуда. Выкладывай свой труп и заявляй в милицию.

— Лучше, если деньги ты отдашь сегодня, — сказал Полифем, а я разозлилась.

— В это дурацкое убийство я не верю. Что вы там затевали, мне ни в жизнь не разобраться, но я думаю так: где-то вы перемудрили, и деньги у вас увели. Надо полагать, деньги не малые и дяде Юре не поздоровится. Потому он решил побыть мертвым. Ночью он пытался убедить меня в том, что я их украла, но это глупость. Придется вам напрячься и поискать в другом месте.

Полифем помолчал, перевел взгляд со стены на меня и заговорил:

— Он убит. Возможно, убила его не ты. Скорее всего не ты. Но это неважно. Меня интересуют деньги. — Я открыла рот, но сказать мне он не дал. — Помолчи. В том кейсе, что ты получила, денег не было. И ты это знаешь. Потому и бросила свою сумку в купе и отправилась развлекаться. Как ты высчитала настоящего курьера — вопрос, и я не думаю, что ты на него не ответишь, если я спрошу всерьез. Одно я знаю уже сейчас: провернуть в одиночку такое дело ты не могла. Значит, это тот пьяный мужик, что болтался по вагону. По телефону серьезные планы не строят, выходит, ты встречалась с ним перед отъездом. Накануне была у подруги: улица Стасова, дом 37, квартира 4. У нее есть ребенок. Хотя он даже не понадобится. Я просто возьму ее за одну руку и за одну ногу и немного потяну в разные стороны, как копченую курицу, и разломаю на две части, крылышки в одной руке, ножки в другой. — Я посмотрела на Полифемовы лапы и поверила на слово. — В общем, она не откажется мне сообщить, с кем ты встречалась в ее квартире. Теперь слушай внимательно: в тот день за тобой следил я. И адрес бабы знаю тоже только я. Пока. На эти деньги много охотников. Если ты не поторопишься, будут проблемы, с которыми тебе уже не справиться. — Он замолчал и проникновенно мне улыбнулся. Решил ободрить. Улыбочка у него...

— Ясно, — сказала я, стараясь не думать о его улыбке, огромных лапах и не принимать к сердцу рассказы о копченых курицах. — Ты хочешь всех опередить и свистнуть эти деньги? — Он улыбнулся еще шире, продемонстрировав при этом самые настоящие клыки. Я кашлянула и сказала: — Конечно, тебя можно понять.

— Ага, — отозвался он, убрал улыбку и со своим обычным полусонным видом добавил: — Я даю тебе два дня. Через два дня деньги ты вернешь.

— А если нет? — буркнула я и тут же поправилась: — Ладно, не надо сразу так смотреть. Нормальное любопытство. К тому же задание мне не по силам: за два дня я точно не справлюсь. Напоминаю, я их не брала, а потому где искать, не знаю. Надо полагать, тебе до этого нет дела? Я так и думала... Буду стараться, но два дня — это нереальные сроки. Предлагаю обсудить... — Он засмеялся в свойственной ему тихой и потаенной манере. Смех мне понравился еще меньше, чем улыбка. — Ну и чего такого смешного я сказала? — храбрясь, спросила я. Смеяться он перестал и заявил:

— Два дня.

— Хорошо, — пожала я плечами. — Нет так нет. Но попробовать всегда надо... — Он поднялся. — Ты уходишь? — всполошилась я. — А как же дядя Юра? Я имею в виду его труп, то есть я имею в виду мое алиби, или как там все это называется. К примеру, я найду деньги, а ты натравишь на меня ментов.

— Зачем? — удивился он.

— Откуда мне знать? Просто так, может, из-за плохого настроения.

— У меня настроение всегда хорошее.

— А вдруг его кто-нибудь испортит? Нет, так не годится. Если дядя Юра лежит мертвый и у тебя пленки и этот нож, я хочу все как следует обсудить...

— Ты очень много говоришь, — заметил он вроде бы даже с сочувствием.

— Я не могу говорить мало, ты полчаса назад грозился засадить меня в тюрьму.

— Нет трупа — нет убийства, — сказал Полифем. — Есть труп — убийство тоже есть. Все просто. Деньги против трупа.

— Э-э, так не пойдет, — испугалась я. — Что значит «против трупа»? Зачем он мне? Что я его, по-твоему, хоронить должна в безлюдном месте? Я его не убивала, что тебе, кстати, хорошо известно, и прятать труп мне совершенно не хочется. Деньги против ножа и пленки — это еще куда ни шло.

— Хорошая мысль, — согласился он. — Ты знаешь, где деньги?

— Нет.

— А я не знаю, где нож и кассета. У нас два дня, чтобы узнать.

Я глухо простонала, а Полифем направился к выходу.

— Эй, а где тебя найти? — окликнула я.

— Не волнуйся, искать меня не придется. Я рядом.

— Вот утешил... — Дверь за ним закрылась, а я пошла пить кофе.

Мои мысли в это утро мне очень не нравились. Как ни крути, а на этот раз они меня обыграли. Нож и кассета вполне могли существовать. Так же как труп. Хотя очередная смерть Юрия Петровича вызывала сильные сомнения.

Полифем решил заграбастать денежки. Возможно, это правда: хозяин помер, к другому привыкать надо, а тут кейс прихватил, и вроде бы хозяин вовсе не нужен. Но вполне может быть и другой вариант: нет никакого трупа, и нож с отпечатками пальцев в этом случае стоит меньше копейки, но мое ночное обжорство могло натолкнуть дядю Юру на интересную мысль: если нельзя вернуть свои денежки путем переговоров и запугиваний, значит, стоит попробовать сделать это при помощи липового обвинения в убийстве. А если труп все-таки есть? Кто-то пришел к Юрию Петровичу и в самом деле его зарезал? Деньги чужие, а он их вроде бы потерял и расплатился за них жизнью. Есть еще Полифем. Узнав о моем визите и подозрениях хозяина, он мог и сам отправить его по дороге скорби, а денежки прикарманить. Ситуация влекла массу загадок и предположений, но не давала и намека на то, как я могу выскользнуть из ловушки. Думать о тюрьме совершенно не хотелось, но в словах Полифема была жуткая истина: если милиции подсунут труп и приложат к нему вещественные доказательства, мало мне не покажется.

Я уже выпила три чашки кофе, а озарения не последовало, ни одной гениальной мысли, как облапошить Полифема и выйти сухой из воды. Разочаровавшись в кофе, я оделась и отправилась на улицу, то и дело тревожно оглядываясь. Полифем обещал быть рядом, эта мысль нанесла серьезный удар по моему и без того пошатнувшемуся оптимизму. Искала я телефон. Первое, что надлежало сделать: обезопасить Вику.

Но сначала я позвонила Максиму. Тот лечил руку и мечтал о том, на что потратит деньги. Как ни грустно было разочаровывать человека, а пришлось.

— Он тебя вычислил, — вздохнула я.

— Кто? — не очень огорчился Макс. — Твоя дядя Юра?

— Мой дядя Юра вроде бы в очередной раз скончался, а вычислил тебя Полифем. Так как, по его предположениям, убила дядю Юру я, чему имеются вещественные доказательства, он хочет денег. В течение двух дней их надо вернуть. Как тебе?

— Дерьмо.

— И я того же мнения.

— Быстро он меня не найдет.

— Считай, уже нашел. Он знает, что встречались мы у Вики, и грозится ее посетить. К тому же я боюсь тюрьмы.

— Давай встретимся и все обсудим, — предложил Макс.

— Нет. Общаемся по телефону. Он скорее всего следит за мной, и ты своим появлением облегчишь жизнь этому мерзавцу. Надо что-то решать с Викой.

— Здесь только один выход — если он появится, она сразу же все пусть выкладывает. Рисковать нельзя.

— А ты?

— А я сам о себе позабочусь.

— Мне это не нравится. Макс, тебе следует исчезнуть из города. А там посмотрим.

— Я должен спрятать деньги. Надежно, но так,

чтобы потом найти. Кстати, почему ты ни разу не спросила, сколько в кейсе и где он сейчас?

— Не интересно. Я верю в силу твоего ума и сокрушительную порядочность.

— Мерси. Как только надежно пристрою деньги, рвану из города. Теперь ты. Что там за убийство и дурацкие вещественные доказательства?

— Не такие уж дурацкие, — обиделась я и поведала о своих сомнениях. — Беда в том, что его действительно могли убить.

— Угроза не шуточная. Что будем делать? Вернем деньги?

— Не вижу смысла. Если Юрий Петрович жив, грешно на такую дрянь купиться, а если нет... совершенно не хочется уступать этим гадам.

— Само собой, проигрывать всегда невесело.

— Мы еще не проиграли.

— Маринка, мы рассчитывали, что в краже тебя не заподозрят. Вышло иначе. О себе не говорю, но ты... в общем, ты здорово рискуешь.

— Пока нет. Прячь деньги и сваливай. Позвони Вике и снабди инструкциями: пусть сыграет в дурочку и на прямой вопрос даст прямой ответ.

— Хорошо. Но мне не нравится, что ты одна остаешься.

— Куда там, Полифем обещал быть рядом.

— Не смешно.

— А кто смеется?

— Вот что, два дня у нас есть. Деньги я спрячу, и мы...

— Я уже высказывалась на этот счет. Мне скорее всего уехать придется тоже, но сначала я попробую выяснить: жив этот сукин сын или нет. Если жив, тюрьма отпадает и я начинаю дышать ровнее. Все, договорились. Держим связь через Вику. — Трубку повесила и загрустила; перед Максимом я могла храбриться сколько угодно, но трусила отчаянно.

Набрала номер Вики. Не дозвонившись и загрустив еще больше, я побрела было домой, но раздумала и вернулась к телефону.

Два дня пройдут быстро, и придется мне беседовать с Полифемом. Думать об этом совершенно не хотелось. «Сматываться надо», — сказала я сама себе. Куда попало не побежишь, о тайном убежище следовало позаботиться. Полифем произвел на меня сильное впечатление своей сообразительностью, следовательно, и мне надлежало пошевелить мозгами.

Ни Наташкина квартира, ни ее дача как убежище не годились, так же как квартиры и дачи многочисленных друзей: именно там меня и будут искать.

Была у меня школьная подруга, женщина свободная и веселая, встречались мы редко, но друг друга из вида не теряли. Обнаружить ее Полифему будет затруднительно. Постояв несколько минут с потерянным видом, я стала набирать номер Галкиного рабочего телефона. Ее долго искали. Я могла бы подсказать, что надо спуститься в подвал: там, рядом с котельной, она сейчас, должно быть, курит и отдыхает от праведных трудов. Когда я прибредаю к ней на работу, то всегда обнаруживаю ее возле котельной, в спасительной дали от рабочего стола. Наконец Галину нашли, низким контральто она пропела:

— Да, — а я сказала:

— Здравствуй, солнышко.

— Привет. Как там на юге?

— Должно быть, жарко. У меня неприятности. Хочу исчезнуть ненадолго.

— Компанию составить?

— Перебьюсь. У тебя сейчас есть любовник?

— Конечно, — удивилась Галка.

— Женат? Дача у него есть?

— Разведен. А дача у него есть. Любовника не дам, жалко, огонь мужик, а дачей пользуйся.

— Ему что скажешь?

— У подруги медовый месяц — это святое. Запоминай адрес, за ключом подъедешь вечером.

— Не пойдет, — ответила я. — Ключ бросишь в мой почтовый ящик, и лучше послать кого-нибудь с работы, шофера, как его... Юру. Расскажи ему глупую историю и ко мне пошли, а если вдруг его возле подъезда встретят ненароком и вопрос зададут, пусть ответит, что приезжал к подруге в первую квартиру, да дома не застал.

— Солнышко, ты чего это макароны на моих ушах сушишь? Что за дела, а?

— Дела у деловых, а у меня все больше делишки. Установку получила?

— Ну...

— Действуй. — Мы тепло простились до лучших времен.

Заполучив убежище, я почувствовала себя несколько спокойнее и вернулась домой. Пыталась приготовить себе обед, но из рук все валилось, а мысли неизменно возвращались к дяде Юре и моему возможному тюремному заключению. Потому, едва дождавшись темноты, я стала собираться в дорогу. Моя машина стояла возле дома. Одевшись во все черное, смутно чувствуя, что это мне должно пригодиться, я покинула квартиру. Открыла почтовый ящик. Ключ лежал под журналом «Смена». Ключи я убрала в карман куртки, для верности пристегнув булавкой, а «Смену» сунула под мышку.

Кто-то разбил лампочку перед подъездом. Я немного постояла в темноте, прикидывая, стоит ли брать машину? Ножками надежнее, в случае чего и через забор махнуть можно, с другой стороны, в машине как-то безопаснее, а скорость она развивает значительно большую, чем мои конечности. Вздохнув, я побрела к своим «Жигулям».

Подъезжать к дому дяди Юры я, конечно, не рискнула. Спрятала машину на узкой песчаной дорожке, которая обрывалась у оврага. Никому помешать она здесь не могла, а с дороги ее не видно.

До нужного дома было квартала три. Я поежилась и не спеша отправилась на свидание с неизвестностью. Мне требовалось узнать следующее: есть ли в доме дяди Юры система охраны с видеокамерами, или Полифем нагло врал. И еще я хотела осмотреть предполагаемое место преступления, чтобы решить, действительно ли оно произошло. Как я проникну в дом, было для меня тайной, хотя я надеялась, что сигнализация отключена, раз хозяин отдал Богу душу. Если я ошибаюсь, значит, ночное путешествие глупее глупого.

Я подошла к дому, был он темным и мрачным, а главное — нежилым. По своему прошлому визиту я помнила, как обманчиво это впечатление.

Дважды обошла дом по кругу, не потому что надеялась заметить что-то интересное, а просто оттягивала начало решительных действий. Если честно, я боялась обнаружить в доме труп. Сам по себе труп эмоций вряд ли вызовет, а вот перспективы, которые открываются в связи с появлением на сцене... В общем, я продолжала надеяться, что Юрий Петрович жив и все затеянное им не более, чем дурацкий трюк.

Я решительно подошла к дереву, которое облюбовала еще в прошлый раз. С дерева перебралась на забор и свалилась в сад, правда, ни за что не зацепившись. Шуму произвела достаточно, а потому скромно полежала у забора, ожидая, что последует в ответ. Тишина. Если меня кто-то заприметил, то сообщать об этом не спешил.

Я осторожно поднялась и, стараясь не касаться земли, направилась к дому. Сердце переместилось ближе к горлу и стучало так громко, что могло разбудить всю округу. Добравшись до стены, я пошла влево и вскоре оказалась рядом с парадным входом. Никаких видеокамер, по крайней мере, ничего похожего на них, я не вижу.

Я отошла в сторонку и вновь приблизилась.

Полифем соврал. Хотя видеокамера может быть в прихожей, ведь он ее точное местонахождение не указывал. Еще надо осмотреть кухню, так что войти в дом все равно придется. Только как? В прошлый раз дверь открылась сама. Сегодня на такое чудо надеяться не приходилось, и все же я протянула руку и мягко толкнула дверь.

С тихим скрипом она открылась, и я увидела черную пасть коридора и даже сделала шаг, прежде чем мозг послал конечностям сигнал тревоги. Я занесла ногу над порогом. Бесплатный сыр только в мышеловке...

Я почувствовала, как холодеет спина, а ноги становятся ватными, отказываясь повиноваться. Там, впереди кто-то ждал, затаив дыхание. Я чувствовала его присутствие и даже его мысли.

— Ну, давай, давай, еще шаг.

Еще шаг — и я в коридоре. Дверь закроется, а ловушка захлопнется.

Я замерла на пороге и крикнула:

— Юрий Петрович, вы здесь? — Не потому, что ожидала ответа, а просто надеялась выиграть несколько секунд и сбить с толку своего невидимого врага. Он не должен напасть сразу, а дождется, когда я войду.

Я постучала в дверь, одновременно делая шаг назад, в то же мгновение впереди мелькнуло что-то огромное и черное, а я бросилась по ступенькам в сад.

Я пробежала метров десять, чувствуя, как сзади кто-то пытается догнать меня, но тут слева возник еще один силуэт, и чьи-то руки с силой толкнули меня на землю. Я взвизгнула и приземлилась на четвереньки. Кто-то сгреб меня за шиворот, встряхнул и поставил на ноги.

— Смотри, как бегает, — услышала я и с тоской обнаружила себя в компании двух рослых парней.

— Давай топай ножками.

Ничего другого мне не оставалось. Мы вернулись к дому и, пройдя темным коридором, оказались в кухне. Здесь горел ночник, но людей было значительно больше, чем в прошлый раз. Вспыхнул верхний свет, я зажмурилась, а когда глаза открыла, увидела за столом, там, где вчера сидел Юрий Петрович, широкого типа неопределенного возраста. «Широкий» вовсе не значит «широкий в плечах», этот был как Волга в половодье, бескраен и необозрим. Волосы у него на голове росли пучками, вроде как на заброшенном газоне, левый глаз выглядел странно, а в целом он производил впечатление человека, с которым лучше не встречаться, ни днем, ни ночью.

Рядом с ним сидели еще двое, эти ничем особенным не впечатляли, но видеть их тоже не хотелось.

— Хорошо бегает, — заявил мой конвоир, чему-то радуясь, и наконец отпустил руку.

— Здравствуйте, — на всякий случай сказала я, мне никто не ответил.

Тут ребята вроде бы заволновались, разом нахмурились, а широкий даже из-за стола поднялся. Дураку ясно: появилось начальство. Я повернула голову, в дверях стоял стриженый парень, который на дне рождения Юрия Петровича пытался за мной ухаживать. Я пожалела, что не помню его имени, но все равно продемонстрировала радость и даже робко улыбнулась.

— Здравствуй, Мариночка. Как дела? — сказал он голосом атамана Лютого из известного мне фильма. Мне захотелось присесть в поклоне и брякнуть: «Спасибочки, дядя Сидор», но свои таланты следовало придержать, поэтому я улыбнулась чуть шире и слегка потянулась навстречу к нему, как цветок к первому лучу солнца... Черт, как его зовут? — Садись, не стесняйся, — предложил он и даже стул мне подвинул. Махнул рукой, и парни исчезли за дверью, оставив нас одних. — Значит, решила навестить Юрия Петровича?

— Да. Он обещал позвонить и вдруг пропал. Я и забеспокоилась.

— И ночью приехала?

— Вообще-то, я просто проезжала мимо. Ложится он поздно, вот и решила зайти. Он здесь?

— Нет, — усмехнулся стриженый, а я вспомнила имя, зовут его Михаил, и у него нет на руке мизинца. Тут он продемонстрировал левую руку, наливая в стакан минералку из пластиковой бутылки, палец точно отсутствовал.

— Хочешь водички? — предложил он. От водички я не отказалась, выпила и стакан в сторону поставила, ожидая, что будет дальше. — Что ж, значит, беспокоилась? — спросил беспалый и бровь почесал.

— Миша, — ласково начала я, — вы знаете, где Юрий Петрович? С ним ничего не случилось?

— Не знаю, — хохотнул он. — Но, честно скажу, знать бы очень хотел. — И тут же без перехода спросил: — Деньги ты возила?

— Что? — Первая оплошность: переспрашивать нельзя, он понимает, что я тяну время, и злится. Глаза его приобрели стальную твердость, я поспешила исправить положение. — Миша, если вы имеете в виду мою недавнюю поездку, то я действительно что-то отвозила по поручению Юрия Петровича. Возможно, деньги. Черный кейс.

— И кому ты его передала?

— Женщине, по указанному адресу. — Он кивнул и сказал с подозрительной ласковостью:

— Правильно. Только в кейсе была макулатура. «Кукла», знаешь, что это такое? А где настоящие деньги?

— Господи, Миша, но откуда же мне знать? — очень искренне удивилась я. — Вы ведь не думаете, что Юрий Петрович стал бы делиться со мной своими планами?

— Как знать, — заметил Беспалый. — Я тебе коечто объясню. Там большие деньги, на них многие люди рассчитывают. Их надо бы переправить надежному человеку. Старику это не нравилось, но пришлось смириться. Для такого дела он выбрал тебя, сказал, никому в голову не придет, и эти старые больные обезьяны с ним согласились. Конечно, тебя должны были прикрывать, и вроде бы все очень умно, но только я Старика не первый год знаю — такие деньги он никогда бабе не доверит. Значит, Старик темнит, и я послал своего парня за тобой присматривать. В результате мы имеем два трупа, а деньги исчезли. — Он замолчал, как видно, решив передохнуть, а я с тоской подумала о своих перспективах на будущее, если оно у меня вообще было. — Знаешь, зачем я тебе все это рассказываю? Я хочу, чтобы ты поняла, в каком дерьме оказалась. И не вздумала хитрить. На вокзале тебя не было. Как ты сбежала с поезда?

— Просто вышла на станции. Когда убитых обнаружили, вызвали следственную группу, они должны были прибыть на эту самую станцию... Я забыла название. А я сошла с поезда, и никто даже не обратил на меня внимания.

— А зачем? — вцепился Беспалый.

— Что? — растерялась я.

— Зачем понадобилось сбегать?

— Я ведь не совсем дура и понимала: в кейсе может быть что-то важное и для меня опасное. Что, если всех начнут обыскивать? Я ведь не знала, возможно такое или нет. Поэтому испугалась.

— А деньги исчезли...

— Миша, вы сами только что говорили, что Юрий Петрович никогда бы их женщине не доверил. Я только сделала то, о чем он меня просил. Больше мне ничего не известно.

— Но ты ведь знаешь, где он? В сказочку о его смерти я ни в жизнь не поверю. Уж больно все складно: исчезли деньги, его убили, а трупа никто не видел. И ты шла сюда, потому что знала, он жив.

— Вообще-то я не слышала о том, что он умер, — сорвалась я, а надо было себя в руках держать. Беспалый неожиданно разозлился.

— Не хочешь по-хорошему? — сказал, поднимаясь.

— Подожди, Миша, — испугалась я. — Я не понимаю, чего ты от меня хочешь. — Тут я сообразила, что говорю ему «ты»: но теперь это уже значения не имело. Господи, как не повезло... Я могу отдать ему деньги и вряд ли останусь в живых. И я, и Макс. Но если останусь, есть еще Полифем. И может объявиться кто-то третий и четвертый, догадливые и сердитые.

— Где он? — спросил Беспалый, направляясь к двери.

— Юрий Петрович? Но я не знаю, клянусь, я не знаю.

— А я тебе не верю, — заявил он.

Идиот несчастный. Он позовет парней, и из меня вытряхнут не только душу и деньги, но и сведения, о наличии которых в своем мозгу я даже не подозревала.

Каким образом они добьются такого эффекта, понять нетрудно. Мои шансы равны нулю.

— Миша, — в отчаянии крикнула я, и тут в коридоре что-то грохнуло, словно обрушились потолок или стена, началось землетрясение, а может, извержение вулкана. В наших краях это диковинка, но больше ничего в голову не приходило. Беспалый замер перед дверью, рука скользнула под пиджак, а я схватила стул и огрела его по стриженой голове. Такой прыти он не ожидал и вроде бы удивился. Голова у него на редкость крепкая. Он мотнул ею, как лошадь, и устоял на ногах. Пользы от стула никакой, а мне теперь точно не позавидуешь. Тут опять что-то грохнуло, дверь распахнулась, и в комнату попытался войти парень, но, сделав шаг, рухнул, лицо его было бледно-зеленым, а пиджак в крови. Беспалый длинно выругался, а я замахнулась еще раз. Удар пришелся по его левому плечу, он качнулся, скорее от неожиданности, и что-то выпало из его руки на пол. Что-то оказалось пистолетом, я взвизгнула и с опозданием вспомнила, как он наливал воду из бутылки. Конечно, парень — левша.

В прихожей грохнул выстрел, потом второй и третий, Беспалый на мгновение замешкался, точно прислушиваясь, потом шагнул вперед, подбираясь к оружию, опять грохнуло, и повалил дым, он отшатнулся и даже вроде бы застонал, а я юркнула к нему под ноги, схватила пистолет и откатилась к стене. По-моему, он не обратил на это особого внимания. Тут в комнату ворвались двое его ребят, вопя и размахивая руками, они закрыли дверь и торопливо подтащили стол с намерением забаррикадироваться. Внезапно погас свет.

— Девку не упустите, — вспомнил про меня Беспалый. Я в отчаянии вцепилась в оружие. Кухня большая, но долго играть в прятки с тремя мужиками я не смогу.

На четвереньках я пробралась к окну. И тут такое началось. Чудовищный грохот, дверь разлетелась в щепки, яркая вспышка и дикий вой одного из парней. Я вскочила на подоконник и с силой ударила ногой в стекло. Раздался звон, а вслед за ним опять выстрелы.

Не очень хорошо соображая, что делаю, я полезла в окно, не обращая внимания на осколки, и, как ни странно, смогла выбраться в сад.

Добежала до забора, но влезть на него сил не было. Я забилась под какой-то куст и попыталась прийти в себя. Рука странно ныла, по лицу текла кровь, а плечо я скорее всего вывихнула. Тут совсем рядом с собой услышала топот ног, сжалась в комок в своем убежище, уткнувшись лицом в траву. Бегущим было не до меня, не сбавляя скорости, они преодолели забор и исчезли, а я смогла подняться. Со стороны дома тянуло дымом, но было тихо. Я подкралась поближе и устроилась в кустах, прямо напротив двери. Никто не появлялся, дом выглядел необитаемым.

Дольше оставаться здесь было опасно. Я заковыляла к своему дереву, с третьей попытки влезла на забор и покинула на редкость негостеприимное место.

На дереве я все-таки немного задержалась, наблюдая за домом. На какой-то миг в кухне мелькнул свет, похожий на луч фонаря, как видно, кто-то обозревал плоды своих трудов. Через пару секунд свет исчез, но из дома вроде бы никто не вышел, хотя могло быть просто несколько дверей.

С большим трудом спустившись с дерева, я на негнущихся ногах припустилась к своей машине. В темноте меня никто не поджидал, чему я от души порадовалась. Как видно, Беспалому было сейчас не до меня. Я завела машину, решив как можно скорее покинуть город, вдруг ставший для меня таким опасным.

Найти в темноте дачу оказалось делом нелегким. Я потратила больше часа, курсируя по узким улочкам. Наконец обнаружила нужный мне номер. Дача была большой, двухэтажной и, что весьма кстати, с кирпичным гаражом: машину мне следовало спрятать. С замиранием сердца я вставила ключ в замок, он легко повернулся, и дверь открылась; из моей груди вырвался вздох облегчения. С гаражом дела обстояли хуже, ключа у меня от него не было, поэтому я просто подогнала машину вплотную к железным воротам в надежде, что здесь за деревьями на нее не обратят внимания.

Первым делом я пошла в ванную и как следует себя осмотрела. Лицо в нескольких местах порезано. Смыв кровь, я убедилась, что это пустяки. С руками было хуже. Несколько осколков пришлось извлекать пинцетом, а раны выглядели неприятно. Руки я обработала, перевязала и занялась плечом. На нем красовалась ссадина и застрял кусок щепки. В общем, ранения не смертельные, но болезненные.

Покончив со всем этим, я прошлась по дому, везде включая свет. Хозяин, кто бы он ни был, отличался вкусом и имел приличные деньги, с чем я его и поздравила. В холодильнике лежала пачка масла и два яйца. Я вздохнула: после пережитых волнений есть очень хотелось, но, видно, придется ложиться натощак. Я выключила свет, прошла в спальню и рухнула на постель. Голова кружилась, меня слегка подташнивало, а сквозь навалившуюся тяжелую дремоту пробивалась мысль: «А ведь сегодня меня кто-то спас». Этот «кто-то» вовсе не заинтересован в том, чтобы я выбыла из игры. Неужели дядя Юра заботу проявляет? Или мой нежный друг Полифем? На всякий случай следовало их поблагодарить.

— Спасибо, ребята, — сказала я, ухмыляясь в темноту.

Утро было солнечным, теплым, и думать о плохом не хотелось. Я встала поздно, прошлась по саду и попыталась составить какой-нибудь план. Просто сидеть и чего-то ждать не в моем характере. Надеюсь, Макс внял голосу разума и покинул город.

Ребята, которым мы перешли дорогу, люди решительные и неприятные.

Тут я кое-что вспомнила и пошла к машине. Открыла ее, пошарила под сиденьем и достала пистолет. Знатоком оружия я не была, но, как человек военнообязанный и даже со званием, кое-какое представление о нем имела. Поэтому разглядывала его спокойно и, можно сказать, деловито. Обойма целая, вчера из него так и не выстрелили. Оружие вещь опасная, кому знать, как не мне, но тяжесть в руке успокаивала, и я решила, что пистолет мне может пригодиться. Стрелять из него я, конечно, не собиралась, но при случае вполне можно пугнуть особо ретивых граждан.

Я подумала, где его лучше держать. Попробовала за поясом. Неудобно, да и дышится с трудом. В конце концов я сунула пистолет во внутренний карман куртки и застегнула на «молнию», чтобы он ненароком не вылетел. «Если кто-то совершит нападение, свое средство защиты я буду извлекать минут пять, не меньше, за это время меня скорее всего уже убьют», — грустно подумала я.

Разобравшись с оружием, я взялась за деньги. Не то чтобы их у меня вовсе не было, но сумма не впечатляла, с такими деньгами только и начинать военную кампанию. Тут я вспомнила, что очень хочу есть, точнее, еще ночью хотела, в теперь готова была проглотить все, что теоретически было съедобным.

Прочесав сад, я убедилась, что хозяин дачи был эстетом, а о хлебе насущном и вовсе не думал: вокруг море цветов, десяток плодовых деревьев без признака урожая и грядка разномастной травы, из которой я узнала петрушку и кинзу. С яйцом может получиться отличный салат, если я отыщу майонез и, конечно, хлеб. В общем, выходило, что дачу мне придется на время покинуть и запастись пропитанием.

Машину я решила не трогать, отправилась пешком. Очень скоро мне повезло: я заметила молодую женщину с объемной, но пустой сумкой, она шла быстро и явно целенаправленно. Я пристроилась чуть сзади, и минут через двадцать мы вышли к магазину. Теперь я знала, что с голоду не умру.

На даче я жила уже четвертый день. Залечивала раны и отъедалась, исправно слушая губернские новости. Ничего интересного. О перестрелке в доме Юрия

Петровича ни слова, так же как и о его смерти. Впрочем, он не президент, так что сообщение о кончине могло и затеряться. После обеда я задумалась о том, какое сегодня число, и вдруг поняла, что завтра кончается мой отпуск. То есть завтра я должна быть на работе. Боже ты мой... Придется возвращаться в город. Я быстро собралась, спрятала ключ под ведро в кустах роз и покинула гостеприимный кров.

Город показался до того обыденным, что в настоящую опасность просто не верилось. Но в зеркало я смотрела внимательно, а пистолет, на всякий случай, лежал под передним сиденьем. К больнице я подъехала ближе к пяти, надеясь застать начальство на рабочем месте. Так оно и вышло. Начальство смотрело сурово, но с любопытством и сразу же задало вопрос:

— Что происходит, Марина Сергеевна? Приходят какие-то люди, расспрашивают персонал, вами интересуются.

— Да? — попыталась я изобразить удивление.

— Да, — кивнул он и посуровел еще больше.

— Может, это как-то связано с тем случаем исчезновения больного? — предположила я. Тот случай начальство не любило.

— Не знаю, Марина Сергеевна, но все это более чем странно.

Я вздохнула и сказала:

— Нельзя ли мне продлить отпуск, без содержания, разумеется?

— Интересно, кто будет работать? — хмыкнул шеф. — Кстати, час назад заходил какой-то тип совершенно немыслимого вида и интересовался датой вашего выхода на работу.

— Это благодарные пациенты, — пояснила я, но испугалась. — И что вы ответили?

— Сказал, что ждем вас завтра, а сегодня вы должны заехать, уточнить свой график.

— Я вам очень благодарна, — без иронии сказала я. — Так что с отпуском?

— Идите, Марина Сергеевна, сегодня у вас еще есть время отдохнуть.

— Хорошо, — кивнула я, схватила два листа бумаги и быстро написала заявление. Шеф взирал неодобрительно, но несколько растерянно. — Вот, — сказала я. — На выбор: одно на отпуск, другое на увольнение.

— Месяц отработки, — быстро сказал он.

— Придется вам уволить меня за прогулы.

Я пошла к дверям, и тут шеф меня несказанно удивил.

— Марина, — позвал он, и голос звучал странно, никаких тебе начальственных интонаций. Я повернулась к нему, он из-за стола поднялся и подошел ко мне. — Плохи дела? — спросил тихо. Что я могла ему ответить? — Ясно, — сказал он. — Тот тип, что тебя спрашивал, до сих пор крутится здесь. Вот, посмотри.

Мы подошли к окну. В тенечке, за невысоким заборчиком, прогуливался подручный Беспалого, на днях поразивший меня своей невероятной шириной. С высоты второго этажа он казался похожим на пивную бочку. Широкий неумолимо приближался к стоянке, еще несколько минут, и он заметит мою машину. Это понял и мой шеф.

— Туда тебе нельзя, — сказал он, голос звучал хрипло.

— Нельзя, — согласилась я и пошла к двери.

— Моя машина у бокового входа. Стекла тонированные, он тебя не заметит. — Я слегка растерялась, а шеф протянул мне ключи. — Давай. О работе не беспокойся.

Я подумала и решилась.

— Павел Степанович, — сказала, — у меня в машине под передним сиденьем пистолет... — По моему мнению, глаза у него должны были вылезти на лоб.

— Ты хочешь, чтобы я его принес? — спокойно спросил он, а я улыбнулась:

— Я хотела бы, чтобы вы его спрятали...

— Но он тебе нужен?

Тут я вздохнула:

— Мне с ним спокойнее.

— Хорошо, давай ключи. — Он зашагал к выходу.

Из окна я видела, как Павел Степанович не спеша подошел к моей машине, открыл ее, завел, и совершенно не обращая внимания на засуетившуюся пивную бочку, отогнал на стоянку для служебного транспорта, запер дверь и крикнул в никуда, но довольно громко:

— Володя, присмотри за машиной, Марина Сергеевна попросила оставить на пару дней, — и зашагал к приемному покою, держа руки в карманах.

Широкий стал проявлять активность, метнулся в одну сторону, потом в другую, но охватить здание больницы взглядом при всем желании не мог. Радовалась я рано. Широкий извлек из кармана пиджака телефон и стал с кем-то объясняться, жестикулируя так, что непременно должен был уронить его, но не уронил. Тут я заприметила сразу несколько стриженых мальчиков, они шли от стоянки очень быстро, а потом рассредоточились: значит, будут пастись у каждого выхода. Не страшно. Больницу я знаю гораздо лучше, чем они, и уж как-нибудь выберусь.

Вернулся Павел Степанович, протянул мне пистолет недрогнувшей рукой и заявил:

— Этот тип не один. — Я кивнула, сунула оружие в карман куртки и застегнула «молнию». — Ты ведь не собираешься им воспользоваться?

— Надеюсь, что нет. — Я пошла к двери. — Я оставлю машину на стоянке вашего дома. Ключ брошу в почтовый ящик. — И добавила: — Если вы, конечно, не передумали.

— Я не передумал. Вопрос, сможешь ли ты добраться до машины.

— Смогу.

— Через автоклав?

— Конечно.

— Не знаю, что говорят в таких случаях. Удачи тебе.

— А вы авантюрист, — улыбнулась я. — Ни за что бы не подумала.

Автоклав помещался в подвале. Я добралась туда совершенно спокойно. Парни не решались искать меня в огромном здании, понимая всю бесперспективность подобного шага, и сосредоточились на выходах. Я прошла подвал, толкнула металлическую дверь и оказалась на улице.

Машина шефа стояла метрах в двадцати, подержанный «Опель», но крепкий. Я попробовала не бояться и не паниковать. Первая пара шагов далась с трудом. Подъехала «Скорая помощь», под ее прикрытием я вполне могу пройти, но с тем же успехом не смогу вовремя заметить своих преследователей. Мысленно махнув рукой, я подошла к машине Павла Степановича, открыла ее, села и дверь захлопнула, почувствовав себя почти в безопасности. Сестра-хозяйка смотрела на меня из окна первого этажа, и глаза у нее были величиной с консервную банку. Разговоров хватит на целую смену, но сейчас мне было не до этого. Я торопилась убраться отсюда. Мне пришлось объехать больницу и покинуть территорию через центральные ворота. Слева от ворот пристроилась темная «БМВ», парень с телефоном в руке пасся по соседству и проводил меня тревожным взглядом. Я наплевала на близость инспекторов ГАИ и постаралась выжать из «Опеля» все возможное.

На посту машину шефа знали не хуже моей, сержант покачал головой, но тормозить не стал. «БМВ» сзади не было, видно, парень все еще получал инструкции. Когда они опомнятся, мне несдобровать. В общем, я неслась как угорелая, то и дело посматривая в зеркало заднего обзора. Ничего похожего на погоню. Такой удаче приходилось только удивляться.

Шеф жил в самом центре, напротив планетария. Место красивое, а главное, людное. Чуть дальше по улице здание, где размещалось Управление внутренних дел. Такая близость вызывала оптимизм. Бандитам здесь просто нечего делать.

Я была в гостях у шефа только однажды, на юбилее. Как водится, он собрал весь коллектив, и мы славненько погуляли в ресторане. Павел Степанович выпил лишнего и в душевном порыве потащил нас домой, где супруга приняла подгулявшую компанию с кислым видом, а на нас с Наташкой смотрела едва ли не с отвращением. Как я уже говорила, женщины мы заметные. Расположение квартиры я помнила, а вот номер забыла. Аккуратно пристроив «Опель» на стоянке, я вошла в подъезд. Сначала мне пришлось подняться на третий этаж, а уж потом вернуться к почтовым ящикам. Я просунула ключи в узкую щель и, спустившись на первый этаж, толкнула дверь подъезда. Кто-то очень деловито взял меня за локоть и сказал:

— Приехали.

В первую секунду я просто вздрогнула от неожиданности, не успев как следует испугаться. Повернула голову и увидела рядом с собой не Широкого, как логично было бы предположить, а приятного молодого парня в джинсах и белой футболке. Он смотрел на меня с любопытством и почти ласково, чем сбивал с толку.

— Может, отпустишь мой локоть? — предложила я вежливо, но настойчиво.

— Пойдем, рыжая.

— Я блондинка, — внесла я ясность.

— Ага. А я папа римский. — Он зашагал уверенно и быстро, держа меня под локоть; мне ничего не оставалось, как последовать за ним.

Тут мое внимание привлек лимузин, стоявший во дворе, точно эсминец на рейде. Шагали мы, безусловно, к нему. Дверь открылась, и парень, подтолкнув меня, сказал:

— Залазь.

Машина была шикарной, внутри даже лучше, чем снаружи. Кресла располагались так, что сзади можно было сидеть лицом друг к другу. Я оказалась лицом к пожилому дядьке, одетому в белые брюки и яркую рубашку. Миллионер на отдыхе. Если для того, чтобы оторвать мне голову, решили использовать такую машину, мне следовало сказать спасибо. Я вздохнула, но благодарить не стала, а поздоровалась.

— Здравствуй, — сказал дядька, лицо его было смутно знакомым, наверняка один из гостей дяди Юры.

— Шикарная машина, — заметила я. — Никогда такой не видела. Наверное, очень дорогая.

— Недешевая, — усмехнулся дядька, я продолжала

оглядываться. Мой конвоир куда-то исчез, в машине нас было трое: дядька, я и шофер.

Я опять вздохнула, потерла нос и на него посмотрела. Он закинул ногу на ногу и меня разглядывал.

— Где деньги, я не знаю, — честно сказала я. — Вы можете не поверить, но я никогда бы их не взяла. — «Если бы дядя Юра не считал меня круглой дурой», — мысленно добавила я.

— Я верю, — неожиданно серьезно сказал дядька и кивнул. — Меня интересует Старик.

— Юрий Петрович? Полифем говорит, что он умер.

— Кто этот Полифем?

— Наверное, его охранник, или это по-другому как-то называется, например, доверенное лицо. Такой здоровый и глупый.

— Коля... — подсказал дядька и улыбнулся. — Только он не глупый.

— Глупый, — не согласилась я. — Он считает, что деньги у меня, а это глупость. Их не может у меня быть, потому что никто и никогда мне бы их не доверил. Правильно?

— Правильно, — теперь он даже засмеялся, — если ты не такая дурочка, как хочешь казаться, и не прихватила их сама.

Я покачала головой и отвернулась. Ничего хорошего мне жизнь предложить не сможет. В кармане лежит пистолет, только много ли от этого толку? Не могу же я в самом деле стрелять в человека, когда он вот так сидит напротив меня и даже улыбается.

— Значит, говоришь, Старик умер? — задумчиво спросил дядька. Хотя и был он улыбчив и по-стариковски благообразен, но в душе рождал беспокойство: глаза смотрели твердо, а за внешней мягкостью угадывалось акулье нутро. Врать и изворачиваться я себе отсоветовала.

— Это я не говорю, — ответила я, — точнее, я не утверждаю. Может, и умер, то есть убит. Но, так как предполагается, что убила его я, а я этого, разумеется, не делала, у меня есть сомнения.

— Интересно, — кивнул дядька, — расскажи-ка подробнее.

Я рассказала: о визите Полифема, угрозах и моем желании отыскать дядю Юру.

— А что ты сама думаешь? — спросил он, а я удивилась, что мое мнение может интересовать такого человека.

— Честно? — уточнила и в его глаза посмотрела, хоть и было это нелегко.

— Врать нехорошо, а мне и вовсе вредно.

— Я думаю, что они с Полифемом присвоили деньги и потому придумали это дурацкое убийство. Хотя, может, Полифем убил дядю Юру, а деньги себе оставил.

— Это вряд ли, — подумав, сказал дядька, — уж очень глупо. Теперь послушай меня: увидишь Старика, расскажи ему о нашей встрече. Он может темнить сколько угодно, но меня ему не провести. Так и передай.

— Вы меня отпустите? — искренне удивилась я.

— Конечно. Не по доброте душевной, разумеется. Кто-то в доме Старика стрельбу устроил. А для чего? Чтобы ты смогла уйти. Либо он о тебе сильно хлопочет, либо нас путает. Старик великий путаник... А мы посмотрим, и за тобой тоже. Думаю, ты нас приведешь и к нему и к деньгам.

— А если он все-таки мертв? — предположила я.

— Поживем — увидим, — обрадовал дядька. Странный он все-таки тип, нормальный бандит вытряс бы из меня все, что я знаю и чего не знаю, а этот усмехается и загадки разгадывает, вроде как в шахматы играет. Но все равно я ему очень благодарна.

— Пистолет таскаешь, а стрелять умеешь? — вдруг сказал он.

— Пробовала, в тире. Получалось неважно. А пистолет я прихватила в его доме, случайно.

— Наслышан, — кивнул он.

— Если честно, ношу я его больше для душевного спокойствия, — пояснила я и вроде бы даже застыдилась. — Выбросить жалко.

— Опасная игрушка, — усмехнулся он. — Я вот, например, отродясь в руки не брал.

Что на это ответить, я не знала, зато о прежнем хозяине пистолета вспомнила и спросила:

— А этот парень, Миша, он от меня отстанет?

Дядька усмехнулся шире:

— Обещать не могу. У него своя голова на плечах.

— Понятно, — огорчилась я. Стулом я его треснула, аж два раза, значит, не отстанет. — Может, я пойду тогда? — робко спросила я. Он ничего не ответил, но дверь сама собой открылась, и я вышла из машины, опомнилась и, повернувшись, сказала «до свидания».

Через пару секунд лимузин исчез за углом дома, а я устроилась на скамейке в глубине двора и крепко задумалась. Из разговора с неизвестным мне дядькой я вынесла два убеждения: первое — при желании они могут найти меня в городе легко и быстро, и никакие хитрости не спасут. Второе было более оптимистичным — в рядах моих врагов единством и не пахло, каждый тянул одеяло на себя, а стремление нагадить ближнему проглядывало вполне отчетливо. Пока я сидела на скамейке, во дворе появилась та самая «БМВ» и лихо затормозила возле «Опеля» шефа. Из машины выскочили мальчики и стали с любопытством оглядываться, один направился к старушкам, сидящим у подъезда, а я поспешила убраться отсюда через соседний двор.

Теперь я оказалась без машины и очень этому обстоятельству огорчилась. Свою я вряд ли сумею забрать со стоянки, а угонять чужие навык отсутствует. Хотя, конечно, не боги горшки обжигают.

Я попыталась думать о чем-то светлом: вот даже этот дядька, к примеру, отпустил меня... почему, интересно? Тут я заметила телефон и торопливо к нему зашагала, набрала номер Макса. Длинные гудки. Слава Богу, значит, Макс покинул город, надеюсь, в безопасности. Я позвонила Вике и, услышав ее голос, с облегчением вздохнула.

— Привет, — сказала я. — Как дела? Макс звонил?

— Звонил, и гости уже были. То есть гость. Пришел

парень, сказал — из милиции, удостоверение предъявил. Потом стал что-то плести о квартирных кражах, мол, совершают их мужчина с женщиной, входят в доверие к гражданам. Описал тебя как эту самую женщину, потом говорит: такого-то числа соседи видели, что к вам приходили мужчина и женщина. Я проявила готовность к сотрудничеству, говорю, это моя подруга с любовником на моей жилплощади встречаются, больше негде, а мне не жалко. Спросил, что за подруга, я выдала паспортные данные. А мужчину зовут Максим, фамилию не знаю, вроде бы нигде не работает, у него машина, красные «Жигули», модель и номер не знаю. Если надо точно, лучше обратиться к подруге, то есть к тебе, и номер телефона присовокупила. Думаю, Макса они сразу не найдут, как считаешь?

— Он еще в городе? — удивилась я.

— Да. Звонил вчера. Беспокоится. Маринка, мне Валя Савенко звонила, и Костя Сергеев, к ним тоже заходили; о тебе расспрашивали, о друзьях и все такое. Ребята беспокоятся, не поймут, что случилось.

— Тип, что у тебя был, здоровущий, со зверской мордой и тупым взглядом.

— Да нет, обыкновенный парень. Думаю, в самом деле мент, в общем, похож. Могли они на такое дело мента подписать?

— Кто же знает?

— Плохи дела, — вздохнула Вика. — Взялись за тебя крепко... — Она помолчала и добавила: — Я Надьку в деревню отправила, мало ли что... Теперь ехать боюсь, а ну как выследят?

— Думаю, ты им больше не нужна. Они Макса ищут и очень быстро найдут, хоть ты, конечно, молодец и водичку немножко помутила...

— Подожди секунду, в дверь звонят... — перебила Вика. Тут я заметила рядом с собой тоскующего мальчишку лет двенадцати, он с томлением смотрел на телефон.

— Я перезвоню, — сказала я. — Тут очередь.

Мальчишка занял мое место, а я пошла плутать дворами, прикидывая, где бы пообедать. Выбираться на многолюдные улицы с большим движением я не рисковала. Заметив кафе, зашла и наспех поела, с неодобрением поглядывая на цены и свой тощий кошелек. Если мне предстоит бегать еще некоторое время, придется запустить руку в кубышку дяди Юры.

Я вышла на улицу, невесело размышляя о том, как тяжело человеку быть одному. Тот же город, те же улицы, а все не так: все окрашено в серые тона тоски и одиночества. Мне очень захотелось услышать Викин голос.

— Это ты? — захлебываясь, начала она, и я сразу же почувствовала — случилось несчастье. — Маринка, Макса убили! — Я, кажется, не издала ни звука, пялилась в стену перед собой, отказываясь верить услышанному.

— Как узнала? — все-таки смогла спросить я.

— Костя пришел, сам не свой, говорит, это какой-то ужас. Макса зарезали за столом в собственной квартире, он сидел буквально в луже крови с перерезанным горлом.

Я дернулась всем телом. В памяти еще была свежа другая картина: туалет в вагоне, человек, привалившийся к стене, со страшной раной от уха до уха.

— Ты слышишь меня, слышишь? — кричала Вика, у нее была самая настоящая истерика. — Его убили еще вчера. Наверное, вечером. Соседям мешал приемник, включенный очень громко, и они звонили поздно вечером, а потом утром. Заподозрив неладное, вызвали участкового. Дверь открыли, а он... Позвонили брату, а он Косте, просил всех предупредить... Никто ничего понять не может... Ты меня слышишь?

— Слышу. Ты тоже ничего понять не можешь. И ничего не знаешь.

— Ты придешь... придешь? — спросила она, как видно с трудом понимая, что говорит.

— Куда я могу прийти? — разозлилась я. Она всхлипнула, потом вздохнула:

— Они и тебя убьют...

— Вот уж удружила, подруга. Утешила, что называется. Я пока жива, — напомнила я. — Если ребята будут спрашивать, где я и почему не пришла, скажешь, отдыхаю на юге. Адрес не знаешь и держи себя в руках, пожалуйста. Ты взрослая тетенька и должна знать, что люди смертны.

— Маринка, — позвала она.

— Ну? Чего тебе?

— Как ты одна, а?

Вот только этого не хватало.

— Одной проще, — соврала я и повесила трубку. Отошла в сторонку, устроилась на зеленом газончике и разрыдалась. Я оплакивала Макса и, если честно, себя.

Как мне выбраться из создавшейся ситуации, ума не приложу. Теперь деньги я при всем желании вернуть не смогу: если Макс не успел их спрятать, они у убийцы, если успел, значит, найти их могут только случайно и по прошествии времени.

Несколько прохожих с недоумением посмотрели в мою сторону, хотя я надеялась, что с тротуара моя жалкая фигура в глаза не бросается. В общем, надо было подниматься и куда-то идти. «Шевелись, — напомнила я себе. — Сидя на месте, много не добьешься».

А замыслы у меня были наполеоновские: сохранить себе жизнь.

На дачу я добралась уже ближе к вечеру. Очень болела голова, мысли путались, а ноги гудели. Прошла я сегодня не один десяток километров.

Я постояла под душем и сделала себе укол: в таком состоянии я мало на что гожусь, а чтобы выжить, мозг должен работать надежно и ясно.

Перед тем как лечь в постель, я проверила пистолет и сунула его под подушку. Перспектива быть найденной в чужой постели с перерезанным горлом меня не прельщала.

Я проснулась в полночь. Большая черная птица вскрикнула и ударилась в окно. Я вздрогнула, вслушиваясь в ночную тишину. Где-то проехала машина... Странный шорох... мыши? Опять... скрипнула дверь...

Это нервы... Вот опять... едва уловимый шум, будто кто-то осторожно поднимается по лестнице.

Это только мой страх... Макса убили, и я боюсь. Кто-то там внизу стоит замерев. Тоже боится? Кто там может стоять? Хозяин дачи приехал? Что за чушь, зачем ему прятаться? Он позвонил бы, наконец, вошел и включил свет...

Я поднялась и скользнула к окну. Ночь невероятно звездная, небо исполосовано яркими блестками. Красиво и... страшно. «Это ночь и одиночество», — сказала я и испугалась еще больше: мой голос не был моим голосом, он дрожал и срывался. Там внизу кто-то ходит, кто-то ищет меня... Я торопливо оделась, руки дрожали и не желали слушаться.

Как они могли найти меня?.. Как они нашли Макса? Неужели так быстро?

Тишина давит на уши. Сделать укол и спокойно спать до утра. Я шагнула к сумке... Нет, я должна проверить... Я спущусь вниз и проверю все комнаты, одну за другой. Буду идти и включать свет. Я стиснула в руке пистолет и пошла к двери. Осторожно, без скрипа открыла ее. Босиком стала спускаться по лестнице. Каждый шаг давался с трудом.

Лестница кончилась. Я немного постояла и пошла к входной двери. Заперто, ключ торчит в замке. «Дура несчастная», — сказала я, покачав головой. Но проверить все же стоило... Чтобы выбросить страхи из головы. Уже увереннее я прошла в столовую, включила свет. Он был тусклым и покоя душе не вернул. Я толкнула дверь в кухню и замерла.

Он был здесь. Я чувствовала, он где-то здесь, в темноте. Ждет меня. А я как на ладони, потому что я, несчастная дура, сама включила свет в столовой и стою в дверях...

— Кто здесь? — крикнула, надеясь, что звук голоса сможет вернуть мне мужество. — Кто здесь? — повторила я, поднимая пистолет. Он молчал и не двигался, но я готова поклясться, что слышала его дыхание и стук его сердца. Я пошарила левой рукой по стене, нашла выключатель. Вспыхнул свет... Кухня была пуста.

Я испуганно повернулась и закричала: он был совсем рядом, за моей спиной. Еще секунду, и он достал бы меня своей лапищей, проклятый мерзкий циклоп. — Стой, где стоишь, — предупредила я. Он усмехнулся, показал свои руки и сделал шаг назад. — Как ты меня нашел? — спросила я.

— Долго рассказывать, — этим своим тихим голосом заговорил он. — Хотя я тебя и не терял. Кажется, мы договорились, что я буду рядом. Или нет?

Господи, как много он болтает. Еще бы, это такой старый-престарый прием, говоришь, говоришь, пока человек не привыкнет к твоему голосу, к тебе самому... Так с психами разговаривают или с человеком, у которого в руках пистолет. У меня сейчас в руках пистолет...

— Убирайся отсюда, — сказала я. Он вроде бы засмеялся.

— Ты хочешь, чтобы я ушел? Чтобы я вышел вот через эту дверь? Хочешь, да?

— Хочу, — сказала я неуверенно.

— Предположим, я вышел, и что дальше?

— Убирайся к черту, — заорала я, пистолет танцевал в руке, он был слишком тяжелым, я перехватила его левой рукой... Я смогу стрелять? Черт, еще как смогу.

— Спокойно, — сказал он. — Говори спокойно. Я тебя слышу. Только ты болтаешь глупости. Я выйду из дома, и ты запрешь дверь на замок. Так, да? Ответь мне...

— Так, — сказала я.

— И мы будем стоять по разные стороны двери... В доме полно окон, и две двери на улицу... Что ты будешь делать всю ночь, а? Бегать от одного окна к другому? Или спрячешься в шкаф? А потом придет утро, и ничего не изменится. Я буду за дверью... И завтра, и послезавтра... Ты быстро устанешь.

Руки дрожали, пот стекал по ребрам, соленый и жгучий.

— Видишь, как это глупо, — сказал Полифем и добавил тихо: — Отдай пистолет... у меня нет оружия. Подойди поближе и посмотри...

— Ага, — засмеялась я. — Не думаю, что моей глупости на это хватит. Что ты там болтал насчет копченых кур?

— Ты очень впечатлительная, я просто пугал тебя...

— Сукин ты сын, — сказала я, чувствуя, что сейчас упаду в обморок. — Отойди в сторону. Вон туда, к стене.

— Ты плохо выглядишь, — посочувствовал он. — И руки дрожат. Вряд ли ты умеешь стрелять. Так ведь? Ты попадешь в потолок или в стену... положи пистолет, вот сюда на стол. Мы просто поговорим...

— У меня нет денег... и ты убил Макса, — всхлипнула я. Сейчас начнется истерика, я сделаю ошибку и тогда... — Отойди к стене, придурок, — заорала я. — Ты убил Макса.

— Макс — это тот пьяница из поезда? И деньги были у него? Ты очень переживаешь, потому что они были у него и теперь ты не сможешь их найти. Так?

Это неожиданно показалось забавным.

— Еще бы, — сказала я, — а ты бы не переживал?

Руки ломило, волосы прилипли к щекам, я приподняла плечо, пытаясь вытереть лицо, а он сделал шаг, не ко мне даже, он хотел сесть, потому что стоять под дулом пистолета было делом нелегким, он хотел устроиться с удобствами и продолжить болтовню со мной. Неподвижное до этого тело вдруг плавно и хищно переместилось со своего места... Я взвизгнула и нажала курок... Полифем качнулся, сделал шаг, второй и сел на стул, к которому так стремился. Посмотрел на меня, и его глаза впервые приобрели выражение то ли удивления, то ли жалости. Он закрыл глаза, а я заорала:

— Идиот, вот ты кто, идиот! — И бросилась к двери.

Проклятый замок не желал отпираться, я отшвырнула пистолет, потому что он мешал, и стала воевать с дверью. Наконец она открылась, я бросилась в темноту, скатилась со ступенек, упала, поднялась и побежала дальше.

Поселок остался за спиной. Шоссе, поля по обе стороны и звезды. «Ну и куда я бегу?» — подумалось мне. Дышала я с трудом, а ноги были словно чужие. Я рухнула на колени, а потом на четвереньки, так было удобнее. «Я его убила? Конечно, я его убила. Господи, — я всхлипнула и стала раскачиваться, — я только что убила человека. Было бы лучше оказаться в его лапах? Выть, в дерьме и кровище, надеясь, что в конце концов он меня убьет и все кончится...»

— Все, он подох... — сказала я громко, — и нечего его жалеть. Можешь не мечтать: он-то терзаться бы не стал. — Я села на обочине дороги, свесив ноги в кювет и на звезды поглядывая. — Тебе повезло, что он пришел один... Повезло, как же... Дача чужая... Вот Галке подарок: объясняй теперь, что за странный медовый месяц у подруги... а меня посадят в тюрьму. Убийство всегда убийство. Даже если это проклятый Полифем. Кажется, я попала ему в плечо. В правое. Если в плечо, то... стоп. Ты же профессионал, чего мудришь? Пуля могла войти в плечо и такое сотворить с этим уродом: видели мы аккуратные отверстия спереди и жуткие дыры сзади, когда видно легкое и... или пуля оказывается в позвоночнике, тоже не хило... Если ему повезло, он сейчас обливается кровью, точно свинья на бойне... Макс сидел в луже крови, и тот парень, Женя. Разве я могла подумать? Господи, какие гады, зачем им понадобилась я? Понадобилась... Я поднялась, вздохнула, посмотрела на звезды и сказала: — Вам хорошо.

Хорошо или плохо, они не ответили, а я зашагала назад, к даче. Сначала медленно, едва плелась, потом быстрее, а под конец уже бежала. Свет в кухне горел, а дверь была открыта. Я вошла, хмурясь, готовая взвыть от отчаяния. Полифем сидел за столом, и, используя полотенце вместо бинта, перевязывал плечо, работая левой рукой и зубами. Услышав, что я вошла, поднял голову и уставился на меня. Взгляд был удивленным.

— Эй, ты, — храбрясь, сказала я. — Если дашь слово, что меня не тронешь, я помогу.

— А ты мне поверишь? — хмыкнул он, головой покачал и продолжал возню с полотенцем.

Постояв немного, я не выдержала и спросила:

— Я к тебе обращаюсь, придурок. — Он пожал плечом:

— Валяй, подходи.

Тут я вспомнила про пистолет и вернулась в прихожую. Его не было. Зато на полу появилось несколько капель крови.

— Где он? — спросила я, вернувшись.

— В моем кармане, — ответил Полифем.

— Если я тебе не помогу, ты скорее всего сдохнешь, — сообщила я.

— Я живучий, — хмыкнул он.

Я сделала несколько шагов по направлению к нему. Он был бледен.

— Ты сдохнешь, — сказала я зло.

— Ты вернулась, чтобы посмотреть на это? — удивился он. Мне стало стыдно, он вдруг улыбнулся и сказал: — Дела... Подходи ближе, не кусаюсь.

Я подошла, развязала полотенце.

— Рубашку снять сможешь? У меня сумка в спальне, я сейчас. — Я взлетела по лестнице на второй этаж, схватила сумку и бегом вернулась к нему. Рубашку он стянул, она валялась на полу.

Я нашла кастрюлю, налила кипятка, злость и страх отступили, руки и мозг работали слаженно.

— Сожми руку в кулак, — сказала я. — Укол сделаю.

Он молча повиновался. Узлы мышц свивались в клубки. Настоящий циклоп. Минут через десять он проявил любопытство:

— Ну?

— Чего, ну? — разозлилась я. — Жаль, только слегка зацепила.

— Ага, пуля в стене за моей спиной. — Тут я любопытство проявила.

— Да... хорошему человеку стену испортила, — сказала с усмешкой, — из-за тебя, придурок.

— Я предлагал поговорить. Спокойно.

— Ты уже многое чего успел сказать. Надо в больницу. Ты, конечно, не захочешь?

— Конечно, — кивнул он.

— Тогда терпи.

Он сидел спокойно, глядя куда-то в сторону, и даже ни разу не поморщился. Когда я закончила, его начало понемногу размазывать по стенке.

— Чего ты мне вколола? — нахмурился он.

— Снотворное. Больному нужен покой. И мне тоже. А пока можешь двигаться, перебирайся на диван.

— Ты уйдешь? — поинтересовался он, шагая к дивану.

— Конечно. А что? Беспокоишься о своем здоровье? Теперь не помрешь. — Он лег, я сунула ему подушку под голову и принесла одеяло. — Бай-бай, беби, — сказала и свет выключила. Уходить отсюда я не собиралась. Куда? Вымыла руки, прошлась по дому. Задняя дверь была открыта. Через нее он и пробрался.

Я проверила его куртку, пистолет лежал в кармане, и больше ничего. Выходит, он пришел без оружия? Не думал, что понадобится... Ладно, до утра он будет спать как убитый. И не помешает мне сделать то же самое.

Пистолет рождал в душе дурные чувства, но в спальню я отправилась с ним. Сунула его под подушку. Полифем вряд ли собирался делиться денежками, так что скорее всего действует в одиночку. А если я ошибаюсь... Лучше об этом не думать.

Я легла и, кажется, мгновенно уснула. Спокойно, как ни странно.

Шел дождь. Я открыла глаза, посмотрела на серый унылый мир и пожалела, что проснулась. Нехотя поднялась и подошла к окну. Возле гаража стояла моя машина. От неожиданности я замерла и таращилась на нее довольно долго. А потом бросилась вниз, к Полифему. Он вроде бы спал. Я прошла на цыпочках и заглянула в его лицо. Глаза он открыл сразу. На всякий случай я немного отодвинулась.

— Там моя машина, — сказала я.

— Ну?..

— Откуда?

— Со стоянки рядом с больницей.

— Это ты ее пригнал?

— Конечно.

— Зачем?

— Что, не нужна?

— Слушай, Полифем, — начала я и в забывчивости даже присела на край дивана, — ты зачем вчера приехал?

— Сюда?

— Сюда, идиот.

— Это мое дело, — заявил он, я моргнула, открыла было рот и опять закрыла.

— Не поделишься?

— Нет.

— Ну и как хочешь...

Я встала и направилась в кухню, приготовила завтрак. Почуяв съестное, он возник на пороге. Выглядел вполне нормально, не в смысле его внешности, двухдневная щетина зверскую физиономию отнюдь не украсила, а в смысле здоровья. Вообще, зря я проявляла заботу. Он и без моей помощи не подох бы, такие и вправду живучие.

— Есть будешь? — спросила я. Он сел за стол. Аппетит у него был неплохой. Надо его выпроваживать, моих запасов надолго не хватит, а деньги кончаются.

— Ты вчера с Артистом виделась? — сказал он.

— Что?

Полифем пояснил:

— Шикарная тачка, шикарный костюм...

— А, дядька... Виделась.

— Что он сказал?

— Велел передать дяде Юре, что в его кончине сильно сомневается. Кстати, я ему на тебя настучала, будто ты денежки прибрать хочешь. Дядька лестно отозвался о твоем уме. Ты правда умный?

— Кирпич тебя ищет, — сказал он, не обращая внимания на мои слова.

— Это еще кто?

— Тот, что прихватил тебя в доме Старика.

— А-а, Миша. Еще бы... А ты откуда знаешь, где он меня прихватил? — Полифем опять не ответил. — Ясно, — сказала я. — В доме ты был? И стрельбу ты устроил? Зачем?

— Зачем стрельбу устраивают?

— Наверное, чтобы убить кого-то, — догадалась я. — А зачем тебе это нужно?

— Кирпичу в руки лучше не попадаться, — пояснил он.

— Это ты обо мне или о себе заботу проявляешь? Выходит, дядя Юра жив и тебя послал за мной присматривать? Так? Потому ты помог мне в доме, пригнал машину и сам притащился. А сегодня сидишь тих, как ангел? — Отвечать он не собирался. — Не знаю, что вы там затеваете, но в одном ты прав. Деньги были у Макса. Он убит, и где они теперь, я не знаю. Так что суетитесь вы зря.

— Кирпич тебя ищет, — повторил Полифем, вроде бы о чем-то размышляя.

— Ну что, дался тебе этот Кирпич... Что за кличка дурацкая? Кирпич, Артист, глупость какая...

— Или Полифем, — подсказал он. Я нахмурилась.

— Ты на него похож.

— Да? Ты с ним раньше виделась?

— Смотри, какой умник, — огрызнулась я. — Остришь? Слушай, а что ты знаешь о Полифеме?

— Старик сказал, что ты меня так прозвала, болтал про древних греков. Ну, я посмотрел.

— Что посмотрел? — развеселилась я.

— Книжку. «Мифы Древней Греции» называется.

— Врешь? — уважительно заметила я.

— Зачем? Читать я умею.

— Да ни в жизнь не поверю, — заявила я и хрюкнула. Полифем посмотрел на меня, помолчал, в глазах тягучая пустота. — Значит, книжки читаешь, — я вздохнула. — Выходит, кое-какая польза от знакомства со мной есть... Ты зачем сюда приехал? — Он явно заскучал и отвернулся. — Про деньги я правду сказала. Они были у Макса. Он собирался их надежно спрятать, успел или нет, не знаю. Так что деньги либо убийца забрал, либо они вообще неизвестно где.

— Забудь об этом, — сказал он.

— О чем? — не поняла я. Полифем вздохнул.

— Не было никакого Макса. И денег ты не видела. Тебе дали кейс, ты его отвезла. Все.

— Здорово, — хмыкнула я. — Это что-то новенькое. Опять затеяли новую пакость с дядей Юрой—покойником? Несколько дней назад тебе моя история не понравилась и ты хотел денег. А теперь не хочешь?

— Так ведь их нет, — усмехнулся он.

— Я думаю, они у вас. Дядя Юра покойника изображает, чтоб своим дружкам мозги запудрить, а ты убил Макса и деньги забрал. Так? А я вам тогда зачем? — Отвечать он не собирался. — На ваши хитрости мне наплевать. Денег нет. Я отправляюсь домой, а завтра пойду на работу. И на Кирпича мне тоже наплевать, сунется, заявлю в милицию.

Полифем засмеялся, тихо, так же как и говорил.

— Полный бред, — сказал убежденно.

— Ну, пусть так, — ответила я. — А что предлагают умные?

— У тебя есть машина. Садись и уезжай. Туда, где тебя не смогут найти.

— Да, умный человек глупость не посоветует, — хохотнула я. — Далеко уехать бензин нужен. И мне поесть раз в день тоже бы не помешало. И где-то жить.

— Дальние родственники или друзья, о которых мало кто знает.

— Они будут счастливы, — усмехнулась я.

— Десять тысяч баксов, — сказал Полифем, а я насторожилась.

— Что?

— Десять кусков тебе на первое время хватит...

Тут я присвистнула и задумалась, а потом сказала:

— Интересно. Значит, дядя Юра готов заплатить десять тысяч за то, чтобы я исчезла? Конечно, деньги для него плевые, но и их должно быть жалко. Перерезали бы мне горло, и никаких затрат... Неужто совесть заела? Поверить не могу... — Я покосилась на Полифема. — Нет у твоего дяди Юры никакой совести. И меня бы убили, глазом не моргнув, а вот поди ж ты, дает десять тысяч, чтоб я из города исчезла. Любопытно. Очень любопытно. Пожалуй, я никуда не поеду. Останусь, да и посмотрю, что из этого выйдет.

— Опасно, — сказал Полифем.

— Для кого? — вцепилась я.

— Эта дача, чья она? — в свойственной ему манере не отвечать на вопросы и переводить разговор на другое поинтересовался Полифем.

— Дача любовника моей школьной подруги. Мы редко с ней видимся. О ней мало кто знает.

— Хорошо, — кивнул он. — Долго оставаться на одном месте все равно нельзя.

— А тебя никто не просит здесь оставаться. — Он никак не отреагировал, а я усмехнулась. — Дядя Юра велел глаз с меня не спускать?

— Кирпич психопат, он не успокоится, пока тебя не найдет.

— Ты о себе думай. Твой хозяин особых симпатий в рядах товарищей по оружию не вызывает, как бы тебе от них не досталось. Объясняй, куда денежки дели...

Я стала убирать со стола и мыть посуду. Полифем сел в проеме между окнами и оттуда на меня поглядывал. Глаза яркие, василькового цвета, и такие пустые, аж дрожь берет.

— Не смотри, — сказала я. Он шевельнулся и перевел взгляд в сторону.

Мерзкий динозавр, мозги с орех, сидит как приклеенный, а дышать при нем страшно. Зачем он здесь? Ведь не скажет, а спросишь, не ответит. Что они теперь затеяли и зачем им я?

Закончив с посудой, я осторожно подобралась к Полифему. Хоть и выглядел он полусонным, но опасения внушал.

— Давай плечо посмотрю, — предложила миролюбиво. Он кивнул. Я осмотрела плечо, сделала пару уколов и заметила не без злости: — Как на собаке...

Он поднялся, и я поспешно рванула в сторону.

— Не дергайся, — бросил он. — Горячая вода есть?

— Колонка. — Он кивнул и пошел в ванную.

Если быть точной, ванной, как таковой, здесь не было, была душевая кабина и небольшой бассейн с холодной водой, назначение которого оставалось для меня загадкой: плавать в нем невозможно, а просто стоять холодно да и вовсе ни к чему. Странные у людей фантазии.

Услышав, что душ включен, я осторожно потянула дверь: запор на ней отсутствовал. Полифем стоял перед зеркалом возле раковины и бритвой в левой руке скоблил свою физиономию. Джинсы лежали на резной скамье рядом с дверью. Я схватила их, Полифем повернулся, посмотрел на меня и покачал головой.

В заднем кармане штанов я обнаружила водительское удостоверение на имя Романова Николая Ивановича, с фотографии сонно смотрел циклоп. В другом кармане лежал нож с красивой костяной ручкой. Кажется, это называется «выкидуха». Дикарь несчастный, серьезные люди уже пулеметами запаслись... Лезвие тонкое и острое, точно бритва. Можно таким горло перерезать? Идиотка, мать твою, горло можно перерезать ножницами или металлической крышкой от банки, если немного потрудиться.

Ни денег, ни каких-либо других предметов в карманах обнаружить не удалось. Я сидела в кресле и размышляла. Тут дверь ванной открылась, и Полифем сказал с порога:

— Штаны верни. — Я вернула. — Чего тебе понадобилось? — вроде бы удивился он, одевшись.

— Познакомиться хотела.

— А... Это ты про бумажки? Нарисовать можно что угодно.

— Фальшивое удостоверение? — спросила я.

— Почему? Настоящее. И паспорт тоже. Могу тебе устроить. Десять кусков — и новый паспорт. Живи и радуйся.

— Что-то вы больно добрые, — покачала я головой. — К чему бы это? Чем я вам мешаю, если вы так охотно хотите меня спровадить?

Полифем покачал головой.

— Глупость говоришь. Когда мешают, бабками не приманивают.

— Еще не легче, — всплеснула я руками. — Может, ты возьмешься меня просветить? Чего вы добиваетесь?

— Старик умер. Деньги исчезли. Мне надо уходить, и тебе тоже. Опасно.

— Так ты по доброте душевной? — присвистнула я. Полифем смотрел не меньше минуты.

— Старику ты жизнь спасла. Долги надо возвращать.

— Значит, это его предсмертный наказ? А ты вроде душеприказчика? Заврался ты, Полифем... ждать, что ты покраснеешь, труд напрасный... Ты на днях что говорил? Будто я дядю Юру убила... Говорил?

— Ну...

— А теперь что говоришь?

— Что?

— Беда с тобой, — вздохнула я. — Теперь, выходит, ты знаешь, что не я убила?

— Ну...

— Гну. Знаешь?

— Я и раньше знал.

— Ага. А меня запугивал, так?

— Так или нет, дело не твое. Бери деньги и мотай отсюда. Вот что.

— Больно ты умный. Послушай, что советует враг, и сделай наоборот.

— Я не враг, — заявил Полифем, — иначе ты бы тут передо мной не резвилась, а еще с вечера лежала тихой такой... ну ты представляешь... — Я сглотнула и сказала:

— Гад ты, вот что.

— Меня можешь не бояться, — заявил он, почесав волосатой лапой грудь, — но все-таки не дразни. Я, когда разозлюсь, буйный, а ты пигалица, шлепнешь тебя под горячую руку, и насовсем. Мокрое место останется. А стены и пол в самом деле портить ни к чему.

— Конечно, рост у меня не метр восемьдесят, но пятно будет приличным, — согласилась я. — Слушай, а убраться отсюда ты не можешь? — проявила я живой интерес. — Плечо и так заживет, чего тебе здесь отираться? — Зная, что отвечать он опять не собирается, я вздохнула и сказала: — Ясно, у тебя задание.

Как раз в этот момент к воротам подъехала машина. Я выглянула в окно и увидела довольно потрепанные «Жигули», хозяин этой дачи едва ли станет ездить на таких.

Из машины вышел милиционер, самый настоящий, в форме, и затопал к дверям. Я испугалась, хотя бояться милиции в настоящий момент повода не было. Полифем хоть и не говорил в открытую, что вещественные доказательства в деле об убийстве Юрия Петровича выдумка чистой воды, но упоминать о них совестился.

В дверь настойчиво позвонили.

— Где моя рубашка? — спросил Полифем.

— На помойке, где ж еще? — ответила я. Он напялил куртку на голое тело и кивнул на дверь.

— Открывать? — прошептала я.

— Конечно.

— А ты куда?

— Я в соседней комнате.

Он исчез, а я направилась в прихожую, чуть приоткрыла дверь и с удивлением сказала:

— Здравствуйте.

— Здравствуйте, — ответил парень в форме сержанта. — Я ваш участковый. Вот мои документы. Разрешите войти?

— Входите, — сказала я и улыбнулась приветливо — на улыбающуюся женщину смотреть всегда приятней.

Он вошел, тщательно вытер ноги и даже задумался, не разуться ли, чем вызвал во мне уважение.

— Вы проходите, проходите, — еще шире улыбнулась я. — Все равно собираюсь полы здесь помыть. Садитесь. — Он снял головной убор, пригладил волосы и сел, глядя на меня с заметным удовольствием. — Чем обязана? — решилась спросить я, видя его в хорошем расположении духа.

— Сигнал поступил, что ночью вроде бы выстрел слышали. Где-то здесь стреляли...

— А откуда сигналы обычно поступают? — задала я вопрос, он улыбнулся.

— Соседи ваши звонили, двенадцатый дом, через три отсюда, по той стороне.

— Ага, — кивнула я. — Звонили ночью, а вы ближе к обеду проверить решили?

— Звонили утром, — вроде бы обиделся сержант. — Телефона в доме у них нет, а утром позвонили от соседей. А смеетесь вы зря, люди здесь живут в основном пожилые, и проверить я должен. Хотя у нас вообще-то тихо, — добавил он, посмотрел на стол, где стояли две чашки, и спросил: — А хозяин где?

— Хозяин на работе, а мы здесь с подругой.

— А где она?

— В магазин ушла.

— А что же не на машине?

— Решила прогуляться, любит дождь.

— А-а, — сказал он, подумал и спросил: — Паспорт у вас с собой?

— Нет. Водительское удостоверение в машине. Но я за ним не пойду, не люблю дождь в отличие от подруги. А вы можете сходить. Ключи я дам, а документы в «козырьке» над сиденьем водителя.

— Не боитесь оставлять? И машину в гараж не загнали?

— Не боюсь. Мне сказали, у вас тихо. — Он засмеялся.

— Вы когда приехали?

— Вообще-то вчера, после шести.

— Ничего не слышали?

— Вы имеете в виду выстрел? — уточнила я.

— Да... может, еще что подозрительное?

— Ничего. Мы приехали, поужинали и легли спать. Так что все здешние события произошли без нас.

— А ваша подруга — это Галина Филипповна? — спросил сержант, я удивилась.

— А вы знакомы?

— Как же... она часто бывает. А я, так сказать, по долгу службы постоянных отдыхающих знаю... — Он поднялся.

— Может, чаю выпьете? — предложила я. — А там Галина Филипповна вернется.

— Нет-нет, спасибо, — направляясь к двери, сказал он. — Галине Филипповне привет, а мне надо по домам пройти. Если выстрел был, значит, его кто-то слышал...

Про документы он не вспомнил, но на номер моей машины внимание обратил. Сел в свои «Жигули» и отбыл, сказав мне вежливо: «Всего доброго». Я захлопнула дверь и почувствовала за спиной Полифема.

— Что за привычка подкрадываться? — разозлилась я, повернулась и увидела его в дверях кухни.

— Надо уходить, — заявил он. — Мент нас засек. И сюда придут.

— Он участковый. Спрашивал про выстрел. Это совершенно нормально.

— Достаточно одного слова. Кому надо услышать, услышат.

— Я знаю, вы хотите, чтобы я уехала из города. Только это обыкновенный участковый...

— А я и не спорю. Но у него есть язык, глаза и уши, значит, он опасен.

— Конечно, — усмехнулась я. — Бежать мне некуда. Здесь хоть какое жилье. Еда и вода горячая. Так что лучше жить здесь.

— Долго?

— Что? — не поняла я.

— Долго ты здесь жить собираешься?

— А это уж не твое дело. Тебя-то никто не держит. Отправляйся хоть сейчас. — Тут только я заметила, что он на себя водолазку хозяйскую напялил. Я фыркнула, а потом и вовсе захохотала, согнувшись и прикрывая рот рукой. — Полифемушка, — спросила сквозь слезы, — а ты детский чепчик носить не пробовал? — Он постоял немного, наблюдая за тем, как мое веселье идет на убыль, потом повернулся и исчез в комнате, в которой провел ночь.

А я пошла в спальню, легла поверх одеяла и попыталась решить: заключено ли в словах Полифема зерно мудрости или это он пугает меня, чтоб я дачу покинула? В любом случае, чтобы мои враги узнали о моем местонахождении, нужно время. Я могу подумать и решить.

К вечеру я спустилась вниз, потому что захотела

есть. Возилась с кастрюльками и прислушивалась. Тишина. Вряд ли Полифем решил сделать мне приятное и умер. Скорее что-то затеял. Не выдержав, я подошла и тихонько приоткрыла дверь его комнаты.

Он лежал на диване и читал книжку, несуразно маленькую в его лапище. Тут он положил книгу себе на грудь и уставился на меня.

— Я думала, может, ты умер, — сказала я виновато. — Решила заглянуть. — Он молчал. — Здесь телевизор есть.

— Видел, — сказал он.

— Не хочешь посмотреть? Тебе, наверное, скучно?

— Это тебе скучно, — сказал он и сел, отложив книгу в сторону.

— Ну, невесело... — Я подошла поближе и на обложку взглянула. Купер «Последний из могикан». — Где взял? — спросила уважительно.

— В соседней комнате, на полке.

— А... Я думала, с собой носишь. Для души. Выходит, ты и вправду читать умеешь?

— По слогам, — кивнул он.

— Ну ничего. Ты ведь еще не старый.

Полифем поднялся, прошелся по комнате. Водолазку он снял, и смотреть на него было страшновато.

— Ладно, идем ужинать, — вздохнула я. Особенно дразнить его все же не стоило.

Мы прошли в кухню и сели друг против друга. Ел он не спеша и тоже лениво. Вообще, он вроде бы дремал. Может, это на него уколы так действуют?

— Слушай, а что это у тебя за татуировка такая? — решила я продолжить беседу.

— Какая? — спросил он.

— Странная. Она что-то обозначает?

— В каком смысле? А-а... Ничего не обозначает.

— И кто до такого додумался? Неужели ты?

— Нет, не я.

— Но тебе нравится?

— Мне многое что нравится.

— Вот уж по тебе не скажешь. — Он отложил вилку в сторону и на меня уставился. Такой взгляд любого проймет. — Полифемушка, — ласково сказала я, — а ведь у тебя задание ответственное.

— Что? — не понял он.

— Чрезвычайно важное, верно? Иначе не стал бы ты меня терпеть.

— Так ты нарочно?

— Я провожу разведку боем, — пояснила я.

— Валяй. Мне нравится.

— Что тебе нравится? — настала моя очередь удивляться.

— Все, — кивнул он и замолчал.

— Здорово. — Подождав немного и ничего не дождавшись, сказала: — Лаконично. Ясно. И угадывается в этом какая-то мудрость.

— Все рыжие — ведьмы, — заявил он, а я слегка подпрыгнула.

— Кого ты имеешь в виду?

— Подойди к зеркалу и увидишь.

— Между прочим, я блондинка.

— Конечно. А я — Ален Делон.

Второй случай хамства на этой неделе. Я хотела разозлиться, но как-то не получалось.

— Ладно, я ведьма и с дачи съезжать не собираюсь. Так что намучаешься ты со мной...

— Я не мучаюсь, это раз. А с дачи придется съехать. Они придут.

— Вот заладил, как попугай. Кто придет? Кирпич-Миша?

— Много людишек.

— Зачем я им? — Полифем покачал головой и отвернулся.

— Дядька на лимузине, Артист то есть, меня отпустил.

— Рассчитывал, что ты приведешь его к Старику... Послал следить. — Я нахмурилась.

— Если следили, значит, уже выследили и знают, где я...

— Не знают, — убежденно сказал Полифем.

— Тебе откуда... — Тут я замолчала и на него посмотрела, а он на меня.

— В одном месте больше двух дней жить нельзя, — сказал он. — Мотай отсюда.

— Сам мотай. Надоел.

Я поднялась и отправилась спать. Тому, что Полифем сидит здесь чрезвычайно покладистый, не было объяснения. Следовательно, существует нечто, что заставляет его так себя вести.

Ночь была ветреной, ветви яблони били в окно. Жутко. Я куталась в одеяло и мелко дрожала. Поднялась, выпила таблетку... потом подошла к двери, прислушалась. Тишина... Половица скрипнула... Проклятые ночные страхи. Я вернулась к постели, схватила пистолет, выскользнула из комнаты, постояла на лестнице, медленно спустилась. Дверь в комнату Полифема была приоткрыта. Темно, вроде бы он лежит на диване. Черта с два... Я резко повернулась, в то же мгновенье вспыхнул свет: проклятый урод стоял за моей спиной...

— Черти бы тебя побрали, — в сердцах сказала я, опуская руку. Свет он выключил и сказал:

— С пистолетом осторожнее.

— Боишься, — обрадовалась я.

— Еще бы... Ты чего не спишь?

— А ты?

— Жду гостей.

— Ну, жди... — Я стала подниматься по лестнице, он стоял внизу и вроде бы на меня смотрел.

Утром Полифем был задумчив, то есть выглядел сонным более обыкновенного, индейцев забросил и все бродил по дому. Я покопалась в книгах, выбрала парочку детективов и забралась в постель.

День прошел ни шатко ни валко. Дважды я спускалась вниз, чтобы перекусить. Чем питался Полифем, осталось тайной.

К вечеру он вдруг появился в моей комнате, вошел без стука, привалился к стене и запел этим своим голосом:

— Спать ложись не раздеваясь.

— Что так? — усмехнулась я.

— Придется удирать без задних ног, узнаешь.

— Гостей ждешь?

— Жду. — Он прошел к окну, проверил раму. — Тебе лучше лечь внизу, рядом со мной, — сказал он совершенно серьезно.

— На одном диване, что ли? — поинтересовалась я.

— Можно и на диване. Спать я не собираюсь.

— На посту, значит. Ладно, проявляй бдительность. А мне и здесь хорошо.

Он немного потосковал у двери и, не сказав больше ни слова, удалился. Через несколько часов я смогла убедиться, что Полифем дураком не был и кое в чем смыслил больше меня.

Они пришли под утро. Этой ночью опять шел дождь, было мрачно и неприютно. Сон, тягучий и серый, никак не хотел кончаться... Я открыла глаза и, наверное бы заорала, но Полифем сжал мне рот своей ручищей.

— Тихо, — прошептал он в самое ухо, прижавшись к нему губами. — Они пришли. — Он отпустил руку, а я испуганно зашептала:

— Здесь, в доме?

— Пока нет.

— Откуда ты знаешь?

— Я видел их. Одевайся, уходим.

Сомневаться в его словах мне даже не пришло в голову. Я покрылась гусиными пупырышками чуть ли не до подбородка. При наличии такого здорового стимула оделась за полминуты.

— Идем, — сказал Полифем и взял меня за руку. Я доверчиво пошла за ним. Сейчас я пошла бы и за самим чертом, впрочем, большой разницы между ними я не видела.

Несмотря на свои размеры, Полифем шел мягко и тихо, а вот подо мной половицы скрипели, я была просто в отчаянии. Мы стояли на нижней ступеньке, когда Полифем замер, потом головой повел и шепнул:

— Быстро под лестницу, ляг и головы не поднимай.

Дважды повторять не пришлось. Тут я вспомнила про пистолет, забытый в спальне. Господи, где у меня голова была... Скрипнула дверь, кто-то стоял совсем рядом и прислушивался. Им тоже страшно — попыталась я себя утешить, они обыкновенные люди,и темнота их пугает. Только они с оружием, а я — нет.

Кто-то вошел, я не видела его и даже не слышала, но чувствовала, кто-то здесь, в нескольких шагах от меня. Шорох, странный шлепок, что-то зашуршало по полу. Мне хотелось завыть, я испугалась, что скорее всего так и сделаю, уткнулась лицом в колени и сдавила голову руками. Загремела посуда на кухне, раздался приглушенный крик, неожиданно замерший на самой высокой ноте, и тишина. Отчетливые шаги и голос Полифема:

— Вылазь.

Я подождала еще немного и выбралась из-под лестницы. Полифем с фонариком в руке сидел на корточках рядом с телом мужчины. Я подошла и заглянула через его плечо. Глаза у парня были открыты, а голова неестественно вывернута.

— Ты его убил, — прошептала я. Разумеется, он его убил, чего бы тогда парню лежать со сломанной шеей. — А в кухне? В кухне тоже?

— Надо уходить, — сказал Полифем, поднимаясь.

— Их здесь много? — перепугалась я.

— Нет. Было двое. Они шли за тобой, а меня здесь застать не ожидали. Но очень скоро там поймут, что дело нечисто, и пришлют целый батальон. Уходим.

— Господи, как уходим? Куда? И... этот парень... дача чужая. Не могу я подложить такую свинью подруге... Два покойника! Ведь тот, в кухне, тоже?..

Он молчал больше минуты, я топталась рядом и тихо выла. В голове стоял шум и не было ни одной мысли: пусто и жутко.

— Ладно, — сказал Полифем. — Свою тачку они в проулке спрятали. Я их вывезу в лесок и там в машине оставлю. Поедешь за мной, на развилке подождешь. — Я кивнула, не зная, видит он меня в темноте или нет.

Мягко ступая, он подошел к двери, а я осталась

стоять, дрожа от страха. Вспомнила про пистолет. В любом случае оставлять его здесь нельзя. Я торопливо поднялась по лестнице, вошла в спальню, нащупала оружие под подушкой. С улицы донесся шум, подъехала машина. Я сунула пистолет в карман и бегом спустилась по лестнице.

Полифем подогнал машину вплотную к задней двери. Машина была большая, кажется, «Тойота», в сером предутреннем сумраке не разглядишь. Видимо, ключи он нашел у одного из парней. Полифем распахнул заднюю дверь машины и ушел в дом. Я ждала на крыльце, нервно оглядываясь. В голову вдруг пришла нелепая мысль: самое время появиться участковому, чтобы пожелать доброго утра.

Первым Полифем выволок парня из коридора, зашвырнул в машину и скрылся в доме. Второго тащил за ворот куртки с заметным усилием, в узкую дверь его пришлось проталкивать чуть ли не боком. Это был мой давний широкий приятель, его и в темноте ни с кем не спутаешь. Полифем хлопнул дверью и повернулся ко мне.

— Поезжай за мной...

— В доме надо убрать, — торопливо зашептала я. — Там, наверное, кровь и...

— Ничего там нет. Поехали.

Я бросилась к своим «Жигулям». Когда я выехала на дорогу, огни «Тойоты» светились далеко впереди.

Дождь полчаса как кончился, небо светлело, и серое пространство вокруг казалось особенно неприютным и диким.

«Тойота» свернула к лесу, я прижалась к обочине, вцепилась в руль и глаза зажмурила. Что происходит, черт возьми? Как я умудрилась влезть во все это? И что меня ждет? Бегство в никуда в компании Полифема? Еще трупы? И как заключительный аккорд — мой собственный? Куда я собираюсь ехать?

— Домой, — вдруг сказала я громко. — Да. У меня есть дом, и я туда поеду. Еще у меня есть работа, друзья, привычки, любимые вещи и планы на будущее. — Я завела машину и на предельной скорости полетела вперед, подальше от трупов и Полифема.

Когда я въехала в город, опять пошел дождь. В моем доме свет горел только в подъездах. Я почувствовала себя одинокой и брошенной, никто и нигде меня не ждал. Оставлять машину возле подъезда все же не стоило, я решила отогнать ее в гараж. Гаражный кооператив помещался в трех остановках от моего дома, в овраге. Машину я поставила и очень скоро начала себя ругать за бестолковость. Решив сократить путь, отправилась я не по дороге, а по тропинке, напрямую через овраг. Грязь здесь была непролазная, я мгновенно вымокла под дождем и с трудом передвигала ноги: на кроссовки налипло грязи килограммов по пять.

К дому я подошла насквозь промокшая и измученная. В этом были свои преимущества: ни о Полифеме, ни о трупах больше не думалось, хотелось забраться в горячую ванну и выпить рюмку коньяка. Коньяк в холодильнике, а если повезет, то горячую воду не отключили.

Дрожащими руками, с трудом я повернула ключ в замке и толкнула дверь. Запах... Я замерла на пороге. Из квартиры несло, как от помойки. Я торопливо прошла вперед и глаза вытаращила: ничего подобного я бы и вообразить не смогла.

В квартире был настоящий погром. Все не просто переворошили снизу доверху, а разбили, разрезали и размазали. Покореженная мебель, вспоротые матрас и подушки, разбитая аппаратура. Опрокинутый на бок холодильник с открытой дверцей, и на полу вперемешку картошка, яйца, мука и перья из подушек.

— Боже ты мой! — сказала я, медленно оседая на пол. И тут увидела на стене, в том месте, где раньше висел ковер, надпись, сделанную моей губной помадой. Одного тюбика на нее не хватило, и она радовала глаз разнообразием тонов и оттенков. Надпись начиналась словом «сучка» и заканчивалась восклицательным знаком. Кто-то очень грамотный и изобретательный перечислял, что он со мной сделает. — Да пошел ты, дерьмо, — сказала я и пнула ногой груду пластика, которая когда-то была моим телевизором. Под искореженным креслом валялся плейер. Я взяла его в руки. Как ни странно, он оказался единственным уцелевшим предметом. Батарейки на месте, и кассета Френка Синатры тоже. Я включила его и закрыла глаза. Красивый мужской голос пел о любви.

Кто-то настойчиво позвонил в дверь. Я вздрогнула, вспомнив, что не заперла ее. Взглянула на часы: девять утра. Солнце пробилось сквозь тучи, разгром в квартире выглядел еще чудовищней. Я резко встала и пошла открывать. Кого я ожидала увидеть, не знаю, но уж точно не Галку.

— Привет, — нерешительно сказала она, глядя на меня так, как нормальный человек смотрит на привидение.

— Ты? — промямлила я, она прошла в квартиру и сказала:

— Мама моя... Это кто ж так резвился?

— Здорово, правда? — подала я голос.

— А что это за литературный памятник? Фантазия убогая, ничего по-настоящему оригинального.

— Но, в целом, согласись, впечатляет.

— Да... Чего хотят? Я не имею в виду это подростковое сочинение на стене...

— Теперь уж и не знаю...

Галка прошла по квартире, брезгливо ставя ноги в редкие просветы на полу.

— Ты когда вернулась? — спросила минут через пять.

— Утром.

— Любимому участковый звонил. Интересовался, кто на даче живет. Он мне позвонил, а я махнула на дачу, беспокойство одолело. На даче пусто, вот я на всякий случай решила к тебе заглянуть.

— Макса убили...

— Это кто? А... твой альпинист. Извини. Что я тебе могу сказать? По всему видно, дела хреновые. Над дураками грех не посмеяться, но надпись на стене меня тревожит. Люди с таким словарным запасом, как правило, не шутят.

Я пошевелила ногой кучу мусора и согласно кивнула.

— Галка, поезжай ко мне на работу. Найди моего шефа, Павла Степановича, отдай заявление на расчет...

— А он проникнется? Вы вроде не ладили?

— Поладили. Трудовую книжку у себя оставишь, если где-нибудь смогу обосноваться, вышлешь по почте.

— Перспективы тухлые... Деньги есть?

— Откуда? — вздохнула я.

— Еще не легче. Пару тысяч баксов я найду.

Тут я вспомнила о десяти тысячах, которые предлагал Полифем, и закручинилась: чего отказалась? На десять штук в губернском городишке квартиру купишь, потом на работу устроишься, и жизнь пойдет своим чередом. Вот уж дала маху, впору выйти на балкон и крикнуть: «Полифемушка, вернись». Галка поставила кресло и пристроилась на подлокотнике.

— Что ж, душа моя, — сказала со вздохом, — давай думу думать. Без денег далеко не убежишь, это аксиома, не требующая доказательств. Значит, проблему надо решать здесь.

— Как, интересно? — усмехнулась я.

— Решение всегда где-то на поверхности. Нос не вешай. Что-нибудь придумаем.

— Наверное, — пожала плечами, — только у меня пока не думается.

— Это на тебя общий вид твоего жилища так действует. Пойдем-ка отсюда.

— Куда?

— Да хоть ко мне.

— Нет, — твердо сказала я. — Хватит с меня Макса, держись подальше.

— Отсюда в любом случае надо уходить. Совершенно нечего тебе здесь делать. Я на машине, идем. Посидим, поговорим. Давай ко мне, — повторила Галка уже в машине.

— Говорю, нет. Ты не представляешь, как они работают, когда хотят. В милиции бы так работали.

— В милиции оклад дохлый, а ребятишки баксы выжимают. Любой начнет носом землю рыть.

— Посидим в кафе, — сказала я, — где-нибудь на открытом воздухе, мне так спокойнее.

— Хорошо, — согласилась она, и через полчаса мы уже сидели в тени двух лип за столиком из яркого пластика. — Давай рассказывай. Дел не зная, толкового совета не дашь. Только не хитри, как на исповеди.

Я глаза прикрыла, вздохнула и стала рассказывать. Ненужность этого была очевидна, как и чем могла мне помочь Галка, заведующая отделом в научной библиотеке? Но, в конце концов, не Полифемушке же мне в жилетку плакаться. На это есть друзья. То есть Галка. Вот я излагаю, а она слушает.

Рассказ занял довольно много времени. По окончании Галка еще минуты две сидела молча, глядя куда-то над моим плечом.

— Сами мы с этим не справимся, — убежденно сказала она, вдоволь насмотревшись, — тут нужен человек, который в этих делах разбирается. И у меня такой есть. — Я выжидающе на нее уставилась, а она пояснила: — Помнишь, у меня любовник был, Дима. Здоровый такой. Я тебе по ушам ездила, что он бизнесмен. Бандит он. К нему и надо.

— С ума сошла, — ахнула я. — На кой черт мне еще один бандит? От Полифема едва отделалась...

— Говорю тебе, одни мы не потянем. Здесь нужно вмешательство серьезного человека. Он если и не поможет, так по крайней мере умный совет даст.

— Это опасно, — помотала я головой. — Мне, пожалуй, без разницы, а вот ты рискуешь.

— Я-то чем рискую? Мама моя... я просто рассказываю твою историю. И прошу совета.

— А если он имеет в истории свой интерес?

— Тогда отбой.

— Как, если ты уже засветишься?

— Меня он не тронет.

— Где гарантии?

— Да он влюблен, бегает точно собака. Телефон оборвал. Надоел вконец. Что ж, по такому случаю пригрею.

— Я, конечно, очень благодарна... — усмехнулась я.

— Димка — моя проблема, точнее, проблемы вовсе

нет. Из того, что я о нем слышала, можно быть уверенной, что человек он не маленький и реально помочь вполне способен. — Я задумалась. — Ну?.. — сказала Галка.

— Не обижайся, но мне это не нравится. Честно говоря, боюсь ловушки.

— А у нас голова на плечах для чего? Я прошу совета. Если он задает вопрос, где ты и что ты, отвечаю, что ты обещала позвонить. Разговор ведем при условии, что я скажу тебе ключевую фразу, например, «слава Богу, я беспокоилась». Если нет, ты можешь сказать, что уезжаешь к тете в Житомир, и пусть они тебя там ищут. Понятно? Мы ничем не рискуем. Тебе с ним встречаться совершенно не обязательно. Доверься мне, я знаю, что делаю. Сейчас поедешь к моей тетке, живет она в пригороде, в Дорохове... я ей позвоню, договорюсь. Переночуешь, а завтра позвони мне на работу. Димку я найду сегодня, конечно, если этого сукина сына еще не пристрелили. Думаю, завтра у меня будут для тебя новости. Запасные ключи от квартиры есть?

— Да, — кивнула я.

— Давай. У меня две девчонки — соседки безработные, пошлю их к тебе, пусть приберут, точнее, перетащат на помойку твои бывшие вещи и обои поклеют. Если с Димкой не выгорит, сиди у тетки, я найду способ переправить деньги к ней. Ну, как?

— Слушай, может, мне лучше в милицию, а? Сказать, вот вернулась из отпуска, а в квартире погром...

— И что? Милиция — это не выход. Тут надо либо все рассказывать, чтоб им интересно стало, либо забыть вообще, что они на свете есть. Ладно, не будем ломать голову. Я беру такси и еду к Димке, по дороге позвоню тетке, а ты берешь мою машину и в Дорохово. Деньги есть? У меня тут с собой...

— Деньги есть. Машину оставь себе, я доберусь.

— Нет уж, болтаться по улицам все же не стоит. Держи ключи. Я немного посижу, посмотрю по сторонам...

— Если к нам уже прицепились, толку от этого не будет, — усмехнулась я.

— Я богатая женщина, у меня телефон в машине. Звоню три раза подряд с интервалом в минуту. На остальные звонки не отвечай и сама не звони.

Мне вдруг стало легче дышать, я улыбнулась и сказала:

— Не боишься мне доверить свою шикарную машину?

— Да черт с ней. На свете полно придурков, кто-нибудь купит новую.

— Ты бы хоть показала, где там и что.

— Разберешься... Иди.

Я поднялась, мы поцеловались.

— Слушай, что у тебя в кармане? — спросила Галка.

— Пистолет, — ответила я растерянно.

— Заливаешь.

— Чтоб мне пропасть.

— Вот это я называю интересной жизнью, — сказала Галка уважительно, а я зашагала к серебристой «Ауди», думая при этом: «А вдруг мне повезет и все действительно кончится?»

Черный «Опель» я заметила еще в городе, он упорно висел на хвосте. В отдалении, ненавязчиво, но явно. На светофоре я влезла в соседний ряд, когда загорелась стрелка, рванула вправо. Он не торопясь и намного аккуратней повторил мой маневр и пристроился сзади. Ну надо же... Я развернулась, намереваясь немного поплутать по старому городу. Улицы здесь узкие, а переулков и улочек такое множество, что даже у никудышного тайного агента, вроде меня, есть шанс уйти. Я юркнула в один из переулков, с некоторым злорадством думая о том, что водителю «Опеля» придется нелегко. Через несколько минут я с удивлением обнаружила, что он отстал. Вот так, сразу, в везение поверить трудно, и я еще немного поплутала, поглядывая в зеркало все с большим и большим оптимизмом. Может, и не было никакого «Опеля»? То есть он, конечно, был, но только сам по себе, и я ему так же нужна, как дождь на курорте.

Немного порадовавшись, я поспешила покинуть город. Удача дама капризная, сейчас она есть, а через минуту, смотришь, ее след простыл. Благодушествовала я, конечно, зря.

Хоть Дорохово и считается пригородом, но до него добрых пятнадцать километров, с моей страстью сокращать путь и ехать напрямую проселочную дорогу я миновать не могла и на нее свернула, вот тут-то через несколько минут стало ясно: «Опель» никуда не исчез, а катит за мной. Убедившись, что на этой дороге ему не спрятаться и я его все равно засеку, он стал резко увеличивать скорость. Я тоже. «Ауди», конечно, хорошая машина, но и «Опель» не плох, да и водитель был не мне чета; свою машину знал хорошо и уж точно ею особо не дорожил. Мы проскочили Дорохово, другого выхода у меня просто не было: в поселке от него не уйдешь; но дальше стало еще хуже, дорога уходила в лес и была пуста, как мой кошелек накануне зарплаты.

Посоревновавшись еще немного, я поняла, что просто так мне от него не отделаться, и стала лихорадочно выуживать идею из своего порядком утомленного мозга. Идея не понадобилась. Черный «Опель» поравнялся со мной и стал прижимать к обочине. Пробовать метаться по дороге и колошматить Галкину машину я не стала. То, что хорошо в боевиках, на деле никуда не годится. В общем, я притормозила и нашарила под сиденьем пистолет. Надеюсь, наличие у меня горячего оружия станет для них сюрпризом. В таком настроении и с близкого расстояния я точно уложу половину вражеской пехоты. В конце концов, они первые начали.

«Опель» встал метрах в пяти передо мной, дверь открылась, и появился Полифем. Пошел мне навстречу, печатая шаг, вроде бы не спеша, но собранно. Темные очки и щетина делали его физиономию труднопереносимой.

— Привет, — сказал он, подойдя вплотную к моей двери. Я положила руку на руль так, чтобы он видел пистолет, дверь открыла, но здороваться не стала. Подождав и ничего не дождавшись, Полифем заговорил вновь: — Куда направилась?

— В бега.

— На такой тачке?

— Я ее продам и разбогатею.

— Вряд ли. Я имею в виду разбогатеешь. Доверенности на нее у тебя скорее всего нет, значит, пойдет как ворованная.

— Чего ж ты чужие деньги считаешь?

— Это я так, к разговору, — сказал он, обошел машину и в кабину забрался. — Ну, до чего с подружкой додумались?

Я нахмурилась и отвернулась. Все-таки не удержалась и спросила:

— Откуда знаешь?

— Видел. Идти домой было глупо, таскаться по городу еще глупее, а ехать на ее машине тем более. Тачка дорогая, где-то ты ее должна оставить. — Тут он телефон увидел. — Ясно. Мобильная связь. Пользы от нее, как и вреда.

— Надоел, — поморщилась я. — Ты хотел, чтоб я уехала. Я уезжаю. Чего еще?

— Я хотел, чтобы ты растворилась на просторах родины, чтоб тебя не нашли. А ты едешь прямиком в капкан.

— А я так не думаю.

— Ты была уверена, что на даче тебя не найдут. Кто был прав? Не делай того, что вы решили. Хочешь позвонить, звони. Но ехать туда, где тебя ждут, глупость.

— Никто не знает, — теряя уверенность, сказала я.

— Подруга знает, значит, может узнать кто угодно.

— Она не скажет.

— Конечно, если не будут спрашивать.

— Заткнись, — разозлилась я.

— Куда едешь? К какой-нибудь ее родственнице?

— К тетке.

— Послушай, что я тебе скажу. Когда идет охота, верить никому нельзя. Никому.

— А я тебе и не верю.

— И правильно, — кивнул он. — А дельный совет

послушай: к тетке не езди. Если подруга прокололась, они тебя там прихватят. Нужен запасной вариант. Лучше два.

— Я тебе не Штирлиц, это вообще не мое дело, я хочу переночевать под крышей, а завтра, если у нас ничего не получится...

— А что должно получиться? — насторожился Полифем.

— Не твое дело. Какого черта ты вообще лезешь?

— Я объяснял. Для меня важно, чтобы ты не попала в руки кое-каких людей.

— Понятно. Во мне заключена информация, опасная для дяди Юры. Убить он меня не может из-за развитого чувства благородства. Или еще интересней: во мне заключена информация, которая должна дойти до определенного человека. А может быть, дядя Юра просто выпустил подсадную утку, чтоб люди были заняты охотой и от него отстали. А ты следишь за тем, чтобы утку не подстрелили сразу, иначе прока от нее никакого. Так?

— Это ты говоришь.

— Дядя Юра жив?

— Я тебе все про него рассказал. Поговорим об охоте. Что решили с подругой?

— Пошел к черту.

— Все там будем. Допустим, ты права, допустим, я слежу за тем, чтобы охота продолжалась, даже в этом случае я тебе не враг. У нас одна задача: у тебя — выжить, у меня — проследить за этим. Ты понимаешь, о чем я?

— Я понимаю. Ты хочешь, чтобы я рассказала о своих планах, — усмехнулась я. — Ничего особенного. У подруги есть приятель, она хочет поговорить с ним. Он... в общем, мы надеемся получить дельный совет.

— Ты ей все рассказала? — спросил Полифем.

— Да.

— И у нее хватит ума все ему выложить?

— Кончай, а? — разозлилась я. Впервые за все время Полифем проявил эмоции:

— Дуры, мать вашу, — рявкнул он. Я слегка подпрыгнула. — Кто он, этот знакомый?

— Откуда мне знать?

Он облизнул губы, посмотрел в окно, потом на меня.

— Она должна позвонить?

— Да.

— Но не звонила?

— Нет. — Мне стало трудно дышать.

— Это странно?

— Что?

— Тебе не кажется, что это странно?

— Почему? Она хотела с ним встретиться. Может быть, занята...

— Звони, — сказал он, но, когда я потянулась к телефону, перехватил мою руку. — Нет. Вот что... Первым делом избавиться от тачки...

— Ты спятил, — разозлилась я. — Что значит избавиться?

— Где ты должна ее оставить?

— У тетки, в Дорохове, — брякнула я и прикусила язык.

— Не годится. Если они заявятся и найдут тачку, тетке не поздоровится.

— Господи, не можем мы ее в лесу бросить. Она денег стоит.

— В городе полно стоянок.

— Как она ее заберет? Как я передам ключи?

— Чем у тебя мозги заняты, — покачал он головой. — Шкуру спасай, вот что. Возвращаемся в город. Садись в «Опель», а я на ней поеду.

— Почему? — растерялась я.

— Потому что если тачку уже ищут, я уйду, а ты нет. Давай.

— А документы на него есть? — Он посмотрел на меня так, точно я сказала что-то в высшей степени неприличное. — Хорошо, — разозлилась я. — А если меня мент тормознет?

— А если мент, — сказал Полифем, выпроваживая меня из машины, — то газу до полика.

Никто нас не тормознул, до города доехали спокойно, Полифем впереди, я от него на некотором расстоянии. Галкину машину решили оставить на первой же автостоянке, на въезде в город. Тут мы опять поменялись: Полифем перебрался в «Опель» и близко к стоянке подъезжать не стал. Своего он, конечно, добился, я до смерти перепугалась, приткнула машину и пошла к будке, договариваться с сидящим в ней парнем. Парень был молодой, симпатичный и не прочь поболтать. Я заплатила за три дня и начала канючить:

— Можно я у вас ключи оставлю? Машину должна забрать подруга, а у меня времени нет их отвозить.

Парень смотрел с сомнением, кое-чего в жизни он повидать уже успел, и мой добродетельный вид особых иллюзий у него не вызывал.

— Неприятностей у меня не будет? — спросил он.

— Нет, конечно. Откуда?

— Хорошо. Если тачку заберет не та подруга, проблемы ваши.

— Само собой, — обрадовалась я.

Из-за угла выехал Полифем, притормозил, я забралась в кабину и на него посмотрела.

— И что теперь? — спросила раздраженно.

— Есть надежное место... — начал он, но я засмеялась и головой покачала:

— Ну уж нет... Твое надежное место ничуть не лучше моего. Я поеду туда, где меня ждут.

— В самую точку, — кивнул Полифем. — Ждут.

— А в твоем надежном месте?

— О нем никто не знает.

— Конечно. Дядя Юра жив? Скажи мне, жив? Что вы хотите, а? Вот именно, — фыркнула я, — говорить ты не хочешь, а я должна тебе верить. Что я, дура, по-твоему? Катись вместе с этим благодетелем, а я еду в Дорохово.

— Хорошо, — согласился Полифем, вообще он был на редкость спокойным парнем, и вывести его из себя дело безнадежное.

— Ты можешь позвонить подруге, — через несколько минут заговорил он. — Она либо не ответит, либо скажет, что все в порядке, и велит тебе приехать.

— Замолчи. Я буду делать то, о чем мы с ней договорились. Я переночую у ее тетки, а завтра позвоню на работу. И больше не будем об этом.

Полифем кивнул. До Дорохова оставалось километра четыре, когда Полифем вдруг затормозил, свернув на обочину.

— В чем дело? — спросила я тревожно. Вокруг был лес и ни одной живой души.

— Посмотрю, вроде колесо спустило. — Он обошел «Опель», чертыхнулся и полез в багажник.

— Ну что? — насторожилась я.

— Запаски нет.

— Отлично, — хмыкнула я. — Кто ж ездит без запаски?

— Я.

— Надо думать о будущем.

— Когда ты сбежала, особенно выбирать было не из чего.

— Слушай, как ты меня нашел?

— Когда?

— Тогда... — передразнила я.

— Искать не пришлось, — пожал плечами Полифем, начиная возню с колесом. — Куда тебе было деваться? Ты перепугалась, ночь, дождь, я и подумал, что скорее всего ты отправилась домой. Проверил, так оно и вышло. — Работал он не спеша и на меня поглядывал. — Вот что, посиди-ка вон там, в лесочке. В машине тебя могут увидеть.

— Кто, интересно? Вокруг ни души. Пожалуй, я не буду тебя дожидаться и пойду пешком. Здесь недалеко.

— Не советую, — серьезно сказал Полифем. — Они тебя увидят раньше, чем ты их. Уйти ты вряд ли сможешь.

— Мне надоело это слово «они», кто эти — «они», черти бы тебя взяли?

— Они — это те, кто сейчас скорее всего беседует с твоей подругой, — спокойно ответил он. — А тебе лучше пройти вон туда и за кустом устроиться. Там тебя с дороги не увидят.

— Господи, зачем я тебя слушаю, — сказала я, но побрела к этому самому кусту. Легла на траву и стала смотреть в небо. Полифем возился с колесом возмутительно долго. Я уже была готова идти пешком, но в последнее мгновение меня что-то удержало. За все время мимо проехало машин пять, не больше. Поэтому на «Тойоту» я обратила внимание. Полифем тоже. Он укрылся за машиной и так сосредоточенно трудился, что я поневоле заинтересовалась. Мы внимания не привлекли, «Тойота» на скорости прошла в Дорохово.

— Эй! — крикнул Полифем, буквально за несколько секунд управившись с колесом. Я подошла и насмешливо спросила:

— Какого черта ты устроил этот цирк?

— Я не устраивал.

— Конечно, — хмыкнула я.

— О тетке лучше забыть. Видела тачку? По твою душу.

— Откуда ты знаешь?

— Знаю. О тетке забудь.

— Ты узнал кого-то?

— Конечно.

— Врешь, что ты мог увидеть, если они пронеслись как угорелые?

— Я видел все, что хотел. Садись в машину.

— Вот что, катись со своими фокусами, да подальше. Я еду к тетке.

— Хорошо, — кивнул он. — Поедем. Я и забыл, что ты любительница приключений. — Я села, он завел мотор и плавно тронулся с места. — Скажи адрес. — Я сказала. — Проедем мимо, посмотрим, что там.

Мы въехали в поселок и свернули на улицу Советскую. Дома здесь были в основном частные.

— Объедем по кругу, — пояснил Полифем и через пять минут добавил: — А вот и «Тойота».

— Это другой дом.

— Конечно, они не дураки. Приткнули машину в тенечке, паренек за рулем дремлет, но по сторонам посматривает. А дружки уже на месте, тебя ждут. Согласись, увидев возле нужного тебе дома эту тачку, ты бы внутрь соваться не стала.

Я сжала кулаки, уставившись в окно, а Полифем сказал:

— Твоя подруга тебя сдала.

— Заткнись, — рявкнула я и губу закусила.

— Что будем делать? — усмехнулся он. — Болтаться здесь нельзя, они обратят внимание на машину.

— Послушай, если ты прав и они меня ждут... Господи Боже мой, — прошептала я. — Там же...

— Ну да, там тетка, и ребята сейчас заняты. Самое время смыться.

— Смыться и оставить ее. Они ведь...

— Они вряд ли поверят ей на слово, — согласился Полифем. — Побеседуют. Это займет какое-то время. И мы благополучно смоемся.

— Сукин сын, — покачала я головой. — Останови машину.

— Зачем?

— Я вызову милицию.

— Ты видишь телефон?

— Останови машину... — Он затормозил, я вышла, беспомощно оглядываясь по сторонам.

— После посещения дачи ребята поумнели. Теперь их четверо или пятеро. И если тетка смогла их убедить, они вспомнят про «Опель».

— Заткнись, заткнись! — рявкнула я.

— Давай без истерик. Я не могу показываться. Они не дураки и уже поняли, ты не одна: баба двум мужикам шеи не сломает. О тетке забудь. Она либо труп, либо вот-вот им станет.

Я пошла к калитке напротив. В саду работала женщина.

— Извините, — позвала я. — Я ищу дом номер восемьдесят три.

Она выпрямилась, посмотрела на меня:

— Прямо, шестой дом отсюда.

— Спасибо, — ответила я, лихорадочно пытаясь найти выход. — Не скажете, где можно найти телефон?

— Только у магазина. Это на соседней улице. А вы что, к Прасковье Васильевне? — спросила женщина, подходя ближе.

— Да. Вы ее знаете?

— Конечно. Мы здесь все друг друга знаем. Она сегодня с утра в город уехала, на рынок. Не знаю, вернулась ли. Я ее утром на остановке встретила.

— Да? Не повезло мне. Что ж, придется подождать. — Я бросилась к машине.

— Телефон возле магазина, сворачивай направо.

Я набрала «02», скороговоркой выпалила:

— У моей соседки в доме какие-то люди, приехали на машине и по дому бродят, а она сама в городе.

— Может, вы зря волнуетесь? — вздохнул дежурный. — Может, родственники или еще кто?

— Нет у нее никаких родственников.

— Давайте адрес, проверят. — Я назвала адрес и к Полифему вернулась. Он равнодушно смотрел в окно, бросил:

— Время теряем...

— Уезжай. Я дождусь милиции.

— Зачем? Все ясно. Тебя здесь ждут, и надо уходить.

— Убирайся к черту! — заорала я, в этот момент мы как раз проезжали мимо дома, где я разговаривала с хозяйкой. Она так и стояла возле калитки, но уже не одна. Рядом женщина, лет шестидесяти, в ситцевом сарафане, на земле возле ее ног большая сумка. Боясь поверить в удачу, я бросилась к ним.

— А вот и девушка, — сказала хозяйка дома, махнув рукой в мою сторону. Женщина оглянулась и, увидев меня, улыбнулась приветливо.

— Здравствуйте. Это вас Галочка прислала?

— Да, — ответила я и даже засмеялась.

— Вот и хорошо, что вы здесь. А я тороплюсь, с утра в город ездила, за песком. Галочке с рынка позвонила. Она мне про вас и сказала, и такая неудача, опоздала на автобус... Хотела идти на попутку, да потом подумала: калитка открыта, может, догадаетесь в саду посидеть, в беседке... А Марья Васильевна меня окликнула, говорит, ищут тебя. Давно ждете?

— Вам нельзя идти домой, — выпалила я. — Там какие-то люди... — Женщина в лице переменилась, но вряд ли мне поверила. — Вы звонили Гале на работу?

— Нет, домой, на работе ее не было.

— У нее все нормально?

— Господи, да что происходит? Вы меня с ума сведете! Что случилось? Кто вы такая? Вы Марина, да?

— Я Марина. Я приехала, как мы договорились. Но в вашем доме какие-то люди, я испугалась и вызвала милицию. Пока они не приедут, не ходите домой, пожалуйста.

— Как это домой не ходить? И что там за люди? Что это за безобразие такое? Я сейчас позвоню Гале, чего она там выдумывает...

— Звоните куда хотите, — разозлилась я. — И что за люди в вашем доме, я не знаю, но идти вам туда не следует. Дождитесь милиции.

— Нет, я пойду, я...

— Это глупо, — сказала я и пошла к машине. Женщина была достаточно напугана, чтобы не делать глупостей. Я села рядом с Полифемом.

— Это она? — спросил хмуро.

— Она, — ответила я.

— Повезло, — равнодушно заметил он и тронулся с места.

— Куда мы едем? — опомнилась я, когда Дорохово осталось позади.

— Тетка могла не послушаться тебя и сунуться в дом, тогда они будут знать про «Опель».

Он свернул на проселочную дорогу, а потом в лес. Через некоторое время остановился и заглушил мотор.

— Зачем ты сюда приехал? — опять спросила я.

— А куда прикажешь? Ты ведь хочешь увидеться с подругой.

— Конечно, хочу.

— Говорить, как это глупо, — бесполезно. Поэтому мы переждем здесь, а завтра поедем в город.

— И ты поедешь? — усмехнулась я. Он молча кивнул. — Забавно, — покачала я головой. — Слушай, а может быть, на «Тойоте» твои дружки? Откуда мне знать, что это не ты все подстроил?

— Зачем? — удивился он.

— Не знаю. Чтобы я не встретилась с Галкой, чтобы никто не мог мне помочь.

— Тебе и так никто не поможет. Уезжай отсюда как

можно дальше. Но ты ведь этого не хочешь. Ты упрямо суешь голову в петлю. Скверная привычка, скажу я тебе.

Я вышла из машины и стала ходить кругами.

— Конечно, я не хочу уезжать. Господи Боже, куда мне ехать? Я боюсь чужого города, я боюсь остаться без работы, без квартиры, без друзей наконец... Это что, трудно понять?

— Друзья, — усмехнулся он. — Ты доверилась подруге и едва не угодила в ловушку. Вот и все друзья.

— А я тебе не верю. Ты чертов сукин сын, и я не верю тебе...

— Перестань орать, — заметил он. — У меня хороший слух, я услышу, если ты будешь говорить спокойно. А лучше помолчи, твой голос с дороги слышно.

— Да плевать я хотела, — рявкнула я и всхлипнула. Полифем на меня покосился.

— У тебя был в машине телефон, — начал он тихо. — Твоя подружка тетке не дозвонилась, но тебе об этом не сообщила.

— Потому что тетка сама позвонила ей.

— Хорошо. Но эти ребята там, кто-то сказал, где тебя искать. Знали об этом она и ты...

— Заткнись, — сказала я устало.

Он пожал плечами и стал в окно смотреть. Набегавшись вволю, я забралась в машину.

— Что будем делать? — спросила виновато.

— Ждать утра. Потом вернемся в город. Ты позвонишь подруге, и мы, рискуя башкой, узнаем, что там еще одна ловушка. Если уйдем, ты, возможно, решишь уехать, хотя на твоем месте я сделал бы это не откладывая.

— Ты не на моем месте.

— Да, — согласился он, сел поудобнее и вроде бы задремал.

— Есть хочу, — сказала я где-то через час. Полифем взглянул, повел плечами. — Еще я хочу в душ. И лечь спать.

— Ложись и спи. До утра полно времени.

— Я не хочу здесь сидеть и...

— Все, проехали, — сказал он. — Гостиницы нигде не видно, так что придется тебе спать без удобств.

Я отошла от машины метров на двадцать и немного поревела. Особого облегчения это не принесло. Я сидела в траве, тряслась мелкой дрожью и думала о Галке. В лесу быстро стемнело, поднялся ветер, звезд не было, а на душе жутко и дико. Полифем по-прежнему сидел на водительском месте и смотрел куда-то вдаль, хотя вряд ли что видел в темноте. Я устроилась на заднем сиденье и попыталась уснуть.

— Возьми мою куртку, — сказал он. Я подумала и взяла. В машине было тепло, я согрелась и уснула.

Утром у меня болели все кости. Я с трудом села и огляделась. Полифема в машине не было. Через несколько минут он появился из-за деревьев, неся в руках пластиковую бутылку с водой.

— Ключик нашел, — сказал, подойдя ближе. — С душем ничего не выйдет, а умыться можешь.

Я пошлепала по росе следом за ним. Ключик был небольшой, но шумный, вокруг травка зеленая и цветочки. Мне опять реветь захотелось. Стало стыдно, я умылась, руки ломило от ледяной воды, Полифем сидел рядом на корточках и поглядывал на меня вроде бы с любопытством. Щетина его заметно подросла, глаза мутные с темными кругами. Как видно, беготня и ему нелегко далась.

— Ты спал? — спросила я с удивившим меня сочувствием.

— Немного. Ты должна ей позвонить?

— Да. На работу.

— Во сколько?

— Она работает с девяти.

— Время еще есть, — кивнул он. — Надо заправиться и самим что-нибудь съесть.

— Полифем, — сказала я, — что ты там болтал о десяти тысячах? Я могу их взять?

— Конечно, — пожал он плечами. — Когда я болтал, они лежали в бардачке твоей машины.

— О, черт. Она в гараже. Заедем?

— Если за деньгами, то ни к чему. Я уже забрал их. — Он извлек из кармана пачку денег и протянул мне. — Держи.

— Ты был в гараже? — удивилась я. — А как ты... — Тут мне стало стыдно. — Ясно. Все-то ты успеваешь...
Он плечами пожал, посидел, подумал и сказал:
— Поехали.

В половине десятого я звонила Галке. Женский голос ответил:
— Подождите секундочку, — и после короткой паузы: — Кто ее спрашивает?
— Подруга, — сказала я, чувствуя, как начинаю покрываться гусиной кожей.
— Марина Сергеевна? — спросила женщина. — Она просила вам передать, чтобы вы срочно сюда приехали, она ждала вашего звонка, но сейчас куда-то вышла. Вы слышите?
— Она на работе? — спросила я.
— Да-да, она здесь. По-моему, ушла в архив. Она беспокоилась, что вы позвоните, когда ее не будет, и просила меня передать. Приезжайте сюда немедленно. Она так и велела сказать.
— Немедленно не получится. Я в пригороде. Подъеду через час.
— Вы перезвоните?
— Нет, зачем? Я приеду. Спасибо.
Я повесила трубку и в изнеможении привалилась к стене. Конечно, Галка могла сидеть на своем любимом месте и истреблять в подвале сигареты, но странно звучащий, напряженный голос женщины мне не понравился. Я постояла немного, пытаясь успокоиться, потом бросилась в переулок, где стоял «Опель».
— Ну что? — поинтересовался Полифем.
— Она вышла...
— И просила передать, куда тебе подъехать, — равнодушно закончил он.
— Откуда ты знаешь?
— Догадываюсь. Куда велела приехать?
— На работу.
— Разумно. В здание ты не войдешь.
— Ты хочешь сказать... — начала я.

— Только то, что сказал... Что ты ищешь?

— Записную книжку. Галка в библиотеке работает, в этом же здании находится районо, у меня там подруга.

— Еще одна?

— Я хочу позвонить ей, послать к Галке.

— Зачем?

— Я хочу знать, на работе она или нет.

— Позвони, — пожал плечами Полифем. Я вернулась к телефону. Ирина была на месте.

— Ты сегодня Галку не видела? — после приветствия спросила я.

— Да мы неделями не видимся. У нас тут девять этажей, если только у лифта столкнемся...

— У меня к тебе просьба. Сходи к ней, с ерундой какой-нибудь. Книгу спроси. Ни в коем случае не говори, что я звонила, просто зайди и спроси. Мне нужно знать, на работе она или нет.

— Так позвони. Или я позвоню...

— Я звонила. Мне сказали, что она вышла. Я хочу знать, действительно ли она на работе, или мне соврали.

— Зачем это? — удивилась Ирина и, не дождавшись объяснений, добавила: — Чудеса... Ты знаешь, что тебя все ищут?

— Кто?

— Все. Спрашивают друг у друга, куда ты пропала, ко мне твой дружок приходил, симпатичный, очень расстраивался.

— У меня нет дружка.

— Как же...

— Ирка, заткнись. Сходи в библиотеку и ради Бога не проболтайся, что я звонила.

— Конечно, я схожу, только я ничего не понимаю...

— Двадцать минут тебе хватит?

— Конечно.

С трудом выждав двадцать минут, я вновь набрала номер. Ирина сразу же сняла трубку.

— Маринка? Слушай, может, я спятила, но там что-то не так.

— Где там?

— У Галки. Иду по коридору, навстречу мне Светка с абонемента, Вовки Матвеева жена, я ее спрашиваю, Галку не видела, а она говорит: «Ее нет. Заболела. Сегодня с утра звонила женщина, я с ней по телефону разговаривала. Галка на больничном, с температурой». Я уже хотела вернуться, но решила все-таки в отдел зайти. Там одна девчонка эта... светленькая. Спрашиваю, где Галка, а она глазами хлопает и косится. А у стола парень сидит, такой... впечатляет... она на него глянула и говорит, чуть не заикаясь: «Где-то здесь...» Говорю, найдите ее, она мне срочно нужна, а она опять на парня смотрит и какую-то ерунду бормочет. И что все это значит?

Я повесила трубку и на негнущихся ногах вернулась к машине.

— Что? — спросил Полифем, поворачивая ключ в замке.

— Она на больничном, — растерянно сказала я.

— Вряд ли ее вылечат...

— Что ты хочешь сказать? — рявкнула я грозно.

— Говорил ведь: не ори. Я хорошо слышу. Твоя подруга уже труп. Иначе она ждала бы тебя на работе. Они не стали бы рисковать...

— Я позвоню ей домой, я...

— Хорошо, — кивнул Полифем. — Давай к ней заедем. Может, тогда ты уберешься из города.

— Сиди здесь, а я прогуляюсь, — сказал он, когда до Галкиного дома оставалось квартала три. Вернулся через полчаса и позвал: — Идем.

Я шагала рядом, пытаясь убедить себя, что все происходящее не имеет ко мне никакого отношения. Весь этот бред просто не может быть реальностью.

Мы вошли в подъезд и по лестнице поднялись на пятый этаж. Я позвонила, прислушалась. В квартире тишина. Полифем критически оглядел дверь, взялся за ручку и навалился плечом... дверь открылась.

— Входи, — сказал он.

В первое мгновение я решила, что Галка спит. На животе, раскинув руки и уткнувшись лицом в подушку. Но это только в первое мгновение. Подошла к ней, рука холодная, она мертва уже несколько часов. Полифем сдернул с нее одеяло, я охнула, зажимая рот рукой. Полифем на меня покосился и торопливо одеяло задернул.

— Ты все ей рассказала? — спросил сухо.

— Все.

— И про деньги, что в поезде свистнула? — Я кивнула, а он головой покачал. — Ясно. Из нее они вытрясли все. Ты знаешь ее приятеля, того, что помочь хотел?

— Нет. Видела пару раз. Зовут Валера. Там, в шкафу, на книгах должна быть фотография... Надо вызвать милицию.

— Зачем? Ей она без надобности.

— Этот мерзавец, этот подонок... — Я сжала кулаки.

— Давай обойдемся без истерик. Зря я думал о девке плохо, судя по тому, что они вытворяли, держалась она долго. — Он нашел фотографию, взглянул мельком и ухмыльнулся. — Зяблик. Ясно...

— Что ясно? — поднялась я, торопливо потянулась к карману куртки, «молния» никак не хотела расстегиваться, Полифем молча смотрел на меня, я выхватила пистолет. — Ты сейчас же мне все расскажешь, слышишь: все, проклятый урод, иначе я пристрелю тебя к чертям собачьим.

— Валяй, — сказал он и сел в кресло. — Давай, давай, стреляй. Первый раз дерьмово вышло, может, сейчас получится что-нибудь путное.

— Я не шучу...

— А я и не сомневаюсь. Вы сваляли дурака с твоей подружкой, мужики небось обмерли от счастья, когда она явилась сама и искать не надо, — он головой покачал.

— Я хочу знать, что вы затеяли? Почему ты спасаешь меня, что это значит?

— А я не хочу отвечать. Можешь пристрелить меня, можешь поспрашивать. Устрой допрос по всем правилам, я научу, как это делается. Пробовать будешь? — Я засмеялась, а он сказал: — Мотать надо. Они ждут на ее работе, но вполне могут проверить и здесь.

— Я не могу ее оставить... — сказала я.

— Забрать её с собой ты тоже не сможешь, — пожал он плечами. — Идем.

— Этот Зяблик, кто он? — спросила я уже в машине.

— Один из тех, кто тебя ищет. Что думаешь делать? Уедешь или будешь болтаться по подругам? У тебя их много?

— Замолчи... Я уезжаю.

— Поверить не могу. Куда?

Это был серьезный вопрос. Я посмотрела в окно, запахнула куртку и долго не отвечала.

— Куда? — повторил он.

— К мужу, — решилась я.

— Он здесь, в городе?

— Нет. Живет в районном центре. Семьдесят километров отсюда.

— Один?

— Жил с матерью, но она умерла два месяца назад.

— Давно разошлись?

— Год.

— Приличный срок. Но будь я на их месте, все-таки бы проверил.

— Я поеду к мужу, — резко сказала я. — Мне надо заползти в какую-нибудь нору и отлежаться. А потом я вернусь.

— Не сомневаюсь, — усмехнулся Полифем. — Кое-кто будет от этого в восторге.

— Твой дядя Юра?

— Он вроде бы умер.

— Так я тебе и поверю, тогда какого черта ты со мной таскаешься?

— Есть много вопросов, но не на каждый готов ответ.

— Философ, твою мать, — усмехнулась я. — Куда едешь?

— Если ты решила навестить мужа, придется подготовиться. Сменить машину и прихватить кое-что.

— Ты поедешь со мной? — удивилась я.

— Скажем так: я тебя провожу. Если там чисто, то исчезну.

— Буду очень признательна.

— Не сомневаюсь.

«Опель» бросили у переезда и до Цыганского поселка шли пешком.

— Мы идем к Алене? — начала я кое-что понимать.

— Нет.

— Алена, она кто тебе, жена?

— У меня нет жены, нет друзей...

— Только хозяин? И ты верный сторожевой пес.

Он вдруг остановился и засмеялся:

— Хозяина тоже нет.

— Ты не ответил, куда мы идем?

— За машиной и оружием. Когда ты все выкладывала своей подруге, как меня называла?

— Полифемом, — тихо ответила я, пожав плечами.

— И объяснила почему?

— Я просто сказала, что ты очень большой и противный.

— Молодец. То, что дважды два четыре, знают даже придурки. Ребята уже все высчитали. И если решат устроить засаду у твоего мужа, там будет целая армия... а может, и две, — хохотнув, добавил он.

— А ты не просил, чтоб я о тебе молчала, — разозлилась я.

— А попросил бы, ты послушалась?

— Не беги так, я не поспеваю. Мне дышать тяжело. — Он пошел медленнее. — Мне больше некуда ехать, — через несколько минут сказала я. Он ответил, как всегда, тихо:

— Да я знаю.

Дом был настоящей развалюхой, казалось, хлопнет калитка, и все это шаткое сооружение непременно рухнет.

— Здесь кто-то живет? — удивилась я.

— Сейчас увидишь.

Мы поднялись на крыльцо и постучали. Никто не появился, лишь за домом разом залаяли собаки, штук пять, не меньше.

— Эй! — против обыкновения повысил голос Полифем. Что-то внутри дома загрохотало, потом послышались шаги и дверь открылась. Передо мной стоял маленький смешной человек в старой шляпе и с серьгой в ухе. — Здорово, Цыган, — сказал Полифем, входя в дом. Я протиснулась следом.

— Здравствуй, Коля, — кивнул хозяин. Я пригляделась. Он был неопрятен, уже стар, а на цыгана не похож. — Рад тебя видеть, — добавил он и на меня покосился. — По делу или навестить?

— По делу.

— Что ж, проходи.

Мы прошли в глубь дома, который домом назвать мог только большой оптимист. Сарай. Неужели здесь можно жить?

— Садись, Коля, — сказал Цыган, и Полифем сел на диван, грязный, с прорванной в нескольких местах обивкой. — Рассказывай, чего ты хочешь?

— Нужна машина.

— Сделаем, — кивнул тот. — С виду неказистая, но бегает хорошо. Еще?

— Что-нибудь серьезное и надежное.

— Ох-хо-хо, — покачал головой хозяин. — Куда собрался?

— Погулять.

— А много надо?

— Все, что дать сможешь. — Оба замолчали, потом Цыган поднялся и сказал:

— Что ж, идем.

Мы прошли несколько комнат и оказались в чьей-то спальне: кровать, тумбочка, большой шкаф у стены. Цыган открыл его, сбил несколько вешалок в сторону, и я с удивлением поняла, что задняя стена шкафа — это дверь. Цыган открыл ее, и, согнувшись, мы друг за другом вошли в душную темную комнату. Не удержавшись, я присвистнула:

— Как в кино.

— А как же, — смеясь, сказал дядька. — Мы телевизор смотрим, кое-чему учимся. А тайник этот старый, еще от прежних времен.

Он включил свет, а я с удивлением огляделась. Каменные стены, стеллажи вдоль них и оружие.

— Серьезные вы люди, — заметила я. Полифем стал разглядывать оружие, а я вертелась рядом. Цыган устроился на колченогом стуле в углу и оттуда поглядывал на нас. — Ты собираешься этим воспользоваться? — не удержалась я.

— Конечно, — кивнул Полифем.

— Не можешь ты говорить это серьезно.

— Это ты говоришь, а я помалкиваю.

— А почему нет пулемета? — спросила я подначки ради. Он оказался на высоте.

— Тебе какой нужен? Американский? Классная штука. Конечно, если хочешь, можно найти «максим», но с ним таскаться замучаешься.

Я развела руками и сказала:

— Извини, что затронула эту тему. Это автомат? — спросила я через пару минут.

— Точно. А это патроны к нему. Что еще?

— Вопросов нет.

Цыган по-прежнему сидел на стуле, сложив на груди руки.

Полифем шагнул к выходу.

— Все? — Хозяин поднялся.

— Все.

— Машина по дворе, — сказал он нам, когда мы вернулись в первую комнату. — Переночуете?

— Нет. Накорми нас.

— Сейчас все будет готово.

— Хочешь помыться? — спросил меня Полифем.

— А здесь есть где? — удивилась я.

— Здесь все есть, — засмеялся он.

Через час мы сели ужинать, я в чужом халате, рядом со мной Полифем, избавившийся от щетины, с мокрыми волосами и голой грудью. Цыган сидел напротив, почти ничего не ел и как-то странно на нас поглядывал.

— Значит, вот как все обернулось, — сказал задумчиво.

— Да, отец, — откликнулся Полифем.

— А помнишь, Коля, я гадал тебе?

— Помню.

— Ты тогда посмеялся. А что теперь скажешь?

— Ты мудрый человек, а я дураком был.

— Эх, Коля, Коля, — вздохнул Цыган, поднялся и вышел.

— О чем он говорил? — спросила я. Полифем неожиданно засмеялся, весело и даже головой помотал. — Послушай, — решилась я. — Если бы у меня были те деньги...

— А они у тебя есть? — спросил он.

— Предположим, что я знаю, где они...

— А ты знаешь?

— Ты дашь мне сказать? Предположим, что они у меня есть и я отдам их тебе, все, до последнего доллара. Ты бы мне помог?

— А я что делаю?

— Нет, не так. Я хочу знать, кто эти люди, знать, где их найти...

— И что? — усмехнулся он.

Я задумалась и вдруг выпалила:

— Перестрелять их к чертовой матери.

Полифем посмотрел на меня и сказал:

— Перестрелять вряд ли... А немного пострелять, может, и придется, уже сегодня.

— Ты не ответил, — разозлилась я.

— Вот что, — вздохнул он. — У меня нет дома, нет друзей, нет хозяина, и я не продаюсь.

— Отлично, — усмехнулась я. — Потому что денег у меня тоже нет.

Тут дверь открылась, и вошла Алена, посмотрела на меня и сказала, хмурясь:

— Значит, ты с ней...

Полифем на это внимание не обратил, но я-то промолчать не могла.

— Не знаю, какой смысл вы вложили в свое высказывание, но на его нравственность я не посягала, если вы это имеете в виду.

Полифем поднял голову и сказал этим своим тихим голосом:

— Принеси ей одежду.

Алена вышла, и больше я ее не видела, хотя одежду получила, ее принес Цыган, положил на стул и удалился.

— Эта Алена, кто она?
— Ты уже спрашивала.
— Ясно. А я все гадала, какая она, Полифемка. Ничего, симпатичная. — Он покосился на меня, хмыкнул. — Она родственница Цыгана? — опять спросила я.
— Нет.
— А как она узнала... — начала я и рукой махнула. — Ладно, в конце концов, это твое дело. Мы сейчас уедем?
— Я немного отдохну. Час, может полтора.
— Хочешь, чтоб я ушла?
— Нет.
— А знаешь, у тебя странный голос, — задумчиво сказала я, допив чай.
— Что? — не понял он.
— Голос у тебя странный, тихий, вкрадчивый.
— Ну вот, — усмехнулся он. — И голос тебе мой не угодил.
— Нет, просто странно, что у тебя такой голос.
— А какой должен быть?
— Не знаю. Наверное, хриплый, низкий... не знаю.
— Не повезло тебе со мной, — хохотнул он. — Я лягу, ты можешь говорить, мне не мешает. — Он устроился на диване, а я за столом осталась.
— А эта Алена... — спросила я через некоторое время. — Вы давно вместе?
— Давно. Только не вместе.
— Мое присутствие ей не по душе.
— Ну и что?
— Тебя это не беспокоит?
— Странно, что это беспокоит тебя.
— Ну... я не хочу, чтобы у тебя были из-за этого неприятности.
Он ничего не ответил, и я замолчала. Потом надела чистую футболку, что принес Цыган, расчесалась и посмотрела на себя в зеркало. Впервые за несколько дней. Я устроилась в кресле и вроде бы задремала. Разбудил меня Полифем. Он резко поднялся, потер лицо ладонями и сказал:
— Что ж, поехали?
Машина уже стояла под окном.

— Вообще-то, тебе ехать необязательно, — заметила я, не глядя на него. — Если, конечно, у тебя нет спецзадания, о котором ты забыл мне сказать.

— Я ничего не забываю.

— Разумеется. Мы могли бы расстаться в первом населенном пункте, где есть автовокзал.

— Боишься, что твоему мужу придется не по душе мое присутствие? Я не покажусь.

— Чепуха какая. Мы живем отдельно уже год, у каждого своя жизнь.

— Тогда вообще говорить не о чем, — заявил он и завел машину. Цыган вышел на крыльцо, махнул нам рукой и скрылся за дверью. — Что ж, поехали, — сказал Полифем, и мы тронулись с места.

Тут было уместно задать вопрос: зачем я, собственно, еду к мужу? Если с утра я могла ответить более или менее точно — мне просто некуда деться, — то теперь и такой ответ не годился. У меня есть деньги, и рисковать головой не стоит, можно уехать за тысячу километров и начать жизнь сначала. Никто не утверждает, что это легко, но... Но мне стало ясно: остановиться я уже не могу. В общем, выражаясь языком литературы, я ехала навстречу судьбе.

Тут я покосилась на Полифема, он выглядел, как всегда, равнодушным и полусонным.

— Как мы поступим в городе? — спросила я. — Ты подвезешь меня к дому и сразу уедешь?

— Нет. Я хочу убедиться, что с тобой полный порядок. Уеду утром.

— А... — начала я, но он быстро добавил:

— Я могу переночевать в машине... а там пусть твой муж о тебе заботится. Как он, обрадуется, что ты приехала?

Я пожала плечами:

— На улицу не выгонит... Слушай... Тебя ведь Колей зовут? — спросила я. Вышло по-дурацки робко, вообще мне было маетно.

— Зови проще: Полифем, — равнодушно сказал он.

— Извини... Я не должна была... дурацкое прозвище. Извини. Это так глупо. Мне стыдно, честно...

Он засмеялся тихо, как и говорил.

— Забавно. Мы помылись, надели чистое, и ты просишь у меня прощения.

— А что тут забавного? — разозлилась я.

— А тебе не приходило в голову, что мы едем умирать?

До городка оставалось меньше десяти километров. Цыган был прав, несмотря на затрапезный вид, старая «шестерка» бегала хорошо. Шел первый час ночи, дорога пустынна, ни огней впереди, ни какого-либо другого намека на человеческое жилье.

— Ты найдешь дорогу? — спросил Полифем.

— У заправки сверни налево, там до перекрестка и опять налево.

— К дому подъезжать нельзя. Я тебя высажу где-нибудь неподалеку, а дальше пешком.

— Хорошо, — пожала я плечами.

Закрапал дождь, мелкий и нудный, постепенно стал расходиться. Когда мы въехали в город, впереди полыхнула молния.

— Гроза, — поежилась я.

— Боишься?

— Нет. Просто странное чувство... знобит. — Он кивнул.

— Они здесь, — сказал тихо.

— Откуда ты знаешь? — перепугалась я.

— Чувствую.

— Но... послушай, может, не стоит нам тогда...

— Мы уже здесь. Глупо сворачивать с середины дороги.

— Тебе видней, — согласилась я. За окном шел настоящий ливень. — Вымокнем насквозь, — заметила я.

— Дождь — это хорошо, — улыбнулся Полифем. — Звук теряется. Теперь слушай. Ты идешь в дом. Не торопись, осмотрись как следует. Если все в порядке, выйдешь ко мне и скажешь.

— И ты уедешь? — получилось испуганно.

— Я же сказал: дождусь утра. Если там засада, не рыпайся, веди себя тихо. Сразу тебя не убьют, им нужны деньги, они считают, что они у тебя. Тяни время.

А свой характер попридержи. Идет? И ничего не бойся.

— Я и не боюсь, то есть почти не боюсь.

— Тогда топай.

Я уже собралась выходить из машины и вдруг спросила:

— Слушай, а что тебе Цыган нагадал?

Полифем усмехнулся.

— Это было давно. Лет пять назад. Он сказал, что я свихнусь из-за бабы.

— Да? — растерялась я.

— Ага. Похоже на то... Давай.

И я пошла. На ходу достала пистолет, сняла с предохранителя и, расстегнув куртку, сунула руки под мышки. Меня знобило, куртка промокла, за шиворот натекло, и я ускорила шаг.

В кухне горел свет. Муж работал в местной районной газете и любил творить по ночам. Я толкнула калитку и пошла к крыльцу по тропинке, выложенной квадратными плитами, по обеим сторонам росли цветы, конечно, георгины. Моя покойная свекровь очень их любила. Я нигде не заметила ни одной машины, в доме тихо, и свет горит так уютно. «Все будет хорошо, — сказала я себе. — Полифем ошибся». И позвонила в дверь, руки по-прежнему под мышками и пистолет на взводе. Шаги, едва слышные, Андрей терпеть не может тапочки и дома ходит босиком.

— Кто? — спросил он.

— Это я, Андрюша, открой, пожалуйста.

— Марина? — Голос звучал испуганно. Щелкнул замок, муж стоял на пороге: растерянное лицо, глаза за толстыми стеклами очков смотрят со страхом. — Господи, откуда ты?

— Можно войти, а?

— Входи, конечно. — Он шагнул в сторону, пропуская меня, руки дрожали, в глазах настоящая мука. — Проходи, проходи в кухню, чаю хочешь?

Я шла за ним в мокрых кроссовках и куртке. Он забыл предложить мне их снять.

— Чаю? — спросил нервно. — Садись. Лучше сюда,

здесь теплее. — Суетливо засновал по кухне. Быстрый взгляд на дверь. Внутри у меня что-то тонко дрожало. Прав Полифем. Теперь я тоже чувствую. Я сидела ссутулившись, сжавшись в комок, пистолет упирается в ребра. — Ты на чем приехала? Одна?

— На попутке. У меня неприятности.

— Да? Что случилось?

— Ты слышал? Убили Макса. Зарезали.

— Да... Мне звонил Костя. Я не мог поехать на похороны и, честно говоря, не хотел никого видеть... Сейчас будет чай. Ты... ты надолго?

— Не возражаешь, если немного поживу?

— Нет. Нет, конечно.

Он стоял ко мне спиной, прятал дрожащие руки, наклонился, заваривая чай, и из-под воротника халата выглянул свежий кровоподтек. Господи, как у него руки дрожат.

— Андрюша, — позвала я, голос срывался от жалости, — меня кто-нибудь спрашивал?

— Здесь? Нет. Кто?

— Я тебя спрашивал, рыжая, — сказал приятный мужской голос. Я повернулась. В кухню, слегка пригнувшись, вошел мужчина, в котором я без труда узнала бывшего Галкиного возлюбленного, за ним вошли еще двое и замерли у дверей. Лица без улыбки, а в глазах веселье. Мальчики довольны, а про меня и говорить нечего. Он шел ко мне, широкой спиной загораживая меня от своих парней.

— Привет, Зяблик, — улыбнулась я.

Он даже не понял. Только когда грохнул выстрел, странно посмотрел на меня, вроде бы удивленно, и стал заваливаться на бок. Парни отреагировали по-разному: один упал в коридор, а другой кинулся ко мне. Кухня маленькая, развернуться в ней можно с трудом, я не успела выстрелить, ударила его пистолетом и угодила в висок, так, что череп у него треснул. Но это от отчаяния, а не по расчету. Андрюшка схватил стул и швырнул его в люстру. Свет погас, а он закричал:

— Маринка, в окно... их полно в доме. — В ту же секунду послышался звон разбитого стекла, и в кухню пахнуло дождем и ночью. Кто-то бежал по коридору, три человека, не меньше. Я толкнула стол и устроилась на полу между стеной и холодильником.

«С чего это вы взяли, что я вас боюсь?» — зло думала я, следя за дверью кухни. В коридоре свет выключен, и я видела лишь темный провал четко по середине стены.

— Она их убила, — орал кто-то совсем по-бабьи. — У нее пушка, и она их убила.

— Конечно, — усмехнулась я. — А на кой черт я здесь по-вашему? Андрей! — позвала, но он не ответил. Успел выскочить в окно? Оно меня здорово беспокоило. Стрелок я никудышный, а если попрут с двух сторон, меня и на минуту не хватит. Парни совещались, я слышала голоса и шаги, в саду под окном тоже.

«Ладно, — подумала со вздохом. — Кое-что всегда лучше, чем ничего».

И тут началось. Грохнула автоматная очередь, и кто-то тонко крикнул: «Мама моя...» — а потом сплошной мат, мне такого слышать не доводилось. Дом сотрясался и ходил ходуном, глаза ломило от вспышек, а на улице бушевала гроза. Кто-то собирался влезть в окно, и я несколько раз выстрелила, а потом отшвырнула пистолет в сторону, услышав вместо выстрела сухой щелчок, и поняла, что отвоевалась. Вжавшись спиной в стену, подтянула ноги к животу и глаза закрыла. Все происходящее отступило куда-то, точно я слышала из другой комнаты боевик, шедший по телевизору. «Если останусь жива, — подумала я, — уеду далеко-далеко. В Приморский край... или на Камчатку. На Камчатку даже лучше...» Я определилась с выбором, и тут стало тихо, так тихо, что поначалу это меня испугало больше автоматных очередей. Я насторожилась в своем углу и прислушалась. Кто-то шел по коридору. Кто-то большой, но ступал мягко.

— Это ты? — крикнула я.

— Я, — ответил Полифем. Я выползла на четвереньках из своего укрытия, поднялась и отряхнула колени. — Уходим, — сказал он.

— Андрюша! — позвала я.

— Он убит. Угодил под автоматную очередь. Лучше тебе его не видеть.

— Но...

— Уходим, — повторил он и пошел к выходу, я шагнула за ним. На ступеньках крыльца, запрокинув голову, полусидел парень, горло было перерезано от уха до уха. Я вздрогнула и ускорила шаг.

Дождь все еще лил как из ведра, бегом мы бросились к машине.

— Я кого-то просил вести себя тихо, — заметил Полифем. Я пожала плечами.

— Не помню, чтобы я тебе это обещала.

Мы тронулись с места, и тут он сказал:

— Ну, вот. Они и пожаловали. — Я повернулась, но в заднем стекле сквозь пелену дождя смогла увидеть лишь свет фар.

— О Господи, сколько же их, — прошептала испуганно.

— Как я обещал — армия или две. Садись за руль. — Мы быстро поменялись местами. — Разгоняйся по прямой, хоть немного оторвись от них и сворачивай. Там притормозишь, я выскочу, а ты рви дальше.

— Куда? — растерялась я.

— Прокатись по кругу и за мной подъедешь.

Он передвинул автомат на коленях и приготовился. Лицо, как всегда, равнодушное, голос тихий, а у меня зуб на зуб не попадал. Но приказ я в точности выполнила. Притормозила, он распахнул дверь и исчез в темноте, а я рванула вперед. Свет фар возник из-за угла, я чертыхнулась и вдавила педаль газа. Грохот был страшный, я вздрогнула и подумала: «Гром?» — и тут увидела в зеркало, что свет исчез. Я юркнула в переулок и сделала круг, подъезжая к тому месту, где высадила Полифема, сбросила скорость и посигналила. Он вынырнул из темноты, живой и здоровый, а я сказала что-то вроде «слава тебе, Господи».

— Один ушел, — коротко сообщил он, садясь в машину. — Мотаем.

Я облизнула губы и рванула вперед.

— Куда? — спросила, клацнув зубами.

— Все равно, — отличный ответ.

Городок был пуст, точно вымер. Фонари и те не горели, я где-то не там свернула и, выскочив в центр, начала плутать.

— Не суетись, — сказал Полифем и положил свою руку поверх моей. — Просто поезжай прямо, и в конце концов мы вырвемся. — Я кивнула, закусив губу и стараясь не дрожать слишком явно.

Его план сработал: одна улица перешла в другую, потом в третью, и мы в конце концов выскочили из города. На выезде стояла будка ГАИ, горел свет, и фигура милиционера в окне была отчетливо видна; он поднял голову и проводил нас взглядом. Слава Богу, что идет дождь, кому хочется покидать уютное тепло? Полифем рядом шевельнулся, повел головой.

— Что? — испугалась я. — Опять? — В спину били дальним светом сразу четыре фары.

— Уйдем, — убежденно сказал он. — По прямой уйдем.

«Как?» — хотелось спросить мне. Фары высоко над асфальтом, наверняка чертовы джипы. «Не уйдем», — ныло сердце, но я уставилась на дорогу, пытаясь что-то рассмотреть в пелене дождя. Дорога прямая, как стрела, не свернуть и не спрятаться. Полифем сидел расслабленно и смотрел в зеркало.

— Через тридцать километров поселок, — сказала я. Звук собственного голоса действовал успокаивающе. Он кивнул. Я бросила взгляд на спидометр: ума не приложу, как машина до сих пор не развалилась на куски. Впрочем, это не важно. Свет фар неумолимо приближался. «Сколько мы еще протянем?» — с тоской подумала я и в ту же секунду поняла: да нисколько, приехали. Впереди, перегородив дорогу, стояла милицейская «Волга».

— А эти откуда? — фыркнул Полифем.

— Что делать, Коля? — испугалась я.

— Вперед. — Он перехватил автомат.

— Ты с ума сошел?

— Вперед, мы проскочим.

Я летела по середине дороги, в последнее мгновение рванула к обочине и проскочила мимо милицейской «Волги». Они стали разворачиваться, а я с опозданием сообразила, что на обочине грязь. Машину занесло, развернуло, и мы полетели в кювет. Она еще даже не остановилась, а Полифем уже распахнул дверь, выскочил и выволок меня. Не знаю как, но во всей этой суматохе я успела прихватить с пола пистолет.

— В лес, — бросил Полифем отрывисто. По пояс в траве, выбравшись из канавы, мы бросились к лесу. До него было метров тридцать, не больше.

В этот момент прошли на скорости два джипа, сметя с дороги милицейскую «Волгу», дружно притормозили и сдали назад. Но мы уже были в лесу.

— Давай руку, — сказал Полифем. Я была беспомощная и совершенно ослепла. Спотыкалась обо все, что под ноги попадало. Без него я не преодолела бы и ста метров. Он ловко бежал между деревьями и тащил меня.

Джипы развернулись к лесу, и свет их фар пробивался даже сквозь деревья, от них отделились несколько фигур и полукольцом направились к нам.

— Они нас видят? — испугалась я.

— Нет.

— Они станут лес прочесывать?

— Дураки они, что ли? Немного побродят по краю. — Может, он и врал, но меня успокоил. Однако шаг Полифем ускорил.

Темнота, дождь, мутный свет с дороги. Не хватает лая собак и окриков.

— Как ты? — спросил Полифем.

— Нормально, — с трудом ответила я. — А вдруг лес кончится?

— Нашла о чем волноваться. Он здесь на сто километров.

— Хорошо, если так, — улыбнулась я.

Где-то через час Полифем пошел медленнее. Я уже с трудом передвигала ноги, радуясь, что не слышу никаких звуков, говорящих о возможной погоне.

— Ушли? — спросила нерешительно.

— Конечно, — кивнул он. Даже по голосу чувствовалось, что он устал.

— Куда теперь?

— Прямо.

И мы пошли прямо. Это становилось все труднее и труднее. Насквозь мокрые, измученные. Я смутно сознавала, что оставаться здесь нельзя, мы должны выбраться из леса, найти машину и оказаться как можно дальше от этих мест. Завтра может быть уже поздно.

— Ты знаешь, где мы? — спросила я.

— Более или менее.

— А что здесь может быть поблизости?

— Поселок, на север километрах в двадцати от города.

— Тогда нам туда, — махнула я рукой. — Север в той стороне.

— Откуда ты знаешь? — заинтересовался Полифем. — Звезд нет, а мы уже сколько плутаем?

— Север там, — убежденно заявила я. — У меня «шишка направления».

— В том, что шишек у тебя полно, я не сомневаюсь.

— Я серьезно. Север там, и мы все это время шли в северном направлении, чуть-чуть отклоняясь к востоку.

Он засмеялся и взял меня за руку.

— Что ж, проверим, что там у тебя за шишка.

Минут через пятнадцать под ногами зачавкало. Идти и так было трудно, а тут стало и вовсе невозможно, к тому же я боялась, что в темноте мы легко окажемся в болоте.

— Чавкает, — сказала я. — Берем левее. — Лес начал редеть, между деревьев показался просвет, мы ускорили шаг.

Дождь кончился, небо как-то незаметно очистилось, и появилась луна. В этот момент мы как раз вышли из леса. Впереди была река, довольно широкая, в этом месте она делала поворот, течение было сильным. С высокого берега мы слышали, как она шумит внизу, сталкиваясь с невидимой преградой.

— Что это за река, как ты думаешь? — спросила я.

— Трудно сказать, у меня была двойка по географии. Пойдем направо. Там должно быть жилье.

— Какая-нибудь деревня?

— Не знаю. Может, деревня, может, еще что.

— Интересно, — сказала я. — Откуда ты это знаешь?

— Просто чувствую, как ты направление.

— Тогда пойдем побыстрее.

Это было легче сказать, чем сделать. Полифем уже несколько раз спотыкался, а про меня и говорить нечего. Я брела, мало что понимая, на «автопилоте», вымокла насквозь, а сейчас, когда дождь кончился, стало вдруг очень холодно, и я так замерзла, что уже ног не чувствовала. Колени отказывались сгибаться, началась головная боль, быстро поползла от затылка к вискам, тупая и ноющая, заставлявшая стискивать зубы. «Побыстрее бы выйти к жилью, — с тоской подумала я и тут же себя одернула: — Предположим, выйдем и что?» Рассчитывать, что нас возьмут на постой добрые люди, не приходилось. Гостиниц в этом месте вряд ли великое множество, да и вид у нас такой, что туда лучше вовсе не соваться. Значит, деревня или поселок нужны нам только для того, чтобы знать, куда двигаться дальше. А идти придется всю ночь. Надеюсь, все-таки по дороге, а не в лесу, но и об этом думать не хотелось. Я протяну еще полчаса, час от силы, а там просто рухну и умру. Я сжала ремень сумки: можно сделать укол. Скорее всего придется. Но останавливаться сейчас, пожалуй, не стоит.

В просвете между деревьями что-то блеснуло. Полифем заинтересовался и шагнул в ту сторону. Справа от нас была железная ограда.

— Что это? — удивилась я.

— Сейчас проверю. Жди здесь.

Он пошел вдоль ограды, а я села прямо в сырую траву: причинить какой-либо ущерб моей одежде она уже не могла. Привалилась к металлическим прутьям и глаза закрыла; голова кружилась, наворачивалась тошнота. В эту ночь я подхвачу воспаление легких. Это в лучшем случае.

Полифема не было очень долго. Кажется, я задремала, а открыв глаза, испугалась, потому что он еще не вернулся, а мне показалось, что времени прошло много. Только темное небо с россыпью звезд и яркая луна говорили о том, что спала я несколько минут. Я совершенно закоченела. Поднялась, держась рукой за решетку. Похлопала себя по плечам, не видя в этом особого толка. Не выдержав, прошла несколько метров в ту сторону, куда он отправился. Тут Полифем и появился. Шагал он торопливо и бодро, чего я не могла постичь: мне казалось, что такая ночь способна доконать любого.

— Ты чего так долго? — жалобно спросила я.

— Идем. Нам повезло.

— Ты узнал, что это такое?

— Да. Турбаза, причем пустая. Рядом деревня, двенадцать домов. Наверное, работники базы.

— А почему турбаза пустая?

— Черт ее знает. Но, по-моему, ни в одном домике ни души. Идем. Устроимся с удобствами. Здесь можно пролезть. — И точно, пролом был. Мы оказались на территории.

Пройдя несколько метров, вышли на асфальтовую дорожку. Минут через десять показались первые домики с симпатичными верандочками. Мы прошли еще немного, и справа я увидела светлое здание.

— А это что за сооружение? — удивился Полифем. На фоне яркого неба вырисовывался диковинный силуэт: хитросплетение трубок и прямоугольников.

— Фонтан, — вдруг поняла я. — Это фонтан, дальше корпус и столовая. Турбаза «Лесная поляна», я здесь два года подряд отдыхала.

— Серьезно? Похоже, что сейчас с отдыхающими проблемы.

— Сегодня какой день недели?

— Уже суббота.

— Все правильно. Мы попали между двумя заездами. Народ прибудет в понедельник.

— Выходит, повезло, — кивнул Полифем. — Деревня там, от нее лучше держаться подальше. Найдем подходящий домик и отдохнем до утра.

При слове «отдых» каждая косточка во мне заныла. Мы выбрали домик, стоящий последним в ряду. С тропинки, петляющей вокруг, что делается внутри, не увидишь, а подходить и заглядывать в окна вряд ли кому придет в голову.

Мы поднялись на веранду. Полифем дернул дверь.

— Заперто.

— Конечно, — кивнула я.

— Ладно, не проблема.

— Подожди, с той стороны еще дверь, запирается изнутри на щеколду. Уезжая, мало кто об этом заботится. — Я обошла домик, там тоже была веранда, но поменьше. Я поднялась и дернула за ручку двери. Дверь открылась. — Поверить не могу, — сказала я, повалившись на кровать с панцирной сеткой. Полифем вошел следом. Окинул помещение взглядом и сказал:

— Номер «люкс».

В домике стояли две кровати, шифоньер, стол, два стула и две тумбочки. Занавески с окон снимали только по окончании сезона. На каждой кровати лежали свернутые матрасы, по два одеяла, подушки, покрывало и комплект постельного белья с полотенцами. Заприметив все это богатство, я почувствовала себя счастливой.

Здесь было холодно. Какое-либо отопление отсутствовало, а погода не баловала. Я быстро заправила постели, Полифем, несколько уменьшив мою радость, сказал:

— Стели на полу. — Что ж, на полу тоже неплохо. Свет включать не стоило из-за соображений конспирации, но глаза с темнотой уже освоились.

Я сняла кроссовки и поставила их в угол, не питая надежды, что они когда-нибудь высохнут, стянула одежду, быстро развесив ее на кровати.

— А ты чего ждешь? — спросила Полифема. — Хочешь схватить воспаление легких?

— Это вряд ли, — сказал он, но стал раздеваться.

Я растерлась полотенцем, вложив в это занятие остатки жизненных сил, завернулась в одеяло и стала проводить ревизию в своей сумке. Большинство ампул не вынесло ночных приключений, но кое-что все же осталось. Я на ощупь нашла шприц и быстро сделала себе укол.

— Иди сюда, — позвала Полифема. Стоя ко мне спиной, он пытался завернуться в полотенце, а я лишний раз поразилась буйной фантазии матушки-природы.

Мне пришлось звать его дважды, навыков ношения полотенца на бедрах у него не было, и он заметно маялся.

— Слушай, я же врач, — не выдержала я. — И в таких обстоятельствах, как сейчас, у меня чисто профессиональное отношение к твоей особе, так что не пытайся стать меньше ростом, а иди сюда. Завтра ты должен быть здоров. — В такой комнате ему дышалось явно с трудом, он выглядел носорогом в клетке.

— Что за дрянь? — подозрительно спросил он, садясь рядом и косясь на шприц.

— Панацея от всех воспалений на свете, сжимай кулак.

— Ты ж ничего не видишь, — заволновался он.

— Еще скажи, что уколов боишься, — фыркнула я.

Мы находились в этом домике не более двадцати минут, а я уже чувствовала себя молодцом. Покопалась в сумке и нашла пузырек со спиртом. Быстро себя растерла, Полифем повел носом, а я засмеялась:

— Вовнутрь по глотку останется. Поворачивайся спиной. — Он покорно повернулся. Я растерла его спину, а потом грудь. Выглядел он, по-моему, прекрасно, хоть сейчас в бой. — Еще бы съесть чего и горячего чая, — мечтательно заметила я. — Но и так неплохо.

Я забралась под одеяла, свернулась клубком, подтянув ноги к самому подбородку, и блаженно зевнула:

— Поверить не могу... — Полифем перебрался в свой угол, лег на спину, закинув руки за голову и вытянув ноги. Смотрел в потолок.

— Как твое плечо? — спросила я.

— Нормально. На мне как на собаке.

— Это ты вредничаешь?

— Зачем, так и есть.

— Полифем, — позвала я и мысленно чертыхнулась, вот уж воистину: язык мой — враг мой. — Извини, — очень на себя разозлившись, попросила я.

— Зови, как удобней. Мне все равно.

— А мне не все равно. — Я тоже в потолок уставилась, в крайней досаде. Тут он голову приподнял, посмотрел на меня и спросил:

— Что, очень похож?

— На кого? — растерялась я.

— На циклопа этого.

— Откуда мне знать, что я с ним, чай пила?

— Но ты ж его видела?

— С ума сошел? Где, интересно? Если и жил он на свете, то умер задолго до того, как наши с тобой предки с дерева слезли.

— А я его видел, в кино. Жуткий урод и придурок, по-моему.

— С одним глазом во лбу красивым быть трудно, а об уме циклопов по единичному примеру мы судить не можем. В семье, как известно, не без дурака. Одиссей тоже хорош, поступил с ним по-свински, напоил и глаз выколол. Единственный.

— Так он их сожрать хотел.

— Они для него и были едой, как овцы или сыр. Маленькие, бегают под ногами, точно блохи. Лови и ешь. Хотя существо с мозгами блох есть не станет. — Я примолкла и подумала: «Мама моя, да это белая горячка. Защитная речь о циклопах. Одиссей мне не нравится... Может, еще кольнуться?» — Эй! — позвала я. — Прозвище будем считать неудачным, и ты вполне можешь считать, что у меня, как у всех коротышек, злобная зависть к высоким людям. Идет?

— Да не суетись ты... — сказал он лениво. — По мне, хоть горшком зови. Глупо обращать внимание на слова.

— Да? — Я заинтересовалась. — А на что не глупо?

— Ну... на то, что человек делает или не делает.

— Это мудро, — кивнула я. — Вот ты, к примеру, жизнью рисковал, меня спасая. Как я должна это расценить?

— А у тебя мозги есть?
— Да вроде были.
— Ну так и думай.
— Тяжело с тобой, Коля.
— С тобой тоже не водка с огурцом.
— Как, как? — засмеялась я. — Такого я еще не слышала. Сам придумал?
— Я сам ничего не придумываю. У меня голова большая, а мозг маленький.
— Нормальный у тебя мозг, — утешила я. — А мужик ты занятный... Дядя Юра тебе кто?
— Не приставай с ним, — проворчал он и даже на бок лег и от меня отвернулся.
— Ты ему чем-то обязан?
— Ага.
— Чем?
— Да всем, устраивает?
— Не очень. Туманно, а я люблю поконкретней. Давай начнем с простого. Где вы с ним познакомились?
Он засмеялся:
— Ты, Маринка, как следователь. Уж больно хитрая. Про дядю Юру я тебе уже все рассказал: помер он.
— А я так не думаю.
— И правильно. На то человеку мозги и даны, чтоб он других не слушал, а сам до всего дойти мог.
— А, так ты мой мозг тренируешь?
Он засмеялся, посмотрел через плечо и сказал:
— Язык у тебя...
— У тебя тоже, когда разговоришься. Ясно. Хочешь быть бесстрашным партизаном, не колись. Буду тренировать свой мозг. Он, кстати, устал и спать хочет. Спокойной ночи.
— Спокойной ночи, — ответил он.
Я повозилась немного, устраиваясь поудобнее, и блаженно закрыла глаза.

Мне приснился сон. Такие сны меня давно не посещали, с тех самых пор, как поцелуи со знакомым мальчиком в подъезде отошли в далекое прошлое. Наверное, по этой причине сон произвел сильное впечатление.

Комната была залита светом, луна, неправдоподобно огромная, смотрела в окно. А мне было холодно. Я приподнялась с пола и увидела Полифема, он сидел на своей постели, привалясь спиной к стене, и смотрел на меня. Глаза его были очень яркие и странно блестели. «Чудной сон», — подумала я и тоже села. Было очень тихо, только мои зубы стучали, и я засмеялась, так это было смешно, и сказала:

— Бог ты мой...

— Озябла? — спросил Полифем своим странным, медово-вкрадчивым голосом. Я кивнула. — Хочешь, согрею?

— Хочу, — ответила я.

Далее сон выходил совершенно неприличным, долгим и чересчур правдоподобным. Но размышлять об этом не хотелось. Глупо подходить к снам с обычными мерками.

Проснулась я, когда солнце перевалило за крышу домика. Он прогрелся, так что под двумя одеялами было жарко. Тут я вспомнила о сновидении и замерла. А вдруг это и не сон вовсе? Осторожно протянула руку и открыла один глаз. На своем матрасе я пребывала в одиночестве. Вздох облегчения не замедлил возникнуть в моей груди. Уже с большей уверенностью я приподнялась и посмотрела вокруг. Полифем лежал на своем матрасе, одеяло сбилось, подушка на полу. Матрас шили, явно на него не рассчитывая. Спал он сладко и вроде даже улыбался, лежа на животе и раскинув руки. «Интересно, что ему снится?» — подумала я. Встала на четвереньки и одежду пощупала. Полифем тут же поднял голову.

— Привет, — сказал, прищурив глаза. — Проснулась?

— Ага, — только и смогла ответить я. — Джинсы не высохли, — добавила я несколько суетливо и опять на него покосилась. — А футболки и куртки сухие. Кроссовки, конечно, надевать противно.

«Чего это я так много болтаю?» — Я вздохнула.

— Отвернись, — сказал Полифем. — Оденусь.

«Сон, — обрадовалась я, — иначе просьба отвернуться выглядит глупой... Может, он такой стеснительный... Да уж, стеснительный, это как раз про него, — мысленно фыркнула я и покраснела. — Нет, это никуда не годится, надо выяснить... Как? Может, спросить: «Коля, извини, ты ночью спал со мной?» — «Нет, дорогая». — «Как жаль».

Бывают сны такими яркими? Сильный стресс, начало простудного заболевания дали подобный эффект... Ага... молчи лучше.

Никакого намека на свинцовую тяжесть, что бывает обычно наутро после чересчур тяжелого дня. Кости, конечно, ноют, но приятно, хочется потянуться и мурлыкать.

— Я не смотрю, одевайся, — сказал он. Приснилось, слава Богу... Я торопливо оделась, косясь через плечо.

— Готова, — сказала с избытком энтузиазма и отводя глаза в сторону. «Вот сейчас возьму и спрошу».

— Выспалась? — поинтересовался он.

— Да, — ответила я лаконично. — Сколько времени?

— Почти два.

Во сне утро мы встретили вместе... Вроде бы я выспалась, и голова не болит как от бессонной ночи... «Или спроси его, или кончай ломать голову». Я проверила сумку, потом вернула вещи на свои места, и домик приобрел тот вид, который имел перед нашим вторжением.

— Ну вот, вроде бы все. — Я подхватила сумку и взглянула на Полифема. Щетина придала физиономии особо злодейский вид. Конечно, он не красавец, но... в конце концов, красивый мужик, это как физически сильная женщина, может, и хорошо, но вовсе не обязательно...

— Идем, — позвал он, мы вышли через заднюю дверь и отправились по тропинке в сторону леса. Ограды с этой стороны вовсе не было: тропинка вела к крутому берегу реки и сворачивала вправо. — Есть хочешь? — спросил Полифем.

«Вот черт, называть его так нехорошо, а Колей непривычно».

— Не очень, — ответила я. — Уже перехотелось.

— Куда ведет тропинка, не знаешь? — опять спросил он.

— Знаю. На соседнюю турбазу. Она тоже в лесу, километра два от шоссе. Там остановка. Южнее деревня Лапино, большая, оттуда до районного центра ходит автобус.

— Дороги могли перекрыть. Времени на это было у них достаточно.

— Да, долго мы спали, — туманно заметила я.

— После такой ночки...

«После какой?» — хотелось спросить мне, но я себя за язык поймала. «После погонь и перестрелок, несчастная. Все, это был сон, и забудь о нем поскорее... Эротические фантазии одинокой женщины... Забудешь, как же, когда он идет рядом».

— У тебя есть план? — осторожно спросила я. Он кивнул. — Какой?

— Самый простой: выбраться из области. Подойдет любой крупный город, а там посажу тебя в автобус или поезд, что предпочтешь.

— Самолет, — сказала я. — Полечу на Камчатку.

— У тебя там кто-то есть? — спросил он без улыбки.

— Нет. Просто это далеко.

— Разумно, — согласился Полифем.

— Я тебя вот что спросить хотела, — начала я, — тот парень на крыльце... это ты его? — Он повернулся, довольно долго смотрел на меня.

— Я должен был войти в дом тихо...

— Конечно, — кивнула я и нос почесала.

Мы все еще шли вдоль реки, тропинка то шла по самому берегу, то удалялась в глубь леса.

— Красиво здесь, — вздохнула я.

— Такими темпами мы отсюда долго не выберемся.

— Что делать прикажешь? Крылья ни у тебя, ни у меня, к несчастью, не выросли.

— Крылья бы неплохо, но снизу вполне подстрелить могут.

— Оптимист ты, Коля.

— Да я такого слова даже не знаю. — Вдруг он остановился и сделал знак молчать, я испуганно замерла.

Он сошел с тропинки очень осторожно, и тут я поняла, что привлекло его внимание. В тенечке под деревьями стоял мотоцикл. Его хозяин расположился чуть ниже, на стволе поваленного дерева, метра на три выступающего над водой. Дядька в кепке сидел с удочкой и вроде бы дремал.

— Топай по тропинке, — шепнул Полифем. Я кивнула и быстро пошла вперед. Он догнал меня через несколько минут, прихватив мотоцикл. Катил его рядом с собой.

— Надеюсь, этот драндулет заведется, — сказал ворчливо. Мотоцикл завелся, треск пошел по всему лесу.

— А ты на нем ездить можешь? — позволила я себе усомниться.

— А это мы сейчас узнаем. — Выбирать не приходилось, я устроилась сзади, обхватила Полифема руками, и мы понеслись вперед. — Далеко до райцентра? — прокричал он.

— Километров двадцать.

— Едем правильно?

— По крайней мере в ту сторону.

Тропинка вывела к огородам.

— Что это за населенный пункт? — спросил Полифем, остановившись.

— Должно быть, райцентр. Не помню, чтобы здесь еще что-нибудь было. Хотя черт его знает.

Мотоцикл бросили в кустах и стали подниматься от реки, вдоль огородов. Очень скоро впереди показались дома, двухэтажные, старые.

— На вокзал соваться нельзя, — сказал Полифем. — Значит, надо искать машину.

— Угнать, что ли? — насторожилась я.

— Я знаю, что это нехорошо, — серьезно кивнул он. — Воспитывать будешь потом.

Мы вышли на улицу. Дома утопали в зелени, а проезжая часть выглядела так, как будто городок только что пережил землетрясение.

— Паршивый городишко, — покачал головой Полифем.

— Все районные города одинаковые, — миролюбиво сказала я. — Бедные, грязные, неказистые и почему-то все на одно лицо.

— А как же иначе, — хохотнул он. — Если бедные да грязные... Вот что, отдохни в тенечке, а я схожу за машиной.

— Что ты намерен свистнуть? — поинтересовалась я. Затея немного пугала.

— «Опель», если подвернется.

— С ума сошел, в таком городе на «Опеле» все равно что в шубе на пляже. Да нас в пять минут поймают.

— Не обязательно. Машина должна бегать быстро. По кайфу было на «шестерке» от «Тойот» уходить?

— Николай, возьми себя в руки, оставь людям их ценные вещи, позаимствуй что попроще.

— Вот тут, на скамеечке тебе удобно будет, — утешил он и зашагал дальше по улице.

Я устроилась на скамейке в чужом дворе и стала рисовать ногой узоры на песке.

— Вот жизнь, — сказала со вздохом, — машины крадем, еще и поймают.

Всласть заняться самобичеванием не удалось, с той стороны, где полчаса назад исчез Полифем, появилась белая «восьмерка» и плавно возле меня притормозила.

— Как заказывала, — сказал Полифем. — Не броско и вроде бегает.

— Вот и побежали, — проворчала я, — не ровен час с поличным возьмут. — Он лихо развернулся и покатил по улице. Через десять минут город остался позади. — Сейчас выберемся на центральное шоссе, и пойдут сплошные посты ГАИ, — канючила я.

— Не беспокойся.

— А куда мы вообще едем?

— Пока прямо, там посмотрим.

— Забавно, — кивнула я. Понемногу успокоилась и вроде бы задремала.

— Вот подходящий город, — вернул меня к действительности Полифем и кивнул на указатель. — И всего девяносто километров, час пути... Город большой, и мы там как иголка в стоге сена. Поменяем баксы, купишь билет, и прости-прощай.

Честно говоря, перспектива не очень воодушевляла.

Город был полуторамиллионным. Вместо того чтобы взбодриться от ощущения безопасности, я заскучала. Вокруг люди домой торопятся с работы, а у меня ни работы, ни дома, и так выходит, что никому я вроде бы не нужна.

— Обменный пункт, — сказал Полифем. — Дай пару сотен поменяю. — Я взяла из пачки три купюры и ему протянула. Вернулся он быстро, я еще даже не успела пожалеть себя как следует, а он уже сел за руль и заявил: — Ну вот, билет до Камчатки спокойно купишь.

— На поезд, что ли? — фыркнула я.

— Ничего, маленько прокатишься. Сейчас узнаем, где здесь вокзал.

— Может, он не один, — начала я вредничать, — город большой.

— Значит, нам центральный.

Он потихоньку тронулся с места и только что не насвистывал от радости. На светофоре опустил стекло и прокричал водителю соседней машины:

— Не подскажешь, как к железнодорожному вокзалу проехать? — Парень перегнулся ближе к окну и стал объяснять. Я отвернулась и глаза закрыла. — Порядок, — сказал Полифем, когда загорелся зеленый свет. — Здесь недалеко.

Мы свернули на проспект. Глаза я все-таки открыла и увидела на одном из домов вывеску «Междугородный переговорный пункт».

— Слушай, ничего, если я подруге позвоню? — спросила я.

— Зачем? — вроде бы удивился он.

— Скажу, что жива. Услышу родной голос. Мне станет легче жить.

— Ну если легче. Только не болтай, где ты и куда отчаливаешь.

— Поучи, — проворчала я, он немного сдал назад, а я направилась на переговорный пункт.

Народу было немного, телефон-автомат свободен. В списке городов мой стоял первым, чем едва не выжал скупую слезу. Я позвонила Наташке, все сроки ее возвращения из отпуска давно прошли. Может, и так, но Наташка не отвечала. Я вздохнула и набрала номер Вики. Два длинных гудка и ее голос:

— Слушаю. — Я чуть не подпрыгнула от радости.

— Вика, это я.

— Господи, Маринка... жива. Я которую ночь не сплю.

— Я тоже, — сказала со вздохом.

— Что у тебя?

— Сматываюсь. Думаю, на Камчатку. Если доеду. Уж больно далеко.

— А поближе нельзя?

— Подумаю.

— Не вешай носа. Все устроится, и ты вернешься.

— Ага, — опять вздохнула я. — Позвони Наташке, пусть уволит меня с работы. Устроюсь, сообщу, трудовая книжка и диплом мне понадобятся.

— А паспорт с собой?

— С собой.

— Маринка, как такое могло случиться? — помедлив, спросила она.

— Андрея убили, — сказала я.

— Господи... прости, я не знаю, что сказать... Все это... настолько дико, в голове не укладывается.

— Иногда я любила посмотреть боевики, сидишь на диване, рядом чай с лимоном, печенье... черт-те что...

— Кончай казниться. Что сделано, то сделано...

— Оно конечно, — пришлось согласиться мне.

— Вот еще что. В прошлый раз я тебе сказать не успела: Максим звонил накануне того дня, как его убили. Он велел передать, что все убрал в гараж к Светке, своей первой жене, она еще с тобой в поликлинике работала. Так вот, все у нее в гараже, в запаске. Там вообще-то их три, нужная ближе к стене.

— Мама моя... — пролепетала я, с трудом разжав губы.

— Что? — не поняла Вика.

— Ничего.

— Это ведь важно? Это то, из-за чего все началось?

— Будет здорово, если этим и кончится, — брякнула я и стала прощаться. Потом села на лавку и немного подумала.

Полифем терпеливо ждал в машине.

— Дозвонилась? — спросил, когда я устроилась рядом.

— Слушай, Коля, — немного потомившись, сказала я. — Кажется, я знаю, где деньги. — Взрыва эмоций не последовало. Он смотрел внимательно, но совершенно спокойно. — Ты понимаешь, о чем я?

— Да не дурак. А «кажется», это как?

— Максим звонил подруге и сказал, где их искать.

— Так, может, их нашли?

— Ты не хочешь проверить?

— Хочу. И где они?

— В гараже у его бывшей жены. Он спрятал их в запаску. — В этом месте я замолчала и стала ждать. Ждать пришлось долго, мне это надоело, и я спросила: — Мы за ними поедем?

— Конечно, — кивнул он. И завел машину.

В родной город мы въезжали уже ночью. Тут надо сказать, что самое интересное я попридержала и теперь прикидывала, как бы половчее сообщить об этом Полифему. Он сам мне помог.

— Где гараж? — спросил, когда мы благополучно миновали очередной пост ГАИ.

— В овраге, за вторым хлебозаводом. Мы сразу туда поедем?

— А чего тянуть? — мудро рассудил он.

— А как в гараж войдем?

— Войдем. Главное, знать в какой.

— С этим тоже проблемы, — сообщила я, увлеченно разглядывая темноту за окном.

— Ты мне о них не говорила, — насторожился Полифем.

— Не все сразу, — вздохнула я.

— Выкладывай.

— Я не уверена, что смогу найти гараж.

— А их там вообще много?

— Целый кооператив.

— То есть ты знаешь, где находится кооператив, а где гараж, понятия не имеешь?

— Имею, но слабое. Я была там один раз, лет пять назад. Заезжали за шампурами... Слушай, давай дождемся утра, я съезжу к Светке и как-нибудь узнаю, где этот чертов гараж. Может, и ключами разживусь.

— Твой Макс чокнутый, — покачал головой Полифем. — У бывшей жены такие бабки запрятать. Она их запросто могла найти.

— Да она туда и не ходит вовсе. Гараж капитальный, кирпичный, денег стоит. Когда они с Максом разводились, поделили добро: он машину взял, а она себе гараж оставила, надеялась встретить любовь с машиной.

— Встретила?

— Кого?

— Любовь.

— Да вроде нет.

— Тогда, может, гараж продала?

— Но ведь он туда деньги спрятал, значит, не продала. Хотя за неделю много чего могло случиться.

— Вот и я про то. Может, новый владелец решил ревизию навести...

— Вряд ли, русский человек все годами делает.

— Ладно, давай попробуем его найти. Кое-что ты вспомнить можешь? Хотя бы ряд?

— Что толку? Не будем же мы во всем ряду гаражи вскрывать? — загрустила я и вдруг вспомнила: — Слушай, дверь у него была желтая.

— Ну и что?

— Не каждый дурак будет дверь желтой краской красить, по-моему, это примета.

— Ты ж сказала, что была там пять лет назад, за это время ее могли сто раз перекрасить.

— Только не Макс.

— Ладно, едем, на месте разберемся.

До второго хлебозавода добрались без происшествий, трудности начались позже: кооперативов оказалось два. В тот раз подъезжали мы с улицы Попова, и разобраться теперь, какой из кооперативов предпочесть, я не могла. Сделав полукруг, въехали с улицы Попова, но легче от этого не стало. Помнится, въезд был прямо напротив, а теперь почему-то находился довольно далеко, за поворотом.

— Что-то не так, — засомневалась я.

— Все так, бухнули три новых гаража, видишь, — кивнул Полифем, — и въезд стал в другом месте.

— Ничего я в темноте не вижу. А от нового въезда куда ж сворачивать?

— Напрягись, где там твоя шишка?

— Рассосалась.

Мы въехали на территорию кооператива и малой скоростью продвигались вперед.

— Вот эстакада, — обрадовалась я, — сворачивай налево. Этот ряд.

— Точно?

— Конечно, нет. Но я так думаю. — Мы свернули. — Он должен быть по левой стороне, — сообщила я. Все гаражи, для меня по крайней мере, выглядели совершенно одинаково: красный кирпич, ворота, выкрашенные коричневой краской.

— В начале, в конце ряда? — спросил Полифем.

— В середине. — И тут мы увидели в свете фар желтые ворота. — Вот, — обрадовалась я, мы остановились и вышли из машины. На воротах висел замок, но имелась также и личина.

— Ерунда, — сказал Полифем. Я с сомнением на него посмотрела.

— Ты сможешь открыть?

— Конечно. Только не голыми руками. Поехали к Цыгану.

— Здорово, что мы его нашли, правда? — сказала я.

— Еще бы. — Особой радости в нем не ощущалось, впрочем, Полифем человек на редкость спокойный, и я не ожидала, что увижу его весело скачущим на одной ноге, но отсутствие всяких эмоций понемногу начинало бесить. — По объездной быстрее получится, — сказал он, выезжая из лабиринта гаражей.

— Пост ГАИ, — напомнила я, — ночью вполне могут прицепиться. — Наживать неприятности сейчас как-то особенно не хотелось.

— Объедем, я там дорожку знаю, вдоль реки. И сразу на Цыганский поселок.

Я молча кивнула. Дорога заняла минут тридцать. Цыганский поселок возник неожиданно, ровное поле — и вдруг впереди темные силуэты домов. Мы подъехали к развалюхе Цыгана и через калитку подошли к дому. Из темноты с лаем выскочили две огромных собаки. Полифем свистнул, и они побежали рядом с нами, поглядывая на него и виляя хвостами. В одном окне горел свет. Николай постучал по стеклу, и мужской голос спросил:

— Кто?

— Свои, открывай. — Мы свернули за угол и увидели светлый прямоугольник распахнутой двери. На пороге стоял человек и ждал нас. — Здорово, Жора, — сказал Полифем, и молодой мужчина ответил:

— Здравствуй, Коля. Рад тебя видеть.

Был он худым и низкорослым и с такой пышной шевелюрой, что даже мои волосы показались крысиным хвостом. Может, из-за несоответствия по виду большой головы и тщедушного тела он производил комическое впечатление. Но комиком точно не был, глаза смотрели цепко и настороженно, а лицо вполне бы подошло капитану пиратского брига, не хватало красной банданы и серьги в ухе. Тут я заметила, что серьга в ухе имеется, и вздохнула Бог знает почему: волосатый вызывал томление.

— Отец спит? — спросил Полифем.

— Нет, сейчас позову.

— Посиди здесь, — сказал Полифем, когда Жора вышел. — Мне с мужиками переговорить надо. — Я кивнула и устроилась возле стола. Сразу же захотелось есть, но попросить я сочла неприличным.

Тут я услышала голос Цыгана, говорили в соседней комнате, но слов не разобрать. В кухню заглянул волосатый Жора и махнул мне рукой. Я поднялась, пошла за ним и оказалась в небольшой комнате, где стояли стул и фотоаппарат со штативом.

— Садись, — сказал Жора, включил лампу, немного ее поправил, задумчиво посмотрел на меня и пошел к фотоаппарату.

— Это что, снимок на память? — удивилась я.

— Ага, — кивнул он.

— А я не хочу.

— Коля, — позвал лохматый.

Полифем заглянул в комнату и сказал:

— Делай что говорят. Потом объясню.

— Хорошо. — Я пожала плечами и села, глядя перед собой. — Профиль, анфас?

— Вот так и сиди, — заявил он мне. Тут вновь Полифем появился.

— Все? Поехали.

— Зачем фотография? — спросила я уже в машине.

— На паспорт. — Я немного пошевелила мозгами и озадачилась.

— На липовый, что ли?

— Паспорт будет настоящим. Можешь мне поверить: лишняя бумажка никогда не помешает.

— А фамилия моя? — Тут мне стало неловко, и я замолчала. Примерно в то же время до меня дошло, что машину мы успели сменить. Эта опять была «восьмерка», но темно-фиолетовая. — А почему машина другая? — спросила я.

— На эту документы есть.

— Разумно. — Бог знает отчего, но я продолжала томиться. Наконец въехали в кооператив. Теперь моя помощь не понадобилась, Николай быстро нашел нужный гараж.

— Сиди в машине, — сказал он, прихватил холщовую сумку и вышел. Я приготовилась ждать, но он почти сразу позвал меня. Дверь гаража со скрипом открылась, и вспыхнул свет. Я торопливо вошла, у противоположной стены стояли три колеса с дисками.

— В том, что ближе к стене, — сообщила я.

— Прикрой дверь, — кивнул Полифем, оглянулся, нашел монтировку и принялся за работу.

Через несколько минут диск был отброшен в сторону, а в образовавшейся полости я увидела пачки долларов.

— Да, от такой запаски не отказываются, — усмехнулся Полифем. Пачки валялись на полу. — В машине, на заднем сиденье, сумка, принеси. — Я сходила за сумкой, а когда вернулась, он уже разложил пачки ровными рядками и сказал удовлетворенно: — Все.

— Рада за тебя, — кивнула я в ответ. Он переложил деньги в сумку, застегнул «молнию» и поднялся.

— Идем, — выключил свет и запер гараж на личину, сломанный замок ногой отшвырнул в сторону. «Теперь самое интересное», — мысленно усмехнулась я, устраиваясь на своем месте, Полифем занял свое, завел машину, и мы поехали. «Куда?» — еще вопрос. Через несколько минут я его задала:

— Куда едем, Коля?

— Потерпи. Скоро увидишь.

— Ясно. К дяде Юре. Он жив?

Полифем кивнул:

— Конечно.

— Значит, он решил ненадолго умереть, чтобы друзья не досаждали, пока ты ищешь деньги? — Он опять кивнул. — Ребят в поезде ты убил?

— Я.

— Зачем?

— Вы были в купе втроем. Кто свистнул деньги, не трудно догадаться.

— И Макса ты? — сглотнув, спросила я.

— Его нельзя было оставлять в живых. Твоего Макса все равно бы нашли и душу вытрясли. А он знал про тебя, значит, был опасен.

Я смотрела прямо перед собой, чувствуя, как волосы на затылке начинают шевелиться. Мне понадобилось минут пятнадцать, чтобы задать следующий вопрос.

— На кого ты работаешь?

Он как-то странно посмотрел, пожал плечами и ответил:

— Я думал, ты знаешь...

— Да ничего я не знаю... — Я зябко поежилась, неотрывно глядя в окно. — Слушай, отпусти меня. Пожалуйста. Я уеду сегодня же к черту на кулички, и никто никогда обо мне не узнает. Деньги у тебя, неужели так важно, привезешь ты меня или нет? — Я закусила губу, справилась с дыханием и попросила еще раз: — Отпусти.

— Все надо доводить до конца, — мягко сказал он. — Давай кончим все это.

Свет фар вырвал из темноты железные ворота, Полифем посигналил, и они плавно раздвинулись. По гравийной дорожке мы проехали в глубь двора. Дом, большой и мрачный, смутно вырисовывался на фоне темного неба. На востоке едва заметно светлело. «Хорошенькое утро, — подумала я. — Или ночь. Вообще-то, разницы никакой».

— Пушка где? — спросил Полифем, не выходя из машины.

— Осталась в доме мужа. Другой не разжилась и теперь очень сожалею.

— Не говори глупостей, — сказал он и дверь распахнул. — Пошли.

Мы поднялись на крыльцо, он впереди с сумкой в руках, я за ним. Полифем нажал невидимую в темноте кнопку, вспыхнул красный огонек, и он произнес тихо:

— Это я. — Что-то щелкнуло, и дверь открылась.

— Богатый человек дядя Юра, — заметила я, заходя в холл. — Один дом краше другого.

— Нам прямо, — сказал Полифем и зашагал по коридору.

Мы вошли в комнату, обставленную как кабинет. Вдоль стен шкафы, и в них книги. «Интересно, кто эти книги читает? Не иначе как дядя Юра купил дом у знакомого литератора вместе с мебелью и библиотекой. Богатый человек, отчего ж не купить».

Сам дядя Юра сидел в кресле за огромным столом, настольная лампа освещала его и нас, углы комнаты тонули во мраке.

— Классная декорация для развязки, — заявила я, отодвинула стул и села.

— Здравствуй, дочка, — сказал дядя Юра голосом Санта-Клауса.

— Здравствуйте, — ответила я. — Должна сказать, что для покойника вы выглядите неплохо.

— Не будем говорить о пустяках.

— А о чем тогда? — искренне удивилась я.

Полифем поставил на стол сумку и замер справа от дяди Юры.

— Все? — спросил тот.

— Все, — кивнул Полифем.

— Ты был с ней у Цыгана?

— Пришлось, — пожал плечами Полифем. — Кто донес?

— Твоя Алена. Не стоило ездить, это будет трудно объяснить.

— Кому? Я привез деньги.

Дядя Юра перевел взгляд с сумки на меня.

— Ты ведь понимаешь, дочка...

— Вроде бы я просила меня так не называть. Мы с вами даже не родственники. Это первое. Теперь второе: деньги я ваши действительно свистнула, с моей точки зрения, вы это заслужили своими дурацкими хитростями. Вы сознательно втравили меня в гнусную историю, заведомо зная, что живой мне не выбраться.

— Я лишь попросил тебя отвезти деньги.

— Ага, — я хохотнула. — Ладно. Глупо вспоминать то, что уже не изменишь. Я взяла ваши деньги, которые вы свистнули у своих друзей...

— Это не мои деньги. Я ведь говорил: они принадлежат многим людям, я только храню их...

— Мне это не очень интересно. Меня больше интересует другое: я смогу покинуть этот дом? Я имею в виду, не вперед ногами, а собственным ходом и с головой.

Дядя Юра сцепил пальцы и маетно вздохнул. Ответ стал мне ясен. Я усмехнулась, вытянула ноги и стала смотреть на него. Разумеется, сам дядя Юра рук пачкать не станет. Выходит, Полифем? Мама моя... чертов любитель надрезов на шее... Я перевела взгляд на Полифема. Он стоял не шевелясь, точно истукан, руки сложены за спиной, а лицо тонуло в полумраке вместе с потолком и углами комнаты. «Если ты сейчас же не придумаешь что-нибудь выдающееся, — с тоской подумала я, — тебе не повезет. Да так, что никакое везение потом просто не понадобится». Тут одна мысль пришла мне в голову, незатейливая, но быстро все расставившая на свои места.

— Я хочу, чтобы ты меня правильно поняла, дочка, — начал дядя Юра. — Я просил тебя отвезти эти деньги...

— Не было там никаких денег... — засмеялась я. — Там была бумага. Вы надоумили своих друзей отправить меня курьером, под негласным присмотром вашего циклопа. И тут же стали хитрить: деньги повез другой курьер. А у меня хватило ума их свистнуть. А теперь, прежде чем перерезать мне горло, вы пытаетесь уверить меня в том, что человек я нечестный, и потому заслуживаю такой участи. Надо полагать, вы таким образом свою совесть успокаиваете. Я же играла по правилам, которые мне навязали, и не вам меня судить, потому что вы, Юрий Петрович, негодяй и подлец. С чем я вас и поздравляю, потому что такие, как вы, выигрывают у таких, как я.

— Я успел к тебе привязаться, дочка, — совершенно серьезно сказал дядя Юра. Я слабо хрюкнула и посочувствовала:

— Ничего, будете приходить на мою могилу с букетом роз. Так даже лучше для вас, покойники покладисты, беспокойства никакого, и с эмоциями все в порядке. Или могилы не будет? — перевела я взгляд с одного на другого. — Жаль. Тогда ничем помочь не могу, обойдетесь без воскресных выходов на кладбище.

Дядя Юра поморщился.

— Не надо так... Мы можем договориться. Ты уедешь, сменишь имя и никогда сюда не вернешься.

Я больше не хрюкала, а смеялась в голос.

— Вы всерьез верите, что я кинусь вам на шею со слезами благодарности? Доверчиво поеду с Полифемом, и где-нибудь отсюда подальше, он мило, по-семейному перережет мне горло, чтобы не портить удачную сцену прощания? Не смешите. Вы меня не отпустите, я свидетель, а хороший свидетель — это мертвый свидетель.

— Я рад, что ты меня понимаешь, дочка, — очень грустно заявил дядя Юра. — Я действительно не могу тебя отпустить.

— Да я понимаю, понимаю, — кивнула я. — Но дело в том, что умирать совершенно не собираюсь. — В этом месте я достала пистолет и сняла его с предохранителя. — Извините, ребята, у вас проблема.

Дядя Юра с удивлением взглянул на Полифема. Тот сказал спокойно, этим своим тихим голосом, способным любого довести до бешенства:

— Он не заряжен, — и достал свой.

— С ума сойти, — засмеялась я. — Перестрелка у коралля братьев Буш.

— Никакой перестрелки, — заявил Полифем, — твой пистолет не заряжен.

— А я так не думаю.

— Ты меня обижаешь, — вздохнул он, — я никогда бы не привел тебя сюда, не будь в этом уверен.

Дядя Юра улыбнулся, с тихой лаской глядя на меня.

В этот момент Полифем выстрелил и снес ему половину черепа. Я все-таки вздрогнула.

— Черт... в доме есть кто-нибудь?

— Никого. Старик верил только мне. Ты молодец, все сделала правильно.

Полифем подошел к стене и отодвинул шкаф, за ним оказалась дверца сейфа, он быстро набрал код, открыл сейф и стал извлекать пачки банкнот, бросая их на стол. Потом вышел в соседнюю комнату, минут через десять вернулся с сумкой, сгреб деньги и застегнул «молнию».

— А эти? — спросила я, покосившись на ту сумку, что мы принесли с собой.

— Ты их свистнула, значит, они твои. Мне своих хватит.

— Справедливо, — согласилась я, и мы пошли к машине, каждый со своей сумкой. — Куда теперь? — спросила я.

— К Цыгану.

— Зачем?

— Тебе нужен паспорт. И мне тоже.

— Что ж, поехали.

Свет горел по-прежнему в одном окне.

— Длинные ночи, — сказала я.

— Скоро осень, — кивнул Полифем.

Мы прошли через калитку в сад, вдруг он замер, повел головой. Я хотела задать вопрос и уже рот открыла, но поостереглась. Сердце забилось чаще. Напряженно прислушиваясь, я уловила какой-то странный, булькающий звук. Крадучись, совершенно бесшумно, Полифем сделал несколько шагов в сторону от тропинки в тень кустов, увлекая за собой меня. Я, к сожалению, бесшумно двигаться не умею. От стены дома отделилась тень и сразу замерла, а я поняла, что вижу мужчину: он что-то держал обеими руками. Постоял немного и, как видно успокоившись, двинулся дальше вдоль стены. Опять тот же звук.

«Господи, да у него канистра с бензином», — наконец поняла я. В ту же секунду Полифем рванулся вперед огромной бесформенной тенью. Сдавленный крик, шорох и голос Полифема:

— Черт...

— Коля, Коля, — услышала я мужской голос. — Я здесь ни при чем, меня Стасик послал.

— Ты один?

— Один, конечно... Алена Хряпе позвонила, сказала, что ты с девкой, а Хряпа передал Старику. Такие дела... Я сам не знал, что Старик жив. А Хряпа сюда меня послал... Ты же знаешь, что я мог?

— Пацан?..

— Нет, не было пацана. Только Алена и эти двое...

Стуча зубами, я сделала несколько шагов к стене. К этому моменту Полифем уже выпрямился, у его ног грудой тряпья лежал человек.

— Что? — спросила я и не узнала своего голоса.

— Иди в машину, — хрипло попросил Полифем.

— А ты?

— Я сейчас. Иди.

— Я с тобой, Коля, — сказала я и первой поднялась на крыльцо.

Цыган лежал в кухне, уткнувшись лицом в стол, рука свесилась к полу. Жора в трех шагах, почти на пороге, глаза открыты. Алена в следующей комнате возле окна. Может быть, надеялась выпрыгнуть...

— За что их? — прошептала я.

— Алена... дурацкая бабья ревность... Нас с тобой никто не должен был видеть вместе. Старик большой умник... был... и помнил: береженого Бог бережет.

— Мне очень жаль, — пролепетала я. — Извини. Глупо так говорить, но ничего другое просто в голову не приходит...

— Ты ни при чем. Я должен был знать, что приводить тебя сюда опасно.

— Мы опоздали на несколько минут, — сказала я и, помолчав, добавила горько: — Как он мог?

— Вообще-то, Старик поступил мудро, в этом ему не откажешь, — усмехнулся Полифем. Ушел в соседнюю комнату, а вернулся с паспортами. — Готовы, — бросил равнодушно. Склонился над Аленой, легко поднял ее на руки и шагнул к двери. Я молча шла следом. — Сними клеенку со стола, — сказал он. Я торопливо сдернула клеенку, для этого мне пришлось приподнять Цыгана и передвинуть его тело к стене.

Мы подошли к машине.

— Открой багажник и постели клеенку. — Я сделала, как он велел. Полифем положил женщину в багажник и хлопнул крышкой. — Садись в машину, — сказал он.

— А ты? — испугалась я.

— Все надо доводить до конца.

Он вернулся к дому. В темноте ярко вспыхнуло пламя. Через минуту, когда мы отъехали, дом заполыхал с двух сторон. Полифем молчал, а я терялась в догадках. Женщина мертва, это ясно, никто и ничто ей уже не поможет. Похоронить ее? Где? Конечно, у него большое горе, но что он собирается делать с трупом? Спрашивать я не решилась.

Мы направились по проселочной дороге в сторону леса. Зарево пожара поднялось над поселком, я поежилась и посмотрела на Полифема. Никаких глобальных перемен обнаружить не удалось, меланхоличное спокойствие. В течение последнего часа он разнес выстрелом голову одному человеку и перерезал горло другому. А сейчас везет труп любимой женщины. Или не любимой — это не мое дело. Мне очень захотелось мгновенно преодолеть тысячи километров, чтобы оказаться подальше отсюда. Чертовы деньги.

Начинало светать, мы проезжали через лес, Полифем внимательно поглядывал по сторонам. В одном месте, которое чем-то ему приглянулось, съехал с дороги и стал петлять между деревьев. Заглушил мотор и немного прогулялся. Я сидела молча, сжавшись в комок, и ждала. Он вернулся к машине, открыл багажник, взял труп женщины на руки.

— Что ты... — начала я, но замолчала и пошла за ним. Место он выбрал в яме, под какой-то корягой, что-то похожее на нору. — Коля, — пролепетала я, боясь, что он спятил и не поймет ни слова из того, что я пытаюсь сказать. — Ее надо было оставить там, чтобы похоронить могли, вынести ее из дома и положить в саду...

Он посмотрел удивленно и сказал как-то виновато:

— Это же труп, и ей все равно.

Пока я пыталась осознать, что это значит, он дважды выстрелил в голову женщине, превратив ее в кровавую кашу. Я осела на землю, глотнула воздуха, а потом заорала:

— Что ты делаешь, черт тебя возьми?

— Не я ее убил, — сказал он виновато и добавил: — Принеси свою сумку.

— Какую? — не поняла я.

— Ту, что ты вечно с собой таскаешь.

— Зачем?

— Если повезет, ее могут принять за тебя.

— Ты спятил... — покачала я головой.

— Я же сказал, если повезет. Попробовать всегда стоит. Неси сумку. — Видя, что я сижу истуканом, он сам сходил в машину. — Паспорт здесь? Вряд ли ее быстро найдут. К тому времени от нее мало что останется... просто еще один труп... Особых стараний опознать его никто не приложит, тем более что есть паспорт.

Он швырнул мою сумку в яму, и аккуратно перевернул женщину. Теперь она лежала на животе, закрыв собой сумку. Он сдвинул бревно и стал забрасывать яму землей и ветками. Пошатываясь, я побрела к машине.

Вернулся он не скоро, я сидела и тупо таращилась в окно.

— Ты бледная, — сказал он.

— Не удивительно, раз ты меня только что похоронил.

— Это все, что я мог сделать. Здесь тебе оставаться нельзя. У тебя есть деньги и паспорт.

— Я не смогу работать, идиот несчастный, — сорвалась я. — Ты понимаешь? — Он пожал плечами.

— Зато ты сможешь жить.

— Куда мы? — спросила я через полчаса.

— Все как раньше: выскочим за пределы области, доберемся до любого крупного города, а там... куда пожелаешь. Ты вроде хотела на Камчатку.

— А подальше ничего нет?

— Наверное, есть.

Мы опять замолчали. Он остановил машину и вышел: дорога безлюдная, серый рассвет.

— Что? — спросила я.

— Выброшу клеенку. — Потом он вернулся за тряпкой и что-то долго тер. Я привалилась затылком к сиденью и глаза закрыла.

— Не верю, что это кончится, — подумала вслух.

— Кончится, — отозвался он. — Все когда-нибудь кончается. По-другому просто не бывает.

— А ты философ, — съязвила я.

— Иногда... — пожал он плечами.

И мы поехали дальше. Я все-таки задремала, мне вроде бы что-то снилось, путаное, тягучее и страшное. Открыла глаза. Полифем посмотрел на меня, слабо улыбнулся, сказал:

— С добрым утром.

— Да уж... — проворчала я.

— Сейчас был указатель. Еще семьдесят километров, и мы на месте.

— Поверить не могу.

Мы несколько раз пытались завести разговор, но он не клеился. Остановились у придорожного кафе и поели, вяло и молча. Проезжая через большое село, я увидела вывеску «Баня» и сказала:

— Останови. — Он взглянул вопросительно, а я пояснила: — Хочу вымыться. Пойду узнаю.

Баня работала. Я зашла в магазин по соседству, купила белье, полотенце и кое-что по мелочи.

— Ты не желаешь? — спросила Полифема.

— Потерплю.

Баня вовсе не была баней: пять душевых кабинок. Я включила горячую воду и долго, с остервенением натирала себя мочалкой.

Полифем терпеливо ждал. В лице ни тени неудовольствия, впрочем, как и других эмоций. Сказал:

— Как новенькая...

— Спасибо, — кивнула я. — Зря не пошел, после таких дел...

— Забудь, — сказал Полифем и посмотрел как-то странно. Я уставилась на свои колени, чувствуя, что сейчас зареву.

— Я не знаю, получится ли...

— Получится, — улыбнулся он.

Город возник неожиданно и как-то сразу.

— Опять на вокзал? — спросила я.

— От машины лучше избавиться. Приткнем на первой стоянке.

Она не замедлила появиться. Полифем ставил машину, а я прогуливалась, глядя себе под ноги. Незнакомый город занимал меня мало.

— Здесь за углом автобусная остановка, — подходя, сообщил Полифем. — Тринадцатый маршрут до вокзала.

— Здорово, — пожала я плечами.

Автобус ждали минут десять, потом я села у окна, а Полифем остался стоять на задней площадке. «Быстрей бы все кончилось», — подумала я.

— Выходим, — окликнул он, и я торопливо поднялась.

Вокзал был новым, огромным, гулким.

— Куда тебе взять билет? — спросил Полифем.

— В Самару, — ответила я.

— У тебя там кто-то есть? — заинтересовался он, а я засмеялась.

— У меня нет дома, нет друзей, и уж точно никого нет в Самаре.

— Может, это и неплохо. — Тут он поднял глаза, увидел табличку и засмеялся: — Ясно. Отправление через три часа.

— Ага. Чего тянуть... А ты?

— Задержусь на пару дней.

— Родственники?

— Дружок. Здесь, неподалеку, улица Урицкого... Посиди, я схожу за билетом. — Я села, бросив сумку под ноги, и стала глазеть по сторонам. Совершенно ничего интересного. Тут он вернулся. — Порядок. Купе, нижняя полка. Держи.

— Спасибо.

— Чем займешься до отправления?

— Пройдусь по магазинам, куплю кое-что.

— Ворон не лови, сумку не оставляй и вообще будь поосторожнее.

— Спасибо... давай прощаться?
— Давай, — кивнул он.
— Наверное, я должна сказать тебе спасибо. — Полифем усмехнулся.
— Ты мне ничего не должна. Это я тебе должен.
— До меня иногда плохо доходит, но если ты так говоришь, значит, так и есть.
— Конечно. — Он протянул мне руку, я неумело ее пожала.
— Прощай.
— Может, встретимся, — засмеялся он.
— Да. Где-нибудь, когда-нибудь.
— Счастливо. И поосторожней, пожалуйста.
Он повернулся, закинул сумку на плечо и пошел к выходу. А я немного посидела на скамейке, вытянув ноги, потом пошла в туалет, умылась и посмотрела на себя в зеркало. Тут и явилось озарение, с ним всегда так, оно или вовсе не является, или, как сейчас, с большим опозданием.
— Мамочка моя... — охнула я, схватила сумку и бросилась к выходу.
На площади перед вокзалом его не было, я пробежала ее из конца в конец, остановилась, шаря вокруг глазами. Бросилась к стоянке такси. Там его тоже не было. Потом к троллейбусной остановке. Какая же я дура... Он мог зайти в магазин, я вернулась на площадь, заметалась по ней, стараясь высмотреть огромную фигуру с сумкой через плечо.
Через полчаса меня стало трясти от отчаяния. Я все еще надеялась, но надежды по капле уходили в пустоту, и я начала осознавать, что свой шанс глупо упустила. Сдаваться я не хотела. Еще раз прочесала всю площадь. Он мог не задерживаясь уйти или даже уехать. Он назвал улицу Урицкого. Если повезет и там частные дома, я просто пройду их один за другим.
Я решительно направилась к остановке, но под ложечкой сосало, а на глаза наворачивались слезы. Я вроде бы молилась и твердила как заведенная: «Я найду его, найду».

Троллейбус только что отошел. Старушка торговала семечками, я подошла и спросила:

— Извините, как проехать на улицу Урицкого?

— Да здесь пешком быстрей, — ответила старушка, — перекресток видите, вот там Урицкого и есть. — Я кинулась бегом.

Никакого везения. Пятиэтажные дома бесконечным рядом. «Мне может повезти, и мы встретимся, или он увидит меня в окно. Сядет за стол возле окна, будет болтать со своим другом и на улицу поглядывать и увидит меня».

Я прошла вдоль всей улицы, сначала по одной стороне, потом по другой... Он увидит меня в окно. Я буду проходить, именно в этот момент он посмотрит и... Один шанс из тысячи. На свете и не такое бывает.

Я прошла еще раз. Он мог не застать своего друга дома и сейчас болтается по улице или сидит во дворе... Я пошла дворами, четными, потом нечетными. Это было нелепо, но ничего другого не оставалось. Я подозревала, что буду бродить здесь до конца жизни... Тут я вспомнила о поезде, посмотрела на часы. Отправление через пятнадцать минут. А если он решит меня проводить и вернется на вокзал? Я бросилась к дороге, остановила машину и через пять минут была на перроне. Пробежала до самого конца, вернулась к дверям вокзала. Посадка заканчивалась, и перрон пустел. Мне надо сесть в поезд, дождаться, когда этот город исчезнет за окном, а потом пойти в ресторан. Поесть, выпить коньяка и подумать о том, как я буду жить дальше... Если я уеду, то никогда его не найду... Ты его и так не найдешь... Я устроюсь в гостинице и буду каждый день ходить на эту чертову улицу. Заведу тетрадь, чтоб отмечать квартиры. Там шестьдесят семь домов, пятиэтажки, по пятнадцать домов на каждый день, квартира за квартирой. «Простите, не у вас остановился высокий такой парень, зовут Коля, у него странная татуировка на плече, и он похож на Полифема?»

Поезд дернулся и медленно пополз вдоль перрона... Он назвал улицу, зачем? Чтобы сообщение о друге выглядело правдоподобнее. Табличка с названием улицы, как раз на перекрестке, он увидел ее из автобуса... «У меня нет дома, нет друзей...» Я уронила сумку и смотрела вслед поезду. «Господи, я не хочу этих денег, я боюсь одна, и я не хочу никакого другого...»

Не знаю, сколько я так стояла, вокруг теснились люди, значит, будет еще поезд, потом еще... А я пойду на эту улицу, я знаю, что он соврал, но что мне остается?

И я пошла, только теперь не торопясь и не шаря взглядом по сторонам, я шла, хлюпала носом и мечтала, что мне повезет и он выйдет навстречу.

Хватило меня не надолго. Я увидела сквер, свернула, села на скамейке под деревьями, обхватила колени и уткнулась в них лицом. «Я даже дышать не хочу», — пожаловалась я самой себе. И вдруг насторожилась: кто-то был за спиной. Я резко повернулась. Привалившись спиной к дереву, там стоял Полифем.

— Ты, случаем, не меня ищешь? — спросил он нерешительно. Я быстро вытерла глаза и ответила:

— Сто раз тебе говорила, не подходи со спины.

— А я всегда за спиной, пора бы привыкнуть, — улыбнулся он, подошел и сел рядом, бросив сумку на землю рядом с моей.

— Чем занимался? — спросила я.

— За тобой бегал, пытался отгадать, чего ты затеяла.

— Как твой друг?

— Откуда ж ему взяться? Почему не уехала? — Я пожала плечами. Он полез в карман, достал билет и мне протянул.

— Что это?

— Билет. В Самару, только вагон другой.

— А нельзя было мне сказать?

— Тебе это могло не понравиться.

— Конечно. Мне больше понравилось бегать по улице Урицкого из конца в конец.

— Не мог я так сразу поверить, что ты меня ищешь.

— Чудеса, — покачала я головой, — а что в Самаре?

— Ничего, — пожал он плечами. — Жил бы рядом и за тобой приглядывал.

— Ты это серьезно?

— Конечно.

— Что, вот так бы жил рядом, а я об этом даже не знала? И все?

— Почему «все», если бы возле тебя начал вертеться какой-нибудь придурок, переломал бы ему ноги. Я вообще-то ревнивый.

— Здорово, — ахнула я. — Это ты мне так в любви объясняешься, что ли?

— Вроде того...

— А выразить все это проще, ну, буквально в трех словах, ты не можешь?

— До чего ж ты слова любишь, — покачал он головой. — Ладно, принцесса, ты получила своего мальчика на побегушках. Потопали на вокзал.

Мне это необыкновенно понравилось.

— Ты это серьезно?

— Что?

— Я командую?

Он усмехнулся и головой покачал:

— Где у тебя глаза?

— Вот здорово. — Я вскочила на лавку. Теперь мы были одного роста. — А можно я сразу попробую?

— Валяй.

— Подними-ка ногу... Опусти. Блеск. Мне нравится. А теперь обними меня и скажи: «Я тебя люблю».

Он в точности выполнил команду.

— Я тебя тоже люблю, — сказала я и потерлась о его колючий подбородок. — Мне кажется, я сразу же влюбилась в тебя, еще там, на Алениной кухне. И деньги свистнула для того, чтобы ты обратил на меня внимание.

— Классно заливаешь, — покачал он головой.

— Ну чего ты, — обиделась я. — Хорошо ведь получилось... — Мы оба засмеялись.

— У меня все проще было, — сказал он. — Увидел тебя, и в мозгах вроде как заклинило: хочу, и все. Вот такую, рыжую, красивую, недоступную. Оттого принялся кроить и выкраивать...

— Много ты всего накроил, — сказала я и с лавки спрыгнула. И тут наконец решилась. — Слушай, а мне это приснилось?

— Что? — удивился он.

— Там, на турбазе?

— А тебе раньше такие сны снились?

— Нет.

— И мне нет... Идем, принцесса. Через час поезд на Ярославль.

— У тебя там кто-то есть?

— Откуда, просто город красивый.

* * *

Мы живем в пригороде, в тихом месте. Дом у нас большой и теплый. Каждый месяц мы едем в город и посылаем сами себе перевод по почте. Соседи считают, что мой муж военный, вышедший на пенсию. На нее мы и живем. Война сейчас повсюду, и версия сомнений не вызывает.

Так как я часто болтаюсь с этюдником, ходят слухи, что я художница, и вроде бы даже известная.

Полифем занялся благоустройством нашего дома: пилит, строгает и приколачивает. Начал по необходимости, а теперь увлекся. Говорит, что принцесса должна жить во дворце, и он его для меня построит.

Странно, я не скучаю по работе и не хочу к друзьям. Мне нравится валяться на диване и наблюдать за Полифемом, чувствовать на себе его взгляд и улыбаться. Я смотрю на него и думаю, что он необыкновенный, я не встречала никого красивее. Иногда он хмурится и говорит:

— Ты заскучаешь со мной, — а мне смешно.

Летом мы любим шататься по окрестностям, Полифем сажает меня на плечи, и тогда я чувствую себя повелительницей вселенной.

В общем, мы живем тихо и незаметно. Но если кто-то вдруг решит, что мы боимся, — зря. Как бы не так.

СОДЕРЖАНИЕ

Литературно-художественное издание

Полякова Татьяна Викторовна

ЧЕГО ХОЧЕТ ЖЕНЩИНА

Редактор *Г. Калашников*
Художественный редактор *С. Курбатов*
Художник *В. Федоров*
Технические редакторы
Н. Носова, Г. Павлова
Корректор *В. Назарова*

Изд. лиц. № 065377 от 22.08.97.

Налоговая льгота — общероссийский классификатор продукции ОК-005-93, том 2; 953000 — книги, брошюры

Подписано в печать с готовых монтажей 18.01.99.
Формат 84х108 1/32. Гарнитура «Таймс».
Печать офсетная. Усл. печ. л. 25,2. Уч.-изд. л. 22,6.
Доп. тираж 10 000 экз.

Заказ 4030.

ЗАО «Издательство «ЭКСМО-Пресс»,
123298, Москва, ул. Народного Ополчения, 38.

Отпечатано с готовых диапозитивов в ГИПП «Нижполиграф».
603006, Нижний Новгород, ул. Варварская, 32.